Azulejo

Anthology & Guide to the AP* Spanish
Literature and Culture Course

Second Edition

by
María Colbert
Abby Kanter
James Ryan
Marian Sugano

 Wayside®
PUBLISHING

Printed in USA

13 KP 22

Print date: 1350

Hardcover ISBN 978-1-938026-22-5

AZULEJO'S PHILOSOPHY: ATTENTION TO CONTEXT THROUGH A CHRONOLOGICAL APPROACH

I believe that nothing comes of nothing, even in Shakespeare. I wanted to know where he got the matter he was working with and what he did with that matter.[1]

-Stephen Greenblatt

Influential literary critic, professor and scholar, Stephen Greenblatt is one of the founders of New Historicism, the theory that assumes that all works are products of their time. Inheritors of Greenblatt, Azulejo's authors believe that readers must study literature within its context—considering not just the major facts but a complex network of the historical, political, cultural, and social—while remaining critically conscious of our own. Artists may converge or diverge from their generation, they may write with or against their standards, but they are indelibly marked by their period and surroundings. We, too, as readers are guided by the values and assumptions of our era and we must be aware of them to be less impeded by them.

In order to situate the course authors in their time and also address the Organizing Concepts and Essential Questions, introduced by the College Board as part of the curriculum change for the AP® Spanish Literature and Culture course, we have chosen to organize *Azulejo* chronologically. While all teachers will bring their own particular design to the course, we would argue that a chronological approach offers the richest experience for the student and the most effective way for the teacher to achieve the new goals of the course. A chronological approach allows for exploration of each author's moment and underlines continuities, and discontinuities, over time.

Our experience has been that given a cultural and historical framework presented along a time line, students experience texts in a profound and lasting way. Not only do they sense an internal cohesiveness to the course, but they also internalize the notions that literature evolves, that we are all inheritors of a tradition, and that each author, no matter how innovative, is influenced by those who came before. Additionally, students gain an appreciation of how questions of society, gender, time, space, and reality, among others, have developed—and not necessarily in a linear fashion, but rather often seemingly out of sync with a given set of beliefs. A chronological approach allows students to observe connections between disparate centuries and to discover interruptions within thought processes of a time.

Although the second edition of *Azulejo* is organized by century, with each chapter corresponding to a different one, we have slightly altered the strict chronological approach by grouping texts within **Unidades**. The connecting features of units vary, sometimes a particular literary genre and, at others, an over arching theme. The purpose of the units is to provide more manageable groupings through which students

---

1   Greenblatt, Stephen. *Hamlet in Purgatory*. Princeton: Princeton University Press, 2002.

can discuss the AP's Organizing Concepts and make logical comparisons. At the end of each unit, *Azulejo* asks students to reflect on major themes, wrestle with Essential Questions, as well as draw connections to their own lives.

Notes on Important Changes to the AP® Spanish Literature and Culture Course

Azulejo's second edition follows the Curriculum Framework 2012-2013, with special attention to the changes outlined therein. The new AP® course includes "and Culture" in the title in an effort to align more deliberately with a standards-based Spanish curriculum and emphasize all of the 5 Cs: Communication, Culture, Connections, Comparisons, Communities. Since one of the main goals of the new AP® curriculum is to make connections and comparisons across cultures, the first step is to study the context in which the work was written, to understand how a particular author sees, engages, and thinks about the world. Students gain a sense of how and why works were created and what they say about the culture in which they were produced.

The integration of texts with their historical-cultural contexts has always been *Azulejo's* objective. However, this approach opens the way for even greater understanding of the primary modes of thinking of a time when enhanced by the study of how visual artists, composers, philosophers, and historians interpreted their world. The College Board encourages teachers to increase the use of media as an aid in teaching Spanish literature. With these guidelines in mind, authors of *Azulejo's* second edition have drawn numerous connections between our texts and music, the fine arts, film, political cartoons, and other art forms throughout the book, especially in our Introducciones, Actividades, and Cuestiones esenciales sections at the end of each unit. In one unit, for example, we encourage students to explore the notion of "Literary Creation" by contrasting Don Quijote's self-creation to that of Borges in "Borges y yo" and also lead them to compare the same Borges story to a drawing by Dutch artist M.C. Escher, accessible on the artist's official website.

The introduction of Course Themes to the AP® Spanish Literature and Culture course offers a unique opportunity to simultaneously find correspondences across academic disciplines and comparisons between cultures. The themes (*las sociedades en contacto, la construcción del género, el tiempo y el espacio, las relaciones interpersonales, la dualidad del ser* and *la creación literaria*) are universal and timeless, and could be studied apart from any historical-cultural context. However, students' grasp of these themes is deepened when they understand not only how each one is expressed within a particular culture, perspective, or nation but also how these ideas have been expressed over time, and in other art forms. The goal of discovering Connections encourages students to make associations between this course and their other courses, resulting in the reinforcement of their knowledge and a deepening of their awareness of the many different forms and languages of expression.

Since the themes explored are overarching, students will find resonances in their English, history, art, and other courses. Moreover, the themes facilitate connections between readings and the students' own experience. The interdisciplinary value of integrating texts with literary movements and historical contexts, time periods and universal themes cannot be understated.

Over the years of teaching the course, we have repeatedly heard the following comments from students:

1. that their study of literary movements and historical contexts, time periods and universal themes proved invaluable in college. Several have reported that their recognition of a continuum—flowing and halting—was one of the single most formative experiences of their education, paving the way for future learning and broadening their knowledge of the world.

2. that their study of literary movements and historical contexts, time periods and universal themes helped them in their other subjects. And also, conversely, that their knowledge of other disciplines was enriched by what they learned in this course.

3. that their study of literary movements and historical contexts, time periods and universal themes helped them understand their own world and their personal place in it.

Azulejo delineates a context (historical and literary movements and cultural trends) and brings it together with the thematic. They are complementary and necessary components to the study of literature since Essential Questions repeat themselves, with the cultural variations of every era, and will continue to evolve.

The 6th C: Creativity[2]

Azulejo dares to propose a 6th C—namely, Creativity—as a means to bring a literary text to life. One of the significant revisions to the second edition is the expansion of Actividades sections, which suggest activities that enhance and deepen students' appreciation of texts. By immersing themselves actively in the creation of a project related to the literature, students:

- Increase their Interpersonal Communication.
- Become more invested in their own learning.
- Collaborate with their classmates.
- Benefit from innovative or imaginative work.
- Relate the literary text to other disciplines such as art, history, geography, music, and film.
- Gain the opportunity to synthesize material from a unit, review a topic, or explore a literary movement.
- Compare the text to their own experience and make comparisons between periods.
- Develop a greater understanding of the historical and cultural context.

Internal Organization and Our Sections

Azulejo's chapters are organized chronologically by century. Each chapter contains

---

2   The following section is adapted from a paper originally delivered at NECTFL Conference, May 2010, by Ana Colbert. Reprinted with author's permission.

an introductory section, which defines principal literary movements and addresses major events and cultural trends, and a varying number of units. The units themselves include a set of authors, each presented in a **Datos biográficos** section. Particular challenges and information necessary to understand the text will be supplied by **Notas para facilitar la lectura**. Vocabulary for the literary works is footnoted on the page of the text except in the case of two longer readings, *El burlador de Sevilla y convidado de piedra* and *San Manuel Bueno, Mártir;* vocabulary words needed for comprehension of these two texts has been included in *Azulejo's* **Glosario** along with many other general vocabulary words.

Attempting to be as comprehensive as possible, we have prepared a large number of reading and discussion questions. We envision that teachers will choose from among them and decide on an appropriate number for their class. After completing the reading, students may answer the **Sugerencias para el análisis del texto**. Teachers may want to reserve the more complex questions from **Temas para discusión y ensayos** for essay assignments or class debate.

Each unit concludes with two sections, from which teachers will likely select according to time constraints or the interests of a particular class. Here, too, we recommend that the teacher choose from among the many diverse options. **Actividades para la unidad** are meant to generate interest in an author, time, or theme, in different ways, possibly expanding on what has been assigned, introducing new writers and art forms, or inviting personal connections. **Cuestiones esenciales** integrate the AP® course's new Organizing Concepts and Essential Questions with the readings and challenge students to develop their analysis, think independently, and practice exam type essay questions.

All of our Actividades and Cuestiones esenciales may also be viewed in ***Azulejo Explorer*** (la guía digital), which supplies live links, art in color, and additional information where relevant. *Azulejo* Explorer is interactive, providing a forum for teacher-to-teacher and student-to-teacher communication. It also offers multiple means for student assessment. Prepared in the style and format of the College Board AP® exam, our evaluations offer teachers thorough and practical methods to prepare and assess students. These include:

- a complete AP® exam
- a test for every text on the AP® Spanish Literature reading list
- a test for every *Azulejo* Unidad (with Interpretive Listening, Reading Analysis and Free Response sections)
- literary term quizzes and practice quizzes
- a wide variety of Preguntas and Ensayos for the Free-Response section

Azulejo Explorer will be periodically updated.

Our **Apéndices** serve multiple purposes. *Azulejo's* authors have attempted to arm students and teachers with the framework, information, and tools needed to be successful. **Apéndice I** is dedicated to poetry, which many students find particularly difficult, and serves as a comprehensive introduction to the study of poetry. *Azulejo* users will recognize that, in response to the greater emphasis placed on Literary Terminology in the Curriculum Framework 2012-2013, we have expanded the literary terms included in **Apéndice II. Apéndice III** provides both a review mechanism for the course or ideas for thematic groupings by charting the Organizing Concepts and listing texts that can be read in conjunction. While we feel that a chronological approach is ideal, our chapters and works may also be studied individually in a different order and this appendix may help in designing such a course.

Many of the revisions to *Azulejo*'s second edition were inspired by the comments of seasoned colleagues. An important one was the creation of *Azulejo*'s **Teacher's Edition**, which we hope will assist teachers in various aspects of course preparation. See **Teacher's Edition** foreword for more details.

AUTHORS' BIOS

María Colbert (Ph.D. in Romance Languages and Literatures, Harvard University) taught Spanish language and literature at Colby College and specializes in Modern Peninsular literature and film. Other titles include the *Enfoques* series.

Abby Kanter (B.A. Smith College; M.A.T. Farleigh Dickinson University) teaches Spanish at Dwight-Englewood School in New Jersey. She is the author of *Encuentros maravillosos, Viviana y su gran aventura mexicana, La gran aventura de Alejandro,* and *Leer y charlar*, and has prepared a scholarly edition of García Márquez's *Crónica de una muerte anunciada*.

James Ryan (B.A. College of the Holy Cross; M.A. in Spanish and Spanish-American Literature Boston College) teaches Spanish language and literature at The Roxbury Latin School in Boston, MA. He has extensive experience teaching both AP® Spanish Language and AP® Spanish Literature courses.

Marian Sugano (Ph.D. UC Berkeley) teaches AP® Spanish Literature at The Overlake School in Redmond, WA. Author of the original *Horizontes, The Poetics of the Occasion*, and articles on Vargas Llosa, Cortázar, and the teaching of Spanish idioms.

ACKNOWLEDGMENTS

We would like to extend our thanks to the many people who assisted us in this project, especially: Alan Askew for his technical advice; James Colbert for his assistance with the preparation of texts and vocabulary; Angeles Goikoa for her creative ideas, expeditious work, and hours of attentive editing; and especially Alba Sasua for her innumerable and invaluable contributions.

TABLE OF CONTENTS

Capítulo 3: SIGLO XVIII 213

Capítulo 4: Siglo XIX

Capítulo 5: SIGLOS XX y XXI

UNIDAD 1. ENCUENTRO DE CULTURAS EN LA PENÍNSULA IBÉRICA

1 ▶ Contexto histórico: Convivencia y conflicto

Durante la Edad Media hay cierta uniformidad cultural en Europa, aunque las circunstancias históricas de cada país producen diferencias específicas. Hay, por ejemplo, un uso universal del latín; el arte románico primero y después el gótico, se extienden por todos los reinos europeos, con arquitectos y escultores comunes; el Camino de Santiago, que comienza en el siglo X, es la peregrinación en que francos, germanos y españoles caminan juntos hacia Compostela en el noroeste de España; el régimen político consiste en una monarquía feudal, una poderosa nobleza y un pueblo pobre y agricultor, del cual surgirá una burguesía compuesta de artesanos y mercaderes que va a ser cada vez más poderosa; la Iglesia, especialmente a través de las órdenes religiosas, es la depositaria de la cultura.

Existen también creencias e ideologías compartidas: el centro y el foco de la vida del hombre es Dios. Un profundo sentido religioso impregna la vida política, cultural y la de cada día: desde las Cruzadas hasta la arquitectura, música, escultura y el calendario que marca la vida diaria, todo tiene un trasfondo religioso. El hombre de la Edad Media tiene un profundo respeto por el orden establecido, por un rey que lo es por la gracia de Dios, por las normas de la Iglesia. La literatura de la época es también, hasta cierto punto consecuencia de este enfoque: hay géneros literarios de carácter religioso y didáctico-moral, junto con una poesía épica, originalmente oral, que narra las acciones de los héroes o las aventuras de los nobles. Se escribe progresivamente en los dialectos nacionales (o lenguas vulgares derivadas del latín) en los que habla la gente.

Dentro de esta aparente homogeneidad, la situación en la península ibérica es peculiar. El año 711 los árabes, procedentes del norte de África y en plena expansión de su imperio, invaden y conquistan la mayor parte de la península. Unos pequeños focos de resistencia en el norte van a convertirse en reinos cristianos que luchan contra los árabes en una guerra llamada de Reconquista que durará casi ocho siglos. Durante todo este tiempo, árabes y cristianos conviven entre la guerra y la paz. Los reinos cristianos de León, Castilla, Aragón y Navarra tienen en común su lucha contra los árabes y un concepto de unidad religiosa y nacional - el de ser continuadores de la España visigoda anterior a la invasión -, pero están divididos entre sí por continuas rivalidades y guerras de las que Castilla va a surgir como el poder dominante. El siglo X es la época cumbre de la política y cultura árabe, cuando el Califato de Córdoba es el centro de la vida artística y cultural del mundo conocido. La arquitectura, música, ciencia e incluso el idioma árabe dejan una huella profunda en la península. Otro grupo importante, sin poder político, pero de gran influencia social e intelectual es el de los judíos que habían llegado a España antes del siglo III. Al margen de las guerras entre árabes y cristianos y de esporádicos episodios de violenta intolerancia antisemita, esta sociedad multirracial convive durante siglos, con las comunidades no cristianas protegidas por reyes y nobles, en ocasiones, y en otras por las autoridades eclesiásticas. Los musulmanes son una experta mano de obra campesina y artesana; los judíos son los intermediarios entre cristianos y musulmanes, además de destacados administradores de tareas y finanzas reales. Un ejemplo señalado de esta convivencia es la escuela de Traductores de Toledo (cuya labor comenzó en el siglo XII y fue institucionalizada por Alfonso X en el siglo XIII), donde se traducen obras clásicas y un gran número de tratados filosóficos, matemáticos o científicos judíos o musulmanes. Pero este respeto se termina en el siglo XIV y la intolerancia religiosa culmina al final del XV con la expulsión de los judíos en 1492, bajo los Reyes Católicos, y la de los moriscos en 1610.

El reinado de Fernando e Isabel marca la transición de la Edad Media a la llamada Moderna. En el siglo XV debido a victorias bélicas y a una política de alianzas matrimoniales sólo hay dos reinos poderosos, Castilla y Aragón. Los musulmanes retienen el reino de Granada. El matrimonio de la reina Isabel de Castilla y el rey Fernando de Aragón y su empuje común contra Boabdil el Chico de Granada, unifican la península. En 1492, casi ocho siglos después de la llegada de los árabes, el último rey musulmán abandona España. Ese mismo año, impulsados por una política unificadora y centralizadora, los Reyes Católicos expulsan a los judíos que eligen no convertirse al cristianismo, abriendo una dolorosa etapa de intolerancia religiosa y dejando un vacío cultural y social que empobrece notablemente el país. El paso siguiente de un reino que se autodefine como uno (unificado y homogeneizado) es la expansión. Isabel de Castilla patrocina la aventura de Cristóbal Colón y también en 1492, con su llegada y exploración del nuevo mundo, empieza la conquista y colonización de las tierras americanas. El imperio español está establecido. Por ello, de todas las lenguas que se hablan en la península, como el catalán, el gallego o el vasco, el castellano va a convertirse en la lengua oficial y extenderse por toda la América hispana. La lengua de Castilla va a ser también la primera en regular su fonética y establecer reglas gramaticales. Como otra muestra más del fenómeno centralista y unificador, y también en 1492, se publica la primera gramática de una lengua romance, la *Gramática de la Lengua castellana* de Antonio de Nebrija. Este estado unitario, formado por ciudadanos bajo una monarquía autoritaria y centralista introduce a España en el mundo moderno y cambia para siempre la faz de la península.

Para el siglo IX el latín ha dejado de ser la lengua hablada. En distintos puntos de la península se hablan diferentes lenguas vulgares derivadas del latín, y a partir del siglo XI, se escribe en ellas también. Al ser la nobleza la clase social dominante, no es de extrañar que las narraciones épicas de carácter oral, los *Cantares de Gesta*, sean la primera manifestación literaria en castellano. Son historias heroicas de caballeros, leyendas y tradiciones, todas ellas anónimas. Al oyente no le importa quién las escribe, las atribuye al juglar que las recita. El autor tampoco pretende una creación personal, sino la transmisión de historias por todos conocidas y, al ser las canciones orales, sufren frecuentes transformaciones. El juglar las recita en forma de poema, para crear más efecto y realzar la historia. El ritmo poético facilita además su memorización por parte de la audiencia. Los versos son generalmente de catorce o dieciséis sílabas, divididos en dos mitades (hemistiquios), agrupados en coplas que riman. La más famosa es el *Cantar del Mio Cid*, escrita en el siglo XII y la obra literaria más antigua en castellano. Esta tradición épica va a transformarse en el siglo XV en el **Romancero** y su influencia en la literatura española va a perdurar a lo largo de los siglos.

Además de la nobleza, el otro poder dominante es la Iglesia. El hombre medieval ve a Dios como el creador y centro del universo, acepta humildemente el orden establecido y trata de modelar su vida según los preceptos eclesiásticos. Por ello abundan desde el siglo XII las obras religiosas y didáctico-morales. En el XIII, el rey Alfonso X el Sabio va a producir junto con sus colaboradores la primera prosa en castellano, una serie de crónicas y de tratados jurídicos y científicos. En el XIV, su sobrino **don Juan Manuel** escribe la obra didáctica ***El Conde Lucanor***, una de las primeras manifestaciones de la narrativa europea, elaborada ya con el cuidado y el estilo propio de quien se sabe escritor.

En el siglo XV, a la par que brilla la poesía cortesana del Marqués de Santillana, de Juan de Mena y de Jorge Manrique, decae el interés por las largas y complicadas canciones de gesta. La gente todavía quiere oír los episodios favoritos, que cobran de este modo independencia y vida propia por su drama. Surgen así los **romances** que siguen siendo orales y de carácter popular, anónimos y variantes. Los libros de caballerías, que narran aventuras de caballeros andantes que encarnan el heroísmo y la fidelidad amorosa, son muy populares al final del XV y a lo largo del XVI. El caballero andante recorre los caminos para ayudar a los débiles y encontrar aventuras, dispuesto al sacrificio heroico, siempre guiado por la devoción a su amada y el más estricto código del honor. La narración más famosa es el *Amadís de Gaula* y éste es el género que parodiará **Cervantes** en su ***Quijote***.

Al final del siglo, en 1499, aparece la primera edición de *La Celestina*, obra de teatro profundamente original que, con sus elementos medievales y renacentistas, representa magistralmente la transición de una época a la otra.

Don Juan Manuel

(1282-¿1349?)

Datos biográficos

Don Juan Manuel nació en Escalona, provincia de Toledo. Era sobrino del rey Alfonso X el Sabio y nieto de Fernando III. Como miembro de la alta nobleza, recibió una educación esmerada, aprendiendo además del latín el árabe y el catalán. Personalidad muy compleja, luchó durante su juventud contra los árabes, intervino activamente en las discordias de los nobles de su tiempo y fue hábil político en asuntos de estado. En su madurez se retiró al castillo de Peñafiel donde escribió unos veinte libros y en cuyo monasterio depositó sus escritos para que estuviesen bien guardados y protegidos después de su muerte. En esta triple acepción de noble caballero, defensor de la religión y literato, representa Don Juan Manuel el ideal de la época.

La prosa de Don Juan Manuel

Don Juan Manuel es el primer prosista de la literatura española con preocupación artística, el primer escritor con un estilo deliberadamente cuidado y personal. Más pulida que original, su obra muestra influencia oriental en su composición formal y en su contenido didáctico-moral, pero se inspira en los principios de la moral cristiana y en los conceptos fundamentales de la Edad Media.

Su libro más conocido es, sin duda, *El conde Lucanor* o *Libro de Patronio*. La primera parte de esta obra, terminada en 1335, consta de 51 cuentos breves o *ejemplos,* unidos por la estratagema de la petición de consejo del Conde Lucanor a su consejero Patronio. El Conde plantea un conflicto moral y Patronio narra una historia (un *ejemplo*) de la que se saca una enseñanza o solución que el autor resume en dos versos al final del cuento. Los problemas que Patronio resuelve son de muy diversa naturaleza y se relacionan con temas de moral, de política y de conducta. Los cuentos, que según el autor tienen el propósito de enseñar deleitando, siguen la rica tradición de la narrativa árabe y contienen también algunos elementos de origen clásico, principalmente fábulas y sus derivados. El mismo autor explica en el prólogo que la función del relato es endulzar la lección moral, del mismo modo que los médicos envuelven en azúcar las medicinas. Trata así de justificar lo que es evidentemente su mayor interés, la narrativa, respetando con su afirmación el espíritu didáctico y moralizador de la época.

Aunque las narraciones son muy variadas, Don Juan Manuel da a los cuentos una coherencia y un carácter único. Este libro tuvo gran influencia no sólo en la literatura española sino también en la universal. Un ejemplo es el cuento que vamos a leer aquí "De lo que aconteció a un mancebo que se casó con una mujer muy fuerte y muy brava". Su tema lo hallaremos más tarde en *The Taming of the Shrew* de Shakespeare. El *Decamerón* de Bocaccio y *Los cuentos de Canterbury* de Chaucer, de estructura semejante, son también posteriores a *El Conde Lucanor*.

Aunque denso y sentencioso para los gustos actuales, el estilo de esta prosa es claro y preciso, y muestra la preocupación artística de su autor. Sabe combinar diálogo y narración, mantener el interés del lector con detalles interesantes e incluso introducir un fino sentido del humor. El humor, en contraste con otras obras de la época, toma a veces la forma de refinada ironía, sin perder nunca la elegancia. Don Juan Manuel supo hacer una cuidada selección de palabras y frases, con repetidas correcciones y enmiendas de sus textos.

❖ ❖ ❖ ❖ ❖ ❖ ❖ ❖ ❖ ❖ ❖

De lo que aconteció a un mancebo que se casó con una mujer muy fuerte y muy brava

Otra vez hablaba el conde Lucanor con Patronio, y le dijo:

—Patronio, un criado mío me dijo que está en tratos de casamiento[1] con una mujer muy rica y que aunque la mujer es más honrada que él y que es un casamiento muy bueno para él, hay una dificultad. Y la dificultad es: me dijo que decían que aquella mujer era la
5   más fuerte y la más brava cosa del mundo. Y ahora os ruego que me aconsejéis si le mando que se case con aquella mujer, pues sabe de qué manera es, o le mando que no lo haga.

—Señor conde–dijo Patronio–, si él fuera tal como fue el hijo de un hombre bueno que era moro, aconsejadle que se case con ella. Pero si no fuese tal, no se lo aconsejéis.

El conde le rogó que explicase cómo era aquello. Patronio le dijo que había en una
10   ciudad un hombre bueno que tenía un hijo, el mejor mancebo[2] que podía ser, pero no tan rico que pudiese hacer tantas y tan grandes cosas como su corazón le daba a entender que debía hacer. Y por eso estaba muy preocupado, porque tenía la buena voluntad pero no el poder.

Y en aquella ciudad misma había otro hombre más honrado y más rico que su padre,
15   y que tenía una sola hija. Y esta hija era muy contraria al mancebo, porque cuanto tenía el joven de buenas maneras, tanto tenía ella de malas y opuestas a las de él: y por esto nadie en el mundo quería casar con aquel diablo[3].

Y aquel buen muchacho vino un día a su padre y le dijo que sabía que no era tan rico que le pudiese dar con qué vivir con honra, y que tendría que vivir una vida miserable y
20   penosa o irse de aquella tierra. Que si a su padre le parecía bien, mejor sería preparar un casamiento con el que pudiese obtener medio de vivir. Y el padre le dijo que le complacía

---

1   **casamiento** marriage

2   **mancebo** young man

3   **diablo** devil

muy mucho si pudiese hallar para él un casamiento que él consiguiera.

Y entonces le dijo el hijo que, si él quisiese, podría arreglar el casamiento con aquel hombre bueno que tenía aquella hija. Cuando el padre oyó esto, fue maravillado y le dijo
25   que cómo se preocupaba de tal cosa, que no había hombre que, por pobre que fuese, quisiese casarse con ella. El hijo le dijo que pedía por favor que arreglase aquel casamiento. Y tanto insistió que, aunque el padre lo tuvo por extraño, lo aceptó.

Y él se fue luego a aquel hombre bueno y ambos eran mucho amigos, y le dijo todo lo que pasaba con su hijo y le rogó que, puesto que su hijo se atrevía a casarse con su hija, que
30   se complaciera dársela. Y cuando el hombre bueno oyó eso, le dijo:

—Por Dios, amigo, si yo tal cosa hiciese, os sería muy falso amigo, porque vos tenéis muy bueno hijo, y tendría que hacer muy gran maldad si yo consintiese su mal o su muerte. Y estoy cierto que si mi hija se casase con él, o sería muerto o le valdría más la muerte que la vida. Y no os digo esto por no cumplir vuestro deseo, porque si la quisiereis,
35   a mí mucho me complacería[4] de darla a vuestro hijo o a quienquiera que me la saque de casa.

Y su amigo le dijo que agradecía mucho cuanto le decía, y que puesto que su hijo quería aquel casamiento, que le rogaba que le complaciera.

Y el casamiento se hizo y llevaron la novia a casa de su marido. Y los moros tienen por
40   costumbre que preparan la cena a los novios y les ponen la mesa y los dejan en su casa hasta el otro día.

Y lo hicieron así; pero, estaban los padres y las madres y los parientes del novio y de la novia con gran ansiedad, preocupados de que otro día hallarían al novio muerto o muy maltrecho[5].

45   Y luego que ellos se quedaron solos en casa, se sentaron a la mesa, y antes de que ella hubiese dicho nada, miró el novio alrededor de la mesa y vio un perro y le dijo ya muy bravamente:

—¡Perro, dános agua a las manos!

El perro no lo hizo. Y él se comenzó a enojar y le dijo más bravamente que le diese
50   agua a las manos. Y el perro no lo hizo. Y cuando que vio que no lo hacía, se levantó muy enojado de la mesa y metió mano a la espada[6] y se dirigió al perro. Cuando el perro lo vio venir, comenzó a huir y él detrás, saltando ambos por la ropa y por la mesa y por el fuego y anduvo detrás de él hasta que lo alcanzó y cortó la cabeza y las piernas y los brazos y le hizo todo pedazos y ensangrentó toda la casa y la mesa y la ropa.

55   Y así muy enojado y todo ensangrentado se volvió a sentar a la mesa y miró alrededor y vio un gato y le dijo que le diese agua a las manos, y porque no lo hizo le dijo:

---

4   **complacería** would please

5   **maltrecho** in bad shape

6   **espada** sword

—¿Cómo, don falso traidor[7], no vistes lo que hice al perro porque no quiso hacer lo que le mandé yo? Prometo a Dios que si no haces lo que te mando, te haré lo mismo que al perro.

60 Y el gato no lo hizo, porque tampoco es su costumbre ni la del perro dar agua a las manos. Y porque no lo hizo, se levantó y le tomó por las piernas y dio con él a la pared y hizo de él más de cien pedazos y le mostró muy mayor saña[8] que contra el perro.

Y así bravo y enojado y haciendo muy malos gestos, se volvió a la mesa y miró a todas partes. La mujer que le vio hacer esto, pensó que estaba loco o fuera del seso y no decía 65 nada.

Y cuando hubo mirado a todas partes, vio un caballo suyo que estaba en casa, el único que tenía, y le dijo muy bravamente que le diese agua a las manos; y el caballo no lo hizo. Y cuando vio que no lo hizo le dijo:

—¿Cómo, don caballo, creéis que porque no tengo otro caballo, por eso os dejaré si 70 no hicierais lo que yo os mando? De eso os guardéis, que si por vuestra mala ventura no hacéis lo que yo os mando, yo juro a Dios que tan mala muerte os dé como a los otros. Y no hay cosa viva en el mundo a quien no haré eso mismo si no hace lo que yo mando.

Y el caballo estuvo quieto. Y cuando vio que no hacía su mandado, fue a él y le cortó la cabeza con la mayor saña que podía mostrar y lo despedazó[9] todo. Y cuando la mujer vio 75 que mataba el caballo, no habiendo otro, y que decía que esto haría a cualquiera que no cumpliese su mandado, se dio cuenta que no lo hacía por juego, y tuvo tan gran miedo que no sabía si era muerta o viva.

Y así él, bravo y enojado y ensangrentado, se volvió a la mesa, jurando que si mil caballos y hombres y mujeres hubiese en casa que no le obedecían, todos serían muertos. 80 Y se sentó y miró a cada parte teniendo la espada sangrienta en el regazo; y cuando miró a una parte y a otra y no vio cosa viva, volvió los ojos contra su mujer muy bravamente y le dijo con gran saña teniendo la espada en la mano:

—Levantáos y dadme agua a las manos.

La mujer que no esperaba otra cosa sino que la despedazaría toda, se levantó muy 85 deprisa y le dio agua a las manos. Y le dijo él:

—Ah, cómo agradezco a Dios que hiciste lo que os mandé, porque de otra forma, por el pesar que estos locos me hicieron, lo mismo hubiera hecho a vos que a ellos.

Y le mandó que le diese de comer; y ella lo hizo. Y cada cosa que le decía, tan bravamente se lo decía y en tal tono, que ella ya temía que le iba a cortar su cabeza.

90 Y así pasó el asunto entre ellos aquella noche, que nunca ella habló más y hacía lo que él mandaba. Y cuando hubieron dormido un rato le dijo él:

---

7 **traidor** traitor

8 **saña** cruelty

9 **despedazó** tore to pieces

—Con esta saña que tuve esta noche, no pude dormir bien. Mirad que no me despierte mañana ninguno y tenedme bien preparado de comer.

Y por la mañana los padres y las madres y parientes llegaron a la puerta, y porque no hablaba nadie estaban preocupados de que el novio estaba muerto o herido. Y cuando vieron por las puertas a la novia y no al novio, se preocuparon más.

Y cuando ella los vio a la puerta, llegó muy rápido y con gran miedo comenzó a decirles:

—Locos, traidores, ¿qué hacéis? ¿Cómo osáis llegar a la puerta hablando? ¡Callad! Si no, todos, también vos como yo, todos somos muertos.

Y cuando esto oyeron, fueron maravillados y cuando supieron cómo pasaron las cosas, apreciaron mucho al mancebo, porque sabía hacer lo que le correspondía y castigar tan bien en su casa.

Y desde aquél día en adelante, su mujer fue bien mandada[10] y tuvieron muy buena vida.

Y después de pocos días, su suegro quiso hacer así como hiciera su yerno[11], y por aquella mañana mató un gallo, y le dijo su mujer:

—A la fe, don Fulano, tarde os acordasteis, porque ya no os valdría nada aunque mataseis cien caballos, que antes lo tenías que hacer comenzado, porque ya nos conocemos bien.

—Y vos, señor conde, si aquel vuestro criado se quiere casar con tal mujer, si fuere él tal como aquel mancebo, aconsejadle que se case, porque él sabrá como pasa en su casa. Pero si no entiende lo que debe hacer, dejadle que pase su suerte. Y aún os aconsejo que con todos los hombres que tuviereis que ver, que siempre les deis a entender en cual manera han de pasar con vos.

El conde tuvo éste por buen consejo y lo hizo así y todo acabó bien. Y porque don Juan lo tuvo por buen ejemplo, lo escribió en este libro y compuso estos versos que dicen así:

Si al comienzo no muestras quién eres,

nunca podrás después, cuando quisieres.

✦ ✦ ✦ ✦ ✦ ✦ ✦ ✦ ✦ ✦ ✦ ✦

---

10 **bien mandada** obedient

11 **yerno** son-in-law

Sugerencias para el análisis del cuento

1. Describe la estructura de este cuento. ¿Hay más de un narrador?

2. Comenta la función de las repeticiones.

3. ¿Qué pretende enseñar este ejemplo? ¿Dónde y cómo está expresado?

4. ¿Cuál es la función de Patronio?

5. Comenta la importancia del diálogo. ¿Cómo nos ayuda a conocer a los personajes?

6. ¿Son los personajes simplistas, cortados por el mismo patrón?

7. ¿Hay algún elemento de humor en el cuento? ¿Qué efecto busca?

Temas de discusión y ensayos

1. Compara la condición de la mujer en esa época con la de la mujer moderna. ¿Qué haría una mujer de ahora en la misma situación?

2. ¿Crees que el cuento es una lección de moral práctica como pretendía Don Juan Manuel? ¿Es la moraleja del cuento los dos versos finales como pretende el narrador? ¿Piensas que tendría en su época algún efecto? ¿Sería la moraleja del cuento válida hoy día?

3. Observa el estilo del cuento. ¿En qué se diferencia de una forma de escribir contemporánea? Menciona detalles específicos en cuanto al lenguaje y la manera de narrar.

4. Describe la sociedad de la época como se percibe a través de la historia.

5. Si has leído la comedia de Shakespeare *La fierecilla domada (The Taming of the Shrew)*, compara a la fierecilla y la mujer brava.

6. Contrasta a la mujer brava con Bernarda de *La casa de Bernarda Alba*.

7. Compara la actitud del mancebo y de la mujer con tus propias actitudes. ¿Cómo se explica la diferencia?

Los romances

Se llama *romance* a una composición poética, predominantemente narrativa, escrita en un estilo directo, vigoroso y sencillo. El romance cuenta una historia de variada longitud y por ello consta de un número indefinido de versos. Los versos son de ocho sílabas, con rima asonante en los versos pares. Aunque hay diversas teorías sobre el origen de los romances, hoy día se acepta generalmente la defendida por el eminente investigador Menéndez Pidal. Esta teoría sostiene que el romance se origina a partir de los cantares de gesta y se forma hacia el siglo XIV. Se apropia de fragmentos de temas épicos conocidos a través de los recitados de los juglares. Poco a poco se van desgajando del cantar original los trozos que más gustan al público o las escenas más significativas. Los versos originales, de 16 sílabas con rima asonante, se dividen en dos de ocho sílabas con rima en los versos pares. No es sorprendente que este género eminentemente popular y oral se apoye en el verso octosílabo, que es muy natural, casi espontáneo y fácil de recordar, en el habla española. En algunos casos, tras cada estrofa, se repite el mismo verso (*estribillo*), manteniéndose así la tradición musical. Destinados a entretener a un público popular que los escucha, los romances incluyen diferentes voces, contienen diálogos, son vivos y sencillos, y hablan a veces directamente a su audiencia. Utilizan frecuentes repeticiones, en la forma de paralelismos y anáforas. Ocasionalmente, algunos romances terminan en un final impreciso y rodeado de misterio que deja al auditorio en suspenso.

Conocemos con el nombre de *Romancero* al conjunto de estos poemas recogidos por la tradición oral. Los de los siglos XIV y XV (muchos compilados en la primera mitad del XVI) forman el grupo conocido como el *Romancero viejo*. Los romances contenidos en este Romancero son muy variados, algunos históricos, otros líricos, y tratan temas muy diversos: la guerra, el heroísmo, la traición, el amor, el adulterio, la fidelidad. Narran con frecuencia las hazañas de héroes nacionales o extranjeros y muchos de ellos se refieren a episodios de la frontera árabe-cristiana, como ocurre con el romance "¡Ay de mi Alhama!".

Aunque sin la extraordinaria popularidad de la que gozaron en los siglos XV y XVI, los romances han sobrevivido hasta el presente y su género continuó cultivándose por poetas como Cervantes, Quevedo y Góngora, los románticos del siglo XIX y en el XX por Rubén Darío, Antonio Machado, Unamuno y Miguel Hernández. Los más famosos romances contemporáneos son los de García Lorca agrupados en su *Romancero gitano*. Hoy en día, como en siglos pasados, la mención del título "romance" sugiere al lector un poema narrativo de carácter popular y de musicalidad atractiva y fácil de captar.

Notas para facilitar la lectura:

Los romances emplean frecuentemente *arcaísmos*, o vocabulario y formas anticuadas, que acentúan en el poema el gusto por el pasado. Algunos ejemplos son el uso de *haber* por *tener*; la *f* en vez de la *h* al principio de las palabras (*fabló* por *habló*); contracciones como *n'el* por *en el*; el imperfecto del subjuntivo como tiempo pasado narrativo (*hablara* por *habló* o *hablaba*), y el uso de los pronombres al final del verbo como *díjole* por *le dijo*.

En este romance se narra la pérdida de Alhama, población fortificada situada a poca distancia de Granada. Alhama fue conquistada por el Marqués de Cádiz en 1482. La caída de esta ciudad, que hacía presagiar la caída de la ciudad de Granada diez años después, llena de pánico al rey árabe Muley Abulhasán. Este romance tiene *estribillo* ya que se adaptó para cantarlo. Fue uno de los romances favoritos del *Siglo de Oro*.

✦ ✦ ✦ ✦ ✦ ✦ ✦ ✦ ✦ ✦ ✦

Romance de la pérdida de Alhama

Paseábase el rey moro
por la ciudad de Granada,
desde la puerta de Elvira[1]
hasta la de Vivarrambla[2].
5 ¡Ay de mi Alhama!

Cartas le fueron venidas
que Alhama estaba ganada;
las cartas echó en el fuego
y al mensajero matara.
10 ¡Ay de mi Alhama!

Descabalgaba de una mula,
y en un caballo cabalga;
por el Zacatín[3] arriba
subido se había al Alhambra[4].
15 ¡Ay de mi Alhama!

Como en el Alhambra estuvo,
al mismo punto mandaba
que se toquen sus trompetas,
sus añafiles[5] de plata.
20 ¡Ay de mi Alhama!

Y que las cajas de guerra[6]
apriesa toquen el arma,
porque lo oigan sus moros
los de la Vega y Granada.
25 ¡Ay de mi Alhama!

Los moros que el son oyeron
que al sangriento Marte[7] llama,
uno a uno y dos a dos

juntado se ha gran batalla[8].
¡Ay de mi Alhama!   30

Allí fabló[9] un moro viejo,
de esta manera fablara:
—¿Para qué nos llamas, rey,
para qué es esta llamada?
¡Ay de mi Alhama!   35

— Habéis de saber, amigos,
una nueva[10] desdichada:
Que cristianos de braveza
ya nos han ganado Alhama.
¡Ay de mi Alhama!   40

Allí fabló un alfaquí[11]
de barba crecida y cana:
—Bien se te emplea, buen rey,
buen rey, bien se te empleara.
¡Ay de mi Alhama!   45

—Mataste los Bencerrajes[12],
que eran la flor de Granada;
cogiste los tornadizos[13]
de Córdoba la nombrada.
¡Ay de mi Alhama!   50

—Por eso mereces, rey,
una pena muy doblada:
Que te pierdas tú y tu reino,
y aquí se pierda Granada.
¡Ay de mi Alhama!   55

❖ ❖ ❖ ❖ ❖ ❖ ❖ ❖ ❖ ❖ ❖ ❖

---

1 **la puerta de Elvira** one of Granada's gates

2 **Vivarrambla** another gate

3 **Zacatín** market street

4 **Alhambra** Arab palace

5 **añafiles** Arab trumpets

6 **cajas de guerra** drums

7 **Marte** Roman god of war

8 **batalla** army

9 **fabló** *habló*

10 **nueva** news

11 **alfaquí** expert in law

12 **Bencerrajes** one of Granadás most important families

13 **tornadizos** converts to Islam

Sugerencias para el análisis del romance

1. Comenta la actitud y reacción del rey.

2. Después de leer el romance, ¿qué sabes del rey moro en "¡Ay de mi Alhama!"?

3. ¿Puedes identificar los elementos históricos y culturales que caracterizan este romance como parte del ciclo histórico-fronterizo?

4. Según el *alfaquí*, ¿por qué se pierde Alhama? ¿Quién tiene la culpa?

5. ¿Qué elementos poéticos puedes identificar en este romance? ¿Cuál es la rima? ¿Pueden tener algún efecto especial las vocales que riman?

6. Comenta el uso del diálogo en este romance. ¿Quiénes hablan? ¿A quién se dirigen? ¿Cuál es el efecto de introducir un lenguaje directo en vez de continuar la narrativa?

7. ¿Qué tiempos verbales se utilizan? ¿Cuál es el efecto de estas alternancias verbales?

8. Este romance, como otros muchos, empieza cuando la acción ya ha ocurrido. ¿Cómo se llama este recurso literario? ¿Qué efecto busca?

9. Observa el lenguaje, ¿es este poema difícil de comprender? Razona tu respuesta.

Temas de discusión y ensayos

1. Comenta el punto de vista de este poema. ¿En qué versos es evidente? ¿Quién habla y a quién se dirige? ¿Por quién crees que está escrito, por un árabe o por un cristiano? Fundamenta tu respuesta.

2. ¿Cuántas voces puedes observar en este romance? ¿Qué efecto causa esta polifonía?

3. ¿Cuál es el tono del poema? ¿Qué elementos lo deciden?

4. Observa detalladamente el estribillo. Observa por ejemplo, la puntuación y las vocales más frecuentes. ¿Son frecuentes las señales de exclamación en un poema? ¿Qué efecto causan aquí? Relaciona tu respuesta con las preguntas anteriores.

5. ¿Cuál es el tema de este romance?

6. Escucha el ritmo y musicalidad de este romance leído en voz alta. Busca una explicación de por qué el romancero usa versos de ocho sílabas, aparte de la histórica mencionada en la introducción. ¿Puedes imaginar este poema cantado por un juglar? En tu opinión, ¿cómo son más efectivos los romances, leídos, recitados o cantados?

7. ¿Puedes explicar la popularidad de este romance?

Actividades *Conde Lucanor*

1. Se pueden dramatizar algunas escenas del *Conde Lucanor*, reproduciendo los diálogos. Se seleccionan con cuidado los más dramáticos, los del novio y la novia y se conserva el lenguaje antiguo.

2. Los estudiantes pueden alterar la segunda parte del *Conde Lucanor*, cambiando la reacción de la mujer brava y escribiendo una moraleja completamente diferente. Se puede hacer de tarea en casa o rápidamente en clase en grupos que la cuentan unos a otros

3. Por grupos o individualmente, los estudiantes escriben un cuento a modo de "ejemplo" sobre una situación contemporánea con su moraleja final.

4. Por grupos, los estudiantes re-escriben (o improvisan) el *Conde Lucanor* adaptándolo al siglo XXI, a partir del momento que el marido mata a los animales. ¿Cómo reaccionaría una esposa actual? ¿Los padres? ¿Los vecinos? ¿P.E.T.A. (People for the Ethical Treatment of Animals)? De nuevo, se puede dar diferentes papeles a diferentes estudiantes que pueden actuar y escuchar por turno. Es bueno incluir incluir humor en sus presentaciones.

5. Compara a la mujer brava con Kat de la película *Diez razones para odiarte* (*10 Things I Hate About You*).

6. Aunque por su brutalidad con los animales y la esposa no tendría este cuento cabida hoy en el mundo del cine, hay sin embargo abundantes películas que representan la sumisión de la mujer (después de una lucha inteligente de casi iguales): *El hombre tranquilo* (*The Quiet Man*), *La costilla de Adán* (*Adam's Rib*), y muchas más. Los estudiantes pueden buscar ejemplos en el cine y la televisión, encontrando los diferentes modos de llevar a una persona a la sumisión sin ofender ni usar violencia.

Actividades *Romance*

1. El romance se presta a una lectura dramatizada en clase, con diferentes personajes y un narrador. El estribillo puede ser recitado por un coro de varios estudiantes.

2. Cada alumno memoriza parte de un romance para recitarlo a la clase. Puede ser "¡Ay de mi Alhama!" o cualquier otro de los romances viejos. "Abenámar" y "Por el mes era de mayo" han sido favoritos de numerosos estudiantes.

3. Se puede escuchar el romance con música andalusí del siglo XVI:

   Mirar la guía digital (*Azulejo* Explorer) para encontrar enlaces vivos.

   La música es de Luys de Narváez (compositor del siglo XVI de "Los seis libros del delfín"). Pertenece al volumen 5.

4. Los estudiantes pueden hacer una presentación histórica de la ocupación árabe de España. Pueden elaborar una PPT incluyendo mapas de la península que muestren las diferencias de fronteras en los siglos VIII, X, XII y XIV, por ejemplo.

5. Otro grupo de estudiantes puede enfocarse en la pérdida de Alhama (tema del poema) y de Granada (diez años más tarde). La pérdida de Alhama fue una tragedia para los árabes y una victoria significativa para los cristianos. Es necesario describir los dos puntos de vista, dar detalles específicos del significado de esta tragedia, basándose en la introducción histórica de este capítulo, investigación y el romance.

6. El cantante Paco Ibáñez tiene su versión de "¡Ay de mi Alhama!". Se puede escuchar en YouTube. Otra versión del poema en YouTube es la del grupo Almaridi de Extremadura. Los estudiantes pueden elegir la versión más fiel al poema. Se pueden comparar con las versiones de música antigua "andalusí", permitiendo ver la popularidad del romance a través de los siglos.

   (Mirar la guía digital para encontrar enlaces vivos.)

7. Dos grupos de estudiantes hacen una presentación artística sobre la geografía de España: El primero describe las características de las iglesias románicas, catedrales góticas, castillos, frescos, vidrieras con representaciones de santos o hazañas, por el lado cristiano. Otro grupo hace un estudio paralelo del arte árabe en Toledo y en el sur de la península: la Alhambra, la Giralda, etc.

8. Además del arte, los estudiantes pueden investigar la vida diaria en ambas partes, cristiana y musulmana, las conversiones de uno y otro lado, la convivencia, el comercio, la agricultura (los árabes fueron grandes expertos en el aprovechamiento de la tierra), la arquitectura, la mutua influencia literaria. Deben comprender la íntima conexión de dos sociedades que son, de modo incompleto y erróneo, percibidas como enemigos en constante pie de guerra.

9. Se puede escuchar en clase el CD *Tres culturas. Judíos, cristianos y musulmanes en la España medieval*. Eduardo Paniagua. Pneuma, Almanzora 49 28023 Madrid.

10. El mejor ejemplo de mezcla de culturas es la Gran Mezquita-Catedral de Córdoba:

    http://visitacatedral.promediadifusion.com/

    Cuando los cristianos conquistaron Córdoba, impresionados por su belleza, no destruyeron su mezquita sino que convirtieron parte de su interior en iglesia cristiana. Así sigue hasta la actualidad.

11. En el aspecto literario, se pueden leer en clase algunas *jarchas*, las más tempranas composiciones líricas en castellano (en realidad castellano/árabe) escritas en la España musulmana en los siglos X y XI. Son poemitas de amor en voz femenina, el contrapunto a los poemas épicos. Se pueden encontrar con facilidad en libros de literatura e incluso en internet.

12. Cada estudiante puede estudiar una palabra española de origen árabe y explicarla: Ojalá (Oh'Allah, ruego a Dios); alfombra (los árabes no representan la figura humana, pero decoran las alfombras que usan para la oración); azulejo, que hoy día se considera un artículo típico español, era también una importación árabe, con la que decoraban las paredes de sus casas y mezquitas; Andalucía (el Al-Andalus, la región del sur de España que todavía hoy evoca nostalgia en muchos árabes); hola (Ahla, por Dios); alcachofa; algodón; azúcar; alhaja; Algebra; algoritmo; almanaque. Muchas palabras árabes empiezan con *al*, porque es el artículo en árabe, que queda unido a la palabra.

13. Un grupo puede presentar La Escuela de Traductores de Toledo, ciudad donde en el siglo XII conviven en armonía cristianos, judíos y musulmanes. En la escuela se traducen textos clásicos del hebreo o árabe al latín, introduciéndolos de este modo al mundo europeo. El centro continuó y en el XIII se traducen al castellano o español.

14. Los estudiantes pueden ver la Granada actual, con muchas reminiscencias de la Granada de la época.

    Miren la guía digital para encontrar enlaces vivos.

    Pueden hacer un PPT de escenas de Granada incluyendo las dos puertas que hoy existen.

Cuestiones esenciales para la Unidad

1. ¿Qué retrato emerge del cuento y de esta representación artística del siglo XI respecto a la posición de la mujer? (Mirar la guía digital para ver en color.)

2. Nuestra sociedad es muy diferente de la presentada en el cuento. ¿Es la sumisión de las mujeres todavía deseada en nuestro país u otros? ¿Emplea la sociedad métodos directos o indirectos para conseguirla? ¿Es deseable una sociedad en la que cada sexo conozca su papel?

3. Relaciones entre moros y cristianos. Después de haber vivido sus antepasados durante siglos en España y haber nacido allí, ¿se considerarían los árabes "los otros", los de fuera? ¿Y los cristianos cómo los verían? ¿Se creerían más españoles los cristianos porque llevaban más tiempo allá? ¿Qué nos dice a este respecto la elaboración por parte de los musulmanes de monumentos artísticos, puentes, etc.?

4. Cuando los cristianos conquistaron Córdoba, impresionados por la belleza de la Gran Mezquita de Córdoba, no la destruyeron sino que convirtieron parte de su interior en iglesia cristiana. Así sigue hasta la actualidad. Considerando el romance (escrito por cristianos sobre moros), ¿cuál es tu conclusión de la relación de moros y cristianos aparte de la guerra continua?

5. En tu opinión, ¿cuál sería la reacción de los musulmanes de la época al leer "¡Ay de mi Alhama!"?

6. Elige una situación de conflicto actual (NATO/Afganistán, Israel/Palestina, etc.). ¿Crees que un lado escribiría un romance con personajes del otro? Explica. ¿Han cambiado las relaciones entre enemigos oficiales?

CAPÍTULO 2: SIGLOS XVI-XVII (RENACIMIENTO Y BARROCO)

1 ▸ Contexto histórico: El Imperio Español

Durante el primer cuarto del siglo XVI españoles de todas las clases sociales participan en los viajes de exploración y conquista de las Américas. Hernán Cortés aprovecha la enemistad de las tribus vecinas de los aztecas y la debilidad de su jefe Moctezuma para subyugar al imperio de Tenochtitlán. Pizarro, en la región de los Andes, manipula con traición y engaño al orgulloso Atahualpa para dominar el imperio inca. Poco a poco, quedan bajo el dominio español todas las tierras desde el sur del continente norte hasta la Patagonia, con la excepción de Brasil.

La extensión y consolidación del imperio español conlleva el despojo de los pueblos indígenas y marca el punto final al desarrollo de las extraordinarias culturas maya, azteca e inca, notablemente avanzadas. La llegada de las enfermedades europeas aumenta de manera dramática la pérdida de vidas. Se puede decir que España crea sus colonias en su propia imagen, exportando los males peninsulares como la intolerancia religiosa, la injusta división socioeconómica, el ineficaz modo de gobierno, junto con aspectos positivos que son únicos a la colonización española como el mestizaje, la rápida difusión de la cultura española, la defensa legal de los indios. Los españoles inmediatamente se mezclan con los indígenas, creando una población mestiza que da su carácter central a la identidad latinoamericana; extienden a la población del nuevo mundo los beneficios culturales y educativos que existen en la península, creando en sorprendente breve tiempo numerosas escuelas y las primeras universidades del continente americano en Santo Domingo, México y Perú; promulgan las Leyes de Indias. El fraile dominico Bartolomé de las Casas lucha incansablemente por la defensa de los indígenas frente a los abusos de los colonizadores. La agricultura europea cambia para siempre con la llegada de nuevos productos de la tierra. El maíz, la patata, los tomates, el cacao se cruzan en su viaje por el Atlántico con el algodón, la vid y la caña de azúcar que se van a implantar en el nuevo continente. La fauna del nuevo mundo también se va a ver transformada con la llegada de caballos, vacas, cerdos y ovejas.

A los Reyes Católicos, después del breve reinado de su hija Juana y yerno Felipe, les sucede su nieto Carlos.[1] Carlos hereda además de su padre, entre otros territorios europeos, los Países Bajos, el reino de Austria y el derecho al título de emperador. Con este primer Habsburgo se afirma el imperio español que se extiende por Europa, Asia y América (en el que "no se pone el sol") y la política expansionista y colonizadora. Esta política tiene un precio muy elevado: las guerras para el mantenimiento del imperio europeo devoran los ingresos que llegan de las Indias y llevan a la ruina a mercaderes y comerciantes, sin mejorar la condición de las grandes masas campesinas. Al cosmopo-

---

1 A Carlos I se le conoce como Carlos I de España y V de Alemania. En Europa se le conoce como Carlos V y con esta denominación se le nombrará en el futuro.

lita Carlos V le sucede Felipe II, cuya preocupación central es el fortalecimiento de la fe. La Inquisición aplica su mano dura contra toda desviación religiosa o incluso cultural. Con los Habsburgo, llamados los Austria en España, nace Madrid como capital del país, con toda su complicada burocracia. En el XVII, los débiles Felipe III, Felipe IV y Carlos VI no pueden detener la crisis económica, pero mantienen, a pesar de la decadencia creciente, una fachada de potencia formidable frente a Europa y América. El florecimiento extraordinario del arte y la cultura contribuye a la imagen de una España como centro político y cultural. La llamada Edad de Oro abarca estos años del siglo XVI hasta el final del XVII, y a ella pertenecen escritores como Garcilaso, Cervantes, Góngora, Quevedo, Tirso de Molina, Lope de Vega y Calderón de la Barca y artistas como El Greco, Ribera, Velázquez y Zurbarán.

2 ▶ Escenario cultural: La Edad de Oro, el Renacimiento y el Barroco

El Renacimiento

A la par de los cambios políticos ya mencionados tiene lugar en este periodo una transformación cultural, el Renacimiento, que comienza en Italia y se extiende por toda Europa. Al teocentrismo de la Edad Media le sigue el antropocentrismo renacentista, en el que el hombre es la medida de todas las cosas. Los conceptos medievales de un universo centrado en Dios y de la vida del hombre en la tierra como transitoria, entran en crisis. El Renacimiento supone una revolución ideológica en la que el hombre, orgulloso y confiado en sí mismo, se cree dueño de su propio destino y cultiva la belleza y el placer. En consecuencia, las ideas religiosas, la influencia de la Iglesia y la fuerza de los preceptos morales disminuyen. Se produce la Reforma Luterana que rompe con Roma y proclama la libre interpretación de los textos sagrados. La reflexión sobre la brevedad de la vida no trae consideraciones transcendentales sino el *carpe diem*, una invitación a gozar de cuantos placeres pueda uno procurarse. El hedonismo, el gusto por el lujo y gozo estético provocan, por otro lado, el cultivo de las artes y de las letras y la búsqueda del deleite de los sentidos. La invención de la imprenta, que permite la difusión de la cultura grecolatina e impulsa la admiración de la antigüedad clásica, y el desarrollo de una clase burguesa más realista y ambiciosa, traen una exaltación de lo humano y de la Naturaleza desconocidos en tiempos medievales. La Naturaleza se convierte en modelo de arte y vida: el arte debe ser natural, la vida espontánea y equilibrada. El hombre ideal renacentista busca el desarrollo armónico de todas sus facultades y cultiva juntamente las armas, las letras y las artes. Garcilaso de la Vega, poeta y soldado, ejemplifica este ideal renacentista.

En la literatura se busca la belleza formal, sin intención didáctica. Se toman como modelos la literatura italiana renacentista y su inspiración, el arte clásico greco-latino. El elegante verso de once sílabas (endecasílabo) sustituye al de doce sílabas, pesado y solemne, y al de ocho sílabas, muy usado anteriormente y que ahora se relega a la literatura popular. El soneto es la forma poética preferida por la mayoría de los poetas. El tema del amor, a la manera del poeta italiano Petrarca, presenta este sentimiento como inalcanzable o no correspondido y fuente de melancolía. El retrato de la mujer, objeto del amor, sirve fundamentalmente para presentar los sentimientos del poeta. Para crear la imagen femenina se usan metáforas basadas en elementos de la naturaleza, que se convierte en otro gran tema. Todo ello se puede ver reflejado en el soneto de **Garcilaso**. El campo es el mundo ideal, reposado, tranquilo y armonioso (tema del *Beatus ille* horaciano); el paisaje es idealizado y fuente de imágenes sensoriales.

España, a pesar de estos cambios y al contrario de otros países europeos, conserva en sus letras cierto carácter religioso y popular-tradicional, junto con el estilo renacentista. Un ejemplo de literatura popular es el *Lazarillo de Tormes*, obra anónima escrita al final del reinado del emperador Carlos I, y la primera novela picaresca. En la segunda mitad del siglo, con el reinado de Felipe II, la literatura se vuelve más religiosa y sobria. Prueba de ello es la poesía mística de San Juan de la Cruz y Santa Teresa de Jesús.

El Barroco

En el siglo XVII se acentúan en el arte y la literatura las tendencias más propiamente españolas frente a las europeas, y cambian las manifestaciones artísticas y literarias del periodo renacentista anterior. El nuevo movimiento cultural es el **Barroco**, fenómeno que abarca la literatura, las artes plásticas y la arquitectura. Al perderse la hegemonía imperial tras una serie de humillantes derrotas y acentuarse la pobreza nacional, surgen el pesimismo y el desengaño. El repentino cambio de suerte política parece haber eliminado la inocencia del imperio expansionista. Se une a ello la evolución del pensamiento intelectual que empieza a cuestionar los valores del Renacimiento. La desilusión general se ve reflejada en la literatura: de forma satírica, por ejemplo en **Quevedo**, con tono melancólico en la obra de **Cervantes**, o a través del frecuente tema de la muerte, única realidad firme de la vida humana. (*La vida es sueño*, dice el título de la obra más famosa del autor teatral Calderón de la Barca.)

Las características más comunes del arte barroco son el recargamiento de adornos y la exageración, que tan claramente se observan en la arquitectura, con sus decoraciones abundantes que cubren todo espacio vacío y sus elementos inútiles, como columnas que no sostienen nada. Del mismo modo, la lengua de este periodo incorpora numerosos neologismos, provenientes del latín, de lenguas europeas o de los indígenas americanos. Muchos escritores usan metáforas complejas y un lenguaje difícil de entender.

El **culteranismo y el conceptismo** son dos nuevos estilos del Barroco, los dos con raíces en el Renacimiento, pero llevados a un extremo inesperado. Se tienden a diferenciar y definir como contrarios, identificando al primero con **Góngora** y al segundo con **Quevedo**. Sin embargo, los dos estilos se pueden ver como diferentes caras de una misma moneda: dos formas diferentes de provocar una interrupción en el lenguaje habitual; dos caminos que llevan a la sorpresa del lector. El culteranismo distorsiona el orden del lenguaje (hipérbaton), inventa nuevas palabras y metáforas y crea belleza con hallazgos ornamentales; el conceptismo proporciona un juego ingenioso de palabras, un silencio bien colocado o una palabra evocativa para hacer resaltar una idea. El culteranismo se complace en la forma y el conceptismo hace juego del fondo. Los dos manipulan el lenguaje y, en el proceso, revelan su artificiosidad. Ambos obligan al lector a hacer nuevas asociaciones y entrar en nuevas dimensiones estéticas. Son, así, ejemplos perfectos del ideal del Barroco.

Con esta literatura de élite, coexiste el teatro popular, al que asiste un gran público entusiasta. A Lope de Vega, autor prolífico de quien nos han llegado más de cuatrocientas obras teatrales, se le considera el creador del teatro español. Dentro de su escuela, también autor fecundo y siguiendo las directrices de Lope de un teatro dinámico pero con un sello individual, está **Tirso de Molina**, autor de *El burlador de Sevilla*. La figura cumbre del siglo XVII es, sin embargo, **Miguel de Cervantes** que con su obra *El ingenioso hidalgo Don Quijote de la Mancha* escapa toda clasificación temporal o geográfica. Según muchos la novela más leída del mundo, sus dos personajes, el noble caballero andante don Quijote y su humilde escudero Sancho Panza, pueden encarnar con el idealismo de uno y el pragmatismo del otro el carácter español y el alma universal. El *Quijote*, aparentemente una parodia de los populares libros de caballería, se puede considerar también una parábola de la España de la época y la primera novela moderna.

En las colonias americanas, la vida intelectual sigue líneas paralelas a la de la península que ejerce también un dominio cultural en ellas. Las primeras manifestaciones literarias tienen lugar durante la Conquista e inmediatamente después. El nuevo mundo despierta una curiosidad extraordinaria y las narraciones se multiplican. Los escritores, muchos de ellos exploradores o militares -Colón el primero de ellos-, cuentan las batallas, las costumbres de los indígenas, las dificultades del avance español. No tienen intenciones literarias ni estéticas; su finalidad es informar, convertir a los indios y a veces glorificar a los Conquistadores. Frecuentemente también los conquistadores o representantes españoles escriben a las autoridades españolas para justificar sus acciones, cantar su heroísmo, convencerles de la utilidad de su misión y seguir recibiendo ayuda financiera. Un ejemplo de ello es las cartas de **Hernán Cortes,** de las cuales incluimos selecciones de la *Segunda carta de relación*.

Aunque hay algunos escritos por y desde el punto de vista indígena, que narran los mismos acontecimientos desde una perspectiva diferente, habrá que esperar varios siglos para escuchar una visión paralela a la que habían presentado los historiadores españoles. Muy conocida es la obra contemporánea de **Miguel León-Portilla**, *Visión de los vencidos*, que aunque publicada originalmente en 1959, recoge documentos originales indígenas, escritos en náhuatl poco después de la caída de la capital azteca Tenochtitlán.

UNIDAD 1. REPRESENTACIONES POÉTICAS Y ARTÍSTICAS

 **Garcilaso de la Vega**

(1501-1536)

Datos biográficos

Toledano y de linaje noble, Garcilaso de la Vega encarnó en su vida uno de los ideales cortesanos del Renacimiento: la síntesis del hombre de letras y el hombre de armas. Educado en la corte, Garcilaso estudió con los grandes humanistas de su tiempo. También luchó con el ejército del emperador Carlos en múltiples batallas, incluyendo la defensa de la isla de Rodas, la campaña de Francia de 1522, la guerra de los Comuneros en la que fue herido y el asalto de la fortaleza de Muy, donde sufrió una herida que le causó la muerte. Garcilaso contrajo matrimonio en 1525 con Elena de Zúñiga. La pasión de su vida e inspiración de muchos poemas, sin embargo, parece haber sido la portuguesa Isabel Freyre.

A pesar de su valentía y de haber asistido a la coronación de Carlos I, el soldado-poeta fue desterrado por el Emperador a una isla del Danubio tras una ofensa personal: había servido de testigo, en contra de órdenes del Emperador, en una boda. Pero gracias al esfuerzo del influyente Duque de Alba, quien ayudó a tramitar el perdón oficial, Garcilaso viajó a Nápoles con un cargo diplomático. Fue en Italia donde entabló las amistades que le introdujeron a la poesía italiana, un encuentro que tendría profundo efecto en los versos de Garcilaso.

La poesía de Garcilaso

Garcilaso de la Vega y su amigo Juan Boscán son los primeros poetas españoles que incorporan con éxito la estética renacentista italiana al verso español. Siguiendo el modelo de Petrarca, Garcilaso y Boscán renuevan la técnica de la poesía peninsular. Entre los cambios más importantes destacan el uso en la métrica del verso endecasílabo; y en la estructura, la introducción de gran variedad de combinaciones de estrofas (sonetos, liras, silvas, octavas y tercetos) que aparecen en géneros como la canción, la égloga y la elegía. A partir de esta ruptura lírica, el verso de ocho sílabas se emplea casi exclusivamente en la poesía popular y se desprestigia el uso del de doce sílabas típico del arte mayor.

La obra de Petrarca sirve también de fuente temática para los versos de Garcilaso. Predominan como temas el amor, la naturaleza y los mitos paganos frecuentemente tomados de los poetas romanos Ovidio, Virgilio y Horacio. Desviándose por entero de la poesía religiosa, la lírica de Garcilaso se enfoca en el hombre y en sus sentimientos. Se representa un deseo casi siempre melancólico que llora la pérdida de la amada o el amor no correspondido. El mundo bucólico o pastoril, en su armonía y belleza, sirve de marco para los encuentros amorosos y de modelo para la expresión artística. Las referencias a la antigüedad clásica también se enlazan íntimamente con las emociones del poeta: se poetizan, por ejemplo, mitos de amantes clásicos y temas horacianos como el *carpe diem*. El "yo" poético, poseedor de una mirada autocontemplativa, estudia minuciosamente su estado afectivo.

Respetando el ideal de la naturalidad, el estilo de Garcilaso es estudiadamente sencillo. Se hallan en sus poemas figuras retóricas pero de simplicidad elegantemente armoniosa: la expresión es culta y delicada, pero siempre comedida.

❖ ❖ ❖ ❖ ❖ ❖ ❖ ❖ ❖ ❖ ❖

Soneto XXIII

En tanto que de rosa y azucena[1]
se muestra la color en vuestro gesto[2],
y que vuestro mirar ardiente, honesto,
enciende el corazón y lo refrena[3];

5   y en tanto que el cabello, que en la vena
del oro se escogió, con vuelo presto[4],
por el hermoso cuello blanco, enhiesto[5],
el viento mueve, esparce[6] y desordena;

coged de vuestra alegre primavera
10   el dulce fruto, antes que el tiempo airado
cubra de nieve la hermosa cumbre[7].

Marchitará[8] la rosa el viento helado,
Todo lo mudará[9] la edad ligera[10],
Por no hacer mudanza en su costumbre.

❖ ❖ ❖ ❖ ❖ ❖ ❖ ❖ ❖ ❖ ❖

1	**azucena** white lilly		6	**esparce** scatters
2	**gesto** face		7	**cumbre** peak
3	**refrena** reins in		8	**marchitará** will whither
4	**presto** quick		9	**mudará** will change
5	**enhiesto** upright		10	**edad ligera** fast time

Sugerencias para el análisis del poema

1. ¿Cuál es la forma métrica del poema? ¿Se puede dividir en partes?

2. ¿Qué expresan los dos cuartetos?

3. Identifica las imágenes naturales de las primeras dos estrofas. ¿Qué elementos de la naturaleza corresponden a qué partes del cuerpo?

4. ¿Qué efecto producen los colores? ¿Con qué intención introduce el poeta el cromatismo?

5. ¿Hay elementos opuestos en estos versos?

6. ¿Qué expresa el primer terceto?

7. ¿Hay ejemplos de encabalgamiento en este poema? ¿Dónde? ¿Qué efecto causan?

8. ¿Qué relación tiene con el sentido del poema?

9. ¿Hay sinalefas? De nuevo, ¿qué efecto tienen?

10. ¿Hay alguna repetición en el poema? ¿Dónde?

11. ¿Hay algún cambio en el orden normal de las palabras? ¿Cómo se llama esta figura? ¿Qué efecto causa?

12. Comenta los tiempos verbales. ¿Qué efecto tienen los cambios?

13. ¿Qué significado tienen las estaciones del año en este poema?

Temas de discusión y ensayos

1. ¿Cómo es el retrato de la mujer en el poema? ¿Obtiene el lector una visión completa de la mujer a través del poema? ¿Sabemos cómo siente, cómo piensa?

2. ¿De qué manera la mujer del poema responde al canon renacentista de la belleza femenina?

3. Analiza la perspectiva dentro de este poema. ¿Quién habla? ¿A quién se dirige?

4. ¿Cuál es el tono del poema? ¿Qué importancia tiene?

5. En tu opinión, el tema recurrente de la celebración de la belleza femenina en la literatura y el arte, ¿responde a una consideración hacia la mujer? ¿O es una mera experimentación estética? Presenta ejemplos específicos históricos o contemporáneos.

6. La naturaleza, lo natural es uno de los temas e ideales del Renacimiento. Escribe un ensayo mencionando su presencia en este poema, dando detalles específicos.

7. ¿Cuál es el tema central del poema? ¿En qué sentido se relaciona con la forma?

Datos biográficos

Los acontecimientos más notables de la vida de Luis de Góngora se relacionan directamente con el mundo literario. Hijo de una familia ilustre de Córdoba, Góngora inició su vida de hombre de letras a los quince años cuando fue a estudiar a la universidad de Salamanca. Allí se distinguió más por sus actividades profanas –su asistencia a comedias y otros espectáculos– que por sus estudios. Pero aquellos años estimularon su creatividad y el cordobés empezó a cultivar la poesía. Recibió elogios casi inmediatos, incluyendo el honor de aparecer mencionado en *La Galatea* de Cervantes en 1584. A partir de esta época, Góngora se dedicó a escribir versos desde diferentes ciudades hasta que en 1617 realizó su deseo de establecerse en Madrid, como miembro de la corte de Felipe III. Gastador pródigo y aficionado al juego, Góngora tuvo algunos problemas financieros en la corte. Al final de su vida, enfermo desde hacía años, regresó a su ciudad natal donde murió.

A diferencia de Garcilaso, Góngora no ejerció nunca el trabajo de soldado. Sus mayores polémicas fueron con otros hombres de letras. Los intercambios más conocidos se dieron con Lope de Vega, que por su parte parecía estimar a Góngora, y con Quevedo. Los crueles e insultantes versos que intercambiaron se han hecho legendarios. Sin embargo, el duelo entre los dos no se limitó a la satírica expresión en verso de diferentes opiniones literarias: al final de la vida del poeta cordobés, Quevedo compró la casa donde vivía Góngora para obligarle a mudarse.

La poesía de Góngora

Aunque también escribió versos populares de contenido satírico, Góngora es sobre todo conocido por su poesía culta, por aquellos poemas que experimentan con recursos retóricos y estilísticos. Estos versos, que con su técnica desafían los límites de la estética de la época, parecen tener como finalidad el crear un mundo hiperbólicamente transformado, a veces bello y otras grotesco, pero siempre una estilización de la realidad.

La profusión de recursos que emplea -el hipérbaton, los latinismos, los neologismos, las alusiones mitológicas y las metáforas sorprendentes- es tan llamativa que el nombre de Góngora se ha convertido en casi sinónimo del concepto de culteranismo. Sin embargo, la obra del poeta cordobés no supone tanto una ruptura radical con respecto a la lírica del Renacimiento como una expansión de la tradición que hereda directamente de ella. Igual que los sonetos de Garcilaso, sus obras más conocidas (el *Polifemo y Galatea, las Soledades* y los sonetos) están compuestas en endecasílabos. Góngora también hace uso de temas clásicos. Se podría decir que lleva al último extremo estético las prácticas de Garcilaso. Lo que se pierde en el Barroco es aquella búsqueda de la naturalidad. Se prestigia, en cambio, la artificiosidad, la genial poetización de la realidad.

Debido a su intento de lograr una poesía depurada, una poesía que imita no lo natural sino lo artificial de la naturaleza, Góngora ha sido una figura muy importante para los escritores del siglo XX. Los poetas de la "Generación del 27", entre los que se encuentra Federico García Lorca, eligieron este nombre en conmemoración del tercer centenario de la muerte de Góngora. Los versos de Góngora siempre han presentado, incluso en tiempos del escritor, un reto especial para los lectores de poesía. Sus culteranismos eruditos pueden crear confusión inicial, efecto que parece buscar el poeta. Sus poemas, búsquedas tanto en forma como en contenido de la belleza, se dirigen a una minoría educada y culta. Sin embargo, la atención detenida a las imágenes y a los recursos estilísticos nos puede abrir los ojos a un mundo de creatividad inesperada, más accesible de lo que parece a primera vista y sorprendentemente moderno.

✦ ✦ ✦ ✦ ✦ ✦ ✦ ✦ ✦ ✦ ✦ ✦

Soneto CLXVI

Mientras por competir con tu cabello
oro bruñido[1] al sol relumbra[2] en vano;
mientras con menosprecio[3] en medio el llano
mira tu blanca frente el lilio[4] bello;

5   mientras a cada labio, por cogello[5],
siguen más ojos que el clavel[6] temprano,
y mientras triunfa con desdén[7] lozano[8]
del luciente cristal tu gentil cuello,

goza cuello, cabello, labio y frente,
10   antes que lo que fue en tu edad dorada[9]
oro, lilio, clavel, cristal luciente,

no sólo en plata o viola[10] truncada[11]
se vuelva, más tú y ello juntamente
en tierra, en humo[12], en polvo[13], en sombra[14], en nada.

✦ ✦ ✦ ✦ ✦ ✦ ✦ ✦ ✦ ✦ ✦ ✦

1	**bruñido** polished	6	**clavel** carnation	10	**viola** violet
2	**relumbra** shines brightly	7	**desdén** disdain	11	**truncada** severed
3	**menosprecio** contempt	8	**lozano** arrogant	12	**humo** smoke
4	**lilio** lily	9	**dorada** golden	13	**polvo** dust
5	**cogello** *cogerlo*			14	**sombra** shadow

Sugerencias para el análisis del soneto

1. ¿Cuál es la métrica de este poema?

2. ¿A quién se dirige la voz poética?

3. ¿Cómo se usa aquí la comparación con la naturaleza?

4. ¿Qué elementos se comparan?

5. ¿Cuál es el resultado final de estos elementos?

6. ¿Son "oro", "sol", "lilio" metáforas?

7. ¿Hay repeticiones? ¿Qué efecto busca el poeta?

8. ¿Hay personificación (o prosopopeya)? ¿Qué efecto causa?

9. Comenta el uso de los colores (cromatismo).

10. ¿Hay encabalgamiento? ¿Qué efecto causa? ¿Hay sinalefas?

11. ¿Cómo se llama el cambio del orden natural de las palabras? ¿Existe aquí? ¿Qué efecto causa?

12. ¿Cuál es el tono del poema? ¿Por qué viene dado?

Temas de discusión y ensayos

1. ¿Qué retrato emerge de la mujer en conjunto?

2. ¿Cuál es el tema, el sentido último, del soneto?

3. Compara este soneto con el de Garcilaso en cuanto a tema, tono, ritmo y uso de imágenes naturales. Analiza el porqué de las diferencias, haciendo referencia a la época en que fueron escritos.

4. En este poema hay una degradación, una disminución de calidad a lo largo del soneto. ¿Con qué finalidad?

5. ¿Cómo consigue el último verso del poema dejar al lector con sentimiento de vacío y desolación?

6. ¿Qué elementos típicos del Barroco usa el poeta?

Francisco de Quevedo

(1580-1645)

Datos biográficos

La narrativa de la vida de Francisco de Quevedo, al igual que su obra literaria, muestra una variedad sumamente barroca. Quevedo se crió en la Corte donde sus padres servían a la familia real. Estudió en el Colegio Imperial de los Jesuitas y en las universidades de Alcalá de Henares y de Valladolid. A lo largo de su vida aprendió a hablar numerosos idiomas y desde muy joven empezó a ser conocido por sus versos. La primera década del siglo XVII fue una época enormemente productiva para el escritor:

compuso una novela, ensayos eruditos y políticos, sátiras en prosa y múltiples poemas, entre ellos una serie religiosa. Tales contrastes literarios encuentran cierta resonancia en la personalidad inconstante de Quevedo: tal vez más conocido como crítico cínico y mordaz, el escritor también se mostraba a veces agudo observador de su época y amigo apasionado.

En 1613, la vida de Quevedo tomó una dirección radicalmente diferente cuando empezó a servir de diplomático y consejero del poderoso duque de Osuna, entonces virrey de Nápoles. Continuó la etapa política hasta que el duque perdió el favor del rey y fue encarcelado en 1620. A partir de entonces, Quevedo se trasladó al pueblo castellano de La Torre de Juan Abad y volvió a dedicarse a sus actividades literarias. Aun así fue encarcelado cuatro veces, primero por su asociación con el duque y más tarde, en 1639, debido a la sospecha de una ofensa contra el rey. Este último encarcelamiento duró, en pésimas condiciones, hasta 1643. Tras ser liberado por el rey, Quevedo, que era de salud débil, regresó a La Torre donde murió al poco tiempo.

La poesía de Quevedo

En la poesía de Quevedo se encuentran numerosos temas: su obra incluye desde la lírica burlesca a la moralizadora, la satírica a la severa, la de amor a la de humor. Hay tanta variedad dentro de este género que difícilmente se puede calificar a Quevedo como poeta de un estilo. La división radical que parece darse en los autores del Siglo de Oro entre los que crean un mundo estético altamente estilizado y los que se dedican a representar la realidad sea cotidiana, vulgar o sórdida, no sirve para delimitar la obra de Quevedo. Sus escritos se mueven entre categorías y las desestabilizan.

Sin embargo, tiene unos rasgos que caracterizan la mayor parte de su poesía. Si a Góngora se le considera el mejor representante del culteranismo, Quevedo es el máximo ejemplo del otro gran movimiento literario del siglo XVII, el conceptismo. Sus obras se valen de constantes rasgos de ingenio y de imaginación lingüística, y experimentan con la capacidad expresiva del idioma. Entre las típicas figuras estilísticas que emplea se hallan los juegos de palabras, los equívocos, los experimentos gramaticales y los juegos de contrarios.

A sus versos endecasílabos tampoco les faltan ni recursos estilísticos ni elegancia formal. Frecuentemente el poeta se sirve de la aliteración o la anáfora, por ejemplo, para poner de relieve sus pensamientos. Quevedo aporta a la poesía barroca una conciencia moral, en general muy pesimista, de la vida y de la muerte. Pero lo que más destaca en su poesía no es tanto la profundidad de sus ideas como las imágenes sorprendentes y los atrevidos juegos lingüísticos con que las expresa.

❖ ❖ ❖ ❖ ❖ ❖ ❖ ❖ ❖ ❖ ❖

Salmo XVII

Miré los muros de la patria mía,
si un tiempo fuertes, ya desmoronados[1],
de la carrera[2] de la edad cansados,
por quien caduca[3] ya su valentía.

5   Salíme[4] al campo; vi que el sol bebía
los arroyos[5] del yelo[6] desatados[7],
y del monte quejosos[8] los ganados[9]
que con sombras hurtó[10] su luz al día.

Entré en mi casa; vi que, amancillada[11],
10   de anciana habitación[12] era despojos[13];
mi báculo[14], más corvo[15] y menos fuerte.

Vencida[16] de la edad sentí mi espada[17],
y no hallé[18] cosa en que poner los ojos
que no fuese recuerdo de la muerte.

❖ ❖ ❖ ❖ ❖ ❖ ❖ ❖ ❖ ❖ ❖

1	**desmoronados** decrepit	7	**desatados** broken free	13	**despojos** wreckage
2	**carrera** race	8	**quejosos** complaining	14	**báculo** cane
3	**caduca** fails	9	**ganados** cattle	15	**corvo** crooked
4	**Salíme** *salí*	10	**hurtó** stole	16	**vencida** conquered
5	**arroyos** brooks	11	**amancillada** tarnished	17	**espada** sword
6	**yelo** *hielo*	12	**habitación** dwelling	18	**no hallé** I did not find

Sugerencias para el análisis del poema

1. Observa y comenta el sonido que producen los versos "Miré los muros de la patria mía…desmoronados". Unas consonantes de sonido parecido se repiten ¿Cómo se llama esta figura? ¿Qué efecto causa?

2. Las palabras no siguen el orden habitual dentro de cada frase. ¿Cómo llamamos a este fenómeno? Señálalo en diferentes puntos y reorganiza el segundo cuarteto. ¿Qué consigue el poeta con este orden peculiar?

3. ¿Cuáles son las imágenes recurrentes en el poema?

4. Estudia la posición y el sentido de los adjetivos en el poema.

5. ¿Qué connotaciones traen las palabras báculo y espada? ¿Que sugiere el adjetivo desmoronados (des-moronados)?

6. El "sol" bebe los arroyos (el agua). ¿Puedes pensar en una posible interpretación de contenido político?

7. ¿Hay prosopopeya? ¿Dónde? ¿Qué efecto tiene?

8. ¿Hay alguna metonimia?

9. ¿Cuál es el tiempo verbal más abundante en el poema? ¿Hay alguna razón para ello que se relaciona con el tema?

10. ¿Cuál es el tono? ¿Por qué viene dado?

Temas de discusión y ensayos

1. ¿Cuál es el tema central del poema?

2. Haciendo una lectura histórico-política del poema se puede ver que no sólo se presenta el paso del tiempo y sus consecuencias, sino también una indicación de que lo ocurrido no ha sido necesariamente traído por el tiempo. Explica esta interpretación.

3. Varios poetas del Siglo de Oro componen obras sobre el paso vertiginoso del tiempo. Compara en la poesía de Garcilaso, Góngora y Quevedo el tema. Estudia específicamente las imágenes que escogen. Contrasta también el tono de los versos.

4. Una de las preocupaciones recurrentes en la obra de Quevedo es la decadencia espiritual de España. ¿De qué modo este poema hace referencia a este tema?

5. Como una cámara de cine haciendo un *zoom*, el poema progresa de imágenes más amplias y distantes a más cercanas. ¿Cuál crees es la intención del poeta al presentar esta progresión?

6. El poema es el Salmo XVII. ¿Por qué Salmo?

Sor Juana Inés de la Cruz
(¿1648?-1695)

Datos biográficos

Juana de Asbaje, conocida como Sor Juana Inés de la Cruz, nació en San Miguel Nepantla, México, hija ilegítima de padre español y madre criolla. Desde niña mostró una inteligencia e inclinación al estudio extraordinarias y precoces. Según ella misma contaría después en su *Respuesta a Sor Filotea de la Cruz*, a los tres años convenció a la profesora de su hermana de que le enseñara a leer y a los siete, cuando descubrió que sólo los hombres iban a la universidad, sugirió a su madre que la vistiera en ropas masculinas para poder cursar estudios. También narra en sus notas autobiográficas cómo no comía queso porque creía que atontaba y cómo se cortaba el pelo para obligarse a estudiar, poniendo ya a esa temprana edad el cultivo de la mente por encima del de la belleza y de las consideraciones de los demás. Todavía niña, se trasladó a la ciudad de México para vivir con unos parientes ricos. Allí tuvo la oportunidad de estudiar latín y, a los quince años, de servir de dama de compañía a la Marquesa de Mancera, esposa del virrey español. Pronto se hizo célebre en la corte. Su inteligencia, belleza, ingenio y cultura le trajeron fama y admiración, y la protección y amistad de la virreina. Su repentina entrada en un convento, a la edad de veinte años, aunque supuso su abandono de la corte, no le privó de la admiración y prestigio que gozaba y le dio la oportunidad de proseguir la vida intelectual que tanto ansiaba.

Como es natural, se ha especulado mucho sobre las razones de su vida religiosa. Sor Juana solamente ofrece en la obra citada la explicación de que sentía total negación hacia el matrimonio. Es cierto que en aquella época la única salida para una mujer además del convento era casarse, que en el caso de Juana, ilegítima, sin título y sin dinero, no podría haber sido con un caballero bien situado que le permitiera estudiar y escribir. De cualquier manera, Sor Juana convirtió la celda de su convento de San Jerónimo en el centro de la vida intelectual de la capital. Allí, rodeada de su colección de instrumentos científicos y musicales y de una extensa biblioteca, vivió una vida independiente y acomodada, escribió dramas que se representaron y poemas que se publicaron a ambos lados del Atlántico. Ya en vida se le llamó "la décima musa" y la celebración de que fue objeto, retratada por pintores conocidos, publicada y citada, admirada como genio en México y Madrid, sólo es comparable al fenómeno contemporáneo de las *celebrities*. Su íntima amistad con la Marquesa de la Laguna, virreina de 1680 a 1688, le consiguió la adulación de muchos y una gran influencia social que Sor Juana supo usar eficazmente. La Marquesa fue la inspiración de muchos de sus poemas, apasionados y llenos de afecto. Esta situación de prestigio y poder en manos de una mujer, tan radicalmente inusual, causó gran preocupación entre las autoridades eclesiásticas y puede explicar lo que ocurrió después.

En medio de este culto a su persona y a su obra, y por petición del arzobispo de Puebla Manuel Fernández de Santa Cruz, escribió la *Carta atenagórica*, un tratado teológico reprobando al jesuita Antonio de Vieyra. Recibió numerosas críticas por ello y el mismo arzobispo de Puebla, en un escrito bajo el seudónimo Sor Filotea de la Cruz, le aconsejó que se ocupara de cuestiones espirituales, no intelectuales. En su propia defensa, Sor Juana escribió la conocida *Respuesta a Sor Filotea de la Cruz,* donde en tono reverente pero con lenguaje inequívoco, cuenta episodios de su vida y arguye su derecho y el de todas las mujeres a educarse. Sus protestas, aunque siempre afirmadas con respeto a Dios y a la autoridad eclesiástica, debieron causar gran revuelo. Los virreyes, sus protectores y amigos, volvieron a Madrid, quedando Sor Juana sola y bajo el escrutinio y crítica de las autoridades eclesiásticas. Poco después, y de manera tan inesperada como había sido su entrada en el convento y por razones todavía más difíciles de comprender, Sor Juana se despojó de todos sus libros y colecciones y juró (con sangre dice un biógrafo) su abandono de la vida intelectual. Dedicada exclusivamente a cuidar de sus hermanas enfermas, Sor Juana contrajo la peste y murió de ella a la edad de cuarenta y seis años. Su persona y sus obras cayeron en el olvido durante dos siglos, pero desde su resurrección literaria, Sor Juana ha sido de nuevo respetada y admirada como poeta. Hoy es especialmente celebrada por haber sabido levantar su voz a favor del estudio y formación intelectual de las mujeres en una época en la que era impensable.

La poesía de Sor Juana

Además de la *Carta atenagórica*, tratado teológico, y la famosa *Respuesta*, Sor Juana escribió dramas sagrados y comedias profanas, poemas religiosos, de amor e incluso eróticos y burlescos. Entre sus composiciones las hay espontáneas y otras muy elaboradas. Escribió también villancicos (canciones para cantar en la iglesia) y otras canciones, algunas en el idioma indígena nahuatl. La pluralidad de temas va acompañada por gran diversidad métrica: romances, décimas, redondillas, silvas, sonetos y otras.

La poesía de Sor Juana refleja también una variedad de estilos: popular y culto; renacentista y barroco, en sus dos variedades conceptista y culterano. *Primero sueño* y una gran parte de sus poemas son decididamente barrocos, como ocurre con la poesía de otros poetas mexicanos de su tiempo. Góngora es el modelo principal, y el culteranismo, con sus complejidades y artificios, el estilo más seguido. Sus ingeniosos juegos mentales se trasladan al papel en forma de antítesis, paralelismos y contraposiciones verbales. Usa frecuentemente el hipérbaton para hacer resaltar una idea o una imagen. Abundan las alusiones mitológicas, neologismos y palabras cultas. Busca con gran efectividad un lenguaje rítmico y musical. Sor Juana es también barroca en los temas que trata, la caducidad y brevedad de la vida, el engaño de los sentidos, el sentimiento amoroso y los sufrimientos que causa, aunque con un estilo muy propio.

En el poema "Sátira filosófica" más conocido como "Hombres necios que acusáis", Sor Juana se dirige a una audiencia predominantemente masculina acusándola de tener un doble estándar. Por primera vez leemos una crítica satírica dirigida al hombre, salida de la pluma de una mujer. Lo hace, de nuevo, con humor, ingenio y con las antítesis y artificios del lenguaje barroco, lo que sin duda haría sonreír a los lectores.

Notas para facilitar la lectura

- Thais (verso 19) era una cortesana griega del siglo IV B.C., amante de Alejandro Magno y después de Ptolomeo.

- Lucrecia (verso 20) era una dama romana del siglo VI B.C., que se suicidó al sentirse deshonrada tras haber sido violada por un hijo del rey Tarquinio.

❖ ❖ ❖ ❖ ❖ ❖ ❖ ❖ ❖ ❖ ❖

Sátira filosófica:

Arguye de inconsecuentes el gusto y la censura de los hombres que en las mujeres acusan lo que causan

Hombres necios[1] que acusáis
a la mujer sin razón,
sin ver que sois la ocasión
de lo mismo que culpáis[2]:

5 si con ansia[3] sin igual
solicitáis su desdén,
¿por qué queréis que obren bien
si las incitáis al mal?

Combatís su resistencia
10 y luego, con gravedad,
decís que fue liviandad[4]
lo que hizo la diligencia.

Parecer quiere el denuedo[5]
de vuestro parecer loco,
15 al niño que pone el coco[6]
y luego le tiene miedo.

Queréis, con presunción necia,
hallar a la que buscáis,
para pretendida, Thais,
y en la posesión, Lucrecia. 20

¿Qué humor puede ser más raro
que el que, falto de consejo,
él mismo empaña[7] el espejo
y siente que no esté claro?

Con el favor y el desdén 25
tenéis condición igual,
quejándoos, si os tratan mal,
burlándoos[8], si os quieren bien.

Opinión, ninguna gana:
pues la que más se recata[9], 30
si no os admite, es ingrata,
y si os admite, es liviana[10].

1	**necios** foolish	4	**liviandad** frivolity	7	**empaña** clouds	herself
2	**culpáis** blame	5	**denuedo** courage	8	**burlándoos** mocking	10 **liviana** loose woman
3	**ansia** ardent desire	6	**coco** bogeyman	9	**recata** conceals	

Siempre tan necios andáis
que, con desigual nivel,
35   a una culpáis por cruel
y a otra por fácil culpáis.

¿Pues cómo ha de estar templada[11]
la que vuestro amor pretende,
si la que es ingrata, ofende,
40   y la que es fácil, enfada?

Mas, entre el enfado y pena
que vuestro gusto refiere,
bien haya la que no os quiere
y quejáos en hora buena.

45   Dan vuestras amantes penas
a sus libertades alas,
y después de hacerlas malas
las queréis hallar muy buenas.

¿Cuál mayor culpa ha tenido
50   en una pasión errada:
la que cae de rogada[12]

o el que ruega de caído[13]?

¿O cuál es más de culpar,
aunque cualquiera mal haga:
la que peca por la paga   55
o el que paga por pecar?

Pues ¿para qué os espantáis
de la culpa que tenéis?
Queredlas cual[14] las hacéis
o hacedlas cual las buscáis.   60

Dejad de solicitar,
y después, con más razón,
acusaréis la afición
de la que os fuere a rogar.

Bien con muchas armas fundo[15]   65
que lidia[16] vuestra arrogancia,
pues en promesa e instancia[17]
juntáis diablo, carne y mundo.

✦ ✦ ✦ ✦ ✦ ✦ ✦ ✦ ✦ ✦ ✦ ✦

---

11 **templada** calm

12 **de rogada** because she is begged

13 **de caído** because he is fallen

14 **cual** as

15 **fundo** I reason

16 **lidia** fights

17 **instancia** plea

Sugerencias para el análisis del poema

1. La voz poética se dirige directamente a alguien. ¿A quién? ¿Cómo se llama esta figura?

2. Menciona ejemplos que el poema cita del doble estándar de los hombres y de su hipocresía. ¿Qué hacen los hombres específicamente respecto de las mujeres? ¿En qué situaciones imposibles las colocan?

3. En el poema se nos presenta el hombre frente a la mujer. ¿Hay en él otros contrastes o antítesis?

4. Explica qué quiere decir la poeta con sus referencias a Thais y Lucrecia.

5. ¿A qué se refiere la voz poética en la estrofa 6? ¿Dónde hay una metáfora?

6. ¿Qué efecto sonoro observas en los versos 55 y 56 ("¿O cuál es más de culpar…?")? ¿Cómo se llama la repetición de un sonido? ¿Cuál es el resultado?

7. En los versos 55 y 56 hay además de aliteración un juego de palabras especial. Explícalo.

8. ¿Cuál es la versificación de este poema? ¿Cómo es la rima? ¿Crees que la forma de este poema está de alguna manera al servicio del tema?

9. ¿Qué juegos verbales y figuras retóricas propias del barroco utiliza Sor Juana en estas redondillas? ¿De qué modo sirven para reforzar el tema del poema?

10. En la última estrofa la poeta vuelve a mencionar "el mundo" que los hombres juntan con "el diablo" y "la carne". ¿Qué representan? ¿Cómo se llama esta figura?

11. ¿Podría ser esta estrofa una síntesis del poema?

Temas de discusión y ensayos

1. ¿Cuál es el tema central del poema?

2. En su vida y en su poesía, Sor Juana se retrata como una mujer que toma sus propias decisiones y que ejerce el control de su vida. Escribe un ensayo tratando de explicar las dificultades y obstáculos que debió encontrar, considerando su situación, su género y los prejuicios de la época.

3. ¿Qué resultado tiene el uso de cierto humor en sus lectores, hombres en su mayoría? En tu opinión, ¿es ese efecto intencionado? Explica las causas del éxito inmediato y duradero de este poema, a pesar de ser un ataque tan vehemente a los hombres.

4. ¿Encuentras justificada la denominación de "primera feminista americana" que se ha aplicado a Sor Juana? Compárala con las escritoras feministas que tú conoces.

5. El doble estándar e hipocresía que denuncia Sor Juana en el siglo XVII, ¿existe en los EE.UU. del XXI? Da ejemplos específicos para demostrar tu respuesta.

6. ¿Qué piensas que creó más problemas a Sor Juana, el ser mujer o el ser intelectual? ¿Cuál crees tú que sería la opinión de Sor Juana al respecto? ¿Se pueden aplicar tus observaciones hoy día?

❖ ❖ ❖ ❖ ❖ ❖ ❖ ❖ ❖ ❖ ❖

Actividades para la Unidad 1

1. Busca en el arte renacentista ejemplos del código de belleza femenina. Puedes empezar con Botticelli, Da Vinci o Tiziano y tratar de encontrar más representaciones que responden al concepto de belleza femenina de Garcilaso y Góngora.

2. Los estudiantes tratan de dibujar a la mujer de los sonetos de Garcilaso y Góngora, siguiendo literalmente los detalles mencionados por los poetas, para ver los sorprendentes retratos que emergen.

3. Busca una representación femenina contemporánea (por ejemplo, Picasso, Modigliani, Botero) y analiza las metáforas o imágenes naturales que se les podría aplicar.

4. Un grupo de estudiantes hace una presentación de la historia de España en la época de Quevedo y comenta su poema a la luz de los acontecimientos del momento. Elementos importantes son la extensión del imperio español, las guerras en Europa, la trágica derrota de la Armada Invencible, la crisis política y social en España, y la radicalización religiosa. En 1609 se expulsa a los moriscos, con el inmediato empobrecimiento cultural, agrícola y de la fibra social.

5. Estudia la historia de los árabes y los judíos en España. Los estudiantes pueden hacer un trabajo que examine su historia desde la llegada hasta la expulsión. (La expulsión de los judíos fue en 1492 y de los moriscos, españoles descendientes de los árabes, en 1609.) Deben señalar las consecuencias de perder a filósofos, intelectuales, diplomáticos, financieros judíos y después a los más expertos agricultores del país, todo en nombre de uniformidad y escape del pluralismo.

6. Los estudiantes pueden ver y leer fragmentos de *El capitán Alatriste y la España del Siglo de Oro* (de Arturo Pérez Reverte, Madrid, Editorial El País-Aguilar, 2001), un libro cómic que ilustra de modo entretenido la España de la época.

7. Es la gran era del arte español: El Greco, Diego Velázquez, Francisco de Zurbarán, Francisco Ribalta, José de Ribera y Bartolomé Esteban Murillo entre otros. Los estudiantes pueden hacer dos diferentes PPTs: una de las obras religiosas, históricas, políticas; otra de figuras y de la vida de todos los días. Velázquez tiene cuadros de ambas vertientes y a los estudiantes les puede interesar especialmente su representación de niños y de trabajadores (como "Las hilanderas").

8. Busca películas que traten del tema de la vejez. Por ejemplo, *Una historia senci-lla (The Straight Story), En el estanque dorado (On Golden Pond), Paseando a Miss Daisy (Driving Miss Daisy)*. Observa los temas y su tono. ¿Son tan pesimistas como el soneto de Quevedo?

9. Los estudiantes escriben por grupos una serie de estándares dobles de nuestra época a la manera de Sor Juana, y los presentan a la clase.

10. Sor Juana finalmente nos cuenta por qué se hizo monja. Una estudiante (Sor Juana) narra a la clase su historia y sus razones. La presentación debe respetar lo que sabemos de la autora.

11. Don Juan conoce a Sor Juana: escribe un diálogo entre los dos.

12. Los estudiantes observan en YouTube un video, Sor Juana Inés de la Cruz (Edu-cation Project), de 11 minutos de duración en español, interesante y fiel a la historia. (Mirar la guía digital para encontrar enlace vivo.)

13. Hay también una película que sin ser completamente histórica tiene muchos aspectos reales, *Yo, la peor de todas*. Es de la directora argentina Maria Luisa Bemberg y fácil de obtener.

14. Los estudiantes preparan breves biografías de una o dos líneas de mujeres famo-sas en el pasado y en el presente. Observarán los escasos ejemplos del pasado y la presencia de mujeres destacadas en todos los órdenes de la vida actual.

15. Para aprender más sobre Sor Juana, los estudiantes pueden consultar la excelente página electrónica en inglés de Dartmouth College, dedicada a ella (http://www.dartmouth.edu/~sorjuana/). (Mirar la guía digital para encontrar enlaces vivos.)

Cuestiones esenciales para la Unidad 1

1. Analiza el canon de belleza en el *Nacimiento de Venus* (1486) de Sandro Botticelli. ¿Cómo se compara con la representación de la mujer de los poemas de Garcilaso y Góngora? (Mirar la guía digital para ver el cuadro en color.)

2. En el Soneto XXIII, ¿Garcilaso ha escrito un poema movido por una mujer a la que ama o admira, o lo ha hecho para expresar sus ideas?

3. Lee el Soneto 145, "Éste que ves, engaño colorido", de Sor Juana y compara la representación de la mujer con la de uno los poemas de Garcilaso y Góngora. Analiza las imágenes, el lenguaje, el tono y voz poética.

4. ¿Cómo ha cambiado la representación de lo femenino (voces femeninas, personajes femeninos, asociaciones) a lo largo de la historia de la literatura? Elige una obra contemporánea como punto de comparación con los poemas del Siglo de Oro.

5. Elige uno de los poemas de la unidad y compáralo con "Dos palabras" de Allende. ¿Cómo revela la literatura los cambios en la percepción de los géneros masculino y femenino?

6. ¿Cómo recupera el señor Keating la noción del *carpe diem* en la película *La sociedad de los poetas muertos (Dead Poets' Society)* de 1989? ¿Cuál es el sentido de esta frase para el profesor? Compara el tema en la película y en los poemas de Garcilaso y Góngora.

7. El lema de los Reyes Católicos era "España, una, grande, libre" (una en religión, la católica; en lengua, el castellano; grande, mantenedora del imperio cueste lo que cueste). Examina las consecuencias políticas y sociales de esa actitud, en gran contraste con el multiculturalismo que fue una realidad en muchos aspectos de la vida anterior.

8. ¿De qué manera diferente contemplan Garcilaso, Góngora y Quevedo el paso del tiempo? Usa detalles concretos para fundar tu argumento.

9. ¿Cómo ha cambiado la percepción de las personas de edad avanzada desde la época del Barroco y a qué se deben estos cambios? ¿Tienen el mismo estatus social? ¿Tienen la misma autoridad? Piensa en ejemplos de la literatura y también en fenómenos nuevos (anuncios con gente mayor bailando, grupos de ancianos organizando obras de teatro, cruceros para los mayores). ¿Qué indica tu investigación sobre su posición en nuestra sociedad?

10. ¿Qué nos indican la obra y la vida de Sor Juana sobre las relaciones de poder entre hombres y mujeres de su época?

11. Piensa en cómo se ha transformado la situación de la mujer desde la época de Sor Juana. ¿Tendría sentido "Hombres necios" si hubiera sido publicado en nuestro tiempo, en nuestro país? ¿Causaría sorpresa, escándalo, admiración, indiferencia? ¿Hay contextos en los que la situación de la mujer ha cambiado poco? ¿De qué modo han influido los factores socio-económicos y culturales en las posibilidades de las mujeres?

12. En su vida y poesía, Sor Juana se retrata como una mujer que toma sus propias decisiones y ejerce el control de su vida. Escribe un ensayo tratando de analizar las dificultades y obstáculos que encontró, considerando los prejuicios de la época.

13. De todos los factores que limitan a las mujeres de la época de Sor Juana (la falta de educación, la clase social, el género), ¿cuál crees que la restringía más?

UNIDAD 2. HISTORIAS TRANSATLÁNTICAS, PRIMEROS ENCUENTROS

Hernán Cortés

(1485–1547)

Datos biográficos

Nació Cortés en Medellín, en el suroeste de España, en 1485 y realizó estudios en la Universidad de Salamanca. En 1511, a los 26 años, entusiasmado con las historias fantásticas que había oído de las riquezas y aventuras del Nuevo Mundo, viajó primero a La Española y luego participó en la conquista de Cuba. En 1519, el gobernador de la isla, Diego Velázquez, lo envió a México para dirigir una expedición de conquista. Cortés partió en febrero con unos 11 navíos, más de 500 hombres, 16 caballos y 14 cañones y al desembarcar en la costa fundó la Villa Rica de la Vera Cruz (ahora Veracruz). No solo estaba al mando de sus propios hombres sino que también reclutó a varios enemigos costales de Moctezuma. Igualmente, empleó los servicios de intérprete y los consejos de Malinche, una mujer azteca que vivía en Yucatán, que había sido vendida de niña y que fue dada como esclava a Cortés. Cortés completó la conquista de los mexicas en unos 28 meses de negociaciones formales y matanzas sangrientas. Emprendió su famosa marcha a Temixtitan, en la actual ciudad de México, que en aquella época contaba con más de 200,000 habitantes, entrando a la capital del imperio azteca el 8 de noviembre de 1519. Por fin vio el esplendor de la capital de la que tanto había oído, con sus jardines zoológicos y botánicos, edificios monumentales y lujosos, instituciones administrativas y gubernamentales, y la organización de la esfera pública con mercados enormes y variados, todo lo que relata en la *Segunda carta de relación*. Muchas fuentes cuentan que Moctezuma, gobernante supremo de Temixtitan, pensó que esos hombres blancos eran Quetzalcoatl y otros dioses de sus antepasados, que por fin volvían, como prometieron, de más allá de lo que actualmente es el Golfo de México, pero algunos etnohistoriadores modernos disputan esta versión. Así se cuenta que Moctezuma recibió a Cortés con honores y regalos, tratando de persuadirle para que se fuera. Pero a despecho de la buena recepción, más tarde el español aprisionó a Moctezuma y trató de gobernar a través de él. Cuando Cortés tuvo que ir a la costa para combatir las fuerzas de Pánfilo de Narváez (enviado por Velázquez, que quería revocar la marcha a México), dejó a cargo a Pedro de Alvarado, quien masacró a muchos aztecas. Al regresar, hubo una rebelión de los aztecas y en la batalla murió Moctezuma, ya sea a manos de los españoles (que ya no lo necesitaban) o de los aztecas (hartos de su complicidad con el enemigo). Los españoles, la mitad de los cuales perdieron la vida, abandonaron la ciudad dejando muchos muertos (no está claro de qué lado eran los muertos) en la Noche Triste, el 30 de junio de 1520.

Al año siguiente, Cortés reconquistó la capital y Tenochtitlán cayó definitivamente el 13 de agosto de 1521. Continuó su conquista del territorio enviando expediciones por el resto de México y el norte de Centroamérica. Llevó consigo a Cuauhtémoc, el último de los emperadores aztecas, para evitar insurrecciones en su ausencia, y finalmente lo mató en lo que es ahora Honduras. Al volver a España, Cortés recibió el título de marqués del Valle de Oaxaca y muchos territorios por parte de Carlos V, pero murió en 1547, amargado por no recobrar el puesto de gobernador general de la Nueva España.

Las *Cartas de relación* de Cortés

Entre 1519 y 1526 Cortés escribió cinco *Cartas de relación* a Carlos V, rey de España. Aunque la primera y la quinta no se publicaron hasta el siglo XIX, las otras tres tuvieron un impacto inmediato y enorme en toda Europa. Escritas de una manera que indica que Cortés había estudiado latín, en un estilo claro e instruido, las *Cartas de relación* son unos de los documentos más importantes para nuestro conocimiento de la civilización de México, de su conquista y de la actitud europea hacia el imperialismo en el Nuevo Mundo. Es importante saber que Cortés las escribió no solo con propósito histórico sino más bien con fines políticos y justificadores para minimizar su decisión de no obedecer a Diego Velázquez (quien revocó su comisión de ir a México) y para confirmar el respeto de Carlos V. Por lo tanto es necesario leer las cartas de manera crítica, dándose cuenta de que no son relatos objetivos. Otros escritores ofrecen correcciones a la visión de Cortés. En su *Historia verdadera de la conquista de la Nueva España*, por ejemplo, Bernal Díaz del Castillo trató de rectificar los errores de otros cronistas. Hizo comentarios desfavorables sobre algunas de las acciones de Cortés. Indignado con la manera en que trataba a los indígenas, el fraile dominico, Fray Bartolomé de las Casas, criticó la brutalidad que los españoles mostraban hacia los indígenas y se dedicó a defenderlos.

La fecha de la *Segunda Carta de relación* es el 30 de octubre de 1520. Cortés la dirige al rey, "Muy alto y poderoso y muy católico príncipe, invictísimo emperador y señor nuestro", y al empezar la carta hace referencia a la primera carta que le había despachado el 16 de julio del año anterior. Explica las razones de no haber escrito otra vez y, en particular, por "estar yo ocupado en la conquista y pacificación de esta tierra [México]". En su segunda carta narra la guerra que libró contra la gente indígena que ahora llamamos aztecas, ofreciendo descripciones amplias y brillantes de sus tierras y su gente, de la corte de Moctezuma y de sus instituciones y edificios. Aunque no apreciaba su religión, particularmente la práctica de sacrificios humanos para satisfacer a Huitzilopochtli, dios del sol, expresa mucha admiración por el alto grado de la civilización azteca.

Notas para facilitar la lectura:

- **Moctezuma** (c. 1466–junio de 1520): Los textos se refieren a **Moctezuma** con varias ortografías. En esta sección usamos Moctezuma como lo hace Cortés en la *Segunda carta*, pero en los textos nahuas como los de León-Portilla los indígenas se refieren a él como **Motecuhzoma.** Fue el noveno *huey tlatoani* [nahua para "gran orador" pero traducido más frecuentemente como "rey" o "emperador"] de los aztecas de Tenochtitlán, donde reinó de 1502 a 1520.

- **Tenochtitlán**: etimológicamente quiere decir "lugar de tunas [prickly pears] sobre piedra" o, como lo nombra Cortés, **Temixtitan.** Fue la capital del imperio azteca. Estaba situada en el Lago Texcoco donde ahora está la capital de México. Según los códices antiguos, **Tenochtitlán** se estableció en 1325.

- **Nahua**: son el conjunto de pueblos indígenas de México, que incluye no solo a los aztecas sino también las otras ciudades-estados en el valle de México.

- Los **mexicas** y los **aztecas**: "Mexica" se refiere a la cultura de todos los habitantes de la cuenca central de México. Los españoles los llamaban "mexicanos" y de ahí viene su uso moderno. Aunque tradicionalmente en los Estados Unidos nos referimos a todos los indígenas como "aztecas", estos son un grupo más restringido.

- **Náhuatl**: derivación de "sonido claro o agradable", es el idioma hablado y más tarde escrito por los nahuas en México y América Central.

- **Carlos V** (1500–1558): fue emperador de España, con el título oficial de Emperador del Imperio Romano Germánico (1520–1558). Bajo su mando el Imperio Español se expandió al Nuevo Mundo y fue a Carlos V a quien Cortés dirigió sus *Cartas de relación* (1) tratando de absolverse de no obedecer a la retirada de la orden de Velázquez de mandarlo a México y (2) para ganar su favor por medio de su recuento de sus conquistas por la "gloria" de España.

- **Cuauhtémoc** (c. 1495–1525): el primo de Moctezuma, fue el último *tlatoani* de Tenochtitlán (de 1520 a 1521).

- **Bernal Díaz del Castillo** (1496–1585) fue un conquistador español que acompañó a Cortés a México desde Cuba y participó en la conquista del imperio azteca, ofreciendo en sus crónicas su visión de Cortés, la caída del imperio y la Noche Triste, en la que tantos españoles murieron.

✦ ✦ ✦ ✦ ✦ ✦ ✦ ✦ ✦ ✦ ✦

Segunda carta de relación

[...] Pasada este puente nos salió a recibir aquel señor Moctezuma con hasta
doscientos señores, todos descalzos[1] y vestidos de otra librea[2] o manera de ropa, asimismo
bien rica a su uso, y más que la de los otros. Venían en dos procesiones, muy arrimados[3]
a las paredes de la calle, que es muy ancha y muy hermosa y derecha, que de un cabo se

5   parece el otro[4] y tiene dos tercios de legua[5], y de la una parte y de la otra muy buenas y
grandes casas, así e aposentamientos[6] como de mezquitas[7]. Moctezuma venía por medio
de la calle con dos señores, el uno a la mano derecha y el otro a la izquierda; de los cuales
el uno era aquel señor grande que dije que me había salido a hablar en las andas[8], y el otro
era su hermano del dicho[9] Moctezuma, señor de aquella ciudad de Iztapalapa de donde

10   yo aquel día había partido, todos tres vestidos de una manera[10], excepto el Moctezuma
que iba calzado[11], y los otros dos señores descalzos. Cada uno le llevaba de su brazo; y
como nos juntamos, yo me apeé[12], y le fui a abrazar solo: y aquellos dos señores que con
él iban, me detuvieron con las manos para que no le tocase; y ellos y él hicieron asimismo
ceremonia de besar la tierra. Hecha[13], mandó aquel su hermano que venía con él que se

15   quedase conmigo y me llevase por el brazo, y él con el otro se iba adelante de mí poquito
trecho[14]. Después de me haber él hablado, vinieron asimismo a me hablar todos los otros
señores que iban en las dos procesiones, en orden uno en pos de otro[15], y luego se tornaban
a su procesión. Al tiempo que yo llegué a hablar al dicho Moctezuma, quitéme un collar
que llevaba de margaritas[16] y diamantes de vidrio, y se lo eché al cuello; y después de haber

20   andado la calle adelante, vino un servidor suyo con dos collares de camarones[17], envueltos
en un paño[18], que eran hechos de huesos de caracoles colorados[19], que ellos tienen en
mucho[20]; y de cada collar colgaban ocho camarones de oro, de mucha perfección, tan
largos casi como un geme[21]. Como se los trajeron, se volvió a mí y me los echó al cuello, y
tornó a seguir por la calle en la forma ya dicha, hasta llegar a una muy grande y hermosa

25   casa que él tenía para nos aposentar[22], bien aderezada[23]. Allí me tomó por la mano y me
llevó a una gran sala que estaba frontera[24] d un patio por donde entramos. Allí me hizo
sentar en un estrado[25] muy rico que para él lo tenía mandado hacer, y me dijo que le
esperase allí y él se fue. Dende a poco rato[26], ya que toda la gente de mi compañía estaba
aposentada, volvió con muchas y diversas joyas de oro y plata, y plumajes, y hasta cinco

---

1 **descalzos** barefoot	9 **dicho** aforementioned, said	19 **huesos de caracoles colorados** made of colored prawns or periwinkles
2 **librea** livery, uniforms	10 **de una manera** in the same way	20 **ellos tienen en mucho** hold in high esteem
3 **arrimados** pulled up close to	11 **calzado** wearing shoes	21 **geme** measure of about a foot and a half in length
4 **de un cabo se parece el otro** you could see one end from the other	12 **me apeé** I alighted, got out	
5 **dos tercios de legua** two-thirds of a league (approximately 2.3 miles)	13 **hecha** after doing this	22 **aposentar** to lodge
	14 **poquito trecho** a short distance in front of me	23 **bien aderezada** prepared to receive us
6 **aposentamientos** large houses	15 **uno pos de otro** one after the other	24 **frontera** in front of
7 **mezquitas** mosques (refers to the aztec temples)	16 **margaritas** pearls	25 **estrado** carpet
8 **en las andas** in the litter	17 **camarones** shellfish	
	18 **paño** cloth	26 **dende a poco rato** after a short time

30 o seis mil piezas de ropa de algodón, muy ricas y de diversas maneras tejidas y labradas[27].
Después de me las haber dado, se sentó en otro estrado, que luego le hicieron allí junto con
el otro donde yo estaba; y sentado, propuso en esta manera:

"Muchos días hace que por nuestras escrituras tenemos de nuestros antepasados
noticia que ni yo ni todos los que en esta tierra habitamos no somos naturales de ella,
35 sino extranjeros y venidos a ella de partes muy extrañas; y tenemos asimismo que a estas
partes trajo nuestra generación un señor, cuyos vasallos todos eran, el cual se volvió a
su naturaleza[28]. Después tornó a venir dende en mucho tiempo, y tanto, que ya estaban
casados los que habían quedado con las mujeres naturales de la tierra, y tenían mucha
generación y hechos pueblos donde vivían; y queriéndolos llevar consigo, no quisieron
40 ir, ni menos recibirle por señor; y así se volvió. Y siempre hemos tenido que los que de él
descendiesen habían de venir a sojuzgar[29] esta tierra y a nosotros como a sus vasallos[30].
Según de la parte que vos decís que venís[31], que es a donde sale el sol, y las cosas que decís
de ese gran señor o rey que acá os envió, creemos y tenemos por cierto, él ser nuestro señor
natural; en especial que nos decís que él hace muchos días que tiene noticia de nosotros.
45 Por tanto vos sed cierto que os obedeceremos y tendremos por señor en lugar de ese gran
señor que vos decís, y que en ello no habrá falta ni engaño alguno; y bien podéis en toda la
tierra, digo que en la que yo en mi señorío poseo, mandar a vuestra voluntad, porque será
obedecido y hecho, y todo lo que nosotros tenemos es para lo que vos de ello quisierais
disponer. Y pues estáis en vuestra naturaleza y en vuestra casa, holgad y descansad del
50 trabajo del camino y guerras que habéis tenido; que muy bien sé todos los que se os han
ofrecido de Puntunchán acá y bien sé que los de Cempoal y de Tascaltecal os han dicho
muchos males de mí. No creáis más de lo que por vuestros ojos veáis, en especial de
aquellos que son mis enemigos, y algunos de ellos eran mis vasallos y hánseme rebelado
con vuestra venida, y por se favorecer con vos lo dicen. Los cuales sé que también os
55 han dicho que yo tenía las casas con las paredes de oro, y que las esteras de mis estrados
y otras cosas de mi servicio eran asimismo de oro, y que yo era y me hacía dios, y otras
muchas cosas. Las casas ya las veis que son de piedra, cal y tierra".

Entonces alzó las vestiduras[32] y me mostró el cuerpo diciendo a mí:

"Veisme aquí que soy de carne y hueso como vos y como cada uno, y que soy mortal y
60 palpable".

Y asiéndose él con sus manos de los brazos y del cuerpo:

"Ved cómo os han mentido. Verdad es que yo tengo algunas cosas de oro que me han
quedado de mis abuelos: todo lo que yo tuviere tenéis cada vez que vos lo quisiérais. Yo me
voy a otras casas donde vivo; aquí seréis proveídos de todas las cosas necesarias para vos y

---

27 **de diversas maneras tejidas y labradas** of varied
textures and finishes

28 **volvió a su naturaleza** returned to his native land

29 **sojuzgar** subjugate, conquer

30 **vasallos** vassals

31 **la parte que vos decís que venís** the direction that
you say you come from

32 **alzó las vestiduras** he opened his robes

65 vuestra gente; y no recibáis pena alguna, pues estáis en vuestra casa y naturaleza".

Yo le respondí a todo lo que me dijo, satisfaciendo a aquello que me pareció que convenía, en especial en hacerle creer que vuestra majestad era a quien ellos esperaban y con eso se despidió. E ido, fuimos muy bien proveídos de muchas gallinas, y pan, y frutas y otras cosas necesarias, especialmente para el servicio del aposento. De esta manera

70 estuve seis días, muy bien proveído de todo lo necesario y visitado de muchos de aquellos señores[...]

[...]Esta gran ciudad de Temixtitan[33] está fundada en esta laguna salada[34], y desde la Tierra-Firme[35] hasta el cuerpo de la dicha ciudad, por cualquiera parte que quisieren entrar a ella, hay dos leguas. Tiene cuatro entradas, todas de calzada hecha a mano[36], tan ancha

75 como dos lanzas jinetas[37]. Es tan grande la ciudad como Sevilla y Córdoba. Son las calles de ella, digo las principales, muy anchas y muy derechas, y algunas de éstas y todas las demás son la mitad de tierra, y por la otra mitad es agua, por la cual andan en sus canoas. Todas las calles de trecho a trecho[38] están abiertas por donde atraviesa el agua de las unas a las otras, y en todas estas aberturas, que algunas son muy anchas, hay sus puentes de

80 muy anchas y muy grandes vigas[39], juntas y recias y bien labradas, y tales, que por muchas de ellas pueden pasar diez de a caballo juntos a la par[40]. Viendo que si los naturales de esta ciudad quisiesen hacer alguna traición[41], tenían para ello mucho aparejo[42], por ser la dicha ciudad edificada de la manera que digo, y que quitadas las puentes de las entradas salidas, nos podrían dejar morir de hambre sin que pudiésemos salir a la tierra, luego que entré

85 en la dicha ciudad di mucha prisa a hacer cuatro bergantines[43], y los hice en muy breve tiempo, tales que podían echar trescientos hombres en la tierra y llevar los caballos cada vez que quisiésemos. Tiene esta ciudad muchas plazas donde hay continuos mercados y trato de comprar y vender[44]. Tiene otra plaza tan grande como dos veces la ciudad de Salamanca, toda cercada de portales alrededor[45], donde hay cotidianamente[46] arriba de[47]

90 sesenta mil ánimas comprando y vendiendo; donde hay todos los géneros de mercaderías que en todas las tierras se hallan, así de mantenimientos[48] como de vituallas[49], joyas de oro y de plata, de plomo, de latón[50], de cobre, de estaño[51], de piedras, de huesos, de conchas, de caracoles[52] y de plumas. Véndese tal piedra labrada[53] y por labrar, adobes, ladrillos[54], madera labrada y por labrar de diversas maneras. Hay calles de caza[55] donde venden todo

---

33 **Temixtitan** Tenochtitlán

34 **laguna salada** salt lake

35 **tierra-firme** mainland

36 **calzada hecha a mano** man-made causeways Tenochtitlán was built on an island in lake Texcoco that was connected to the mainland by these causeways

37 **lanzas jinetas** short spears

38 **de trecho a trecho** at intervals

39 **vigas** timber beams

40 **diez de caballo juntos a la par** ten horses abreast

41 **traición** treason, uprising

42 **aparejo** advantages

43 **bergantines** tall sailing ships with two masts

44 **trato (de comprar y vender)** deal

45 **toda cercada de portales alrededor** all surrounded by porticoes

46 **cotidianamente** daily

47 **arriba de** more than

48 **mantenimientos** necessities of life

49 **vituallas** food items

50 **latón** brass

51 **estaño** tin

52 **caracoles** snails

53 **piedra labrada** wrought stone

54 **ladrillos** bricks

55 **calles de caza** streets on which game is sold

95 linaje de aves que hay en la tierra, así como gallinas, perdices[56], codornices[57], avancos[58], dorales[59], zarcetas[60], tórtolas[61], palomas, pajaritos en cañuela[62], papagayos, búharos[63], águilas, halcones, gavilanes[64] y cernícalos[65]; y de algunas de estas aves de rapiña[66], venden los cueros con su pluma y cabezas y pico[67] y uñas[68]. Venden conejos, liebres, venados, y perros pequeños, que crían para comer. Hay calle de herbolarios[69], donde hay todas las

100 raíces y hierbas medicinales que en la tierra se hallan. Hay casas como de boticarios[70] donde se venden las medicinas hechas, así potables como ungüentos y emplastos[71]. Hay casas como de barberos, donde lavan y rapan[72] las cabezas. Hay casas donde dan de comer y beber por precio. Hay hombres como los que llaman en Castilla ganapanes[73], para traer cargas. Hay mucha leña, carbón, braseros de barro[74] y esteras[75] de muchas maneras para

105 camas, y otras más delgadas para asiento y esterar[76] salas y cámaras. [...]Finalmente, que en los dichos mercados se venden todas cuantas cosas se hallan en la tierra, que demás de las que he dicho, son tantas y de tantas calidades, que por la prolijidad[77] y por no me ocurrir tantas a la memoria, y aun por no saber poner los nombres, no las expreso. Cada género de mercadería se vende en su calle, sin que entremetan otra mercadería ninguna,

110 y en esto tienen mucha orden. Todo lo venden por cuenta y medida[78], excepto que hasta ahora no se ha visto vender cosa alguna por peso[79]. Hay en esta gran plaza una muy buena casa como de audiencia[80], donde están siempre sentadas diez o doce personas, que son jueces y libran todos los casos y cosas que en el dicho mercado acaecen[81], y mandan castigar los delincuentes. Hay en la dicha plaza otras personas que andan continuo entre la

115 gente mirando lo que se vende y las medidas con que miden los que venden, y se ha visto quebrar alguna que estaba falsa[82]. [...]

En lo del servicio de Moctezuma y de las cosas de admiración que tenía por grandeza y estado, hay tanto que escribir, que certifico a vuestra alteza que yo no sé por dónde pueda acabar de decir alguna parte de ellas. Porque, como ya he dicho ¿qué más grandeza

120 puede ser que un señor bárbaro[83] como éste tuviese contrahechas[84] de oro y plata y piedras y plumas, todas las cosas que debajo del cielo hay en su señorío, tan al natural lo de oro y plata, que no hay platero en el mundo que mejor lo hiciese; y lo de las piedras, que no baste juicio comprender con qué instrumentos se hiciese tan perfecto, y lo de pluma, que ni de cera ni en ningún broslado[85] se podría hacer tan maravillosamente? El señorío de

---

56 **perdices** partridges

57 **codonices** quail

58 **avancos** wild ducks

59 **dorales** fly-catchers

60 **zarcetas** widgeons

61 **tórtolas** turtle-doves

62 **pajarillos en cañuela** reedbirds

63 **búharos** sparrows

64 **gavilanes** owls

65 **cernícalos** kestrals

66 **aves de rapiña** birds of prey

67 **pico** beak

68 **uñas** claws

69 **herbolarios** where herbs are sold

70 **boticarios** apothecary's shops

71 **así potables como ungüentos y emplastos** both drinkable and like ointments or plasters

72 **rapan** shave

73 **ganapanes** porters

74 **braseros de barro** clay braziers

75 **esteras** mats

76 **esterar** to cover with mats or carpets

77 **prolijidad** abundance

78 **por cuenta y medida** by number and measure

79 **por peso** by weight

80 **como de audiencia** for hearings

81 **acaecer** happen

82 **quebrar alguna que estaba falsa** to break measuring devices that were not true

83 **un señor bárbaro** a barbarous ruler

84 **contrahechas** misshapen

85 **broslado** embroidery

125   tierras que este Moctezuma tenía, no se ha podido alcanzar cuánto era, porque a ninguna
parte, doscientas leguas de un cabo y de otro de aquella su gran ciudad, enviaba sus
mensajeros, que no fuese cumplido su mandato, aunque había algunas provincias
en medio de estas tierras con quien él tenía guerra. Pero por lo que se alcanzó, y yo de él
pude comprender, era su señorío[86] casi tanto como España [...]Tenía, así fuera de la ciudad

130   como dentro, muchas casas de placer[87], y cada una de su manera de pasatiempo, tan bien
labradas como se podría decir, y cuales requerían ser para un gran príncipe y señor. Tenía
dentro de la ciudad sus casas de aposentamiento, tales y tan maravillosas que me parecía
casi imposible poder decir la bondad y grandeza de ellas. Y por tanto no me pondré en
expresar cosa de ellas más de que en España no hay su semejable. Tenía una casa poco

135   menos buena que ésta, donde tenía un muy hermoso jardín con ciertos miradores[88] que
salían sobre él, y los mármoles[89] y losas[90] de ellos eran de jaspe[91], muy bien obradas. Había
en esta casa aposentamientos para se aposentar dos muy grandes príncipes con todo su
servicio. En esta casa tenía diez estanques[92] de agua, donde tenía todos los linajes de aves
de agua que en estas partes se hallan, que son muchos y diversos, todas domésticas; y

140   para las aves que se crían en la mar, eran los estanques de agua salada, y para los de ríos,
lagunas de agua dulce[93]; la cual agua vaciaban de cierto a cierto tiempo por la limpieza, y la
tornaban a henchir[94] por sus caños[95]. A cada género de aves se daba aquel mantenimiento
que era propio a su natural y con que ellas en el campo se mantenían. De forma que a las
que comían pescado, se lo daban, y las que gusanos[96], gusanos; y a las que maíz, maíz, y las

145   que otras semillas más menudas, por consiguiente se las daban. Certifico a vuestra alteza
que a las aves que solamente comían pescado se les daba cada día diez arrobas[97] de él, que
se toma en la laguna salada. Había para tener cargo[98] de estas aves trescientos hombres,
que en ninguna otra cosa entendían. Había otros hombres que solamente entendían en
curar las aves que adolecían[99]. Sobre cada alberca[100] y estanque de estas aves había sus

150   corredores y miradores muy gentilmente labrados, donde el dicho Moctezuma se venía
a recrear y a las ver. Tenía en esta casa un cuarto en que tenía hombres, mujeres y niños,
blancos de su nacimiento en el rostro y cuerpo y cabellos y cejas y pestañas. Tenía otra
casa muy hermosa donde tenía un gran patio losado de muy gentiles losas, todo él hecho
a manera de un juego de ajedrez[101]. Unas casas eran hondas cuanto estado y medio, y tan

155   grandes como seis pies en cuadra; y la mitad de cada una de estas casas era cubierta el
soterrado[102] de losas, y la mitad que quedaba por cubrir tenía encima una red de palo[103]
muy bien hecha. En cada una de estas casas había un ave de rapiña, comenzando de
cernícalo hasta a águila, todas cuantas se hallan en España, y muchas más raleas[104] que

86	**señorío** dominion	92	**estanques** pools, ponds	weight which equal 25 pounds	101	**juego de ajedrez** chess board, game
87	**casas de placer** villas	93	**agua dulce** freshwater		102	**soterrado** roof
88	**miradores** balconies, overlooks	94	**tornaban a henchir** refilled, replenished	98 **tener cargo de** take care of	103	**red de palo** wooden grate
89	**mármoles** marbles	95	**caños** pipes	99 **adolecían** suffered ill health	104	**raleas** breed
90	**losas** flagstones	96	**gusanos** worms			
91	**jaspe** jasper	97	**arrobas** measures of	100 **alberca** pool		

allá no se han visto. Y de cada una de estas raleas había mucha cantidad. En lo cubierto de cada una de estas casas había un palo, como alcándara[105], y otro fuera debajo de la red, que en el uno estaban de noche y cuando llovía, y en el otro se podían salir al sol y al aire a curarse. A todas estas aves daban todos los días de comer gallinas, y no otro mantenimiento. Había en esta casa ciertas salas grandes, bajas, todas llenas de jaulas[106] grandes, de muy gruesos maderos, muy bien labrados y encajados[107], y en todas o en las más había leones, tigres, lobos, zorras[108] y gatos de diversas maneras, y de todos en cantidad; a los cuales daban de comer gallinas cuantas les bastaban. Para esos animales y aves había otros trescientos hombres que tenían cargo de ellos.

Tenía otra casa donde tenía muchos hombres y mujeres monstruos, en que había enanos[109], corcovados[110] y contrahechos, y otros con otras deformidades y cada manera de monstruos en su cuarto por sí; y también había para éstos, personas dedicadas para tener cargo de ellos. Las otras casas de placer que tenía en su ciudad dejo de decir, por ser muchas y de muchas calidades.

La manera de su servicio era que todos los días luego en amaneciendo, eran en su casa de seiscientos señores y personas principales, los cuales se sentaban, y otros andaban por unas salas y corredores que había en la dicha casa, y allí estaban hablando y pasando tiempo, sin entrar donde su persona estaba. Y los servidores de éstos y personas de quien se acompañaban henchían[111] dos o tres grandes patios y la calle, que era muy grande. Estos estaban sin salir de allí todo el día hasta la noche. Al tiempo que traían de comer a Moctezuma, asímismo lo traían a todos aquellos señores tan cumplidamente[112] cuanto a su persona, y también a los servidores y gentes de éstos les daban sus raciones. Había cotidianamente la dispensa[113] y botillería[114] abierta para todos aquellos que quisiesen comer y beber. La manera de como les daban de comer es que venían trescientos o cuatrocientos mancebos con el manjar[115], que era sin cuento, porque todas las veces que comía y cenaba le traían de todas las maneras de manjares, así de carnes como de pescados y frutas y yerbas que en toda la tierra se podían haber. Y porque la tierra es fría, traían debajo de cada plato y escudilla[116] de manjar un braserico[117] con brasa[118] porque no se enfriase[119]. Poníanle todos los manjares juntos en una gran sala en que él comía, que casi toda se henchía; la cual estaba toda muy bien esterada y muy limpia, y él estaba asentado en una almohada de cuero pequeña, muy bien hecha. Al tiempo que comían estaban allí desviados[120] de él cinco o seis señores ancianos, a los cuales él daba de lo que comía. Estaba en pie uno de aquellos servidores, que le ponía y alzaba los manjares, y pedía a los otros que estaban más afuera lo que era necesario para el servicio. Al principio

105 **acándara** perch	111 **henchían** replenished	117 **brasericos** braziers
106 **jaulas** cages	112 **cumplidamente** dutifully	118 **brasa** burning ember
107 **encajados** embedded	113 **dispensa (or despensa)** larder	119 **enfriase** get cold
108 **zorras** foxes	114 **botillería** wine cellar	120 **desviados** diverted
109 **enanos** dwarfs	115 **el manjar** delicacy	
110 **corcovados** hunchbacks	116 **escudilla** chafing dishes	

y fin de la comida y cena siempre le daban agua a manos y con la toalla que una vez se
limpiaba nunca se limpiaba más, ni tampoco los platos y escudillas en que le traían una
195 vez el manjar se los tornaban a traer, sino siempre nuevos y así hacían de los brasericos.
Vestíase todos los días cuatro maneras de vestiduras, todas nuevas, y nunca más se las
vestía otra vez. Todos los señores que entraban en su casa no entraban calzados, y cuando
iban delante de él algunos que él enviaba a llamar, llevaban la cabeza y ojos inclinados
y el cuerpo muy humillado, y hablando con él no le miraban a la cara; lo cual hacían por
200 mucho acatamiento[121] y reverencia. Y sé que lo hacían por respeto, porque ciertos señores
reprendían[122] a los españoles, diciendo que cuando hablaban conmigo estaban exentos[123],
mirándome la cara, que parecía desacatamiento[124] y poca vergüenza. Cuando salía fuera
el dicho Moctezuma, que era pocas veces, todos los que iban con él y los que topaba por
las calles le volvían el rostro[125], y en ninguna manera le miraban, y todos los demás se
205 postraban hasta que él pasaba. Llevaba siempre delante de sí un señor de aquellos con
tres varas delgadas altas[126], que creo se hacía porque se supiese que iba allí su persona. Y
cuando lo descendía de las andas[127] tomaba la una en la mano y llevábala hasta donde iba.

Eran tantas y tan diversas las maneras y ceremonias que este señor tenía en su
servicio, que era necesario más espacio del que yo al presente tengo para las relatar, y aún
210 mejor memoria para las retener, porque ninguno de los soldanes[128] ni otro ningún señor
infiel de los que hasta ahora se tiene noticia, no creo que tantas ni tales ceremonias en su
servicio tengan [...].

◆ ◆ ◆ ◆ ◆ ◆ ◆ ◆ ◆ ◆ ◆ ◆

---

121 **acatamiento** modesty	125 **le volvían el rostro** turned away without looking	127 **andas** litters
122 **reprendían** rebuked		128 **soldanes** sultans
123 **extentos** unrestrained	126 **tres varas delgadas altas** three slender tall staffs	
124 **desacatamiento** boldness		

Sugerencias para el análisis de la *Segunda carta de relación*

1. Cortés narra uno de los momentos más importantes de la historia mundial en esta selección, el primer encuentro entre dos grandes civilizaciones: los mexicas y los españoles. Analiza el punto de vista literal y narrativo en este pasaje: ¿Cómo ve y cómo presenta Cortés la llegada de Moctezuma y el encuentro entre ellos? ¿Cómo describirías el tono de la relación?

2. ¿Qué detalles destaca (detalles del ambiente, de la manera de vestirse, de los regalos que se presentan)?

3. Cortés pretende representar las palabras mismas de Moctezuma cuando describe la historia de sus antepasados y cómo tiene lugar la recepción de los españoles. ¿Cuál es el retrato que pinta de Moctezuma? Señala las frases y palabras que mejor representan el carácter del gran líder azteca. ¿Qué razones habrá tenido Cortés para representar un Moctezuma tan humilde y acogedor de los españoles?

4. ¿Cómo se representa Cortés a sí mismo? ¿Qué entiendes cuando él dice en las líneas: "Yo le [a Moctezuma] repondí… satisfaciendo a aquello que me pareció que convenía, en especial en hacerle creer que vuestra majestad [Carlos V] era a quien ellos [los aztecas] esperaban…"?

5. ¿Cuál es el efecto de las listas de "todos los géneros de mercaderías que en todas las tierras se hallan" que enumeran todo lo que se vende en las plazas de Temixtitan y qué recursos literarios usa Cortés para realizarlo?

6. ¿Presenta Cortés a Moctezuma como héroe? ¿Hay una contradicción entre la manera en que según Cortés Moctezuma se presenta en sus propias palabras ("Véisme aquí que soy de carne y hueso como vos y como cada uno, y que soy mortal y palpable") y cómo Cortés lo presenta en la última sección sobre sus servidores con sus "seiscientos señores y personas principales? Nombra los detalles específicos del servicio de Moctezuma para explicar mejor el significado de su persona en su palacio.

7. Cortés parece estar muy impresionado con los sistemas de orden y jerarquía en la capital azteca. Señala tres ejemplos y explica lo que parecen demostrar sobre la naturaleza y características de los habitantes.

8. ¿Qué nos dice sobre las creencias de su época el hecho de que Cortés describa en una frase habitaciones llenas de jaulas con animales salvajes y en la siguiente frase otra casa con seres humanos con deformidades?

9. ¿Por qué crees que Cortés entra en tantos detalles sobre la forma en que Moctezuma come y se viste?

Temas de discusión y ensayos

1. Compara y contrasta la representación del imperialismo en las selecciones de Cortés y en "A Roosevelt" de Rubén Darío.

2. Compara la representación más histórica de los indígenas de Cortés con la representación ficticia de los "motecas" en el cuento de Cortázar, "La noche boca arriba".

3. ¿De qué manera las perspectivas de Cortés y los conquistadores afectan la representación de los eventos de la Conquista? Aunque los sucesos contados por las voces indígenas en "Los presagios" no cuentan exactamente los mismos sucesos, ¿cómo se diferencia el tono en los dos textos?

4. ¿De qué manera es la confrontación de culturas de que somos testigos en la *Segunda carta de relación* de Cortés similar y diferente a la descrita por Martí en "Nuestra América"?

Miguel León-Portilla
(1926-)

Datos biográficos

Nacido en México, D. F., en 1926, Miguel León-Portilla escribió su tesis doctoral sobre la filosofía nahua de los pueblos indígenas de México bajo la dirección del padre Ángel María Garibay, uno de los primeros traductores de documentos en náhuatl que atrajeron la atención del mundo académico hacia la obra indígena. En nuestra selección da a conocer una muestra de las obras de Fray Bernardino de Sahagún quien es, según León-Portilla, "Padre de la Antropología en el Nuevo Mundo". Historiador y antropólogo, ha escrito muchos libros, entre los que destaca *Visión de los vencidos*. Desde 1988 es investigador emérito de la Universidad Nacional Autónoma de México. Ha recibido numerosos honores académicos que incluyen la Medalla de Honor Belisario Domínguez, la máxima condecoración que el Senado de México otorga a los ciudadanos más eminentes del país.

La obra de León-Portilla

En su libro *Crónicas indígenas: Visión de los vencidos,* del que se incluye el primer capítulo, "Presagios de la venida de los españoles", León-Portilla explica que los trece primeros capítulos representan las voces mismas de varios sacerdotes indígenas y sabios que sobrevivieron la masacre final de Tenochtitlán. Según el escritor, el libro comprende "hechos acaecidos desde poco antes de la llegada de los españoles a las costas del Golfo de México". También incluimos "Se ha perdido el pueblo mexica", uno de los lamentos de los aztecas cuando México-Tenochtitlán ya cae bajo el poder de los conquistadores. León-Portilla ordenó el libro en la secuencia cronológica de los sucesos de la conquista e incluyó en "Los presagios" dos tipos de escritos. Algunos de los recuentos fueron escritos en 1528, solo siete años después de la caída de Tenochtitlán. León-Portilla explica que más importante que la presentación de los hechos históricos, es su "valor humano" porque los textos nos informan sobre "cómo... vieron e interpretaron los indios nahuas de diversas ciudades y procedencias" la conquista de su tierra; es decir, dan voz a los indígenas, donde anteriormente teníamos solo las relaciones de Cortés, Díaz del Castillo y otros conquistadores.

En "Los presagios" nos ofrece las versiones directas del náhuatl de los textos publicados en el libro XII del *Códice Florentino*, que Fray Bernardino de Sahagún preparó según los informantes indígenas, y también otra versión tomada de la *Historia de Tlaxcala* de Diego Muñoz Camargo, que refleja "la opinión de los indios tlaxcaltecas, aliados de Cortés". Los dos textos, muy similares, narran "una serie de prodigios y presagios funestos que afirmaron ver los indios y de manera especial Motecuhzoma, unos diez años antes de la llegada de los españoles".

La obra de León-Portilla tiene como objetivo revaluar la literatura y filosofía de los hablantes de náhuatl, no sólo de la época precolombina, sino también de hoy en día, ya que unos 1.5 millones de personas todavía lo hablan. Y es preciso darse cuenta de la complejidad política por la cual nos llegan los manuscritos. Antes de la llegada de los españoles, los indígenas escribieron en estilo pictográfico y la primera evidencia sugiere que los nahuas ya escribían en su lengua para la década de 1520. Se cree que Sahagún terminó el manuscrito en 1555, pero como no sobrevive nada de él, ya que fue confiscado en 1575, el texto que nos queda hoy es un resumen que él volvió a redactar en español.

Notas para facilitar la lectura:

- **Bernardino de Sahagún** (1499–1590): fue un fraile y misionero franciscano. Viajó al Nuevo Mundo en 1529 y pasó unos cincuenta años documentando la cultura y las creencias de los aztecas.

- **Códice**: es un manuscrito antiguo de importancia histórica.

- **Náhuatl**: derivación de "sonido claro o agradable", es el idioma hablado por los nahuas en México y América Central.

- **Nahuas**: son el conjunto de pueblos indígenas de México, que incluyen a los mexicas que fundaron Tenochtitlán.

- **Motecuhzoma**: otra manera de escribir el nombre del "rey" o "emperador" del imperio mexica, Moctezuma (así lo escribe Cortés) o Montezuma (versión común en inglés).

- **Muñoz Camargo**: (c. 1529–1599) fue el autor de *Historia de Tlaxcala,* un códice ilustrado que pone de relieve la historia y cultura del pueblo de Tlaxcala, una de las naciones que mantuvo su independencia ante el imperio azteca.

✦ ✦ ✦ ✦ ✦ ✦ ✦ ✦ ✦ ✦ ✦ ✦

Visión de los vencidos

Los presagios, según los informantes de Sahagún y según el testimonio de Muñoz Camargo

Se ha perdido el pueblo mexica

Primer presagio[1] funesto: Diez años antes de venir los españoles primeramente se mostró un funesto presagio en el cielo. Una como espiga[2] de fuego, una como llama de fuego[3], una como aurora: se mostraba como si estuviera goteando[4], como si estuviera punzando[5] en el cielo.

5   Ancha de asiento[6], angosta de vértice[7]. Bien al medio del cielo, bien al centro del cielo llegaba, bien al cielo estaba alcanzando.

      Y de este modo se veía: allá en el oriente se mostraba: de este modo llegaba a la medianoche. Se manifestaba: estaba aún en el amanecer; hasta entonces la hacía desaparecer el sol.

10   Y en el tiempo en que estaba apareciendo: por un año venia a mostrarse. Comenzó en el año 12-casa[8].

      Pues cuando se mostraba había alboroto[9] general: se daban palmadas en los labios[10] las gentes; había un gran azoro[11]; hacían interminables comentarios.

Segundo presagio funesto que sucedió aquí en México: por su propia cuenta[12] se abrasó en llamas, se prendió en fuego[13]: nadie tal vez le puso fuego, sino por su espontánea acción ardió la casa de Huitzilopochtli. Se llamaba su sitio divino, el sitio denominado "Tlacateccan" ("Casa de mando[14]").

      Se mostró: ya arden las columnas. De adentro salen acá las llamas[15] de fuego, las lenguas de fuego, las llamaradas[16] de fuego.

20   Rápidamente en extremo acabó el fuego todo el maderamen[17] de la casa. Al momento hubo vocerío estruendoso[18] dicen: "¡Mexicanos, venid de prisa: se apagará! ¡Traed vuestros cántaros[19]..."

      Pero cuando le echaban agua, cuando intentaban apagarla, sólo se enardecía flameando[20] más. No pudo apagarse: del todo ardió.

1	**presagio** omen	9	**alboroto** riot, commotion, noise	16	**llamaradas** flares, bursts of flame
2	**espiga** ear of corn	10	**se daban palmadas en los labios** clapped their hands across their mouths	17	**maderamen** woodwork, timber
3	**llama de fuego** fiery signal			18	**vocerío estruendoso** loud shouting
4	**gotear** to drip	11	**azoro** ghost	19	**cántaros** water jugs
5	**punzar** prick	12	**por su propia cuenta** all by itself	20	**se enardecía flameando** burned with flames
6	**ancha de asiento** wide at the base	13	**se prendió en fuego** it caught on fire		
7	**angosta de vértice** narrow at the top/peak	14	**casa de mando** house of authority		
8	**el año 12-casa** 1517 in Spanish years	15	**llamas** flames		

25   *Tercer presagio funesto*: Fue herido por un rayo un templo. Sólo de paja era: en donde se llama "Tzummulco".[21] El templo de Xiuhtecuhtli. No llovía recio, solo lloviznaba[22] levemente. Así, se tuvo por presagio; decían de este modo: "No más fue golpe de Sol." Tampoco se oyó el trueno.

     Cuarto presagio funesto: Cuando había aún Sol, cayó un fuego. En tres partes dividido:
30 salió de donde el Sol se mete: iba derecho viendo a donde sale el Sol: como si fuera brasa[23], iba cayendo en lluvia de chispas[24]. Larga se tendió su cauda[25]; lejos llegó su cola. Y cuando visto fue, hubo gran alboroto: como si estuvieran tocando cascabeles[26].

     Quinto presagio funesto: Hirvió[27] el agua: el viento la hizo alborotarse hirviendo. Como si hirviera en furia, como si en pedazos se rompiera al revolverse. Fue su impulso muy
35 lejos, se levanto muy alto. Llegó a los fundamentos de las casas: y derruidas las casas, se anegaron en agua[28]. Eso fue en la laguna que está junto a nosotros.

     Sexto presagio funesto: muchas veces se oía: una mujer lloraba; iba gritando por la noche; andaba dando grandes gritos:

     — ¡Hijitos míos, pues ya tenemos que irnos lejos!

40   Y a veces decía:

     — Hijitos míos, ¿a dónde os llevaré?[29]

     Séptimo presagio funesto: Muchas veces se atrapaba, se cogía algo en redes[30]. Los que trabajaban en el agua cogieron cierto pájaro ceniciento[31] como si fuera grulla[32]. Luego lo llevaron a mostrar a Motecuhzoma, en la Casa de lo Negro (casa de estudio mágico).

45   Había llegado el Sol a su apogeo: era el mediodía. Había uno como espejo en la cabeza del pájaro como rodaja de huso[33], en espiral y en rejuego[34]: era como si estuviera perforado en su medianía.

     Allí se veía el cielo: las estrellas, el Mastelejo[35]. Y Motecuhzoma lo tuvo a muy mal presagio, cuando vio las estrellas y el Mastelejo.

50   Pero cuando vio por segunda vez la cabeza del pájaro, nuevamente vio allá en lontananza[36]; como si algunas personas vinieran de prisa; bien estiradas[37]; dando empellones[38]. Se hacían la guerra unos a otros y los traían a cuestas[39] unos como venados.

     Al momento llamó a sus magos, a sus sabios. Les dijo:

---

21 Nota de León-Portilla: Tzummulco o Tzomolco: "en el cabello mullido", era uno de los edificios del templo mayor de Tenochtitlán.

22 **lloviznaba** it was drizzling

23 **brasa** red hot coal

24 **en lluvia de chispas** a shower of sparks

25 **cauda** train

26 **cascabeles** little bells

27 **hirvió** boiled

28 **se anegaron en agua** were flooded with water

29 Nota de León-Portilla: El texto parece referirse a Cihuacóatl que gritaba y lloraba por la noche. Es éste uno de los antecedentes de la célebre "llorona".

30 **se cogía algo en redes** something was caught in nets

31 **ceniciento** ashen gray

32 **grulla** crane

33 **rodaja de huso** spindle-slice

34 **rejuego** interplay

35 **Mastelejo** a constellation identified by the Aztecs as Mamalhuaztli

36 **en la lontananza** in the far off distance

37 **estiradas** spread out

38 **dando empellones** jostling

39 **los traían a cuestas** they were riding on the backs of

— ¿No sabéis: qué es lo que he visto? ¡Unas como personas que están en pie y
55 agitándose!...

Pero ellos, queriendo dar la respuesta, se pusieron a ver: desapareció (todo): nada
vieron.

Octavo presagio funesto: Muchas veces se mostraban a la gente hombres deformes,
personas monstruosas. De dos cabezas pero un solo cuerpo. Las llevaban a la Casa de lo
60 Negro; se las mostraban a Motecuhzoma. Cuando las había visto luego desaparecían.[40]

Testimonio de Muñoz Camargo (Historia de Tlaxcala, escrita en castellano por su autor)[41]

Diez años antes que los españoles viniesen a esta tierra, hubo una señal que se tuvo
por mala abusión[42], agüero[43] y extraño prodigio, y fue que apareció una columna de fuego
65 muy flamígera[44], muy encendida, de mucha claridad y resplandor, con unas centellas[45] que
centellaba en tanta espesura[46] que parecía polvoreaba[47] centellas, de tal manera, que la
claridad que de ellas salía, hacia tan gran resplandor, que parecía la aurora de la mañana.
La cual columna parecía estar clavada[48] en el cielo, teniendo su principio desde el suelo de
la tierra de do[49] comenzaba de gran anchor[50], de suerte que desde el pie iba adelgazando,
70 haciendo punta que llegaba a tocar el cielo en figura piramidal. La cual aparecía a la
parte del medio día y de media noche para abajo hasta que amanecía, y era de día claro
que con la fuerza del Sol y su resplandor y rayos era vencida. La cual señal duró un año,
comenzando desde el principio del año que cuentan los naturales[51] de doce casas, que
verificada en nuestra cuenta castellana, acaeció el año de 1517.

75 Y cuando esta abusión y prodigio se veía, hacían los naturales grandes extremos
de dolor, dando grandes gritos, voces y alaridos[52] en señal de gran espanto y dándose
palmadas en las bocas, como lo suelen hacer. Todos estos llantos y tristeza iban
acompañados de sacrificios de sangre y de cuerpos humanos como solían hacer en
viéndose en alguna calamidad y tribulación, así como era el tiempo y la ocasión que se les
80 ofrecía, así crecían los géneros de sacrificios y supersticiones.

Con esta tan grande alteración y sobresalto, acuitados[53] de tan gran temor y espanto,
tenían un continuo cuidado e imaginación de lo que podría significar tan extraña novedad,
procuraban saber por adivinos y encantadores qué podrá significar una señal tan extraña
en el mundo jamás vista ni oída. Se ha de considerar que diez años antes de la venida de
85 los españoles, comenzaron a verse estas señales, mas la cuenta que dicen de doce casas fue

---

40   Nota de León-Portilla: Sección tomada de los "informantes de Sahagún": *Códice Florentino*, cap. I; Versión del náhuatl del doctor Garibay.

41   Nota de León-Portilla: La primera parte de la "relación de los presagios de México" manifiesta claramente que Muñoz Camargo conocía los textos de los informantes de Sahagún, que sigue muy de cerca.

42 **abusión** superstition	46 **espesura** thickness	50 **anchor** width
43 **agüero** omen	47 **polvoreaba** dusting	51 **los naturales** natives
44 **flamígera** flaming	48 **clavada** nailed/stuck	52 **alaridos** shouts
45 **centellas** sparks	49 **do donde,** where	53 **acuitados** afflicted, grieved

el año de 1517, dos años antes que los españoles llegasen a esta tierra.

El segundo prodigio, señal, agüero o abusión que los naturales de México tuvieron, fue que el templo del demonio se abrasó y quemó, el cual le llamaban el templo de Huitzilopuchtli, sin que persona alguna le pegase fuego, que está en el barrio de Tlacateco.

90 Fue tan grande este incendio y tan repentino[54], que se salían por las puertas de dicho templo llamaradas de fuego que parecía llegaban al cielo, y en un instante se abrasó y ardió todo, sin poderse remediar cosa alguna "quedó deshecho", lo cual, cundo esto acaeció, no fue sin gran alboroto y alterna gritería, llamando y diciendo las gentes: "¡Ea Mexicanos! venid a gran prisa y con presteza[55] con cántaros de agua a apagar el fuego", y así las más

95 gentes que pudieron acudir al socorro vinieron. Y cuando se acercaban a echar el agua y querer apagar el fuego, que a esto llegó multitud de gentes, entonces se encendía más la llama con gran fuerza, y así, sin ningún remedio, se acabó de quemar todo.

El tercer prodigio y señal fue que un rayo cayó en un templo idolátrico que tenía la techumbre pajiza[56], que los naturales llamaban Xacal, el cual templo los naturales

100 llamaban Tzonmolco, que era dedicado al ídolo Xiuhtecuhtli, lloviendo una agua menuda[57] como una mullisma[58] cayó del cielo sin trueno ni relámpago alguno sobre el dicho templo. Lo cual asimismo tuvieron por gran abusión, agüero y prodigio de muy mala señal, y se quemó y abrasó todo.

El cuarto prodigio fue, que siendo de día y habiendo sol, salieron cometas del cielo

105 por el aire y de tres en tres por la parte de Occidente "que corrían hasta Oriente", con toda fuerza y violencia, que iban desechando y desapareciendo de sí brasas de fuego o centellas por donde corrían hasta el Oriente, y llevaban tan grandes colas, que tomaban muy gran distancia su largor y grandeza; y al tiempo que estas señales se vieron, hubo alboroto, y asimismo muy gran ruido y gritería y alarido de gentes.

110 *El quinto prodigio* y señal fue que se alteró[59] la laguna mexicana sin viento alguno, la cual hervía y rehervía y espumaba en tanta manera que se levantaba y alzaba en gran altura, de tal suerte, que el agua llegaba a bañar a más de la mitad de las casas de México, y muchas de ellas se cayeron y hundieron; y las cubrió y del todo se anegaron.

El sexto prodigio y señal fue que muchas veces y muchas noches, se oía una voz

115 de mujer que a grandes voces lloraba y decía, anegándose con mucho llanto y grandes sollozos y suspiros: ¡Oh hijos míos! del todo nos vamos ya a perder… e otras veces decía: Oh hijos míos ¿a dónde os podré llevar y esconder…?

El séptimo prodigio fue que los laguneros de la laguna mexicana, nautas[60] y piratas o canoístas cazadores, cazaron una ave parda[61] a manera de grulla, la cual incontinente

120 la llevaron a Motecuhzoma para que la viese, el cual estaba en los Palacios de la sala

---

54	**repentino** sudden		58	**mullisma** dew
55	**presteza** promptness		59	**se alteró** was altered
56	**techumbre pajiza** straw roof		60	**nautas** boatmen
57	**agua menuda** light rain		61	**una ave parda** a bird with dark feathers

negra habiendo ya declinado el sol hacia el Poniente, que era de día claro, la cual ave era
tan extraña y de tan gran admiración, que no se puede imaginar ni encarecer su gran
extrañeza, la cual tenía en la cabeza una diadema[62] redonda de la forma de un espejo
redondo muy diáfano[63], claro y transparente, por la que se veía el cielo y los mastelejos "y

125 estrellas" que los astrólogos llaman el signo de Géminis; y cuando esto vio Motecuhzoma le
tuvo gran extrañeza y maravilla por gran agüero, prodigio, abusión y mala señal en ver por
aquella diadema de aquel pájaro estrellas del cielo.

    Y tornando segunda vez Motecuhzoma a ver y admirar por la diadema y cabeza del
pájaro vio grande número de gentes, que venían marchando esparcidas y en escuadrones[64]

130 de mucha ordenanza, muy aderezados[65] y a guisa de[66] guerra, y batallando unos contra
otros escaramuceando[67] en figura de venados y otros animales, y entonces, como viese
tantas visiones y tan disformes, mandó llamar a sus agoreros y adivinos que eran tenidos
por sabios. Habiendo venido a su presencia, les dijo la causa de su admiración. Habéis
de saber mis queridos sabios amigos, cómo yo he visto grandes y extrañas cosas por una

135 diadema de un pájaro que me han traído por cosa nueva y extraña que jamás otra como
ella se ha visto ni cazado, y por la misma diadema que es transparente como un espejo,
he visto una manera de unas gentes que vienen en ordenanza, y porque los veáis, vedle
vosotros y veréis lo propio que yo he visto.

    Y queriendo responder a su señor de lo que les había parecido cosa tan inaudita, para

140 idear sus juicios, adivinanzas y conjeturas o pronósticos, luego de improviso se desapareció
el pájaro, y así no pudieron dar ningún juicio ni pronóstico cierto y verdadero.

    El octavo prodigio y señal de México, fue que muchas veces se aparecían y veían dos
hombres unidos en un cuerpo que los naturales los llaman Tlacantzolli.[68] Y otras veían
cuerpos, con dos cabezas procedentes de un solo cuerpo, los cuales eran llevados al

145 palacio de la sala negra del gran Motecuhzoma, en donde llegando a ella desaparecían y
se hacían invisibles todas estas señales y otras que a los naturales les pronosticaban su fin
y acabamiento, porque decían que había de venir el fin y que todo el mundo se había de
acabar y consumir, de que habían de ser creadas otras nuevas gentes e venir otros nuevos
habitantes del mundo. Y así andaban tan tristes y despavoridos[69] que no sabían que juicio

150 sobre esto habían de hacer sobre cosas tan raras, peregrinas[70], tan nuevas y nunca vistas y
oídas.

    Los presagios y señales acaecidos en Tlaxcala

62	**diadema** a jeweled crown or headband	65	**aderezados** seasoned
63	**diáfana** diaphanous	66	**a guisa de** by way of
64	**escuadrones** squadrons	67	**escaramuceando** skirmishing
68	Nota de León-Portilla: Tlacantzolli: "hombre estrechados" o como nota Muñoz Camargo, "dos hombres unidos en un cuerpo".		
69	**despavoridos** terrorized	70	**peregrinas** wandering

Sin estas señales, hubo otras en esta provincia de Tlaxcala antes de la venida de los españoles, muy poco antes. La primera señal fue que cada mañana se veía una claridad
155   que salía de las partes de Oriente, tres horas antes que el sol saliese, la cual claridad era a manera de una niebla blanca muy clara, la cual subía hasta el cielo, y no sabiéndose que pudiera ser ponía gran espanto y admiración.

También veían otra señal maravillosa, y era que se levantaba un remolino de polvo[71] a manera de una manga, la cual se levantaba desde encima de la Sierra "Matlalcueye"
160   que llaman agora[72] la Sierra de Tlaxcalla, la cual manga subía a tanta altura, que parecía llegaba al cielo. (La sierra Matlalcueye o "Sierra de Tlaxcala" se conoce hoy día como "la Malinche".) Esta señal se vio muchas y diversas veces más de un año continuo, que así mismo ponía espanto y admiración, tan contraria a su natural y nación.

No pensaron ni entendieron sino que eran los dioses que habían bajado del cielo,
165   y así con tan extraña novedad, voló la nueva por toda la tierra en poca o en mucha población. Como quiera que fuese, al fin se supo de la llegada de tan extraña y nueva gente, especialmente en México, donde era la cabeza de este imperio y monarquía.[73]

Se ha perdido el pueblo mexicatl

El llanto se extiende, las lágrimas gotean allí en Tlatelolco.
170   Por agua se fueron ya los mexicanos; semejan[74] mujeres; la huída es general.

¿Adónde vamos?, ¡oh amigos! Luego ¿fue verdad?

Ya abandonan la ciudad de México: el humo se está levantando; la niebla se está extendiendo...

Con llanto se saludan el Huiznahyuácatl Motelhuihtzin, el Tlailotlácatl Tlacotzin, el
175   Tlacatecuhtli Oquihtzin ...

Llorad, amigos míos, tened entendido que con estos hechos hemos perdido la nación mexicana.

¡El agua se ha acedado[75], se acedó la comida!

Esto es lo que ha hecho el Dador de la vida[76] en Tlatelolco.
180   Sin recato[77] son llevados Motelhuihtzin y Tlacotzin.

Con cantos se animaban unos a otros en Acachinanco, ah, cuando fueron a ser puestos a prueba allá en Coyoacan...[78]

❖ ❖ ❖ ❖ ❖ ❖ ❖ ❖ ❖ ❖ ❖

---

71   **remolino de polvo** whirlwind of dust   72   **agora** *ahora*, now

73   Nota de León-Portilla: *Historia de Tlaxcala* de Muñoz Camargo, lib. II, cap. I. 22.

74   **semejan** they act like   76   **el Dador de la vida** giver of life, god

75   **acedado** become bitter   77   **sin recato** shamelessly

78   Nota de León-Portilla: *Cantares Mexicanos*; Bibl. Nacional de México.

Sugerencias para el análisis de "Los presagios" y "Se ha perdido el pueblo mexica"

1. ¿Cuál es la naturaleza de los presagios en general y en qué se parecen a los que leímos aquí?

2. ¿Qué diferencias vemos entre los presagios según los informantes de Sahagún y el testimonio de Muñoz Camargo?

3. Simbólicamente, ¿cuál es el papel del fuego que aparece en los cuatro primeros presagios? ¿Qué imágenes de otros elementos de la naturaleza entran en los presagios?

4. En el sexto presagio, vemos por primera vez una visión que incluye un ser humano, una mujer que llora. ¿Cómo difiere de los otros presagios el efecto producido por esta visión?

5. Comparar las dos versiones del octavo presagio. ¿Qué explicación agrega Muñoz Camargo y cómo aclara su significado?

6. Muñoz Camargo añade los prodigios y señales que se observaron en Tlaxcala. ¿Qué son y qué dice que significan?

7. En "Se ha perdido el pueblo mexica", ¿quiénes hablan y a quién se dirigen?

8. En "Se ha perdido el pueblo mexica", ¿cuál es la naturaleza de las imágenes que dominan?

Temas de discusión y ensayos

1. ¿Crees en los presagios? ¿Hay eventos en tu vida que fueron predichos por los presagios? ¿O son nada más que supersticiones?

2. Analiza la representación de Motecuhzoma en el séptimo presagio funesto y compárala con su retrato en la *Segunda carta de relación* de Cortés. Compara lo que Motecuhzoma ve en el espejo del pájaro ("en la lontananza; como si algunas personas vinieran de prisa; bien estiradas; dando empellones. Se hacían la guerra unos a otros, y los traían a cuestas unos como venados") con el relato hecho por Cortés de la llegada de los españoles a Tenochtitlán.

3. Compara la situación de Motecuhzoma y los presagios de la caída del imperio azteca con la representación del rey moro en "¡Ay de mi Alhama!", que narra la pérdida de Alhama como presagio de la caída de Granada durante la reconquista de España.

4. En el relato "Chac Mool" de Carlos Fuentes, también vemos ciertas deformaciones de la naturaleza o de la rutina mientras Chac Mool se hace cargo de la vida del protagonista Filiberto. ¿Cuáles son algunos eventos poco usuales que se producen en esa historia y cómo se comparan con los reportados en "Los presagios"?

Actividades para la Unidad 2

1. Se puede ver la película *También la lluvia* (2010) para examinar el tema de las relaciones de poder en una situación contemporánea. Es un drama dirigido por Icíar Bollaín, acerca del rodaje en Bolivia de un film sobre Cristóbal Colón y la Conquista.

2. Busca el largo poema del norteamericano Archibald MacLeish, "Conquistador", y analiza el retrato que MacLeish pinta de Cortés.

3. Los estudiantes debaten: Un grupo representa las opiniones de Fernando e Isabel, los Reyes Católicos de España, que justifican la conquista de las tierras y sometimiento de los indígenas del Nuevo Mundo a base de principios legales y religiosos. Otro grupo representa el punto de vista del pueblo indígena que pierde su tierra, sus costumbres, su estilo de vida.

4. Otro debate: La Malinche: ¿traidora o heroína? ¿Mujer pérfida que se sometió a los conquistadores y traicionó a su pueblo? ¿Mujer heroica que mitigó el sufrimiento de su pueblo con su cooperación y conocimientos? ¿O mujer, ella misma traicionada por su familia azteca, que usó su notable inteligencia para sobrevivir?

5. Trabajando con un compañero de clase imagina una entrevista o conversación entre Hernán Cortés y uno de los mercaderes de Tenochtitlán y represéntala en forma escrita o en vídeo. ¿Qué se preguntarían?

6. Respetando los textos que has leído de Cortés y León-Portilla, escribe una crónica de la llegada de los españoles con la pluma y los ojos de un cronista azteca. Incluye detalles del modo de vestir, las armas y de las acciones de los españoles.

7. Eres Carlos V: escribe una respuesta a Cortés basada en algunos aspectos de la *Segunda carta de relación*.

8. El primer presagio funesto se refiere al "año 12-Casa". Un alumno hace una presentación PowerPoint sobre el calendario azteca usando texto, fotografías y dibujos para comparar y contrastar las diferentes nociones de la representación del tiempo entre el mundo de los indígenas de México y el nuestro.

9. Busca en Google los numerosos códices preservados de los tiempos de la conquista. Pon especial atención en el *Códice Florentino* (compendiado por Bernardino de Sahagún), los *Anales Tepanecas*, el *Códice Mendoza*, el *Lienzo Tlaxcala*, el *Códice Aubin*, el *Códice Ramírez* (mira en la guía digital para encontrar enlaces). Analiza las representaciones y saca conclusiones sobre la vida y cultura aztecas.

10. Según León-Portilla ciertos pasajes de los recuentos tienen tanto interés dramático como la historia de Troya en la *Ilíada* de Homero o el Libro II de la *Eneida* de Virgilio, que relata la caída y saqueo de Troya. Busca el pasaje de la

Eneida y analiza la descripción. (Mirar la guía digital para seguir enlace al análisis de los presagios en la *Eneida* discutido por el crítico Patrick Kragelund en *Dream and Prediction in the Aeneid.*)

11. Examina *The Codex Borgia* (Dover Publications) para admirar "a full color restoration of the ancient Mexican manuscript".

12. Se puede escuchar el CD *Nueva España: Close Encounter in the New World (1590-1690)*, de la Boston Camerata, Joel Cohen. El CD explica que los europeos estaban fascinados e influidos por los sorprendentes sonidos de las culturas del Nuevo Mundo y que la respuesta de los indígenas a la polifonía fue entusiasta. Hay textos en español, quechua, náhuatl, gallego y afro-español.

13. Basándote en la riqueza narrativa de las dos lecturas, haz un esfuerzo imaginativo y narra la reacción de un/a joven azteca de tu edad ante la llegada de los españoles o de un joven soldado español llegando a las Américas.

❖ ❖ ❖ ❖ ❖ ❖ ❖ ❖ ❖ ❖ ❖

Cuestiones esenciales para la Unidad 2

1. La siguiente representación del *Códice Florentino* (compendiado por Bernardino de Sahagún) retrata una escena de españoles disponiendo de los cuerpos de Moctezuma e Itzquauhtzin. Compara las vestiduras de los dos grupos. Comenta cómo se llegó a este final después de haber recibido Moctezuma a los españoles con los brazos abiertos. ¿Qué añade esta representación al relato de León-Portilla?

2. ¿De qué manera pueden las diferentes perspectivas afectar la representación de los eventos históricos? ¿Por qué es tan distinta la versión oficial de la conquista de la de León Portilla? ¿Qué perspectivas entran en conflicto? ¿Cuál es la tuya? Menciona ejemplos concretos.

3. Cortés llega a Tenochtitlán y se sorprende enormemente de la magnitud arquitectónica, variedad de productos y organización ("que considerando esta gente ser bárbara y tan apartada del conocimiento de Dios y de la comunicación de otras naciones de razón, es cosa admirable ver la que tienen en todas las cosas"). Los aztecas, debió de pensar Cortés, tienen de todo excepto caballos y armas avanzadas. Colón esperaba

encontrar China y Japón y encontró pequeños núcleos de población no muy organizados. La sorpresa de Cortés fue a la inversa. ¿Cuáles son las posibles reacciones al encontrar una civilización tan distinta pero avanzada? ¿Cuál fue la reacción de Cortés? ¿Cambió su propósito o línea de acción?

4. El muralista mexicano Diego Rivera pintó varias representaciones de Hernán Cortés. Búscalas en *Google Images* y analiza en qué aspectos se parecen y en qué se diferencian de la imagen que Cortés presenta de sí mismo y de sus relaciones con los aztecas en la *Segunda c arta de relación*.

5. Cortés tuvo un hijo con Malinche (doña Marina), Martín, el primer mestizo del Nuevo Mundo. ¿Cuál es la trascendencia de esta unión? Puedes comparar con lo que sabes de historia de los Estados Unidos y la colonización inglesa temprana.

6. Malinche, también conocida como Malintzin, Malinalli y doña Marina, había sido de niña entregada como esclava a un cacique maya y vivió en el Yucatán. A la llegada de Cortés fue muy útil como intérprete, ya que conocía el habla de los aztecas y mayas. Se la ha considerado traidora durante mucho tiempo por colaborar con Cortés. Recientemente, sin embargo, y sobre todo por parte de escritoras, se ha cuestionado la lealtad debida por parte de Malintzin a los aztecas y se han considerado sus acciones de otras maneras diferentes. ¿Cuál es la tuya? ¿Cómo juzgas a esta mujer?

7. A Cortés se le llamaba a veces "el Malinche". Analiza los detalles de la representación de las dos figuras en una negociación con una tribu indígena del códice *Historia de Tlaxcala*. ¿Cómo explicas la inversión de los estereotipos respecto del género? Consulta la guía digital para ver representaciones de Malinche.

8. Lee estas frases escritas por Bartolomé de las Casas en una carta al Consejo de Indias y explica cómo difiere su punto de vista del de Cortés y su reacción al ver las acciones de los conquistadores españoles:

> La sexta, que todo cuanto oro y plata, perlas y otras riquezas que han venido a España, y en las Indias se trata entre nuestros españoles, muy poquito sacado, es todo robado.

> La séptima, que si no lo restituyen lo que han robado y hoy roba, por conquistas y por repartimientos o encomiendas y los que de ello participan no podrán salvarse.

> La octava, que las gentes, naturales de todas las partes y cualquiera de ellas donde habremos entrado en las Indias tienen derecho adquirido de hacernos guerra justísima y raernos* de la haz* de la tierra, y este derecho les durará hasta el día del juicio. (Mirar la guía digital para ver la carta completa.)

9. Recuerda la "Balada de los dos abuelos" y explica los posibles beneficios y conflictos de la hibridación entre los nativos y los invasores. ¿Cómo los miembros de la cultura nativa se resisten (o se asimilan) a las costumbres y perspectivas de los invasores?

10. En general, ¿cómo hemos estudiado la historia de la colonización de Latinoamérica? ¿De qué manera han influido nuestras perspectivas en la representación de los acontecimientos? Tras leer a León-Portilla, ¿puedes mencionar algunos puntos que ignorabas?

11. Después de leer a Cortés y León-Portilla, a Martí y Darío, ¿qué crees es lo más conveniente para Latinoamérica en la actualidad: una unión panamericana, naciones aisladas independientes, países independientes con la amistad y apoyo de España, o naciones aliadas bajo el patrocinio de los Estados Unidos?

UNIDAD 3. HACIA LA NOVELA MODERNA

La vida de Lazarillo de Tormes

(1554)

De autor desconocido, *La vida de Lazarillo de Tormes* o el *Lazarillo*, como se le suele llamar, es la primera novela de un género literario característico de la literatura española, **la picaresca**. Se llama así a un grupo de novelas escritas en el siglo XVI y XVII que parten del *Lazarillo* y alcanzan su culminación con la historia de *Guzmán de Alfarache*. Se caracterizan estas novelas por una aguda sátira social. El protagonista, miembro de la clase baja, el polo opuesto de un caballero andante en todos los aspectos, incluido el de no ser espejo de virtudes, entra en contacto con personajes muy variados. Observa la vida de diferentes clases sociales con una gran mezcla de sarcasmo, ironía y escepticismo y nos narra sus aventuras en primera persona. El género picaresco tiende a desaparecer hacia la mitad del siglo XVII pero deja una huella importante: se considera al *Lazarillo* como un precursor clave de la novela moderna.

En 1554 aparecen tres ediciones del *Lazarillo*, una de Burgos, otra de Amberes y otra de Alcalá. Desde el momento de su aparición, tiene un éxito inmenso. En ninguna de estas tres ediciones, que presentan algunas variantes, figura el nombre del autor. Aunque a lo largo de los años se han sugerido varios nombres, la crítica considera la obra anónima. Lo que sí sabemos es que el autor poseía un gran sentido de observación, una profunda sabiduría de la vida y una cultura amplia. En su obra nos ofrece una aguda visión de la sociedad española y las costumbres de su tiempo. El concepto del honor y la corrupción del clero son algunos de los temas que el autor trata con un estilo muy personal.

Aunque usa paradojas, antítesis, metáforas, arcaísmos y otros recursos estilísticos de la tradición literaria, el *Lazarillo* se caracteriza por un estilo natural, sencillo, vivo, directo y coloquial, lleno de expresiones populares como conviene a un muchacho joven. Se nos da una viva observación de la realidad, teñida a veces de ingenuidad pero no exenta de humor. El *Lazarillo* consta de un prólogo y siete capítulos o tratados. Es un relato en el que el protagonista, ya adulto, cuenta de forma retrospectiva las peripecias de su infancia y juventud. Esta forma autobiográfica de la novela es uno de sus elementos más innovadores.

Nace Lázaro en las orillas del río Tormes y casi todas las aventuras de este muchacho insignificante, de ínfima extracción social, se desarrollan en tierras de Salamanca y Toledo. La vida del Lazarillo es una vida vulgar, sin ambiciones o aspiraciones. La estructura episódica de la novela se basa en que Lazarillo sirve sucesivamente a varios amos: un ciego, un clérigo, un fraile mercedario, un buldero, un maestro pintor y un alguacil. En la sucesión de amos, nos presenta el autor una variada galería de tipos humanos de la sociedad de la época (siglo XVI), particularmente el aspecto más negro de una sociedad marginada. La unidad de la novela se consigue por medio de la presencia constante del protagonista, pero se pueden leer los tratados independientemente. En el tercer episodio, Lázaro sirve a un escudero a quien su honor le impide trabajar, pero que no siente escrúpulos al consentir que Lázaro mendigue para ganar el sustento de los dos. Amo y criado están unidos por el hambre dándose la paradoja de que el sirviente alimente al amo. El autor nos describe esta relación con gran dignidad no exenta de compasión. El *Lazarillo* ve la luz en un momento en que España ostenta la hegemonía europea, pero se advierten ya los indicios que anuncian la decadencia. El protagonista de las novelas picarescas, *el pícaro*, viene a romper con la prosa anterior idealizante o pastoril donde los protagonistas son heroicos caballeros o artificiosos pastores. La figura del pícaro es una crítica a la idea del honor basado en falsas apariencias, dinero y limpieza de sangre. Podemos considerar a Lázaro como un "antihéroe", la contrafigura del caballero, conquistador y santo. Es un joven a quien la sociedad enseña a utilizar sus mañas e ingenio para integrarse en esa misma sociedad y prosperar. Su vida es un largo camino que le lleva de la inocencia a la experiencia.

Notas para facilitar la lectura

- El *Lazarillo* empieza con un prólogo en boca del mismo Lázaro. Está dirigido a "vuestra merced", persona importante de quien Lázaro va a ser empleado y que le ha pedido alguna explicación. Lázaro decide contarle toda su vida y aventuras que constituyen la narración.

- Además de algunos arcaísmos como "do" por "donde", "aqueste" por "este", "haber" por "tener", "mesmo" por "mismo", "estotro" por "este otro" etc., se puede ver en el *Lazarillo* el uso constante del pronombre después del verbo: "fuilo" por "lo fui", "púseme" por "me puse", "dióme" por "me dio", y otros semejantes.

- Como es normal en la época, se usa continuamente la conjunción "mas" en lugar de "pero".

✦ ✦ ✦ ✦ ✦ ✦ ✦ ✦ ✦ ✦ ✦

La vida de Lazarillo de Tormes y de sus fortunas y adversidades
Prólogo

Yo por bien tengo que cosas tan señaladas, y por ventura nunca oídas ni vistas, vengan a noticia de muchos y no se entierren en la sepultura del olvido, pues podría ser que alguno que las lea halle algo que le agrade, y a los que no ahondaren[1] tanto los deleite; y a este propósito dice Plinio que no hay libro, por malo que sea, que no tenga alguna cosa buena; mayormente que los gustos no son todos unos, mas lo que uno no come, otro se pierde por ello. Y así vemos cosas tenidas en poco de algunos, que de otros no lo son. Y esto, para ninguna cosa se debería romper ni echar a mal, si muy detestable no fuese, sino que

5

---

1   **ahondaren** deepen

a todos se comunicase, mayormente siendo sin perjuicio y pudiendo sacar de ella algún fruto.

10   Porque si así no fuese, muy pocos escribirían para uno solo, pues no se hace sin trabajo, y quieren, ya que lo pasan, ser recompensados, no con dineros, mas con que vean y lean sus obras, y si hay de que, se las alaben; y a este propósito dice Tulio:

"La honra cría² las artes."

¿Quién piensa que el soldado que es primero del escala, tiene más aborrecido el vivir?
15   No, por cierto; mas el deseo de alabanza le hace ponerse en peligro; y así, en las artes y letras es lo mesmo. Predica muy bien el presentado, y es hombre que desea mucho el provecho de las ánimas³; mas pregunten a su merced si le pesa cuando le dicen: "¡Oh, qué maravillosamente lo ha hecho vuestra reverencia!" Justo muy ruinmente el señor don Fulano, y dio el sayete⁴ de armas al truhán⁵, porque le loaba⁶ de haber llevado muy buenas
20   lanzas. ¿Que hiciera si fuera verdad?

Y todo va desta manera: que confesando yo no ser mas santo que mis vecinos, desta nonada⁷, que en este grosero estilo escribo, no me pesara que hayan parte y se huelguen⁸ con ello todos los que en ella algún gusto hallaren, y vean que vive un hombre con tantas fortunas, peligros y adversidades.

25   Suplico a vuestra merced reciba el pobre servicio de mano de quien lo hiciera más rico si su poder y deseo se conformaran.

Y pues vuestra merced escribe se le escriba y relate el caso por muy extenso, parecióme no tomalle por el medio, sino por el principio, porque se tenga entera noticia de mi persona, y también porque consideren los que heredaron nobles estados cuán poco
30   se les debe, pues Fortuna fue con ellos parcial, y cuanto más hicieron los que, siéndoles contraria, con fuerza y maña remando, salieron a buen puerto.

Tratado primero

Cuenta Lázaro su vida y cuyo hijo fue

Pues sepa vuestra merced, ante todas cosas, que a mí llaman Lázaro de Tormes, hijo de Tomé Gonzáles y de Antonia Pérez, naturales de Tejares, aldea de Salamanca. Mi nacimiento fue dentro del río Tormes, por la cual causa tomé el sobrenombre, y fue de esta
35   manera. Mi padre, que Dios perdone, tenía cargo de proveer una molienda de una aceña⁹, que está en la ribera de aquel río, en la cual fue molinero más de quince años. Y estando mi madre una noche en la aceña, preñada¹⁰ de mí, tomóle el parto y parióme allí. De manera que con verdad me puedo decir nacido en el río.

Pues siendo yo niño de ocho años, achacaron¹¹ a mi padre ciertas sangrías mal hechas
40   en los costales de los que allí a moler venían, por lo cual fue preso y confesó y no negó y padeció persecución por justicia. Espero en Dios que esté en la gloria, pues el Evangelio

2	**cría** breeds	5	**truhán** scoundrel	8	**huelguen** enjoy themselves	10	**preñada** pregnant
3	**ánimas** souls	6	**loaba** praised			11	**achacar** blame
4	**sayete** small frock	7	**nonada** trifle	9	**aceña** mill		

los llama bienaventurados. En este tiempo se hizo cierta armada contra moros, entre los cuales fue mi padre, que a la sazón[12] estaba desterrado por el desastre ya dicho, con cargo de acemilero[13] de un caballero que allá fue. Y con su señor, como leal criado, feneció[14] su

45 vida.

Mi viuda madre, como sin marido y sin abrigo se viese, determinó arrimarse a los buenos por ser uno de ellos y vínose a vivir a la ciudad y alquiló una casilla y metióse a guisar de comer a ciertos estudiantes y lavaba la ropa a ciertos mozos de caballos del Comendador de la Magdalena, de manera que fue frecuentando las caballerizas.

50 Ella y un hombre moreno, de aquellos que las bestias curaban, vinieron en conocimiento. Este algunas veces se venía a nuestra casa y se iba a la mañana. Otras veces, de día llegaba a la puerta en achaque de comprar huevos, y entrábase en casa. Yo, al principio de su entrada, pesábame con él y habíale miedo, viendo el color y mal gesto que tenía; mas, de que vi que con su venida mejoraba el comer, fuile queriendo bien, porque

55 siempre traía pan, pedazos de carne y en el invierno leños a que nos calentábamos.

De manera que, continuando la posada y conversación, mi madre vino a darme un negrito muy bonito, el cual yo brincaba y ayudaba a calentar.

Y acuérdome que, estando el negro de mi padrastro trebejando con el mozuelo, como el niño veía a mi madre y a mí blancos y a él no, huía de él, con miedo, para mi madre y,

60 señalando con el dedo, decía: "¡Madre, coco!"[15]

Respondió él riendo: "¡Hideputa!".

Yo, aunque bien muchacho, noté aquella palabra de mi hermanico y dije entre mí: "¡Cuántos debe de haber en el mundo que huyen de otros porque no se ven a sí mismos!".

Quiso nuestra fortuna que la conversación del Zaide, que así se llamaba, llegó a oídos

65 del Mayordomo y, hecha pesquisa[16], hallóse que la mitad por medio de la cebada que para las bestias le daban, hurtaba[17], y salvados, leña, almohazas, mandiles y las mantas y sábanas de los caballos hacía perdidas; y cuando otra cosa no tenía, las bestias desherraba, y con todo esto acudía[18] a mi madre para criar a mi hermanico. No nos maravillemos de un clérigo ni fraile, porque el uno hurta de los pobres y el otro de casa para sus devotas y para

70 ayuda de otro tanto, cuando a un pobre esclavo el amor le animaba a esto.

Y probósele cuanto digo y aún más. Porque a mí con amenazas me preguntaban, y como niño respondía y descubría cuanto sabía con miedo, hasta ciertas herraduras, que por mandado de mi madre a un herrero vendí.

Al triste de mi padrastro azotaron y pringaron y a mi madre pusieron pena por justicia,

75 sobre el acostumbrado centenario, que en casa del sobredicho Comendador no entrase ni al lastimado, Zaide en la suya acogiese.

Por no echar la soga tras el caldero, la triste se esforzó y cumplió la sentencia. Y

12	**a la sazón** at that time	15	**coco** boogeyman	18	**acudía** would come
13	**acemilero** a muleteer	16	**pesquisa** investigation		
14	**feneció** died	17	**hurtaba** stole		

por evitar peligro y quitarse de malas lenguas se fue a servir a los que al presente vivían en el mesón de la Solana. Y allí, padeciendo mil importunidades, se acabó de criar mi

80   hermanico, hasta que supo andar, y a mí hasta ser buen mozuelo[19], que iba a los huéspedes por vino y candelas y por lo demás que me mandaban.

En este tiempo vino a posar al mesón un ciego, el cual, pareciéndole que yo sería para adiestrarle[20], me pidió a mi madre, y ella me encomendó a él, diciéndole como era hijo de un buen hombre, el cual por ensalzar la fe había muerto en la de los Gelves y que ella

85   confiaba en Dios no saldría peor hombre que mi padre y que le rogaba me tratase bien y mirase por mí, pues era huérfano.

El respondió que así lo haría y que me recibía no por mozo, sino por hijo. Y así le comencé a servir y adiestrar a mi nuevo y viejo amo.

Como estuvimos en Salamanca algunos días, pareciéndole a mi amo que no era la

90   ganancia a su contento, determinó irse de allí; y cuando nos hubimos de partir, yo fui a ver a mi madre y, ambos llorando, me dio su bendición y dijo:

–Hijo, ya sé que no te veré más. Procura de ser bueno y Dios te guíe. Criado te he y con buen amo te he puesto; válete por ti.

Y así me fui para mi amo, que esperándome estaba.

95   Salimos de Salamanca, y llegando a la puente, está a la entrada de ella un animal de piedra, que casi tiene forma de toro, y el ciego mandóme que llegase cerca del animal y allí puesto, me dijo:

–Lázaro, llega el oído a este toro y oirás gran ruido dentro de él.

Yo simplemente llegué, creyendo ser así. Y como sintió que tenía la cabeza par de la

100   piedra, afirmó recio la mano y dióme una gran calabazada[21] en el diablo del toro, que más de tres días me duró el dolor de la cornada, y díjome:

–Necio, aprende, que el mozo del ciego un punto ha de saber más que el diablo.

Y rió mucho la burla.

Parecióme que en aquel instante desperté de la simpleza en que como niño dormido

105   estaba.

Dije entre mí:

"Verdad dice éste, que me cumple avivar el ojo y avisar, pues solo soy, y pensar cómo me sepa valer".

Comenzamos nuestro camino y en muy pocos días me mostró jerigonza[22]. Y como me

110   viese de buen ingenio, holgábase mucho y decía:

–Yo oro ni plata no te lo puedo dar; mas avisos para vivir, muchos te mostraré.

Y fue así que después de Dios, éste me dio la vida, y siendo ciego me alumbró y

---

| 19 | **mozuelo** boy | 21 | **calabazada** bump |
| 20 | **adiestrarle** guide him | 22 | **jerigonza** jargon |

adiestró en la carrera de vivir.

Huelgo de contar a vuestra merced estas niñerías, para mostrar cuánta virtud sea
115   saber los hombres subir siendo bajos y dejarse bajar siendo altos, cuánto vicio.

Pues tornando al bueno de mi ciego y contando sus cosas, vuestra merced sepa que,
desde que Dios crió el mundo, ninguno formó más astuto ni sagaz[23]. En su oficio era un
águila. Ciento y tantas oraciones sabía de coro. Un tono bajo, reposado y muy sonable,
que hacía resonar la iglesia donde rezaba; un rostro humilde y devoto, que con muy buen
120   continente ponía cuando rezaba, sin hacer gestos ni visajes con boca ni ojos, como otros
suelen hacer.

Allende de esto, tenía otras mil formas y maneras para sacar el dinero. Decía saber
oraciones para muchos y diversos efectos: para mujeres que no parían, para las que
estaban de parto, para las que eran malcasadas, que sus maridos las quisiesen bien.
125   Echaba pronósticos a las preñadas, si traían hijo o hija.

Pues en caso de medicina, decía que Galeno no supo la mitad que él para muela,
desmayos, males de madre. Finalmente, nadie le decía padecer alguna pasión, que luego no
le decía:

–Haced esto, haréis estotro, coged tal yerba, tomad tal raíz.

130   Con esto andábase todo el mundo tras él, especialmente mujeres, que cuanto les decía,
creían. De éstas sacaba él grandes provechos con las artes que digo y ganaba más en un
mes que cien ciegos en un año.

Mas también quiero que sepa vuestra merced que, con todo lo que adquiría y tenía,
jamás tan avariento ni mezquino[24] hombre no vi, tanto que me mataba a mí de hambre y
135   así no me remediaba de lo necesario. Digo verdad: si con mi sutileza y buenas mañas[25] no
me supiera remediar, muchas veces me finara de hambre; mas con todo su saber y aviso le
contraminaba de tal suerte, que siempre o las más veces me cabía lo más y mejor. Para esto
le hacía burlas endiabladas, de las cuales contaré algunas, aunque no todas a mi salvo.

El traía el pan y todas las otras cosas en un fardel[26] de lienzo, que por la boca se
140   cerraba con una argolla de hierro y su candado[27] y su llave; y al meter todas las cosas y
sacarlas, era con tan gran vigilancia y tanto por contadero, que no bastara hombre en todo
el mundo hacerle menos una migaja. Mas yo tomaba aquella laceria[28] que él me daba, la
cual en menos de dos bocados era despachada.

Después que cerraba el candado y se descuidaba, pensando que yo estaba entendiendo
145   en otras cosas, por un poco de costura, que muchas veces de un lado del fardel descosía
y tornaba a coser, sangraba el avariento fardel, sacando no por tasa pan, mas buenos
pedazos, torreznos y longaniza[29] Y así buscaba conveniente tiempo para rehacer, no la

---

23 **sagaz** shrewd

24 **mezquino** stingy

25 **mañas** guile

26 **fardel** bundle

27 **candado** padlock

28 **laceria** extreme poverty

29 **torreznos y longaniza** bacon and sausage

chaza, sino la endiablada falta que el mal ciego me faltaba.

Todo lo que podía sisar y hurtar traía en medias blancas y, cuando le mandaban rezar
150 y le daban blancas, como él carecía[30] de vista, no había el que se la daba amagado con ella,
cuando yo la tenía lanzada en la boca y la media aparejada, que por presto que él echaba
la mano, ya iba de mi cambio aniquilada en la mitad del justo precio. Quejábaseme el mal
ciego, porque al tiento luego conocía y sentía que no era blanca entera, y decía:

–¿Qué diablo es esto, que, después que conmigo estás, no me dan sino medias blancas,
155 y de antes una blanca y un maravedí hartas veces me pagaban? En ti debe estar esta
desdicha.

También él abreviaba el rezar y la mitad de la oración no acababa, porque me tenía
mandado que, en yéndose el que la mandaba rezar, le tirase por cabo del capuz[31]. Yo así lo
hacía. Luego él tornaba a dar voces, diciendo:

160 –¿Mandan rezar tal y tal oración?, como suelen decir.

Usaba poner cabe sí un jarrillo de vino, cuando comíamos, y yo muy de presto le asía y
daba un par de besos callados y tornábale a su lugar. Mas duróme poco. Que en los tragos
conocía la falta y por reservar su vino a salvo, nunca después desamparaba el jarro, antes
lo tenía por el asa asido. Mas no había piedra imán, que así trajese a sí, como yo con una
165 paja[32] larga de centeno, que para aquel menester tenía hecha, la cual, metiéndola en la
boca del jarro, chupando el vino, lo dejaba a buenas noches. Mas como fuese el traidor tan
astuto, pienso que me sintió, y de allí en adelante mudó propósito y asentaba su jarro entre
las piernas, y atapábale con la mano y así bebía seguro.

Yo, como estaba hecho al vino, moría por él y, viendo que aquel remedio de la paja no
170 me aprovechaba ni valía, acordé en el suelo del jarro hacerle una fuentecilla y agujero[33]
sutil, y delicadamente, con una muy delgada tortilla de cera[34], taparlo; y al tiempo de
comer, fingiendo haber frío, entrábame entre las piernas del triste ciego a calentarme en la
pobrecilla lumbre que teníamos, y al calor de ella luego derretida la cera, por ser muy poca,
comenzaba la fuentecilla[35] a destilarme en la boca, la cual yo de tal manera ponía, que
175 maldita la gota se perdía. Cuando el pobreto iba a beber, no hallaba nada.

Espantábase, maldecíase[36], daba al diablo el jarro y el vino, no sabiendo qué podía ser.

–No diréis, tío, que os lo bebo yo –decía–, pues no le quitáis de la mano.

Tantas vueltas y tientos dio al jarro que halló la fuente y cayó en la burla; mas así lo
disimuló como si no lo hubiera sentido.

180 Y luego otro día, teniendo yo rezumando mi jarro como solía, no pensando el daño
que me estaba aparejado, ni que el mal ciego me sentía, sentéme como solía, estando
recibiendo aquellos dulces tragos, mi cara puesta hacia el cielo, un poco cerrados los ojos

---

30 **carecía** lacked

31 **capuz** long cape with hood

32 **paja** straw

33 **agujero** hole

34 **cera** wax

35 **fuentecilla** little fountain

36 **maldecíase** cursed himself

por mejor gustar el sabroso licor; sintió el desesperado ciego que ahora tenía tiempo de tomar de mi venganza, y con toda su fuerza, alzando con dos manos aquel dulce y amargo jarro, le dejó caer sobre mi boca, ayudándose, como digo, con todo su poder, de manera que el pobre Lázaro, que de nada de esto se guardaba, antes, como otras veces, estaba descuidado y gozoso, verdaderamente me pareció que el cielo, con todo lo que en él hay, me había caído encima.

Fue tal el golpecillo que me desatinó y sacó de sentido, y el jarrazo[37] tan grande, que los pedazos de él se me metieron por la cara, rompiéndomela por muchas partes, y me quebró los dientes, sin los cuales hasta hoy día me quedé. Desde aquella hora quise mal al mal ciego y aunque me quería y regalaba y me curaba, bien vi que se había holgado del cruel castigo. Lavóme con vino las roturas que con los pedazos del jarro me había hecho, y sonriéndose decía:

–¿Qué te parece, Lázaro? Lo que te enfermó te sana y da salud.

Y otros donaires que a mi gusto no lo eran.

Ya que estuve medio bueno de mi negra trepa y cardenales, considerando que a pocos golpes tales el cruel ciego ahorraría de mí, quise yo ahorrar de él; mas no lo hice tan presto por hacerlo más a mi salvo y provecho. Y aunque yo quisiera asentar mi corazón y perdonarle el jarrazo, no daba lugar el mal tratamiento que el mal ciego de allí adelante me hacía, que sin causa ni razón me hería, dándome coscorrones y repelándome.

Y si alguno le decía por qué me trataba tan mal, luego contaba el cuento del jarro, diciendo:

–¿Pensaréis que este mi mozo es algún inocente? Pues oíd si el demonio ensayara otra tal hazaña.

Santiguándose los que lo oían, decían:

–¡Mirad quién pensara de un muchacho tan pequeño tal ruindad!

Y reían mucho del artificio, y decíanle:

–Castigadlo, castigadlo, que de Dios lo habréis.

Y él, con aquello, nunca otra cosa hacía.

Y en esto yo siempre le llevaba por los peores caminos, y adrede, por le hacer mal daño: si había piedras, por ellas; si lodo, por lo más alto; que, aunque yo no iba por lo más enjuto, holgábame[38] a mí de quebrar un ojo por quebrar dos al que ninguno tenía. Con esto, siempre con el cabo alto del tiento me atentaba el colodrillo, el cual siempre traía lleno de tolondrones y pelado de sus manos. Y aunque yo juraba no lo hacer con malicia, sino por no hallar mejor camino, no me aprovechaba ni me creía más: tal era el sentido y el grandísimo entendimiento del traidor.

Y porque vea vuestra merced a cuanto se extendía el ingenio de este astuto ciego,

---

37 **jarrazo** blow with a jar   38 **holgábame** pleased me

contaré un caso de muchos que con él me acaecieron, en el cual me parece dio bien a
220 entender su gran astucia. Cuando salimos de Salamanca, su motivo fue venir a tierra de
Toledo, porque decía ser la gente más rica, aunque no muy limosnera[39]. Arrimábase a este
refrán: "Más da el duro que el desnudo". Y vinimos a este camino por los mejores lugares.
Donde hallaba buena acogida y ganancia, deteníamonos; donde no, al tercer día hacíamos
San Juan.

225   Acaeció que, llegando a un lugar que llaman Almorox al tiempo que cogían las uvas, un
vendimiador le dio un racimo de ellas en limosna. Y como suelen ir los cestos maltratados
y también porque la uva en aquel tiempo esta muy madura, desgranábasele el racimo en la
mano. Para echarlo en el fardel tornábase mosto y lo que a él se llegaba.

    Acordó de hacer un banquete, así por no lo poder llevar, como por contentarme, que
230 aquel día me había dado muchos rodillazos y golpes. Sentámonos en un valladar, y dijo:

    –Ahora quiero yo usar contigo de una liberalidad, y es que ambos comamos este
racimo de uvas y que hayas de él tanta parte como yo. Partirlo hemos de esta manera: tú
picarás una vez y yo otra, con tal que me prometas no tomar cada vez más de una uva. Yo
haré lo mismo hasta que lo acabemos y de esta suerte no habrá engaño.

235   Hecho así el concierto, comenzamos; mas luego al segundo lance el traidor mudó
propósito y comenzó a tomar de dos en dos, considerando que yo debería hacer lo mismo.
Como vi que él quebraba la postura, no me contenté ir a la par con él; mas aún pasaba
adelante: dos a dos y tres a tres y como podía las comía. Acabado el racimo, estuvo un
poco con el escobajo en la mano, y, meneando la cabeza, dijo:

240   –Lázaro, engañado me has. Juraré yo a Dios que has tú comido las uvas tres a tres.

    –No comí –dije yo–, mas, ¿por qué sospecháis eso?

    Respondió el sagacísimo ciego:

    –¿Sabes en qué veo que las comiste tres a tres?

    –En que comía yo dos a dos y callabas.

245   A lo cual yo no respondí. Yendo que íbamos así por debajo de unos soportales, en
Escalona, adonde a la sazón estábamos, en casa de un zapatero había muchas sogas[40] y
otras cosas que de esparto se hacen, y parte de ellas dieron a mi amo en la cabeza. El cual,
alzando la mano, tocó en ellas y viendo lo que era, díjome:

    –Anda presto, muchacho; salgamos de entre tan mal manjar, que ahoga sin comerlo.

250   Yo, que bien descuidado iba de aquello, miré lo que era, y como no vi sino sogas y
cinchas, que no era cosa de comer, díjele:

    –Tío, ¿por qué decís eso?

    Respondióme:

---

39 **limosnera** inclined to give alms   40 **sogas** ropes

–Calla, sobrino; según las mañas que llevas, lo sabrás y verás cómo digo verdad.

255   Y así pasamos adelante por el mesmo portal y llegamos a un mesón, a la puerta del cual había muchos cuernos[41] en la pared, donde ataban los recueros sus bestias, y como iba tentando si era allí el mesón adonde él rezaba cada día por la mesonera la oración de la emparedada, asió de un cuerno, y con un gran suspiro dijo:

"¡Oh, mala cosa, peor que tienes la hechura!

260   ¡De cuántos eres deseado poner tu nombre sobre cabeza ajena y de cuán pocos tenerte ni aún oír tu nombre, por ninguna vía!".

Como le oí lo que decía, dije:

–Tío, ¿qué es esto que decís?

–Calla, sobrino, que algún día te dará éste que en la mano tengo alguna mala comida y
265 cena.

–No le comeré yo –dije–, y no me la dará

–Yo te digo verdad; si no, verlo has, si vives.

Y así pasamos adelante hasta la puerta del mesón, adonde pluguiere a Dios nunca allá llegáramos, según lo que me sucedió en él.

270   Era todo lo más que rezaba por mesoneras, y por bodegoneras y turroneras y rameras y así por semejantes mujercillas; que por hombre casi nunca le vi decir oración.

Reíme entre mí, y aunque muchacho, noté mucho la discreta consideración del ciego.

Mas, por no ser prolijo, dejo de contar muchas cosas, así graciosas como de notar, que con este mi primer amo me acaecieron, y quiero decir el despidiente y con él acabar.
275 Estábamos en Escalona, villa del duque de ella, en un mesón, y diome un pedazo de longaniza[42] que le asase. Ya que la longaniza había pringado y comídose las pringadas, sacó un maravedí de la bolsa y mandó que fuese por él de vino a la taberna. Púsome el demonio el aparejo delante los ojos, el cual, como suelen decir, hace al ladrón, y fue que había cabe el fuego un nabo[43] pequeño, larguillo y ruinoso y tal que, por no ser para la olla, debió ser
280 echado allí.

Y como al presente nadie estuviese sino él y yo solos, como me vi con apetito goloso, habiéndome puesto dentro el sabroso olor de la longaniza, del cual solamente sabía que había de gozar, no mirando qué me podría suceder, pospuesto todo temor por cumplir con el deseo, en tanto que el ciego sacaba de la bolsa el dinero, saqué la longaniza y muy
285 presto metí el sobredicho nabo en el asador; el cual, mi amo, dándome el dinero para el vino, tomó y comenzó a dar vueltas al fuego, queriendo asar al que de ser cocido, por sus deméritos había escapado.

Yo fui por el vino, con el cual no tardé en despachar la longaniza y, cuando vine, hallé al pecador del ciego, que tenía entre dos rebanadas apretado el nabo, al cual aún no había

---

41   **cuernos** horns   42   **longaniza** Spanish cold-cut   43   **nabo** turnip

290   conocido por no lo haber tentado con la mano. Como tomase las rebanadas y mordiese en

ellas, pensado también llevar parte de la longaniza, hallóse en frío con el frío nabo. Alteróse

y dijo:

–¿Qué es esto, Lazarillo?

–¡Lacerado de mí! –dije yo–. ¿Si queréis a mí echar algo? ¿Yo no vengo de traer el vino?

295   Alguno estaba ahí y por burlar haría esto.

–No, no –dijo él–, que yo no he dejado el asador de la mano; no es posible.

Yo torné a jurar y perjurar que estaba libre de aquel trueco y cambio; mas poco me

aprovechó, pues a las astucias del maldito ciego nada se le escondía. Levantóse y asióme

por la cabeza y llegóse a olerme. Y como debió sentir el huelgo, a uso de buen podenco,

300   por mejor satisfacerse de la verdad y con la gran agonía que llevaba, asiéndome con las

manos, abríame la boca más de su derecho y desatentadamente metía la nariz, la cual él

tenía luenga y afilada[44], y a aquella sazón, con el enojo, se había aumentado un palmo; con

el pico de la cual me llegó a la gulilla.

Y con esto, y con el gran miedo que tenía, y con la brevedad del tiempo, la negra

305   longaniza aún no había hecho asiento en el estómago, y lo más principal, con el destiento

de la cumplidísima nariz, medio casi ahogándome, todas estas cosas se juntaron y fueron

causa que el hecho y golosina se manifestase y lo suyo fuese vuelto a su dueño. De manera

que antes que el mal ciego sacase de mi boca su trompa, tal alteración sintió mi estómago,

que le dio con el hurto en ella, de suerte que su nariz y la negra mal mascada longaniza a

310   un tiempo salieron de mi boca.

¡Oh gran Dios!, ¡quién estuviera aquella hora sepultado, que muerto ya lo estaba! Fue

tal el coraje del perverso ciego que, si al ruido no acudieran, pienso que no me dejara con

vida. Sacáronme de entre sus manos, dejándoselas llenas de aquellos pocos cabellos que

tenía, arañada[45] la cara y rasguñado[46] el pescuezo y la garganta. Y esto bien lo merecía,

315   pues por su maldad me venían tantas persecuciones.

Contaba el mal ciego a todos cuantos allí se allegaban mis desastres y dábales cuenta

una y otra vez, así de la del jarro como de la del racimo y ahora de lo presente. Era la risa

de todos tan grande que toda la gente que por la calle pasaba entraba a ver la fiesta: mas

con tanta gracia y donaire recontaba el ciego mis hazañas que, aunque yo estaba tan

320   maltratado y llorando, me parecía que hacía injusticia en no se las reír.

Y en cuanto esto pasaba, a la memoria me vino una cobardía y flojedad que hice

porque me maldecía, y fue no dejarle sin narices, pues tan buen tiempo tuve para ello que

la mitad del camino lo estaba pensando: que con sólo apretar los dientes se me quedaran

en casa y, con ser de aquel malvado, por ventura, las retuviera mejor mi estómago que

325   retuvo la longaniza, y, no pareciendo ellas, pudiera negar la demanda. Pluguiera a Dios que

lo hubiera hecho, que eso fuera así que así.

---

44   **afilada** pointed   45   **arañada** scratched   46   **rasguñado** scraped

Hiciéronnos amigos la mesonera y los que allí estaban, y con el vino que para beber le había traído, laváronme la cara y la garganta. Sobre lo cual discantaba el mal ciego donaires, diciendo:

330   –Por verdad, más vino me gasta este mozo en lavatorios al cabo del año que yo bebo en dos. A lo menos, Lázaro, eres en más cargo al vino que a tu padre, porque él una vez te engendró, mas el vino mil veces te ha dado la vida.

Y luego contaba cuántas veces me había descalabrado[47] y harpado la cara que con vino luego sanaba.

335   –Yo te digo –dijo–, que si algún hombre en el mundo ha de ser bienaventurado con vino, ese serás tú.

Y reían mucho los que me lavaban con esto, aunque yo renegaba. Mas el pronóstico del ciego no salió mentiroso, y después acá me acuerdo muchas veces de aquel hombre, que sin duda debía tener espíritu de profecía, y me pesa de los sinsabores que le hice, aunque
340 bien se lo pagué, considerando que lo que aquel día dijo me saliera tan verdadero como adelante vuestra merced oirá.

Visto esto y las malas burlas que el ciego burlaba de mí, determiné del todo y en todo dejarle, y, como lo traía pensado y lo tenía en voluntad, con este postrer juego que me hizo, afirmélo más. Y fue así que luego otro día salimos por la villa a pedir limosna y había
345 llovido mucho la noche antes. Y porque el día también llovía, y andaba rezando debajo de unos portales que en aquel pueblo había, donde no nos mojábamos, mas como la noche se venía y el llover no cesaba, díjome el ciego:

–Lázaro, esta agua es muy porfiada, y cuanto la noche más cierra, más arrecia. Acojámonos a la posada con tiempo.

350 Para ir ahí habíamos de pasar un arroyo[48], que con la mucha agua iba grande.

Yo le dije:

–Tío, el arroyo va muy ancho; mas si queréis, yo veo por dónde atravesemos más aína sin nos mojar, porque se estrecha allí mucho y saltando pasaremos a pie enjuto.

Parecióle buen consejo y dijo:

355 –Discreto eres, por esto te quiero bien. Llévame a ese lugar donde el arroyo se nos angosta[49], que ahora es invierno y sabe mal el agua y más llevar los pies mojados.

Yo que vi el aparejo a mi deseo, saquéle debajo de los portales y llevélo derecho de un pilar o poste de piedra, que en la plaza estaba, sobre el cual y sobre otros cargaban saledizos de aquellas casas, y dígole:

360 –Tío, éste es el paso más angosto que en el arroyo hay.

Como llovía recio y el triste se mojaba, y con la prisa que llevábamos de salir del

---

47   **descalabrado** broken (head)

48   **arroyo** stream
49   **angosta** narrows

agua, que encima de nos caía, y, lo más principal, porque Dios le cegó aquella hora el entendimiento (fue por darme de él venganza), creyóse de mí y dijo:

–Ponme bien derecho y salta tú el arroyo.

365 Yo le puse bien derecho enfrente del pilar y doy un salto y póngome detrás del poste, como quien espera tope de toro, y díjele:

–¡Sus! Saltad todo lo que podáis, porque deis de este cabo del agua.

Aun apenas lo había acabado de decir, cuando se abalanza el pobre ciego como cabrón y de toda su fuerza arremete, tomando un paso atrás de la corrida para hacer mayor salto.

370 ¡y da con la cabeza en el poste!, que sonó tan recio como si diera con una gran calabaza, y cayó luego para atrás medio muerto y hendida la cabeza.

–¿Cómo, y oliste[50] la longaniza y no el poste? ¡Oledl! ¡Oled! –le dije yo.

Y dejéle en poder de mucha gente, que lo había ido a socorrer, y tomé la puerta de la villa en los pies de un trote y, antes que la noche viniese, di conmigo en Torrijos. No supe

375 más lo que Dios de él hizo, ni curé de lo saber.

Tratado segundo

Cómo Lázaro se asentó con un clérigo y de las cosas que con él pasó

Otro día, no pareciéndome estar allí seguro, fuime a un lugar que llaman Maqueda, adonde me toparon mis pecados con un clérigo que, llegando a pedir limosna, me preguntó si sabía ayudar a misa. Yo dije que sí como era verdad; que, aunque maltratado, mil cosas buenas me mostró el pecador del ciego y una de ellas fue ésta. Finalmente, el

380 clérigo me recibió por suyo.

Escapé del trueno[51] y di con[52] el relámpago[53]. Porque era el ciego para con éste un Alejandro Magno, con ser la misma avaricia, como he contado. No digo más, sino que toda la laceria del mundo estaba encerrada en éste. No sé si de su cosecha era, o lo había anexado con el hábito de clerecía.

385 Él tenía un arcaz[54] viejo y cerrado con su llave, la cual traía atada con una agujeta del paletoque. Y en viniendo el bodigo[55] de la iglesia, por su mano era luego allí lanzado y tornada a cerrar el arca. Y en toda la casa no había ninguna cosa de comer, como suele estar en otras: algún tocino colgado al humero, algún queso puesto en alguna tabla o en el armario, algún canastillo con algunos pedazos de pan, que de la mesa sobran. Que me

390 parece a mí que, aunque de ello no me aprovechara, con la vista de ello me consolara.

Solamente había una horca de cebollas y tras la llave de una cámara en lo alto de la casa. De éstas tenía yo de ración una para cada cuatro días y, cuando le pedía la llave para ir por ella, si alguno estaba presente, él echaba mano al falso peto y con gran continencia la

---

50	**oliste** smelled	52	**di con** bumped into	54	**harcaz** trunk
51	**trueno** thunder	53	**relámpago** lightening	55	**bodigo** bread, roll

desataba y me la daba diciendo:

395   –Toma y vuélvela luego y no hagas sino golosinar.

Como si debajo de ella estuvieran todas las conservas de Valencia, con no haber en la dicha cámara, como dijo, maldita la otra cosa que las cebollas colgadas de un clavo; las cuales él tenía tan bien por cuenta, que si por mis malos pecados me desmandara a más de mi tasa, me costara caro.

400   Finalmente, yo me finaba[56] de hambre. Pues, ya que conmigo tenía poca caridad, consigo usaba más. Cinco blancas de carne era su ordinario para comer y cenar. Verdad es que partía conmigo del caldo. Que de la carne, ¡tan blanco el ojo!, sino un poco de pan, y ¡pluguiera a Dios que me demediara!

Los sábados cómense en esta tierra cabezas de carnero y enviábame por una, que
405 costaba tres maravedís. Aquélla la cocía y comía los ojos y la lengua y el cogote y sesos y la carne que en las quijadas tenía, y dábame todos los huesos roídos[57]. Y dábamelos en el plato, diciendo:

–Toma, come, triunfa, que para ti es el mundo. Mejor vida tienes que el papa.

"¡Tal te la dé Dios!", decía yo paso entre mí.

410   A cabo de tres semanas que estuve con él, vine a tanta flaqueza que no me podía tener en las piernas de pura hambre. Vime claramente ir a la sepultura si Dios y mi saber no me remediaban. Para usar de mis mañas no tenía aparejo, por no tener en qué darle salto. Y aunque algo hubiera, no podía cegarle, como hacía al que Dios perdone, si de aquella calabazada feneció; que todavía, aunque astuto, con faltarle aquel preciado sentido, no me
415 sentía; mas estotro, ninguno hay que tan aguda vista tuviese como él tenía.

Cuando al ofertorio estábamos, ninguna blanca[58] en la concha caía, que no era de él registrada. Él un ojo tenía en la gente y el otro en mis manos. Bailábanle los ojos en el casco como si fueran de azogue. Cuantas blancas ofrecían tenía por cuenta. Y acabado el ofrecer, luego me quitaba la concheta y la ponía sobre el altar.

420   No era yo señor de asirle una blanca todo el tiempo que con él viví, o, por mejor decir, morí. De la taberna nunca le traje una blanca de vino; mas aquel poco que de la ofrenda había metido en su arcaz, lo compasaba de tal forma que le duraba toda la semana.

Y por ocultar su gran mezquindad, decíame:

–Mira, mozo, los sacerdotes han de ser muy templados en su comer y beber y por esto
425 yo no me desmando como otros.

Mas el lacerado mentía falsamente, porque en cofradías y mortuorios que rezamos, a costa ajena comía como lobo y bebía más que un saludador.

Y porque dije de mortuorios, Dios me perdone, que jamás fui enemigo de la naturaleza humana, sino entonces. Y esto era porque comíamos bien y me hartaban. Deseaba y aún

---

56 **me finaba** was dying   57 **huesos roídos** gnawed bones   58 **blanca** small coin

430 rogaba a Dios que cada día matase el suyo. Y cuando dábamos sacramento a los enfermos, especialmente la Extremaunción, como manda el clérigo rezar a los que están allí, yo cierto no era el postrero de la oración y con todo mi corazón y buena voluntad rogaba al Señor, no que la echase a la parte que mas servido fuese, como se suele decir, mas que le llevase de aqueste mundo.

435 Y cuando alguno de éstos escapaba, ¡Dios me lo perdone!, que mil veces le daba al diablo. Y el que se moría, otras tantas bendiciones llevaba de mí dichas. Porque en todo el tiempo que allí estuve, que sería casi seis meses, sólo veinte personas fallecieron, y éstas bien creo que las maté yo o, por mejor decir, murieron a mi recuesta. Porque viendo el Señor mi rabiosa y continua muerte, pienso que holgaba de matarlos por darme a mí vida.

440 Mas de lo que al presente padecía, remedio no hallaba. Que si el día que enterrábamos yo vivía, los días que no había muerto, por quedar bien vezado de la hartura, tornando a mi cotidiana hambre, más lo sentía. De manera que en nada hallaba descanso, salvo en la muerte, que yo también para mí, como para los otros, deseaba algunas veces; mas no la veía, aunque estaba siempre en mí.

445 Pensé muchas veces irme de aquel mezquino amo, mas por dos cosas lo evitaba: La primera por no me atrever a fiar de mis piernas, por temor de la flaqueza, que de pura hambre me venía. Y la otra, consideraba y decía:

"Yo he tenido dos amos: el primero traíame muerto de hambre y dejándole, topé con este otro, que me tiene ya con ella en la sepultura; pues, si de éste desisto y doy en otro más
450 bajo, ¿qué será sino fenecer?"

Con esto no me osaba menear, porque tenía por fe que todos los grados había de hallar más ruines. Y a abajar otro punto, no sonara Lázaro ni se oyera en el mundo.

Pues estando en tal aflicción, cual plega al Señor librar de ella a todo fiel cristiano, y sin saber darme consejo, viéndome ir de mal en peor, un día que el cuitado, ruin[59] y lacerado[60]
455 de mi amo había ido fuera del lugar, llegóse acaso a mi puerta un calderero, el cual yo creo que fue ángel enviado a mí por la mano de Dios en aquel hábito. Preguntóme si tenía algo que adobar.

–En mí tendríais bien que hacer y no haríais poco, si me remediáseis –dije tan paso que no me oyó.

460 Mas, como no era tiempo de gastarlo en decir gracias, alumbrado por el Espíritu Santo, le dije:

–Tío, una llave de este arcaz he perdido y temo mi señor me azote[61]. Por vuestra vida, veáis si en esas que traéis, hay alguna que le haga, que yo os lo pagaré.

Comenzó a probar el angélico calderero una y otra de un gran sartal que de ellas traía,
465 y yo ayudarle con mis flacas oraciones. Cuando no me cato, veo en figura de panes, como

---

59 **ruin** miser   60 **lacerado** wretched   61 **me azote** whips me

dicen, la cara de Dios dentro del arcaz. Y abierto, díjele:

–Yo no tengo dineros que os dar por la llave; mas tomad de ahí el pago.

Él tomó un bodigo de aquéllos, el que mejor le pareció, y dándome mi llave, se fue muy contento, dejándome más a mí.

470 Mas no toqué en nada por el presente, porque no fuese la falta sentida y aún porque me vi de tanto bien señor, que parecióme que la hambre no se me osaba a llegar. Vino el Mísero de mi amo, y quiso Dios no mirara en la oblada que el ángel había llevado.

Y otro día, en saliendo de casa, abro mi paraíso panal y tomo entre las manos y dientes un bodigo y en dos credos le hice invisible, no se me olvidando el arca abierta. Y comienzo
475 a barrer la casa con mucha alegría, pareciéndome con aquel remedio remediar de allí en adelante la triste vida. Y así estuve con ello aquel día y otro gozoso. Mas no estaba en mi dicha que me durase mucho aquel descanso, porque luego, al tercer día, me vino la terciana derecha.

Y fue que veo a deshora al que me mataba de hambre sobre nuestro arcaz, volviendo
480 y revolviendo, contando y tornando a contar los panes. Yo disimulaba y en mi secreta oración y devociones y plegarias decía:

"¡San Juan, ciégale!"

Después que estuvo un gran rato, echando la cuenta, por días y dedos contando, dijo:

–Si no tuviera a tan buen recaudo esta arca, yo dijera que me habían tomado de ella
485 panes; por eso hoy, y sólo por cerrar la puerta a la sospecha, quiero tener buena cuenta con ellos. Nueve quedan y un pedazo.

"¡Nuevas malas te dé Dios!", dije yo entre mí.

Parecióme con lo que dijo traspasarme el corazón con saeta de montero y comenzóme el estómago a escarbar de hambre, viéndose puesto en la dieta pasada.

490 Se fue fuera de casa. Yo, por consolarme, abro el arca y como vi el pan, comencéle a adorar, no osando recibirlo. Contélos, si a dicha el lacerado se errara, y hallé su cuenta más verdadera que yo quisiera. Lo más que yo pude hacer fue dar en ellos mil besos, y lo más delicado que yo pude del partido partí un poco al pelo que él estaba y con aquél pasé aquel día, no tan alegre como el pasado.

495 Mas como la hambre creciese, mayormente que tenía el estómago hecho a más pan aquellos dos o tres días ya dichos, moría mala muerte; tanto que otra cosa no hacía en viéndome solo sino abrir y cerrar el arca y contemplar en aquella cara de Dios, que así dicen los niños. Mas el mismo Dios, que socorre a los afligidos, viéndome en tal estrecho, trajo a mi memoria un pequeño remedio, que considerando entre mí, dije:

500 "Este arquetón es viejo y grande y roto por algunas partes, aunque pequeños agujeros. Puédese pensar que ratones entrando en él hacen daño a este pan. Sacarlo entero no es cosa conveniente, porque verá la falta el que en tanta me hace vivir. Esto bien se sufre".

Y comienzo a desmigajar el pan sobre unos no muy costosos manteles que allí estaban, y tomo uno y dejo otro, de manera que en cada cual de tres o cuatro desmigajé un poco.

505 Después, como quien toma gragea, lo comí y algo me consolé. Mas él, como viniese a comer y abriese el arca, vio el mal pesar y sin duda creyó ser ratones los que el daño habían hecho; porque estaba muy al propio contrahecho de como ellos lo suelen hacer. Miró todo el arcaz de un cabo a otro y viole ciertos agujeros por do sospechaba habían entrado. Llamóme diciendo:

510   –¡Lázaro!, ¡mira!, ¡mira qué persecución ha venido aquesta noche por nuestro pan!

Yo híceme muy maravillado, prejuntándole qué sería.

–¡Qué ha de ser! –dijo él–. Ratones, que no dejan cosa a vida.

Pusímonos a comer y quiso Dios que aun en esto me fue bien. Que me cupo más pan que la laceria que me solía dar. Porque ralló[62] con un cuchillo todo lo que pensó ser

515   ratonado, diciendo:

–Cómete eso, que ratón cosa limpia es.

Y así, aquel día, añadiendo la ración del trabajo de mis manos, o de mis uñas por mejor decir, acabamos de comer, aunque yo nunca empezaba.

Y luego me vino otro sobresalto, que fue verle andar solícito quitando clavos[63] de las

520   paredes y buscando tablillas, con las cuales clavó y cerró todos los agujeros de la vieja arca.

"¡Oh Señor mío! dije yo entonces, ¡a cuánta miseria y fortuna y desastres estamos puestos los nacidos y cuán poco duran los placeres de esta nuestra trabajosa vida! Heme aquí, que pensaba con este pobre y triste remedio remediar y pasar mi laceria y estaba ya cuanto que alegre y de buena ventura. Mas no quiso mi desdicha, despertando a este

525   lacerado de mi amo y poniéndole más diligencia de la que él de suyo se tenía (pues los míseros, por la mayor parte, nunca de aquélla carecen), ahora cerrando los agujeros del arca, cerrase la puerta a mi consuelo y la abriese a mis trabajos."

Así lamentaba yo, en tanto que mi solícito carpintero con muchos clavos y tablillas dio fin a sus obras diciendo:

530   –Ahora, dones traidores ratones, conviéneos mudar propósito, que en esta casa mala medra tenéis.

De que salió de su casa, voy a ver la obra y hallé que no dejó en la triste y vieja arca agujero ni aun por donde le pudiese entrar un mosquito. Abro con mi desaprovechada llave, sin esperanza de sacar provecho, y vi los dos o tres panes comenzados, los que

535   mi amo creyó ser ratonados, y de ellos todavía saqué alguna laceria, tocándolos muy ligeramente, a uso de esgrimidor diestro. Como la necesidad sea tan gran maestra, viéndome con tanta siempre, noche y día estaba pensando la manera que tendría en sustentar el vivir. Y pienso, para hallar estos negros remedios, que me era luz la hambre, pues dicen que el ingenio con ella se avisa y al contrario con la hartura, y así era por cierto

---

62 **ralló** shredded   63 **clavos** nails

540   en mí.

     Pues estando una noche desvelado[64] en este pensamiento, pensando cómo me podía valer y aprovecharme del arcaz, sentí que mi amo dormía, porque lo mostraba con roncar[65] y en unos resoplidos grandes que daba cuando estaba durmiendo. Levantéme muy quedito, y, habiendo en el día pensado lo que había de hacer y dejado un cuchillo viejo, que
545   por allí andaba, en parte donde le hallase, voyme al triste arcaz y por donde había mirado tener menos defensa le acometí con el cuchillo, que a manera de barreno de él usé. Y como la antiquísima arca, por ser de tantos años, la hallase sin fuerza y corazón, antes muy blanda y carcomida, luego se me rindió y consintió en su costado, por mi remedio, un buen agujero. Esto hecho, abro muy paso la llagada arca y, al tiento del pan que hallé partido,
550   hice según deyuso está escrito. Y con aquello algún tanto consolado, tornando a cerrar, me volví a mis pajas, en las cuales reposé y dormí un poco.

     Lo cual yo hacía mal y echábalo al no comer. Y así sería, porque cierto en aquel tiempo no me debían de quitar el sueño los cuidados del rey de Francia.

     Otro día fue por el señor mi amo visto el daño, así del pan como del agujero que yo
555   había hecho, y comenzó a dar al diablo los ratones y decir:

     –¿Qué diremos a esto? ¡Nunca haber sentido ratones en esta casa sino ahora!

     Y sin duda debía de decir verdad. Porque, si casa había de haber en el reino justamente de ellos privilegiada, aquella, de razón, había de ser, porque no suelen morar donde no hay qué comer. Torna a buscar clavos por la casa y por las paredes, y tablillas a atapárselos.
560   Venida la noche y su reposo, luego era yo puesto en pie con mi aparejo, y cuantos él tapaba[66] de día, destapaba yo de noche.

     En tal manera fue y tal prisa nos dimos, que sin duda por esto se debió decir: donde una puerta se cierra otra se abre. Finalmente, parecíamos tener a destajo la tela de Penélope, pues cuanto él tejía de día rompía yo de noche. Y en pocos días y noches
565   pusimos la pobre despensa de tal forma, que quien quisiera propiamente de ella hablar, más corazas viejas de otro tiempo que no arcaz la llamara, según la clavazón y tachuelas sobre sí tenía.

     De que vio no le aprovechar nada su remedio, dijo:

     –Este arcaz está tan maltratado y es de madera tan vieja y flaca, que no habrá ratón
570   a quien se defienda. Y va ya tal que, si andamos mas con él, nos dejará sin guarda. Y aun lo peor, que, aunque hace poca, todavía hará falta faltando y me pondrá en costa de tres o cuatro reales. El mejor remedio que hallo, pues es el de hasta aquí no me aprovecha: armaré por de dentro a estos ratones malditos.

     Luego buscó prestada una ratonera[67], y, con cortezas de queso que a los vecinos pedía,
575   continuo el gato estaba armado dentro del arca. Lo cual era para mí singular auxilio.

---

64 **desvelado** awake

65 **roncar** snore

66 **tapaba** covered

67 **ratonera** mouse trap

Porque, puesto caso que yo no había menester muchas salsas para comer, todavía me holgaba con las cortezas del queso que de la ratonera sacaba, y sin esto no perdonaba el ratonar del bodigo.

Como hallase el pan ratonado y el queso comido y no cayese el ratón que lo comía, 580 dábase al diablo preguntaba a los vecinos qué podría ser comer el queso y sacarlo de la ratonera y no caer ni quedar dentro el ratón y hallar caída la trampilla del gato.

Acordaron los vecinos no ser el ratón el que este daño hacía, porque no fuera menos de haber caído alguna vez. Díjole un vecino:

–En vuestra casa yo me acuerdo que solía andar una culebra[68] y ésta debe de ser sin 585 duda. Y lleva razón, que, como es larga, tiene lugar de tomar el cebo y, aunque la coja la trampilla encima, como no entre toda dentro, tórnase a salir.

Cuadró a todos lo que aquél dijo y alteró mucho a mi amo y de allí en adelante no dormía tan a sueño suelto. Que cualquier gusano de la madera que de noche sonase, pensaba ser la culebra que le roía el arca. Luego era puesto en pie y con un garrote[69] que 590 a la cabecera, desde que aquello le dijeron, ponía, daba en la pecadora del arca grandes garrotazos, pensando espantar la culebra. A los vecinos despertaba con el estruendo que hacía y a mí no me dejaba dormir. Ibase a mis pajas y trastornábalas y a mí con ellas, pensando que se iba para mí y se envolvía en mis pajas o en mi sayo. Porque le decían que de noche acaecía a estos animales, buscando calor, irse a las cunas donde están criaturas 595 y aun morderlas y hacerles peligrar. Yo las más veces hacía del dormido y en la mañana decíame él:

–¿Esta noche, mozo, no sentiste nada? Pues tras la culebra anduve, y aun pienso se ha de ir para ti a la cama, que son muy frías y buscan calor.

–Plegue a Dios que no me muerda –decía yo–, que harto miedo le tengo.

600 De esta manera andaba tan elevado y levantado del sueño, que, mi fe, la culebra o culebro, por mejor decir, no osaba roer de noche ni levantarse al arca; mas de día, mientras estaba en la iglesia o por el lugar, hacía mis saltos. Los cuales daños viendo él y el poco remedio que les podía poner, andaba de noche, como digo, hecho trasgo.

Yo hube miedo que con aquellas diligencias no me topase con la llave que debajo de 605 las pajas tenía, y parecióme lo más seguro meterla de noche en la boca. Porque ya, desde que viví con el ciego, la tenía tan hecha bolsa, que me acaecía tener en ella doce o quince maravedís todo en medias blancas, sin que me estorbasen el comer. Porque de otra manera no era señor de una blanca, que el maldito ciego no cayese con ella, no dejando costura ni remiendo que no me buscaba muy a menudo.

610 Pues, así como digo, metía cada noche la llave en la boca y dormía sin recelo que el brujo[70] de mi amo cayese con ella; más cuando la desdicha ha de venir, por demás es

---

68 **culebra** snake

69 **garrote** club

70 **brujo** wicked man

diligencia. Quisieron mis hados[71], o por mejor decir mis pecados, que una noche que estaba durmiendo, la llave se me puso en la boca, que abierta debía tener, de manera y tal postura, que el aire y resoplo que yo durmiendo echaba salía por lo hueco de la llave,
615 que de cañuto era, y silbaba, según mi desastre quiso, muy recio, de tal manera que el sobresaltado de mi amo lo oyó y creyó sin duda ser el silbo de la culebra, y cierto lo debía parecer.

Levantóse muy paso con su garrote en la mano, y al tiento y sonido de la culebra se llegó a mí con mucha quietud, por no ser sentido de la culebra. Y como cerca se vio, pensó
620 que allí en las pajas donde yo estaba echado, al calor mío se había venido. Levantando bien el palo, pensando tenerla debajo y darle tal garrotazo que la matase, con toda su fuerza me descargó en la cabeza un tan gran golpe, que sin ningún sentido y muy mal descalabrado me dejó.

Como sintió que me había dado, según yo debía hacer gran sentimiento con el fiero
625 golpe, contaba él que se había llegado a mí, y dándome grandes voces llamándome, procuró recordarme; mas, como me tocase con las manos, tentó la mucha sangre que se me iba, y conoció el daño que me había hecho. Y con mucha prisa fue a buscar lumbre y, llegando con ella, hallóme quejando, todavía con mi llave en la boca, que nunca la desamparé, la mitad fuera, bien de aquella manera que debía estar al tiempo que silbaba
630 con ella.

Espantado el matador de culebras qué podría ser aquella llave, miróla sacándomela del todo de la boca, y vio lo que era, porque en las guardas nada de la suya diferenciaba. Fue luego a probarla y con ella probó el maleficio.

Debió de decir el cruel cazador:

635 "El ratón y culebra que me daban la guerra y me comían mi hacienda he hallado".

De lo que sucedió en aquellos tres días siguientes ninguna fe daré, porque los tuve en el vientre de la ballena; mas de como esto que he contado, oí, después que en mí torné, decir a mi amo, el cual a cuantos allí venían lo contaba por extenso.

A cabo de tres días yo torné en mi sentido y vime echado en mis pajas, la cabeza toda
640 emplastada y llena de aceites y ungüentos[72], y espantado dije:

–¿Qué es esto?

Respondióme el cruel sacerdote:

–A fe que los ratones y culebras que me destruían ya los he cazado

Y miré por mí y vime tan maltratado, que luego sospeché mi mal.

645 A esta hora entró una vieja que ensalmaba, y los vecinos. Y comiénzanme a quitar trapos de la cabeza y curar el garrotazo. Y como me hallaron vuelto en mi sentido[73], holgáronse mucho y dijeron:

---

71   **hados** fate(s)

72   **ungüentos** ointments

73   **vuelto en mi sentido** returned to my senses

–Pues ha tornado en su acuerdo, placerá a Dios no será nada.

Ahí tornaron de nuevo a contar mis cuitas y a reírlas, y yo, pecador, a llorarlas. Con
650 todo esto, diéronme de comer, que estaba transido de hambre y apenas me pudieron
remediar. Y así, de poco en poco, a los quince días me levanté y estuve sin peligro (mas no
sin hambre) y medio sano.

Luego otro día que fui levantado, el señor mi amo me tomó por la mano y sacóme la
puerta fuera y, puesto en la calle, díjome:

655 –Lázaro, de hoy más eres tuyo y no mío. Busca amo y vete con Dios; que yo no quiero
en mi compañía tan diligente servidor. No es posible sino que hayas sido mozo de ciego.

Y santiguándose de mí, como si yo estuviera endemoniado, tórnase a meter en casa y
cierra su puerta.

Tratado tercero

Cómo Lázaro se asentó con un escudero y de lo que le acaeció con él

De esta manera me fue forzado sacar fuerzas de flaqueza, y poco a poco, con ayuda de
660 las buenas gentes, di conmigo en esta insigne ciudad de Toledo, adonde, con la merced de
Dios, de allí a quince días se me cerró la herida. Y mientras estaba malo, siempre me daban
alguna limosna; mas después que estuve sano, todos me decían:

–Tú, bellaco[74] y gallofero eres. Busca, busca un amo a quien sirvas.

"¿Y adónde se hallará ése, decía yo entre mí, si Dios ahora de nuevo, como crió el
665 mundo, no le criase?"

Andando así discurriendo de puerta en puerta, con harto poco remedio, porque ya la
caridad se subió al cielo, topóme Dios con un escudero, que iba por la calle, con razonable
vestido, bien peinado, su paso y compás en orden. Miróme y yo a él y díjome:

–Muchacho, ¿buscas amo?

670 Yo le dije: –Sí, señor.

–Pues vente tras mí –me respondió–, que Dios te ha hecho merced en topar conmigo.
Alguna buena oración rezaste hoy.

Y seguíle dando gracias a Dios, por lo que le oí y también que me parecía, según su
hábito y continente, ser el que yo había menester.

675 Era de mañana cuando éste mi tercer amo topé. Y llevóme tras sí gran parte de la
ciudad. Pasábamos por las plazas donde se vendía pan y otras provisiones. Yo pensaba, y
aun deseaba, que allí me quería cargar de lo que se vendía, porque ésta era la hora propia
cuando se suele proveer de lo necesario; mas muy a tendido paso pasaba por estas cosas.

"Por ventura no lo ve aquí a su contento, decía yo, y querrá que lo compremos en otro

74 **bellaco** lout

680 cabo."

De esta manera anduvimos hasta que dio las once. Entonces se entró en la iglesia mayor, y yo tras él, y muy devotamente le vi oír misa y los otros oficios divinos hasta que todo fue acabado y la gente ida. Entonces salimos de la iglesia.

A buen paso tendido comenzamos a ir por una calle abajo. Yo iba el más alegre del
685 mundo en ver que no nos habíamos ocupado en buscar de comer. Bien consideré que debía ser hombre, mi nuevo amo, que se proveía en junto, y que ya la comida estaría a punto y tal como yo la deseaba y aun la había menester.

En este tiempo dio el reloj la una después de mediodía, y llegamos a una casa, ante la cual mi amo se paró, y yo con él, y, derribando el cabo de la capa sobre el lado izquierdo,
690 sacó una llave de la manga y abrió su puerta y entramos en casa; la cual tenía la entrada oscura y lóbrega de tal manera, que parece que ponía temor a los que en ella entraban; aunque dentro de ella estaba un patio pequeño y razonables cámaras.

Después que fuimos entrados quita de sobre sí su capa, y, preguntando si tenía las manos limpias, la sacudimos y doblamos y, muy limpiamente, soplando un poyo que allí
695 estaba, la puso en él. Y hecho esto, sentóse cabo de ella, preguntándome muy por extenso de dónde era y cómo había venido a aquella ciudad.

Y yo le di más larga cuenta que quisiera, porque me parecía más conveniente hora de mandar poner la mesa y escudillar la olla[75] que de lo que me pedía. Con todo eso, yo le satisfice de mi persona lo mejor que mentir supe, diciendo mis bienes y callando lo demás,
700 porque me parecía no ser para en cámara. Esto hecho, estuvo así un poco y yo luego vi mala señal, por ser ya casi las dos y no le ver más aliento de comer que a un muerto.

Después de esto, consideraba aquel tener cerrada la puerta con llave, ni sentir arriba ni abajo pasos de viva persona por la casa. Todo lo que yo había visto eran paredes, sin ver en ella silleta, ni tajo, ni banco, ni mesa, ni aun tal arcaz como el de marras. Finalmente, esta
705 parecía casa encantada. Estando así, díjome:

–Tú, mozo, ¿has comido?

–No, señor –dije yo–, que aún no eran dadas las ocho cuando con vuestra merced encontré.

–Pues aunque de mañana, yo había almorzado y, cuando así como algo, hágote saber
710 que hasta la noche me estoy así. Por eso, pásate como pudieres, que después cenaremos.

Vuestra merced crea, cuando esto le oí, que estuve en poco de caer de mi estado, no tanto de hambre como por conocer de todo en todo la fortuna serme adversa. Allí se me representaron de nuevo mis fatigas y torné a llorar mis trabajos; allí se me vino a la memoria la consideración que hacía cuando me pensaba ir del clérigo, diciendo que,
715 aunque aquél era desventurado y mísero, por ventura toparía[76] con otro peor. Finalmente allí lloré mi trabajosa vida pasada y mi cercana muerte venidera.

---

75 **escudillar la olla** to dish out   76 **topar con** bump into

Y con todo, disimulando[77] lo mejor que pude, le dije:

–Señor, mozo soy, que no me fatigo mucho por comer, bendito Dios. De eso me podré yo alabar entre todos mis iguales, por de mejor garganta, y así fui yo loado de ella hasta hoy
720 día de los amos que yo he tenido.

–Virtud es ésa –dijo él–, y por eso te querré yo más, porque el hartar es de los puercos y el comer regladamente es de los hombres de bien.

"¡Bien te he entendido!, dije yo entre mí. ¡Maldita tanta medicina y bondad, como aquestos mis amos que yo hallo, hallan en la hambre!"

725 Púseme a un cabo del portal y saqué unos pedazos de pan del seno, que me habían quedado de los de por Dios. El, que vio esto, díjome:

–Ven acá, mozo. ¿Qué comes?

Yo lleguéme a él y mostréle el pan. Tomóme él un pedazo, de tres que eran, el mejor y más grande. Y díjome:

730 –Por mi vida, me parece éste buen pan.

–¡Y cómo! ¿Ahora –dije yo–, señor, es bueno?

–Sí, a fe –dijo él–. ¿Adónde lo hubiste? ¿Si es amasado de manos limpias?

–No sé yo eso –le dije–; mas a mí no me pone asco[78] el sabor de ello.

–Así plega a Dios –dijo el pobre de mi amo.

735 Y llevándolo a la boca, comenzó a dar en él tan fieros bocados como yo en lo otro.

–Sabrosísimo pan está –dijo–, por Dios.

Y como le sentí de qué pie cojeaba[79], dime prisa. Porque le vi en disposición, si acababa antes que yo, se comediría a ayudarme a lo que me quedase. Y con esto acabamos casi a una. Y mi amo comenzó a sacudir con las manos unas pocas de migajas y bien menudas
740 que en los pechos se le habían quedado, y entró en una camareta que allí estaba, y sacó un jarro desbocado y no muy nuevo y, después que hubo bebido, convidóme con él. Yo, por hacer del continente, dije:

–Señor, no bebo vino.

–Agua es –me respondió–. Bien puedes beber.

745 Entonces tomé el jarro y bebí no mucho, porque de sed no era mi congoja.

Así estuvimos hasta la noche, hablando en cosas que me preguntaba, a las cuales yo le respondí lo mejor que supe. En este tiempo, metióme en la cámara donde estaba el jarro de que bebimos, y díjome:

–Mozo, párate allí y verás cómo hacemos esta cama, para que la sepas hacer de aquí
750 adelante.

Púseme de un cabo y él del otro e hicimos la negra cama, en la cual no había mucho

---

77 **disimulando** feigning   78 **asco** repugnance   79 **de qué pie cojeaba** what was his weakness

que hacer, porque ella tenía sobre unos bancos un cañizo, sobre el cual estaba tendida la ropa que encima un negro colchón. Que por no estar muy continuada a lavarse no parecía colchón, aunque servía de él, con harta menos lana que era menester. Aquél tendimos,

755 haciendo cuenta de ablandarle lo cual era imposible, porque de lo duro mal se puede hacer blando. El diablo de la enjalma, maldita la cosa tenía dentro de sí. Que puesto sobre el cañizo, todas las cañas se señalaban, y parecían a lo propio entrecuesto de flaquísimo puerco. Y sobre aquel hambriento colchón un alfamar[80] del mismo jaez, del cual color yo no pude alcanzar.

760 Hecha la cama y la noche venida, díjome:

–Lázaro, ya es tarde y de aquí a la plaza hay gran trecho. También en esta ciudad andan muchos ladrones, que siendo de noche, capean. Pasemos como podamos y mañana; venido el día, Dios hará merced. Porque yo por estar solo no estoy proveído, antes he comido estos días por allá fuera. Mas ahora hacerlo hemos de otra manera.

765 –Señor, de mí –dije yo–, ninguna pena tenga vuestra merced, que sé pasar una noche y aún más, si es menester, sin comer.

–Vivirás más y más sano –me respondió–, porque como decíamos hoy, no hay tal cosa en el mundo para vivir mucho que comer poco.

"Si por esa vía es, dije entre mí, nunca yo moriré, que siempre he guardado esa regla

770 por fuerza y aun espero en mi desdicha tenerla toda mi vida."

Y acostóse en la cama, poniendo por cabecera las calzas y el jubón. Y mandóme echar a sus pies, lo cual yo hice. Mas, ¡maldito el sueño que yo dormí! Porque las cañas[81] y mis salidos huesos en toda la noche dejaron de rifar y encenderse; que con mis trabajos, males y hambre, pienso que en mi cuerpo no había libra de carne, y también, como aquel día

775 no había comido casi nada, rabiaba de hambre, la cual con el sueño no tenía amistad. Maldíjeme mil veces (¡Dios me lo perdone!) y a mi ruin fortuna, allí, lo más de la noche; y, lo peor, no osándome revolver por no despertarle, pedí a Dios muchas veces la muerte.

La mañana venida, levantámonos y comienza a limpiar y sacudir sus calzas[82] y jubón[83] y sayo[84] y capa. ¡Y yo, que le servía de pelillo! Y vístese muy a su placer de espacio. Echéle

780 aguamanos, peinóse y puso su espada en el talabarte; y al tiempo que la ponía, díjome:

–¡Oh, si supieses, mozo, qué pieza es ésta! No hay marco de oro en el mundo por que yo la diese. Más así, ninguna de cuantas Antonio hizo, no acertó a ponerle los aceros tan prestos como ésta los tiene.

Y sacóla de la vaina[85] y tentóla con los dedos, diciendo:

785 –¿Vesla aquí? Yo me obligo con ella cercenar un copo de lana.

Y yo dije entre mí: "Y yo con mis dientes, aunque no son de acero, un pan de cuatro libras."

| 80 | **alfamar** blanket | 82 | **calzas** leggings | 84 | **sayo** tunic |
| 81 | **cañas** straws | 83 | **jubón** shirt | 85 | **vaina** scabbard |

Tornóla a meter y ciñósela, y un sartal de cuentas gruesas del talabarte. Y con un paso sosegado y el cuerpo derecho, haciendo con él y con la cabeza muy gentiles meneos, echando el cabo de la capa sobre el hombro y continente, que quien no le conociera pensara ser el costado, salió por la puerta, diciendo:

–Lázaro, mira por la casa en tanto que voy a oir misa, y haz la cama y ve por la vasija de agua al río, que aquí bajo está, y cierra la puerta con llave, no nos hurten algo, y ponla aquí al quicio, por que si yo viniere en tanto pueda entrar.

Y súbese por la calle arriba con tan gentil semblante muy cercano pariente del conde Alarcos, o a lo menos al camarero que le daba de vestir.

"¡Bendito seáis vos, Señor –quedé yo diciendo–, que dais la enfermedad y ponéis el remedio! ¿Quién encontrará a aquel mi señor que no piense, según el contento de sí lleva, haber anoche bien cenado y dormido en buena cama, y, aunque ahora es de mañana, no le cuenten por muy bien almorzado? ¡Grandes secretos son, Señor, los que vos hacéis y las gentes ignoran! ¿A quién no engañara aquella buena disposición y razonable capa y sayo? ¿Y quién pensara que aquel gentilhombre se pasó ayer todo el día sin comer, con aquel mendrugo[86] de pan que su criado Lázaro trajo un día y una noche en el arca de su seno, do no se le podía pegar mucha limpieza, y hoy, lavándose las manos y cara, a falta de paño de manos, se hacía servir de la halda del sayo? Nadie, por cierto, lo sospechara. ¡Oh Señor, y cuantos de aquéstos debéis vos tener por el mundo derramados, que padecen por la negra que llaman honra, lo que por vos no sufrirían!"

Así estaba yo a la puerta, mirando y considerando estas cosas y otras muchas, hasta que el señor mi amo traspuso la larga y angosta calle. Y como lo vi trasponer, tornéme a entrar en casa y en un credo la anduve toda, alto y bajo, sin hacer represa ni hallar en qué. Hago la negra dura cama y tomo el jarro y doy conmigo en el río, donde en una huerta vi a mi amo en gran recuesta con dos rebozadas mujeres, al parecer de las que en aquel lugar no hacen falta; antes, muchas tienen por estilo de irse a las mañanicas del verano a refrescar y almorzar, sin llevar qué, por aquellas frescas riberas, con confianza que no ha de faltar quien se lo dé, según las tienen puestas en esta costumbre aquellos hidalgos del lugar:

Y como digo, él estaba entre ellas, hecho un Macías, diciéndoles más dulzuras que Ovidio escribió. Pero, como sintieron de él que estaba bien enternecido, no se les hizo de vergüenza pedirle de almorzar con el acostumbrado pago.

El, sintiéndose tan frío de bolsa cuanto estaba caliente de estómago, tomóle tal calofrío[87] que le robó la color del gesto y comenzó a turbarse en la plática y a poner excusas no válidas. Ellas, que debían ser bien instituidas, como le sintieron la enfermedad, dejáronle para el que era.

Yo, que estaba comiendo ciertos tronchos de berzas[88] con los cuales me desayuné, con

---

86 **mendrugo** crumb   87 **escalofrío** shiver   88 **berzas** cabbages

825 mucha diligencia, como mozo nuevo, sin ser visto de mi amo, torné a casa, de la cual pensé
barrer alguna parte, que era bien menester; mas no hallé con qué. Púseme a pensar qué
haría, y parecióme esperar a mi amo hasta que el día demediase y si viniese y por ventura
trajese algo que comiésemos; mas en vano fue mi experiencia.

Después que vi ser las dos y no venía y la hambre me aquejaba, cierro mi puerta y
830 pongo llave do mandó y tórnome a mi menester. Con baja y enferma voz e inclinadas
mis manos en los senos, puesto Dios ante mis ojos y la lengua en su nombre, comienzo a
pedir pan por las puertas y casas más grandes que me parecía. Mas, como yo a este oficio
le hubiese mamado en la leche, quiero decir que con el gran maestro, el ciego, lo aprendí,
tan suficiente discípulo salí que, aunque en este pueblo no había caridad ni el año fuese
835 muy abundante, tan buena maña me di, que antes que el reloj diese las cuatro, ya yo tenía
otras tantas libras de pan ensiladas en el cuerpo y más de otras dos en las mangas y senos.
Volvíme a la posada, y al pasar por la tripería pedí a una de aquellas mujeres y dióme un
pedazo de uña de vaca con otras pocas de tripas[89] cocidas.

Cuando llegué a casa, ya el bueno de mi amo estaba en ella, doblada su capa y puesta
840 en el poyo, y él paseándose por el patio. Como entro, vinose para mí. Pensé que me quería
reñir la tardanza; mas mejor lo hizo Dios.

Preguntóme dó venía.

Yo le dije:

–Señor, hasta que dio las dos estuve aquí, y de que vi que vuestra merced no venía,
845 fuime por esa ciudad a encomendarme a las buenas gentes, y hanme dado esto que veis.

Mostréle el pan y las tripas, que en un cabo de la halda traía, a la cual él mostró buen
semblante, y dijo:

–Pues, esperado te he a comer, y, de que vi que no viniste, comí. Mas tú haces como
hombre de bien en eso, que más vale pedirlo por Dios, que no hurtarlo. Y así El me ayude,
850 como ello me parece bien, y solamente te encomiendo no sepan que vives conmigo por lo
que toca a mi honra. Aunque bien creo que será secreto, según lo poco que en este pueblo
soy conocido. ¡Nunca a él yo hubiera de venir!

–De eso pierda, señor, cuidado –le dije yo–, que maldito aquel que ninguno tiene de
pedirme esa cuenta ni yo de darla.

855 –Ahora, pues, come, pecador; que, si a Dios place, presto nos veremos sin necesidad.
Aunque te digo que después que en esta casa entré, nunca bien me ha ido. Debe ser de
mal suelo. Que hay casas desdichadas[90] y de mal pie, que a los que viven en ellas pegan
la desdicha. Ésta debe de ser sin duda de ellas; mas yo te prometo, acabado el mes, no
quedaré en ella, aunque me la den por mía.

860 Sentéme al cabo del poyo y, porque no me tuviese por glotón, callé la merienda.

---

89 **tripas** tripe   90 **desdichadas** unhappy

Y comienzo a cenar y morder en mis tripas y pan, y tan disimuladamente miraba al desventurado señor mio, que no partía sus ojos de mis faldas, que aquella sazón servían de plato.

Tanta lástima haya Dios de mí como yo había de él, porque sentí lo que sentía y muchas veces había por ello pasado y pasaba cada día. Pensaba si sería bien comedirme a convidarle; mas, por me haber dicho que había comido, temíame no aceptaría el convite. Finalmente, yo deseaba aquel pecador ayudase a su trabajo del mío y se desayunase como el día antes hizo, pues había mejor aparejo, por ser mejor la vianda y menos mi hambre.

Quiso Dios cumplir mi deseo y aun pienso que el suyo; porque como comencé a comer y él se andaba paseando, llegóse a mí y díjome:

–Dígote, Lázaro, que tienes en comer la mejor gracia que en mi vida vi a hombre, y que nadie te lo verá hacer que no le pongas gana aunque no la tenga.

"La muy buena que tú tienes, dije yo entre mí, te hace parecer la mía hermosa."

Con todo, parecióme ayudarle, pues se ayudaba y me abría camino para ello, y díjele:

–Señor, el buen aparejo hace buen artífice. Este pan está sabrosísimo y esta uña de vaca tan bien cocida y sazonada, que no habrá a quien no convide con su sabor.

–¿Uña de vaca es?

–Si, señor.

–Dígote que es el mejor bocado[91] del mundo y que no hay faisán que así me sepa.

–Pues pruebe, señor, y verá qué tal está.

Póngole en las uñas la otra y tres o cuatro raciones de pan de lo más blanco. Y asentóseme al lado y comienza a comer como aquel que lo había gana, royendo cada huesecillo de aquéllos mejor que un galgo suyo lo hiciera.

–Con almodrote[92] –decía–, es éste singular manjar[93].

"Con mejor salsa lo comes tu", respondí yo paso.

–Por Dios, que me ha sabido como si hoy no hubiera comido bocado.

"¡Así me vengan los buenos años como es ello!", dije yo entre mí.

Pidióme el jarro del agua, y díselo como lo había traído. Es señal que, pues no le faltaba el agua, que no le había a mi amo sobrado la comida. Bebimos y muy contentos nos fuimos a dormir, como la noche pasada.

Y por evitar prolijidad, de esta manera estuvimos ocho o diez días, yéndose el pecador en la mañana con aquel contento y paso contado a papar aire por las calles, teniendo en el pobre Lázaro una cabeza de lobo.

Contemplaba yo muchas veces mi desastre: que, escapando de los amos ruines que había tenido, y buscando mejoría, viniese a topar con quien, no sólo no me mantuviese,

---

91 **bocado** dish (thing to eat)   92 **almodrote** sauce   93 **manjar** delicacy

mas a quien yo había de mantener. Con todo, le quería bien, con ver que no tenía ni podía más. Y antes le había lástima que enemistad. Y muchas veces, por llevar a la posada con que él lo pasase, yo lo pasaba mal.

900 Porque una mañana, levantándose el triste en camisa, subió a lo alto de la casa a hacer sus menesteres y, en tanto yo, por salir de sospecha, desenvolvíle el jubón y las calzas, que a la cabecera dejó, y hallé una bolsilla de terciopelo raso, hecha cien dobleces y sin maldita la blanca ni señal que la hubiese tenido mucho tiempo.

"Este –decía yo– es pobre, y nadie da lo que no tiene; mas el avariento ciego y el malaventurado mezquino clérigo, que, con dárselo Dios a ambos, al uno de mano besada 905 y al otro de lengua suelta, me mataban de hambre, aquéllos es justo desamar y aquéste de haber lástima[94].

Dios es testigo que hoy día, cuando topo con alguno de su hábito con aquel paso y pompa, le he lástima con pensar si padece lo que aquél le vi sufrir. Al cual, con toda su pobreza, holgaría de servir más que a los otros por lo que he dicho. Sólo tenía de él un poco 910 de descontento: que quisiera yo que no tuviera tanta presunción, mas que abajara un poco su fantasía con lo mucho que subía su necesidad. Mas, según me parece, es regla ya entre ellos usada y guardada: aunque no haya cornado de trueco, ha de andar el birrete en su lugar. El Señor lo remedie, que ya con este mal han de morir.

Pues estando yo en tal estado, pasando la vida que digo, quiso mi mala fortuna, que de 915 perseguirme no era satisfecha, que en aquella trabajada y vergonzosa vivienda no durase. Y fue, como el año en esta tierra fuese estéril de pan, acordaron el ayuntamiento que todos los pobres extranjeros se fuesen de la ciudad, con pregón[95] que el que de allí adelante topasen fuese punido con azotes. Y así, ejecutando la ley, desde a cuatro días que el pregón se dio, vi llevar una procesión de pobres azotando por las Cuatro Calles. Lo cual me puso 920 tan gran espanto que nunca osé desmandarme a demandar.

Aquí viera, quien verlo pudiera, la abstinencia de mi casa y la tristeza y silencio de los moradores; tanto, que nos acaeció estar dos o tres días sin comer bocado ni hablar palabra. A mí diéronme la vida unas mujercillas hilanderas de algodón, que hacían bonetes y vivían par de nosotros, con las cuales yo tuve vecindad y conocimiento. Que de la laceria que les 925 traían me daban alguna cosilla, con la cual muy pasado me pasaba.

Y no tenía tanta lástima de mí como del lastimado de mi amo, que en ocho días maldito el bocado que comió. A lo menos en casa bien lo estuvimos sin comer. No sé yo cómo o dónde andaba y qué comía. ¡Y verle venir a mediodía la calle abajo, con estirado cuerpo, más largo que galgo de buena casta! Y por lo que toca a su negra, que dicen, honra, 930 tomaba una paja, de las que aún asaz no había en casa, y salía a la puerta escarbando los dientes que nada entre sí tenían, quejándose todavía de aquel mal solar, diciendo:

"Malo está de ver, que la desdicha de esta vivienda lo hace. Como ves, es lóbrega, triste, oscura. Mientras aquí estuviéremos, hemos de padecer. Ya deseo que se acabe este mes por

---

salir de ella."

935　　Pues estando en esta afligida y hambrienta persecución, un día, no sé por cuál dicha
o ventura, en el pobre poder de mi amo entró un real[96], con el cual él vino a casa tan ufano
como si tuviera el tesoro de Venecia y con gesto muy alegre y risueño me lo dio, diciendo:

　　–Toma, Lázaro, que Dios ya va abriendo su mano. Ve a la plaza y merca pan y vino
y carne; ¡quebremos el ojo al diablo! Y más te hago saber, porque te huelgues, que he

940　alquilado otra casa y en esta desastrada no hemos de estar más de en cumpliendo el mes.
¡Maldita sea ella y el que en ella puso la primera teja, que con mal en ella entré! Por nuestro
Señor, cuanto ha que en ella vivo, gota de vino ni bocado de carne no he comido ni he
habido descanso ninguno; mas, ¡tal vista tiene y tal oscuridad y tristeza! Ve y ven presto, y
comamos hoy como condes.

945　　Tomo mi real y jarro y, a los pies dándoles prisa, comienzo a subir mi calle
encaminando mis pasos para la plaza, muy contento y alegre.

　　Mas, ¿qué me aprovecha, si está constituido en mi triste fortuna que ningún gozo me
venga sin zozobra? Y así fue éste. Porque yendo la calle arriba, echando mi cuenta en lo
que le emplearía que fuese mejor y más provechosamente gastado, dando infinitas gracias

950　a Dios que a mi amo había hecho con dinero, a deshora me vino al encuentro un muerto,
que por la calle abajo muchos clérigos y gente en unas andas traían.

　　Arriméme a la pared por darles lugar y, después que el cuerpo pasó, venían luego a par
del lecho una que debía ser mujer del difunto[97], cargada de luto, y con ella otras muchas
mujeres; la cual iba llorando a grandes voces y diciendo:

955　　–Marido y señor mío, ¿adónde os me llevan? ¡A la casa triste y desdichada, a la casa
lóbrega[98] y oscura, a la casa donde nunca comen ni beben!

　　Yo, que aquello oí, juntóseme el cielo con la tierra y dije:

　　–¡Oh desdichado de mí! Para mi casa llevan este muerto.

　　Dejo el camino que llevaba y hendí por medio de la gente y vuelvo por la calle abajo

960　a todo el más correr que puede para mi casa. Y entrando en ella, cierro a grande prisa,
invocando el auxilio y favor de mi amo abrazándome de él, que me venga a ayudar y a
defender la entrada. El cual, algo alterado, pensando que fuese otra cosa, me dijo:

　　–¿Qué es eso, mozo? ¿Qué voces das? ¿Qué has? ¿Por qué cierras la puerta con tal
furia?

965　　–¡Oh, señor –dije yo–, acuda aquí que nos traen acá un muerto!

　　–¿Cómo así? –respondió él.

　　–Aquí arriba lo encontré y venía diciendo su mujer: "Marido y señor mío. ¿Adónde
os llevan? ¡A la casa lóbrega y oscura, a la casa triste y desdichada, a la casa donde nunca
comen ni beben!" Acá, señor, nos le traen.

96　**real** coin　　　　　　　97　**difunto** deceased　　　　　　　98　**lóbrega** gloomy

970   Y ciertamente, cuando mi amo esto oyó, aunque no tenía por qué estar muy risueño, rió tanto, que muy gran rato estuvo sin poder hablar. En este tiempo tenía yo echada la aldaba a la puerta y puesto el hombro en ella por más defensa. Pasó la gente con su muerto y yo todavía me recelaba que nos le habían de meter en casa. Y después que fue ya más harto de reír que de comer el bueno de mi amo, díjome:

975   –Verdad es, Lázaro; según la viuda lo va diciendo tú tuviste razón de pensar lo que pensaste; mas, pues Dios lo ha hecho mejor y pasan adelante, abre, abre y ve por de comer.

       –Dejadlos, señor, acaben de pasar la calle –dije yo.

       Al fin vino mi amo a la puerta de la calle y ábrela esforzándome, que bien era menester según el miedo y alteración, y me torno a encaminar. Mas, aunque comimos bien aquel día,
980 maldito el gusto yo tomaba en ello. Ni en aquellos tres días torné en mi color. Y mi amo, muy risueño todas las veces que se le acordaba aquella mi consideración.

       De esta manera estuve con mi tercero y pobre amo, que fue este escudero, algunos días, y en todos deseando saber la intención de su venida y estada en esta tierra. Porque desde el primer día que con él asenté, le conocí ser extranjero[99], por el poco conocimiento y
985 trato que con los naturales de ella tenía.

       Al fin se cumplió mi deseo y supe lo que deseaba. Porque un día que habíamos comido razonablemente y estaba algo contento, contóme su hacienda, y díjome ser de Castilla la Vieja y que había dejado su tierra no más de por no quitar el bonete[100] a un caballero su vecino.

990   –Señor –dije yo–, si él era lo que decís y tenía más que vos, ¿no errabais en no quitárselo primero, pues decís que él también os lo quitaba?

       –Sí es y sí tiene y también me lo quitaba él a mí; mas, de cuantas veces yo se lo quitaba primero, no fuera malo comedirse él alguna y ganarme por la mano.

       –Paréceme, señor, le dije yo, que en eso no mirara, mayormente con mis mayores que
995 yo y que tienen más.

       –Eres muchacho –me respondió– y no sientes las cosas de la honra, en que el día de hoy está todo el caudal de los hombres de bien. Pues te hago saber que yo soy, como ves, un escudero; mas ¡vótote a Dios!, Si al conde[101] topo en la calle y no me quita muy bien quitado del todo el bonete, que otra vez que venga, me sepa yo entrar en una casa,
1000 fingiendo yo en ella algún negocio, o atravesar otra calle, si la hay, antes que llegue a mí, por no quitárselo. Que un hidalgo no debe a otro que a Dios y al rey nada, ni es justo, siendo hombre de bien, se descuide un punto de tener en mucho su persona. Acuérdome que un día deshonré en mi tierra a un oficial y quise ponerle las manos, porque, cada vez que le topaba, me decía: "Mantenga Dios a vuestra merced". "Vos, don villano ruin –le dije
1005 yo–, ¿por qué no sois bien criado? ¿Manténgaos Dios, me habéis de decir, como si fuese quienquiera?" De allí adelante, de aquí acullá, me quitaba el bonete y hablaba como debía.

---

99   **extranjero** outsider   100   **quitar el bonete** take of his cap   101   **conde** count

–¿Y no es buena manera de saludar un hombre a otro –dije yo– decirle que le mantenga Dios?

–¡Mira mucho de enhoramala! –dijo él–. A los hombres de poca arte dicen eso; mas a los más altos, como yo, no les han de hablar menos de: "Beso las manos de vuestra merced", o por lo menos: "Os beso, señor, las manos", si el que me habla es caballero. Y así, aquel de mi tierra, que me atestaba de mantenimiento, nunca más le quise sufrir, ni sufriría ni sufriré a hombre del mundo, del rey abajo, que "Manténgaos Dios" me diga.

"Pecador de mí –dije yo–, por eso tiene tan poco cuidado de mantenerte, pues no sufre que nadie se lo ruegue."

–Mayormente –dijo– que no soy tan pobre que no tenga en mi tierra un solar[102] de casas, que de estar ellas en pie y bien labradas, a diez y seis leguas de donde nací, en aquella costanilla de Valladolid, valdrían más de doscientas veces mil maravedís, según se podrían hacer grandes y buenas. Y tengo un palomar[103] que, a no estar derribado como está, daría cada año más de doscientos palominos. Y otras cosas que me callo, que dejé por lo que tocaba a mi honra.

Y vine a esta ciudad pensando que hallaría un buen asiento mas no me ha sucedido como pensé. Canónigos y señores de la iglesia, muchos hallo; mas es gente tan limitada que no los sacaran de su paso todo el mundo. Caballeros de media talla también me ruegan; mas servir con éstos es gran trabajo, porque de hombre os habéis de convertir en malilla, y si no, andad con Dios os dicen. Y las más veces son los pagamentos a largos plazos, y las más ciertas comido por servido. Ya, cuando quieren reformar conciencia y satisfaceros vuestros sudores, sois librados en la recámara, en un sudado jubón o raída capa o sayo. Ya cuando asienta un hombre con un señor de título, todavía pasa su laceria. ¿Pues, por ventura, no hay en mi habilidad para servir y contentar a éstos? Por Dios, si con él topase, muy gran su privado pienso que fuese y que mil servicios le hiciese, porque yo sabría mentirle tan bien como otro y agradarle a las mil maravillas. Le reiría mucho sus donaires[104] y costumbres, aunque no fuesen las mejores del mundo. Nunca decirle cosa que le pesase, aunque mucho le cumpliese. Ser muy diligente en su persona, en dicho y hecho. No me matar por no hacer bien las cosas que él no había de ver. Y ponerme a reñir, donde lo oyese, con la gente de servicio, porque pareciese tener gran cuidado de lo que a él tocaba. Si riñese con algún su criado, dar unos puntillos agudos para le encender la ira y que pareciesen en favor del culpado. Decirle bien de lo que bien le estuviese y, por el contrario, ser malicioso, mofador[105], malsinar a los de casa; y a los de fuera, pesquisar y procurar de saber vidas ajenas para contárselas, y otras muchas galas de esta calidad, que hoy día se usan en palacio y a los señores de él parecen bien. Y no quieren ver en sus casas hombres virtuosos; antes los aborrecen y tienen en poco y llaman necios y que no son personas de negocios ni con quien el señor se puede descuidar. Y con éstos los astutos

---

102 **solar de casas** house lot

103 **palomar** dove coop

104 **donaires** jests

105 **mofador** mocking

usan, como digo, el día de hoy, de lo que yo usaría; mas no quiere mi ventura que le halle.

1045   De esta manera lamentaba también su adversa fortuna mi amo, dándome relación de su persona valerosa.

   Pues estando en esto, entró por la puerta un hombre y una vieja. El hombre le pide el alquiler de la casa y la vieja el de la cama. Hacen cuenta y de dos meses le alcanzaron lo que el en un año no alcanzara. Pienso que fueron doce o trece reales. Y él les dio muy
1050 buena respuesta: que saldría a la plaza a cambiar una pieza de a dos y que a la tarde volviesen; mas su salida fue sin vuelta.

   Por manera que a la tarde ellos volvieron; mas fue tarde. Yo les dije que aún no era venido. Venida la noche y él no, yo hube miedo de quedar en casa solo y fuime a las vecinas y contéles el caso, y allí dormí.

1055   Venida la mañana, los acreedores[106] vuelven y preguntan por el vecino; mas a estotra puerta. Las mujeres les responden:

   –Veis aquí su mozo y la llave de la puerta.

   Ellos me preguntaron por él, y díjeles que no sabía adónde estaba y que tampoco había vuelto a casa desde que salió a cambiar la pieza y que pensaba que de mí y de ellos se había
1060 ido con el cambio.

   De que esto me oyeron, van por un alguacil[107] y un escribano[108]. Y helos do vuelven luego con ellos y toman la llave y llámanme, y llaman testigos[109] y abren la puerta y entran a embargar[110] la hacienda de mi amo hasta ser pagados de su deuda. Anduvieron toda la casa y halláronla desembarazada, como he contado, y dícenme:

1065   –¿Qué es de la hacienda de tu amo, sus arcas y paños de pared y alhajas de casa?

   –No sé yo eso –les respondí.

   –Sin duda –dicen ellos– esta noche lo deben de haber alzado y llevado a alguna parte. Señor alguacil, prended a este mozo, que él sabe dónde está.

   En esto vino el alguacil y echóme mano por el collar del jubón, diciendo:

1070   –Muchacho, tú eres preso si no descubres los bienes de este tu amo.

   Yo, como en otra tal no me hubiese visto (porque asido del collar sí había sido muchas e infinitas veces; mas era mansamente de él trabado para que mostrase el camino al que no veía), yo hube mucho miedo y llorando prometíle de decir lo que preguntaban.

   –Bien está –dicen ellos–. Pues di todo lo que sabes y no hayas temor.

1075   Sentóse el escribano en un poyo para escribir el inventario, preguntándome qué tenía.

   –Señores –dije yo–, lo que este mi amo tiene, según él me dijo, es un muy buen solar de casas y un palomar derribado.

---

106 **acreedores** creditors   108 **escribano** notary   110 **embargar** take possession
107 **alguacil** constable   109 **testigos** witnesses

–Bien está –dicen ellos–. Por poco que eso valga, hay para nos entregar de la deuda. ¿Y a qué parte de la ciudad tiene eso? –me preguntaron.

1080 —En su tierra –les respondí.

—Por Dios, que está bueno el negocio –dijeron ellos–. ¿Y adónde es su tierra?

—De Castilla la Vieja me dijo él que era –les dije yo.

Riéronse mucho el alguacil y el escribano, diciendo:

—Bastante relación es ésta para cobrar vuestra deuda, aunque mejor fuese.

1085 Las vecinas, que estaban presentes, dijeron:

—Señores, éste es un niño inocente y ha pocos días que está con ese escudero y no sabe de él más que vuestras mercedes; sino cuando el pecadorcico[111] se llega aquí a nuestra casa, y le damos de comer lo que podemos, por amor de Dios, y a las noches se iba a dormir con él.

1090 Vista mi inocencia, dejáronme, dándome por libre. Y el alguacil y el escribano piden al hombre y a la mujer sus derechos. Sobre lo cual tuvieron gran contienda y ruido, porque ellos alegaron no ser obligados a pagar, pues no había de qué ni se hacía el embargo. Los otros decían que habían dejado de ir a otro negocio que les importaba más por venir a aquél.

1095 Finalmente, después de dadas muchas voces, al cabo carga un porquerón con el viejo alfamar de la vieja; aunque no iba muy cargado. Allá van todos cinco dando voces. No sé en qué paró. Creo yo que el pecador alfamar pagara por todos. Y bien se empleaba, pues el tiempo que había de reposar y descansar de los trabajos pasados, se andaba alquilando.

Así, como he contado, me dejó mi pobre tercer amo, donde acabé de conocer mi ruin 1100 dicha. Pues, señalándose todo lo que podía contra mí, hacía mis negocios tan al revés, que los amos, que suelen ser dejados de los mozos, en mí no fuese así, mas que mi amo me dejase y huyese de mí.

Tratado séptimo

Cómo Lázaro se asentó con un alguacil y de lo que le acaeció con él

Despedido del capellán, asenté por hombre de justicia con un alguacil. Mas muy poco viví con él, por parecerme oficio peligroso. Mayormente, que una noche nos corrieron a 1105 mí y a mi amo a pedradas[112] y a palos unos retraídos. Y a mi amo, que esperó, trataron mal; mas a mi no me alcanzaron. Con esto renegué del trato.

Y pensando en qué modo de vivir haría mi asiento, por tener descanso y ganar algo para la vejez, quiso Dios alumbrarme y ponerme en camino y manera provechosa. Y con favor que tuve de amigos y señores, todos mis trabajos y fatigas hasta entonces pasados

---

111 **pecadorcico** urchin   112 **pedradas** blows with stones

1110 fueron pagados con alcanzar lo que procuré. Que fue un oficio real, viendo que no hay
nadie que medre sino los que le tienen.

En el cual el día de hoy vivo y resido a servicio de Dios y de vuestra merced. Y es que
tengo cargo de pregonar los vinos[113], que en esta ciudad se venden, y en almonedas y cosas
perdidas, acompañar los que padecen persecuciones por justicia y declarar a voces sus
1115 delitos: pregonero[114], hablando en buen romance.

(En el cual oficio, un día que ahorcábamos[115] un apañador en Toledo y llevaba una
buena soga de esparto, conocí y caí en la cuenta de la sentencia que aquel mi ciego amo
había dicho en Escalona, y me arrepentí del mal pago que le di por lo mucho que me
enseñó. Que, después de Dios, él me dio industria para llegar al estado que ahora estoy.)

1120 Me ha sucedido tan bien, yo le he usado tan fácilmente, que casi todas las cosas
al oficio tocantes pasan por mi mano. Tanto, que en toda la ciudad el que ha de echar
vino a vender, o algo, si Lázaro de Tormes no entiende en ello, hacen cuenta de no sacar
provecho[116].

En este tiempo, viendo mi habilidad y buen vivir, teniendo noticia de mi persona el
1125 señor arcipreste de San Salvador, mi señor, y servidor y amigo de vuestra merced, porque
le pregonaba sus vinos, procuró casarme con una criada suya. Y visto por mí que de tal
persona no podía venir sino bien y favor, acordé de lo hacer. Y así me casé con ella y hasta
ahora no estoy arrepentido.

Porque, además de ser buena hija y diligente, servicial, tengo en mi señor arcipreste
1130 todo favor y ayuda. Y siempre en el año le da en veces al pie de una carga de trigo[117]; por
las Pascuas su carne y cuando el par de los bodigos, las calzas viejas que deja. Y nos hizo
alquilar una casilla cerca de la suya. Los domingos y fiestas casi todas las comíamos en su
casa.

Mas malas lenguas, que nunca faltaron ni faltarán, no nos dejan vivir, diciendo no sé
1135 qué y sí sé qué, de que ven a mi mujer irle a hacer la cama y guisarle de comer. Y mejor les
ayude Dios que ellos dicen la verdad.

(Aunque en este tiempo siempre he tenido alguna sospechuela[118] y habido algunas
malas cenas por esperarla algunas noches hasta las laudes y aún más, y se me ha venido a
la memoria lo que mi amo el ciego me dijo en Escalona, estando asido del cuerno. Aunque
1140 de verdad siempre pienso que el diablo me lo trae a la memoria por hacerme malcasado, y
no le aprovecha.)

Porque, además de no ser ella mujer que se pague de estas burlas, mi señor me ha
prometido lo que pienso cumplirá; que él me habló un día muy largo delante de ella y me
dijo:

---

113 **pregonar los vinos** to
  advertise wines

114 **pregonero** announcer

115 **ahorcábamos** we hanged

116 **sacar provecho** to benefit

117 **trigo** wheat

118 **sospechuela** little suspicion

1145   –Lázaro de Tormes, quien ha de mirar a dichos de malas lenguas nunca medrará[119].
Digo esto, porque no me maravillaría alguno, viendo entrar en mi casa a tu mujer y salir
de ella. Ella entra muy a tu honra y suya. Y esto te lo prometo. Por tanto, no mires a lo que
pueden decir, sino a lo que te toca, digo a tu provecho.

   –Señor –le dije–, yo determiné de arrimarme a los buenos. Verdad es que algunos de
1150   mis amigos me han dicho algo de eso y aun por más de tres veces me han certificado que,
antes que conmigo casase, había parido[120] tres veces, hablando con reverencia de vuestra
merced, porque está ella delante.

   Entonces mi mujer echó juramentos[121] sobre sí, que yo pensé la casa se hundiera con
nosotros. Y después tomóse a llorar y a echar maldiciones[122] sobre quien conmigo la había
1155   casado; en tal manera que quisiera ser muerto antes que se me hubiera soltado aquella
palabra de la boca. Más yo de un cabo y mi señor de otro, tanto le dijimos y otorgamos
que cesó su llanto, con juramento que le hice de nunca más en mi vida mentarle nada de
aquello, y que yo holgaba y había por bien de que ella entrase y saliese de noche y de día,
pues estaba bien seguro de su bondad, Y así quedamos todos tres bien conformes.

1160   Hasta el día de hoy nunca nadie nos oyó sobre el caso; antes, cuando alguien siento
que quiere decir algo de ella, le atajo[123] y le digo:

   –Mirad, si sois amigo, no me digáis cosa con que me pese, que no tengo por mi amigo
al que me hace pesar[124]. Mayormente, si me quieren meter mal con mi mujer, que es la
cosa del mundo que yo más quiero y la amo más que a mí. Y me hace Dios con ella mil
1165   mercedes y más bien que yo merezco. Que yo juraré sobre la hostia consagrada que es tan
buena mujer como vive dentro de las puertas de Toledo. Quien otra cosa me dijere, yo me
mataré con él.

   De esta manera no me dicen nada y yo tengo paz en mi casa.

   Esto fue el mismo año que nuestro victorioso emperador en esta insigne ciudad de
1170   Toledo entró y tuvo en ella cortes y se hicieron grandes regocijos, como vuestra merced
habrá oído.

   Pues en este tiempo estaba en mi prosperidad y en la cumbre de toda buena fortuna.

   (De lo que de aquí adelante me sucediere, avisaré a vuestra merced.)

✦ ✦ ✦ ✦ ✦ ✦ ✦ ✦ ✦ ✦ ✦ ✦

| 119 **medrará** will grow | 121 **juramentos** oaths | 123 **atajo** cut off |
| 120 **parido** given birth | 122 **maldiciones** curses | 124 **hace pesar** give grief |

Sugerencias para el análisis de la obra

Prólogo

1. ¿Qué sentido tiene el Prólogo? ¿Por qué usa el autor del *Lazarillo* el recurso de escribir una carta a "vuestra merced"?

2. ¿Qué aporta el que la novela esté escrita en primera persona?

Tratado 1

3. Piensa en los orígenes del joven. ¿Cómo es la familia de Lázaro? ¿Es irónico su apellido? ¿Por qué?

4. Caracteriza la relación entre Lázaro y el ciego.

5. Comenta estas líneas: "Verdad dice éste que cumple avivar el ojo y avisar, pues solo soy, y pensar como me sepa valer". ¿Por qué marcan un momento importante en el desarrollo y la educación de Lázaro?

Tratado 2

6. ¿Cómo es el clérigo? ¿En qué se diferencia del ciego?

7. ¿Hay humor en el Tratado 2? ¿En qué momentos se ve?

8. Explica qué quieren decir las siguientes palabras del clérigo: "Lázaro, de hoy más eres tuyo que mío".

9. ¿Qué artimañas o mentiras se inventa Lázaro para matar el hambre?

Tratado 3

10. Analiza al personaje del escudero. ¿Cómo es? ¿En qué se diferencia de los amos anteriores de Lázaro?

11. ¿Qué crítica social se hace implícitamente en el Tratado 3?

12. ¿Qué características o virtudes muestra Lázaro con el escudero que revelan un desarrollo en su persona?

13. ¿Comenta la inversión de papeles que vemos en el Tratado 3.

Tratado 7

14. ¿En qué momento de la vida de Lázaro tiene lugar el Tratado 7? ¿Cómo ha cambiado su vida?

15. ¿Qué aprendemos en el Tratado 7 que nos ayuda a entender el porqué de la obra?

Obra completa

16. Describe en detalle la personalidad de Lázaro. ¿Cambia a lo largo de la obra? ¿Hay progreso psicológico en el personaje?

17. ¿Por qué no vemos hazañas o acciones gloriosas en esta obra? ¿Sugiere que to-

dos los pobres carecen de virtud? ¿Hay alguna muestra de "nobleza" por parte de los personajes?

18. ¿Qué importancia tiene en la narración el uso de los tiempos verbales? Por ejemplo, el empleo del presente en lugar del pasado, de pretéritos que se interpretan como presentes.

19. Busca ejemplos de lenguaje coloquial y de lenguaje culto. Describe el efecto de la mezcla.

Temas de discusión y ensayos

1. ¿Cómo se logra el efecto realista de la novela? ¿Qué tipo de acontecimientos se narran y con qué detalles?

2. Los héroes y los conquistadores tenían a sus cronistas para narrar sus vidas. Lázaro, como los otros protagonistas del género picaresco, cuenta sus propias aventuras de manera autobiográfica. Analiza la diferencia.

3. ¿Es Lázaro simplemente un personaje a quien ocurren desventuras?

4. ¿Se presenta a Lázaro como una persona deshonesta y sin principios? ¿Qué peso tienen la herencia familiar y las circunstancias en la conducta de Lázaro? Cita evidencia de diferentes partes de la obra en tu respuesta.

5. Usando citas para fundamentar tus explicaciones, caracteriza la sociedad de la época. ¿Qué ejemplos ilustran la crueldad, la hipocresía, la avaricia, la mezquindad y el engaño en los personajes? ¿Qué grupos sociales introduce la obra? ¿Presenta una crítica social? ¿Es satírica?

6. ¿Cuál podría ser la intención del autor al presentar a Lázaro como el autor original de la obra?

7. El *Lazarillo* fue inmediatamente un éxito. Se leyó y comentó tanto que las palabras "lázaro" y "lazarillo" se incorporaron al lenguaje para significar "persona que acompaña y guía a un ciego". ¿Cuáles crees tú son las razones de este éxito popular?

8. En los primeros capítulos del *Quijote* tenemos otro niño, Andrés, que puede ser una víctima inocente o un pícaro al estilo de Lázaro. También se gana la vida y vive sin la protección de su familia. Haz un pequeño estudio de la vida de un niño en aquella época.

9. ¿Trata de alguna manera esta obra del tema del honor, tan presente en la literatura española?

Miguel de Cervantes

(1547-1616)

Datos biográficos

Nacido en la ciudad castellana de Alcalá de Henares, Miguel de Cervantes Saavedra (1547-1616) provenía de una familia hidalga pero pobre. Buscando mejor suerte en sucesivas ciudades españolas, su padre, médico cirujano, trasladó numerosas veces a su familia sin poder eliminar nunca deudas ni penurias económicas. Se ha dado la hipótesis de una posible procedencia judía pero la teoría, que se basa en la interpretación de las obras cervantinas más que en datos concretos, ha quedado sin comprobar. En el año 1569, comenzó una etapa aventurera en la vida del autor. Marchó primero a Italia, fugitivo de la ley. Se dice que escapaba de una orden de castigo debida a un lance en el que quedó herido otro hombre. Al año de exilio, Cervantes sentó plaza de soldado y luchó contra los turcos en la batalla de Lepanto, donde fue herido gravemente y perdió el brazo izquierdo. Después de recuperarse, continuó ejerciendo de soldado durante los cinco años siguientes hasta que la galera en la que navegaba hacia España fue capturada por argelinos. Todos los soldados de la nave, entre los que se contaban Miguel y su hermano Rodrigo, fueron capturados y llevados de esclavos a Argel. Cervantes trató repetidas veces de escapar hasta que en 1580, tras cinco años de cautiverio, una orden religiosa pagó una suma para redimirle y dejarle en libertad.

Al regresar a España, Cervantes dejó la carrera de las armas por las letras. Sin embargo, no había terminado del todo la era de cautiverio, ya que ingresó varias veces más en la cárcel por problemas con la Hacienda pública. En 1605 se imprimió la primera parte del *Quijote* y en rápida sucesión varios libros más, entre ellos la segunda parte del *Quijote* en 1615. El público de la época reconoció inmediatamente el humor del *Quijote* y pronto se conocía el nombre de Cervantes en todas partes. Sin embargo, a la fama no le acompañó la prosperidad económica. Cervantes murió, todavía pobre, el 23 de abril de 1616, la misma fecha de la muerte de William Shakespeare.

El ingenioso hidalgo don Quijote de la Mancha

Este libro, considerado la primera novela moderna, logró un éxito inmediato en la Europa de su tiempo. La mezcla de humor y drama que encarna el personaje atrajo un público muy amplio. Entre las innovaciones del *Quijote* están la complejidad y evolución de los personajes. A diferencia de la literatura de su tiempo que tiende a representar seres enaltecidos o criminales, ambos idealizaciones uni-dimensionales, los personajes del *Quijote* son a menudo mediocres, contradictorios y reales. Además, sus personalidades, lejos de mostrarse inalterables, crecen y evolucionan a lo largo de la novela. El desarrollo del personaje es un rasgo que se ha convertido en requisito de la novela moderna, pero que no se había visto hasta el *Quijote*.

Son numerosos los aciertos técnicos e intelectuales de la obra maestra pero destacan entre ellos:

- la re-escritura de otros tipos de literatura
- el juego constante entre la realidad y la ficción
- la utilización de distintos puntos de vista

El *Quijote* elabora en su narrativa una parodia de casi todos los subgéneros literarios de su época, en particular del libro de caballería, la novela pastoril y la novela picaresca. Con finalidad cómica, el texto contrapone la fantasía que se imagina don *Quijote* con la realidad que le rodea. Don Quijote, ávido lector de novelas, decide un día restaurar la arcaica caballería, pero no escribiendo la mejor novela sobre un caballero andante sino viviéndola. Sale de su casa en busca de aventuras que siempre encuentra; es decir, que siempre imagina. En el famoso episodio de los molinos de viento, don Quijote ve gigantes; y en lugar de una campesina vulgar, don Quijote ve a su enamorada doncella, Dulcinea del Toboso. Parte del humor del libro surge a partir de este contraste, de la degradación de un modelo literario que en la narrativa del *Quijote* se sustituye con una realidad tosca, cotidiana, incluso desagradable. Don Quijote percibe y se enfrenta valientemente a gigantes monstruosos mientras que nosotros los lectores vemos meros molinos. Es importante añadir que de esta situación paródica surge no sólo la comicidad, sino también un patetismo que da mayor profundidad a la obra: al enfrentarse a los gigantes, don Quijote no parodia sino que actúa como los grandes héroes de los libros de caballería. Muestra rasgos heroicos: es inteligente, noble y valiente. La profunda humanidad de don Quijote, que destaca tanto en sus éxitos como en sus fracasos cómicos, da una dimensión a la obra que va más allá de la parodia inicial. Al mismo tiempo que el *Quijote* se burla de otros subgéneros literarios, logra crear el máximo ejemplo de sus posibilidades.

El episodio de los molinos de viento es engañosamente sencillo y cómico. Pero desde el punto de vista de la crítica literaria es de alta complejidad por la manera en que se entrecruzan la fantasía y la realidad. Los libros de caballería, que conocía bien Cervantes, obligan a su lector a adentrarse en el mundo imaginario de magos y gigantes y aceptarlo como el plano real de la narrativa. Estos libros eran la "literatura fantástica" de la época, comparables a la serie de *La guerra de las galaxias (Star Wars)* hoy día. En contraste, el *Quijote* empareja diversos planos, aparentemente irreconciliables, en una misma escena. En su llamada demencia, don Quijote convierte su realidad cotidiana en cosa de libros y sueños. Pero Sancho Panza no permite que la narrativa se deslice al plano de la pura fantasía: donde el hidalgo ve maravillas, Sancho encuentra lo rutinario y vulgar. Se mantiene de este modo a lo largo de la obra una especie de visión doble que desafía los límites de la ficción. Alonso Quijano se convierte así en don Quijote, protagonista de su propia ficción, en una fantasía de la que los demás personajes dudan. Éstos se ven involucrados en el mundo de don Quijote, a veces a pesar de ellos mismos.

El éxito del *Quijote* fue tal que en poco tiempo se convirtió en el libro español más leído y muchas de sus frases se incorporaron al habla popular. Estimulado Cervantes a escribir una segunda parte, pudo incluir en ella el conocimiento que los lectores tenían de las andanzas de don Quijote y hacerlos de este modo parte de su ficción. Añadió, así, un nivel más a los planos de fantasía y realidad que se mezclan en el libro. Además de cuestionar los límites de la creación literaria, la visión doble del *Quijote* introduce la idea de la movilidad del punto de vista en la novela. Al cambiar la perspectiva, aparece no solo una, sino múltiples realidades en la obra.

Notas para facilitar la lectura

Por el simple hecho de vivir en la época, los lectores del *Quijote* de los siglos XVI y XVII tenían en común información y conocimientos con los que Cervantes contaba al escribir su obra. Los libros y los personajes a los que hace referencia, formaban parte de la cultura popular de una manera parecida a las películas o programas de televisión de nuestra época. Parte del efecto humorístico de la obra depende de saber contrastar las hazañas heroicas de los caballeros andantes por todos conocidas con las del infortunado don Quijote.

Cuando habla don *Quijote*, trata de imitar la lengua antigua y cambia las palabras que empiezan con "H" a "F" (fabló, fermosura, fuyades, fuyáis, y muchos ejemplos más).

A lo largo del *Quijote* se pueden ver los verbos con pronombres unidos después, en vez de antes como es uso ahora (por ejemplo, limpiólas, viole, púsose).

Las breves notas a continuación ofrecen información de fondo por capítulo.

Capítulo I

Había tres categorías en la nobleza en orden de superior a inferior: los grandes, los caballeros y los hidalgos.

Los libros de caballería eran enormemente populares, los primeros *best-sellers* de la literatura española. Los más leídos en España eran el *Amadís de Gaula y el Palmerín de Oliva*. Feliciano de Silva es un autor real, que publicó numerosas novelas de caballería y continuaciones de obras famosas (a la manera de telenovelas) en un estilo afectado y ampuloso. El Caballero de la Ardiente Espada, Bernardo del Carpio, Roldán y los otros nombres mencionados son conocidos protagonistas de cantares de gesta y libros de caballería. Estos ficticios "caballeros andantes" recorren las tierras ayudando a víctimas inocentes, impartiendo justicia y realizando hazañas portentosas, siempre al servicio de su dama.

Para parecer, en su imaginación, o ser un caballero como ellos, Alonso Quijano necesita armas, un caballo, un nombre adecuado y una dama a quien amar y servir. Antes de salir, trata de cumplir con todos los requisitos, tomando como modelo a los personajes ficticios.

Capítulo II

Las armas del caballero tradicional eran la armadura (armor), con su peto (breast plate), espaldar (back plate), yelmo (helmet that covers the head and the face), visera (visor), celada (helmet that covers the head) y gola (gorget); lanza (lance), el escudo o rodela o adarga (shield) y la espada (sword). Don Quijote se ve obligado a llevarlas por los calurosos campos de Castilla. Cuando habla a las damas imita el lenguaje pomposo de los libros que lee.

Don Quijote recita un romance muy conocido y popular:

> Nunca fuera caballero
>
> de damas tan bien servido
>
> como fuera Lanzarote
>
> cuando de Bretaña vino.

Sin estorbar la métrica, cambia a "Lanzarote" (Lancelot) por "don Quijote".

Capítulo III

El minucioso y culto lector don Quijote conoce todas las reglas y fórmulas caballerescas y no quiere saltarse ninguna. Para ser un verdadero caballero, se da cuenta de que tiene que haber sido "armado caballero". La ceremonia, según la tradición caballeresca, era muy solemne. Durante la noche el caballero velaba las armas y al día siguiente, en la capilla, recibía de una figura de autoridad la pescozada (un golpe suave en el cuello) y el espaldarazo (un golpe en el hombro con la espada). Durante la ceremonia, se leían las oraciones apropiadas mientras nobles doncellas y caballeros asistían a la recepción.

Capítulo IV

Imitando a sus héroes, don Quijote se detiene en una encrucijada para decidir adónde va, dejando la decisión a su caballo.

La terrible ofensa que el mercader hace a don Quijote es pedirle un retrato de Dulcinea antes de decir que es la dama más hermosa del mundo.

Don Quijote habla numerosas veces en un español ya arcaico en la época de Cervantes, para mejor emular el lenguaje de los caballeros antiguos. Por ejemplo, dice: "Non fuyáis…", en un habla sorprendente para quien la escucha.

Capítulo V

Caído en el suelo y dolorido, don Quijote recuerda rápidamente un episodio de un romance con el que se identifica, el de Valdovinos y el de Marqués de Mantua. Todo lo que ocurre después lo relaciona con el romance o con el libro de caballerías *El Abencerraje y la hermosa Jarifa*.

Capítulo VIII

De nuevo, tras la aventura de los molinos de viento, don Quijote recuerda el episodio de un libro para imitarlo y otra vez decide qué es o no correcto hacer según lo que ha leído en la orden de caballería.

"Vizcaíno" es aquí sinónimo de vasco. Como tal, el mercader no sabe expresarse bien en castellano y el efecto de su habla es ridículo. El estereotipo del vizcaíno con su lenguaje incomprensible está frecuentemente presente como elemento cómico en la literatura de los siglos XVI y XVII.

Al final del capítulo, Cervantes deja la aventura inacabada e introduce la idea de que hay dos autores, parodia también de los libros de caballería.

Capítulo IX

El capítulo VIII terminó en suspenso (recuérdese que las novelas se publicaban por entregas y el público tenía que esperar al siguiente capítulo). En el IX, el narrador vuelve a la primera persona sin saber cómo continuar. Por casualidad encuentra *La historia de don Quijote de la Mancha*, escrita en árabe, que se apresura a traducir. Así puede completar el episodio del vizcaíno.

Segunda Parte, Capítulo LXXIV

Amadís de Gaula es el héroe epónimo de la más famosa novela de caballería, escrita por Garci Rodríguez de Montalvo a principios del siglo XVI.

Segunda parte de las hazañas de don Quijote de la Mancha se refiere a una obra publicada en 1614 bajo el seudónimo Alonso Fernández de Avellaneda. También conocida como "el Quijote apócrifo", la obra tuvo un gran éxito entre los lectores de la época. Su publicación molestó a Cervantes y le persuadió a él a escribir su Segunda Parte.

❖ ❖ ❖ ❖ ❖ ❖ ❖ ❖ ❖ ❖ ❖

El ingenioso hidalgo don Quijote de la Mancha
Primera parte
Capítulo I
Que trata de la condición y ejercicio del famoso hidalgo don Quijote de la Mancha

En un lugar de la Mancha de cuyo nombre no quiero acordarme, no ha mucho tiempo que vivía un hidalgo de los de lanza en astillero[1], adarga antigua, rocín[2] flaco y galgo[3] corredor. Una olla de algo más vaca que carnero[4], salpicón[5] las más noches, duelos y quebrantos[6] los sábados, lentejas los viernes, algún palomino de añadidura los

---

1 **astillero** rack	3 **galgo** greyhound	5 **salpicón** hash
2 **rocín** worn-out horse	4 **carnero** mutton	

5   domingos consumían las tres partes de su hacienda[7]. El resto de ella concluían sayo de velarte[8], calzas de velludo[9] para las fiestas, con sus pantuflos[10] de lo mismo, y los días de entresemana se honraba con su vellorí[11] de lo más fino. Tenía en su casa una ama que pasaba de los cuarenta, y una sobrina que no llegaba a los veinte, y un mozo de campo y plaza, que así ensillaba el rocín como tomaba la podadera. Frisaba la edad de nuestro

10   hidalgo con los cincuenta años; era de complexión recia[12], seco de carnes, enjuto[3] de rostro, gran madrugador[14] y amigo de la caza. Quieren decir que tenía el sobrenombre de Quijada, o Quesada, que en esto hay alguna diferencia en los autores que de este caso escriben; aunque por conjeturas verosímiles se deja entender que se llamaba Quejana. Pero esto importa poco a nuestro cuento: basta que en la narración dél no se salga un punto de la

15   verdad.

    Es, pues, de saber que este sobredicho hidalgo los ratos que estaba ocioso[15] (que eran los más del año), se daba a leer libros de caballería con tanta afición y gusto, que olvidó casi de todo punto el ejercicio de la caza, y aun la administración de su hacienda; y llegó a tanto su curiosidad y desatino en esto, que vendió muchas fanegas[16] de tierra

20   de sembradura para comprar libros de caballerías en que leer, y así, llevó a su casa todos cuantos pudo haber de ellos; y de todos, ningunos le parecían tan bien como los que compuso el famoso Feliciano de Silva, porque la claridad de su prosa y aquellas intricadas razones suyas le parecían de perlas, y más cuando llegaba a leer aquellos requiebros[17] y cartas de desafíos, donde en muchas partes hallaba escrito: "la razón de la sinrazón que a

25   mi razón se hace, de tal manera mi razón enflaquece, que con razón me quejo de la vuestra fermosura". Y también cuando leía: "...los altos cielos que de vuestra divinidad divinamente con las estrellas os fortifican y os hacen merecedora[18] del merecimiento que merece la vuestra grandeza".

    Con estas razones perdía el pobre caballero el juicio, y desvelábase[19] por entenderlas

30   y desentrañarles el sentido, que no se lo sacara ni las entendiera el mismo Aristóteles si resucitara para sólo ello. No estaba muy bien con las heridas que don Belianís daba y recibía, porque se imaginaba que por grandes maestros que le hubiesen curado no dejaría de tener el rostro y todo el cuerpo lleno de cicatrices[20] y señales. Pero, con todo, alabava en su autor aquel acabar su libro con la promesa de aquella inacabable aventura,

35   y muchas veces le vino deseo de tomar la pluma, y dalle fin al pie de la letra, como allí se promete, y sin duda alguna lo hiciera, y aun saliera con ello, si otros mayores y continuos pensamientos no se lo estorbaran[21]. Tuvo muchas veces competencia con el cura de su lugar (que era hombre docto, graduado en Sigüenza), sobre cuál había sido mejor caballero:

6	**duelos y quebrantos** leftover scraps	10	**pantuflos** slippers	15	**ocioso** idle	19	**desvelábase** lost sleep
7	**hacienda** income	11	**vellorí** home spun	16	**fanegas** unit of area (slightly less than an acre)	20	**cicatrices** scars
8	**sayo de velarte** fine cloth undergarment	12	**recia** tough			21	**estorbaran** would hinder
9	**calzas de velludo** velvet breeches	13	**enjuto**very thing	17	**requiebros** words of love		
		14	**madrugador** early riser	18	**merecedora** deserving		

Palmerín de Inglaterra o Amadís de Gaula; mas maese Nicolás, barbero del mismo pueblo,
decía que ninguno llegaba al Caballero del Febo, y que si alguno se le podía comparar era
don Galaor, hermano de Amadís de Gaula, porque tenía muy acomodada condición para
todo; que no era caballero melindroso[22] ni tan llorón como su hermano y que en lo de la
valentía no le iba en zaga[23].

En resolución, él se enfrascó tanto en su lectura, que se le pasaban las noches leyendo
de claro en claro[24] y los días de turbio en turbio[25]; y así del poco dormir y del mucho leer
se le secó el cerebro de manera que vino a perder el juicio. Llenósele la fantasía de todo
aquello que leía en los libros, así de encantamientos[26] como de pendencias, batallas,
desafíos, heridas, requiebros, amores, tormentas y disparates imposibles; y asentósele de
tal modo en la imaginación que era verdad toda aquella máquina de aquellas soñadas
invenciones que leía, que para él no había otra historia más cierta en el mundo. Decía
él que el Cid Ruy Díaz había sido muy buen caballero; pero que no tenía que ver con el
Caballero de la Ardiente[27] Espada, que de sólo un revés había partido por medio dos fieros
y descomunales gigantes[28]. Mejor estaba con Bernardo del Carpio, porque en Roncesvalles
había muerto a Roldán el encantado valiéndose de la industria de Hércules, cuando ahogó
a Anteo, el hijo de la Tierra, entre los brazos. Decía mucho bien del gigante Morgante,
porque con ser de aquella generación gigantea, que todos son soberbios y descomedidos,
él sólo era afable y bien criado. Pero, sobre todos, estaba bien con Reynaldos de Montalbán,
y más cuando le veía salir de su castillo y robar cuantos topaba[29], y cuando en allende robó
aquel ídolo de Mahoma que era todo de oro, según dice su historia. Diera él, por dar una
mano de coces al traidor de Galalón, al ama que tenía y aun a su sobrina de añadidura.

En efecto, rematado ya su juicio[30], vino a dar en el más extraño pensamiento que jamás
dio loco en el mundo, y fue que le pareció convenible y necesario, así para el aumento
de su honra como para el servicio de su república, hacerse caballero andante y irse por
todo el mundo con sus armas y caballo a buscar las aventuras y a ejercitarse en todo
aquello que él había leído que los caballeros andantes se ejercitaban, deshaciendo todo
género de agravio[31] y poniéndose en ocasiones y peligros donde, acabándolos, cobrase
eterno nombre y fama. Imaginábase el pobre ya coronado por el valor de su brazo, por lo
menos, del imperio de Trapisonda; y así, con estos tan agradables pensamientos, llevado
del extraño gusto que en ellos sentía, se dio prisa a poner en efecto lo que deseaba. Y lo
primero que hizo fue limpiar unas armas que habían sido de sus bisabuelos, que, tomadas
de orín[32] y llenas de moho[33], luengos siglos hacía que estaban puestas y olvidadas en un
rincón. Limpiólas y aderezólas[34] lo mejor que pudo; pero vio que tenían una gran falta, y
era que no tenían celada de encaje[35], sino morrión[36] simple; mas a esto suplió su industria,

---

22 **melindroso** affected

23 **no le iba en zaga**
was not behind him

24 **de claro en claro**
from twilight to
daybreak

25 **de turbio en turbio**
from dawn to dusk

26 **encantamiento**
spells

27 **Ardiente** Burning

28 **gigantes** giants

29 **topaba** he met

30 **rematado ya su
juicio** entirely out of
his mind

31 **agravio** offenses

32 **orín** rust

33 **moho** mould

34 **aderezólas** repaired

75 porque de cartones hizo un modo de media celada, que, encajada con el morrión hacía una apariencia de celada entera. Es verdad que para probar si era fuerte y podía estar al riesgo de una cuchillada, sacó su espada y le dio dos golpes, y con el primero y en un punto deshizo lo que había hecho en una semana; y no dejó de parecerle mal la facilidad con que la había hecho pedazos, y, por asegurarse de este peligro, la tornó a hacer de nuevo, poniéndole unas barras de hierro por dentro, de tal manera, que él quedó satisfecho de su

80 fortaleza, y sin querer hacer nueva experiencia de ella, la diputó y tuvo por celada finísima de encaje.

Fue luego a ver a su rocín, y aunque tenía más cuartos que un real y más tachas[37] que el caballo de Gonela, que *tantum pellis et ossa fuit*[38], le pareció que ni el Bucéfalo de Alejandro ni Babieca el del Cid con él se igualaban. Cuatro días se le pasaron en imaginar

85 qué nombre le pondría: porque (según se decía él a sí mismo) no era razón que caballo de caballero tan famoso, y tan bueno él por sí, estuviese sin nombre conocido; y así, procuraba acomodársele de manera que declarase quién había sido antes que fuese de caballero andante, y lo que era entonces; pues estaba muy puesto en razón que, mudando[39] su señor estado, mudase él también el nombre, y le cobrase famoso y de estruendo, como convenía

90 a la nueva orden y al nuevo ejercicio que ya profesaba; y así, después de muchos nombres que formó, borró y quitó, añadió, deshizo y tornó a hacer en su memoria e imaginación, al fin le vino a llamar Rocinante, nombre, a su parecer, alto, sonoro y significativo de lo que había sido cuando fue rocín, antes de lo que ahora era, que era antes y primero de todos los rocines del mundo.

95 Puesto nombre, y tan a su gusto, a su caballo, quiso ponérselo a sí mismo, y en este pensamiento duró otros ocho días, y al cabo se vino a llamar don Quijote, de donde, como queda dicho, tomaron ocasión los autores de esta tan verdadera historia que, sin duda, se debía de llamar Quijada, y no Quesada, como otros quisieron decir. Pero, acordándose que el valeroso Amadís no sólo se había contentado con llamarse Amadís a secas, sino que

100 añadió el nombre de su reino y patria, por hacerla famosa, y se llamó Amadís de Gaula, así quiso, como buen caballero añadir al suyo el nombre de la suya y llamarse don Quijote de la Mancha, con que, a su parecer, declaraba muy al vivo su linaje[40] y patria, y la honraba con tomar el sobrenombre della.

Limpias, pues, sus armas, hecho del morrión celada, puesto nombre a su rocín, y

105 confirmándose a sí mismo, se dio a entender que no le faltaba otra cosa sino buscar una dama de quien enamorarse: porque el caballero andante sin amores era árbol sin hojas y sin fruto y cuerpo sin alma. Decíase él:

—Si yo, por malos de mis pecados, o por mi buena suerte, me encuentro por ahí con algún gigante, como de ordinario les acontece a los caballeros andantes, y le derribo[41] de

---

35	**celada de encaje** closed visor	38	**tantum pellis et ossa fuit** he was only skin and bones (Lat.)
36	**morrión** open helmet		
37	**tachas** blemishes	39	**mudando** changing

40 **linaje** lineage

110　un encuentro, o le parto por mitad del cuerpo, o, finalmente, le venzo y le rindo, ¿no será bien tener a quien enviarle presentado, y que entre y se hinque de rodillas[42] ante mi dulce señora, y diga con voz humilde y rendida: "Yo, señora, soy el gigante Caraculiambro, señor de la ínsula Malindrania, a quien venció en singular batalla el jamás como se debe alabado caballero don Quijote de la Mancha, el cual me mandó que me presentase ante la vuestra

115　merced, para que la vuestra grandeza disponga de mí a su talante".

　　　¡Oh, cómo se holgó[43] nuestro buen caballero cuando hubo hecho este discurso, y más cuando halló a quien dar nombre de su dama! Y fue, a lo que se cree, que en un lugar cerca del suyo había una moza labradora de muy buen parecer, de quien él un tiempo anduvo enamorado, aunque, según se entiende, ella jamás lo supo ni se dio cata[44] de ello.

120　Llamábase Aldonza Lorenzo, y a ésta le pareció ser bien darle título de señora de sus pensamientos; y, buscándole nombre que no desdijese[45] mucho del suyo y que tirase y se encaminase al de princesa y gran señora, vino a llamarla Dulcinea del Toboso, porque era natural del Toboso: nombre, a su parecer, músico y peregrino[46] y significativo, como todos los demás que a él y a sus cosas había puesto.

41　**derribo** knock down

42　**hinque de rodillas** fall on his knees

43　**se holgó** was pleased

44　**se dio cata** realized

45　**no desdijese** wouldn't clash with

46　**peregrino** strange

Sugerencias para el análisis y la discusión del Capítulo I

1. ¿Qué se nos dice de don Quijote? ¿Qué detalles se presentan con precisión? ¿Cuáles con ambigüedad? ¿Por qué?

2. ¿Quién es el narrador? ¿A qué se refiere cuando habla de "autores"? ¿Qué tipo de relato nos va a presentar: ficción o historia? ¿Cuál parece ser el propósito del narrador?

3. ¿Cuántos nombres se mencionan en el capítulo al referirse a don Quijote? ¿Es importante la discusión sobre estos nombres? ¿Qué añade a la narración?

4. Analiza la "claridad" de la prosa de Feliciano de Silva.

5. ¿Qué discusiones tiene don Quijote con el cura?

6. ¿Cuál es la causa de la locura de don Quijote?

7. ¿Por qué se hace caballero? ¿Qué objetivos tiene? Contesta con detalles concretos.

8. ¿Qué pasos toma? ¿Qué elementos son indispensables para él? Explica la importancia de poner nombres.

9. ¿Hay humor en este capítulo? Ofrece ejemplos específicos en tu respuesta.

10. Busca ejemplos en que la perspectiva de don Quijote es diferente de la del narrador.

Capítulo II

Que trata de la primera salida que de su tierra hizo el ingenioso don Quijote

130 Hechas, pues, estas prevenciones, no quiso aguardar más tiempo a poner en efecto su pensamiento, apretándole a ello la falta que él pensaba que hacía en el mundo su tardanza, según eran los agravios que pensaba deshacer, tuertos[47] que enderezar, sinrazones[48] que enmendar, y abusos que mejorar, y deudas[49] que satisfacer[50]. Y así, sin dar parte[51] a persona alguna de su intención y sin que nadie le viese, una mañana, antes del día, que era uno de

135 los calurosos del mes de julio, se armó de todas sus armas, subió sobre Rocinante, puesta su mal compuesta celada, embrazó su adarga, tomó su lanza, y por la puerta falsa de un corral salió al campo, con grandísimo contento y alborozo[52] de ver con cuánta facilidad había dado principio a su buen deseo. Mas apenas se vio en el campo, cuando le asaltó un pensamiento terrible, y tal que por poco le hiciera dejar la comenzada empresa; y fue que

140 le vino a la memoria que no era armado caballero y que, conforme a la ley de caballería, ni podía ni debía tomar armas con ningún caballero; y puesto que lo fuera, había de llevar armas blancas, como novel caballero[53], sin empresa en el escudo, hasta que por su esfuerzo la ganase. Estos pensamientos le hicieron titubear[54] en su propósito; mas, pudiendo más su locura que otra razón alguna, propuso de hacerse armar caballero del primero que topase,

145 a imitación de otros muchos que así lo hicieron, según él había leído en los libros que tal le tenían. En lo de las armas blancas, pensaba limpiarlas de manera, en teniendo lugar, que lo fuesen más que un armiño; y con esto se quietó y prosiguió su camino, sin llevar otro que aquel que su caballo quería, creyendo que en aquello consistía la fuerza de las aventuras.

Yendo, pues, caminando nuestro flamante aventurero, iba hablando consigo mismo y
150 diciendo:

—¿Quién duda sino que en los venideros tiempos, cuando salga a la luz la verdadera historia de mis famosos hechos, que el sabio[55] que los escribiere no ponga, cuando llegue a contar esta mi primera salida tan de mañana, de esta manera?: "Apenas había el rubicundo[56] Apolo tendido por la faz[57] de la ancha y espaciosa tierra las doradas hebras

155 de sus hermosos cabellos, y apenas los pequeños y pintados pajarillos con sus harpadas lenguas habían saludado con dulce y meliflua armonía la venida de la rosada aurora, que, dejando la blanda cama del celoso marido, por las puertas y balcones del manchego[58] horizonte a los mortales se mostraba, cuando el famoso caballero Don Quijote de la Mancha, dejando las ociosas plumas, subió sobre su famoso caballo Rocinante, y comenzó

160 a caminar por el antiguo y conocido campo de Montiel."

47	**tuertos** wrongs	51	**sin dar parte** without giving notice	55	**sabio** sage
48	**sinrazones** injustices			56	**rubicundo** ruddy
49	**deudas** debts	52	**alborozo** joy	57	**faz** face
50	**que satisfacer** make good	53	**armar caballero** to knight	58	**manchego** of the Mancha
		54	**titubear** hesitate		

Y era la verdad que por él caminaba. Y añadió diciendo:

— Dichosa[59] edad y siglo dichoso aquel adonde saldrán a luz las famosas hazañas[60] mías, dignas de entallarse en bronces, esculpirse en mármoles y pintarse en tablas, para memoria en lo futuro. ¡Oh tú, sabio encantador[61], quienquiera que seas, a quien ha de tocar

165 ser el cronista de esta peregrina historia! Ruégote que no te olvides de mi buen Rocinante, compañero eterno mío en todos mis caminos y carreras.

Luego volvía diciendo, como si verdaderamente fuera enamorado:

— ¡Oh princesa Dulcinea, señora de este cautivo corazón! Mucho agravio me habéis fecho en despedirme y reprocharme con el riguroso afincamiento de mandarme no

170 parecer ante la vuestra fermosura. Plégaos[62], señora, de membraros[63] de este vuestro sujeto corazón, que tantas cuitas por vuestro amor padece.

Con éstos iba ensartando otros disparates[64], todos al modo de los que sus libros le habían enseñado, imitando en cuanto podía su lenguaje; y, con esto, caminaba tan despacio, y el sol entraba tan apriesa y con tanto ardor, que fuera bastante a derretirle los

175 sesos[65], si algunos tuviera.

Casi todo aquel día caminó sin acontecerle cosa que de contar fuese, de lo cual se desesperaba, porque quisiera topar luego con quien hacer experiencia del valor de su fuerte brazo. Autores hay que dicen que la primera aventura que le avino fue la de Puerto Lápice; otros dicen que la de los molinos[66] de viento; pero lo que yo he podido averiguar[67]

180 en este caso, y lo que he hallado escrito en los anales[68] de la Mancha, es que él anduvo todo aquel día, y, al anochecer, su rocín y él se hallaron cansados y muertos de hambre; y que, mirando a todas partes por ver si descubriría algún castillo o alguna majada[69] de pastores donde recogerse y adonde pudiese remediar su mucha necesidad, vio, no lejos del camino por donde iba, una venta[70], que fue como si viera una estrella que, no a los portales, sino a

185 los alcázares de su redención le encaminaba. Dióse prisa a caminar, y llegó a ella a tiempo que anochecía.

Estaban acaso a la puerta dos mujeres mozas, de estas que llaman del partido[71], las cuales iban a Sevilla con unos arrieros[72] que en la venta aquella noche acertaron a hacer jornada; y como a nuestro aventurero todo cuanto pensaba, veía o imaginaba le parecía

190 ser hecho y pasar al modo de lo que había leído, luego que vio la venta se le representó que era un castillo con sus cuatro torres y chapiteles de luciente plata, sin faltarle su puente levadizo[73] y honda cava, con todos aquellos adherentes que semejantes castillos se pintan. Fuése llegando a la venta que a él le parecía castillo, y a poco trecho de ella detuvo las riendas a Rocinante esperando que algún enano[74] se pusiese entre las almenas[75] a dar señal

---

59	**dichosa** fortunate	64	**disparates** nonsense
60	**hazañas** feats	65	**derretirle** los **sesos** melt his brain
61	**encantador** enchanter, wizard	66	**molinos** windmills
62	**Plegaos** Deign to	67	**averiguar** find out
63	**Membraos** Remember to	68	**anales** annals, chronicles

69	**majada de pastores** shepherds' hut	73	**puente levadizo** drawbridge
70	**venta** inn	74	**enano** dwarf
71	**mozas del partido** girls of easy virtue	75	**almenas** watch towers
72	**arrieros** mule drivers		

195 con alguna trompeta de que llegaba caballero al castillo. Pero como vio que se tardaban y que Rocinante se daba prisa por llegar a la caballeriza, se llegó a la puerta de la venta, y vio a las dos distraídas mozas que allí estaban, que a él le parecieron dos hermosas doncellas o dos graciosas damas que delante de la puerta del castillo se estaban solazando[76]. En esto sucedió acaso que un porquero[77] que andaba recogiendo de unos rastrojos una manada

200 de puercos (que, sin perdón, así se llaman) tocó un cuerno[78], a cuya señal ellos se recogen, y al instante se le representó a don Quijote lo que deseaba, que era que algún enano hacía señal de su venida, y así, con extraño contento llegó a la venta y a las damas, las cuales, como vieron venir un hombre de aquella suerte armado, y con lanza y adarga, llenas de miedo se iban a entrar en la venta; pero don Quijote, coligiendo por su huida su miedo,

205 alzándose la visera de papelón y descubriendo su seco y polvoroso rostro[79], con gentil talante y voz reposada les dijo:

— Non fuyan[80] las vuestras mercedes, ni teman desaguisado[81] alguno; ca[82] a la orden de caballería que profeso non toca ni atañe facerle a ninguno, cuanto más a tan altas doncellas[83] como vuestras presencias demuestran.

210 Mirábanle las mozas, y andaban con los ojos buscándole el rostro, que la mala visera le encubría; mas como se oyeron llamar doncellas, cosa tan fuera de su profesión, no pudieron tener la risa, y fue de manera que don Quijote vino a correrse, y a decirles:

—Bien parece la mesura en las fermosas, y es mucha sandez, además, la risa que de leve causa procede; pero non vos lo digo porque os acuitedes ni mostredes mal talante; que

215 el mío non es de al que de serviros.

El lenguaje, no entendido de las señoras, y el mal talle[84] de nuestro caballero acrecentaba en ellas la risa, y en él el enojo, y pasara muy delante si a aquel punto no saliera el ventero[85], hombre que, por ser muy gordo, era muy pacífico, el cual, viendo aquella figura contrahecha, armada de armas tan desiguales como eran la brida, lanza,

220 adarga y coselete, no estuvo en nada acompañar a las doncellas en las muestras de su contento. Mas, en efecto, temiendo la máquina de tantos pertrechos[86], determinó de hablarle comedidamente, y así le dijo:

— Si vuestra merced, señor caballero, busca posada[87], amén del lecho[88] (porque en esta venta no hay ninguno), todo lo demás se hallará en ella en mucha abundancia.

225 Viendo don Quijote la humildad del alcaide de la fortaleza[89], que tal le pareció a él el ventero y la venta, respondió:

— Para mí, señor castellano[90], cualquiera cosa basta, porque mis arreos son las armas,

---

76	**se estaban solazando** they were taking the air	81	**desaguisado** offense	87	**posada** lodging
77	**porquero** swineherd	82	**ca** because	88	**lecho** bed
78	**cuerno** horn	83	**doncellas** maidens	89	**alcaide de la fortaleza** warden of the fortress
79	**rostro** face	84	**talle** figure	90	**señor castellano** lord of the castle
80	**Non fuyan** Do not flee	85	**ventero** innkeeper		
		86	**pertrechos** armament		

mi descanso el pelear, etcétera.

Pensó el huésped que el haberle llamado castellano había sido por haberle parecido
de los sanos de Castilla, aunque él era andaluz, y de los de la playa de Sanlúcar, no menos
ladrón que Caco[91], ni menos maleante[92] que estudiante o paje, y así le respondió:

— Según eso, las camas de vuestra merced serán duras peñas, y su dormir, siempre
velar; y siendo así, bien se puede apear, con seguridad de hallar en esta choza ocasión y
ocasiones para no dormir en todo un año, cuanto más en una noche.

Y diciendo esto, fue a tener del estribo a don Quijote, el cual se apeó con mucha
dificultad y trabajo, como aquel que en todo aquel día no se había desayunado[93].

Dijo luego al huésped[94] que le tuviese mucho cuidado de su caballo, porque era la
mejor pieza que comía pan en el mundo. Miróle el ventero, y no le pareció tan bueno
como don Quijote decía, ni aun la mitad; y acomodándole en la caballeriza volvió a ver
lo que su huésped mandaba, al cual estaban desarmando las doncellas, que ya se habían
reconciliado con él; las cuales, aunque le habían quitado el peto y el espaldar, jamás
supieron ni desencajarle la gola, ni quitarle la contrahecha celada, que traía atada con
unas cintas[95] verdes, y era menester cortarlas, por no poderse quitar los nudos[96]; mas él
no lo quiso consentir en ninguna manera, y así, se quedó toda aquella noche con la celada
puesta, que era la más graciosa y extraña figura que se pudiera pensar; y al desarmarle,
como él se imaginaba que aquellas traídas y llevadas que le desarmaban eran algunas
principales señoras y damas de aquel castillo, les dijo con mucho donaire:

— Nunca fuera caballero

de damas tan bien servido

como fuera don Quijote

cuando de su aldea vino:

doncellas curaban dél;

princesas, de su rocino,

— Rocinante; que éste es el nombre, señoras mías, de mi caballo, y don Quijote de la
Mancha el mío; que, puesto que no quisiera descubrirme hasta que las fazañas fechas en
vuestro servicio y pro me descubrieran, la fuerza de acomodar al propósito presente este
romance viejo de Lanzarote ha sido causa que sepáis mi nombre antes de toda sazón; pero
tiempo vendrá en que las vuestras señorías me manden y yo obedezca, y el valor de mi
brazo descubra el deseo que tengo de serviros.

Las mozas, que no estaban hechas a oír semejantes retóricas, no respondían palabra;
sólo le preguntaron si quería comer alguna cosa.

91	**Caco** name of mythological thief	95	**cintas** ribbons
92	**maleante** full of tricks	96	**nudos** knots
93	**desayunado** taken any meal		
94	**huésped** host		

— Cualquiera yantaría[97] yo –respondió don Quijote–, porque, a lo que entiendo, me haría mucho al caso.

A dicha, acertó a ser viernes aquel día, y no había en toda la venta sino unas raciones de un pescado que en Castilla llaman abadejo, y en Andalucía bacalao, y en otras partes curadillo[98], y en otras truchuela[99]. Preguntáronle si por ventura comería su merced truchuela; que no había otro pescado que dalle a comer.

— Como haya muchas truchuelas –respondió don Quijote–, podrán servir de una trucha[100]; porque eso se me da que me den ocho reales en sencillos que una pieza de a ocho. Cuanto más que podría ser que fuesen estas truchuelas como la ternera, que es mejor que la vaca, y el cabrito que el cabrón. Pero, sea lo que fuere, venga luego; que el trabajo y peso de las armas no se puede llevar sin el gobierno de las tripas.

Pusiéronle la mesa a la puerta de la venta, por el fresco, y trájole el huésped una porción del mal remojado y peor cocido bacalao y un pan tan negro y mugriento como sus armas; pero era materia de grande risa verle comer, porque, como tenía puesta la celada y alzada la visera, no podía poner nada en la boca con sus manos si otro no se lo daba y ponía, y así, una de aquellas señoras servía de este menester. Mas al darle de beber, no fue posible, ni lo fuera si el ventero no horadara una caña[101], y puesto él un cabo en la boca, por el otro le iba echando el vino; y todo esto lo recibía con paciencia, a trueco de no romper las cintas de la celada. Estando en esto, llegó acaso a la venta un castrador de puercos[102], y así como llegó, sonó su silbato[103] de cañas cuatro o cinco veces, con lo cual acabó de confirmar don Quijote que estaba en algún famoso castillo, y que le servían con música, y que el abadejo eran truchas; el pan, candeal; y las rameras[104], damas; y el ventero, castellano del castillo, y con esto daba por bien empleada su determinación y salida. Mas lo que más le fatigaba era el no verse armado caballero, por parecerle que no se podría poner legítimamente en aventura alguna sin recibir la orden de caballería.

97 **yantaría** I would eat

98 **abadejo, bacalao, curadillo, truchuela** different names for dry or salted cod

99 **truchuela** dry cod, cheap fish (sounds like but it is not a diminutive of trout)

100 **trucha** trout

101 **horradara una caña** bored a reed

102 **castrador de puercos** hog gelder

103 **silbato** whistle

104 **ramera** prostitute

Sugerencias para el análisis y la discusión del Capítulo II

1. Vemos en este capítulo el código de caballería. ¿Cuáles son específicamente las tareas del caballero? Explícalas con tus propias palabras.

2. ¿Cuándo y de qué manera empieza don Quijote su aventura?

3. Señala elementos cómicos en "la primera salida" de don Quijote.

4. ¿Cómo se siente don Quijote durante la salida y qué cambia su actitud?

5. ¿Cómo es el lenguaje de don Quijote y qué se dice?

6. ¿Quién "habla" en las líneas 147-154 y qué ocurre al nivel narrativo?

7. Comenta la invocación del "sabio encantador" en líneas 160-162.

8. Comenta las palabras del narrador cuando habla de los "disparates" de don Quijote y del calor que "fuera bastante a derretirle los sesos, si algunos tuviera" (líneas 168-171).

9. ¿En qué momento del capítulo vuelve a aparecer el narrador? ¿Por qué?

10. Don Quijote se acerca a la venta. Señala los elementos reales y la percepción que tiene de ellos. Escribe todos los que puedas.

11. ¿Cuál es la reacción del ventero al ver a don Quijote y al oírle hablar? ¿Y la de las mujeres? Explica también cómo tratan estas personas a don Quijote.

12. Explica cómo toma su cena don Quijote.

13. Se puede decir que don Quijote "transforma la realidad". ¿En qué? ¿Qué consecuencias trae esta transformación?

Capítulo III

Donde se cuenta la graciosa manera que tuvo don Quijote de armarse caballero

Y así, fatigado de este pensamiento, abrevió su venteril y limitada cena; la cual acabada, llamó al ventero y, encerrándose con él en la caballeriza, se hincó de rodillas ante él, diciéndole:

290   — No me levantaré jamás de donde estoy, valeroso caballero, hasta que la vuestra cortesía me otorgue[105] un don[106] que pedirle quiero, el cual redundará en alabanza vuestra y en pro del género humano.

El ventero, que vio a su huésped a sus pies y oyó semejantes razones, estaba confuso mirándole, sin saber qué hacerse ni decirle, y porfiaba con él que se levantase, y jamás
295   quiso, hasta que le hubo de decir que él le otorgaba el don que le pedía.

     — No esperaba yo menos de la gran magnificencia vuestra, señor mío –respondió don Quijote–; y así, os digo que el don que os he pedido y de vuestra liberalidad me ha sido otorgado es que mañana en aquel día me habéis de armar caballero, y esta noche en la capilla[107] de vuestro castillo velaré las armas[108], y mañana, como tengo dicho, se cumplirá
300   lo que tanto deseo, para poder, como se debe, ir por todas las cuatro partes del mundo buscando las aventuras, en pro de los menesterosos[109], como está a cargo de la caballería y de los caballeros andantes, como yo soy, cuyo deseo a semejantes fazañas es inclinado.

El ventero, que, como está dicho, era un poco socarrón[110] y ya tenía algunos barruntos de la falta de juicio de su huésped, acabó de creerlo cuando acabó de oírle semejantes
305   razones, y, por tener que reír aquella noche, determinó de seguirle el humor; y así le dijo que andaba muy acertado en lo que deseaba y pedía, y que tal presupuesto era propio y natural de los caballeros tan principales como él parecía y como su gallarda presencia mostraba; y que él asimismo, en los años de su mocedad, se había dado a aquel honroso ejercicio, andando por diversas partes del mundo, buscando sus aventuras, sin que hubiese
310   dejado los Percheles de Málaga, Islas de Riarán, Compás de Sevilla, Azoguejo de Segovia, la Olivera de Valencia, Rondilla de Granada, Playa de Sanlúcar, Potro de Córdoba y las Ventillas de Toledo y otras diversas partes, donde había ejercitado la ligereza[111] de sus pies y sutileza de sus manos, haciendo muchos tuertos, recuestando[112] muchas viudas[113], deshaciendo algunas doncellas y engañando a algunos pupilos, y, finalmente, dándose
315   a conocer por cuantas audiencias[114] y tribunales hay casi en toda España; y que, a lo último, se había venido a recoger a aquel su castillo, donde vivía con su hacienda y con las ajenas[115], recogiendo en él a todos los caballeros andantes, de cualquiera calidad y

---

105 **otorgue** grant	109 **menesterosos** needy	113 **viudas** widows
106 **don** gift	110 **socorrón** mocking	114 **audiencias** courthouses
107 **capilla** chapel	111 **ligereza de sus pies** speed	115 **ajenas** belonging to others
108 **velar las armas** vigil of arms	112 **recuestando** bedding	

condición que fuesen, sólo por la mucha afición que les tenía y porque partieran con él de sus haberes, en pago de su buen deseo.

320   Díjole también que en aquel su castillo no había capilla alguna donde poder velar las armas, porque estaba derribada para hacerla de nuevo; pero que en caso de necesidad él sabía que se podían velar dondequiera, y que aquella noche las podría velar en un patio del castillo; que a la mañana, siendo Dios servido, se harían las debidas ceremonias, de manera que él quedase armado caballero, y tan caballero que no pudiese ser más en el mundo.

325   Preguntóle si traía dineros; respondióle don Quijote que no traía blanca[116], porque él nunca había leído en las historias de los caballeros andantes que ninguno los hubiese traído. A esto dijo el ventero que se engañaba; que, puesto caso que en las historias no se escribía, por haberles parecido a los autores de ellas que no era menester escribir una cosa tan clara y tan necesaria de traerse como eran dinero y camisas limpias, no por eso

330   se había de creer que no los trajeron; y así, tuviese por cierto y averiguado que todos los caballeros andantes, de que tantos libros están llenos y atestados, llevaban bien herradas[117] las bolsas, por lo que pudiese sucederles; y que asimismo llevaban camisas y una arqueta pequeña llena de ungüentos[118] para curar las heridas que recibían, porque no todas veces en los campos y desiertos donde combatían y salían heridos había quien los curase, si ya

335   no era que tenían algún sabio encantador por amigo, que luego los socorría, trayendo por aire, en alguna nube, alguna doncella o enano con alguna redoma de agua de tal virtud que, en gustando alguna gota de ella, mal alguno hubiesen tenido; mas que en tanto que esto no hubiese, tuvieron los pasados caballeros por cosa acertada que sus escuderos[119] fuesen proveídos de dineros y de otras cosas necesarias, como eran hilas y ungüentos para

340   curarse; y cuando sucedía que los tales caballeros no tenían escuderos (que eran pocas y raras veces), ellos mismos lo llevaban todo en unas alforjas[120] muy sutiles, que casi no se parecían, a las ancas del caballo, como que era otra cosa de más importancia; porque, no siendo por ocasión semejante, esto de llevar alforjas no fue muy admitido entre los caballeros andantes; y por esto le daba por consejo, pues aún se lo podía mandar como a

345   su ahijado, que tan presto lo había de ser, que no caminase de allí adelante sin dineros y sin las prevenciones referidas, y que vería cuán bien se hallaba con ellas, cuando menos se pensase.

Prometióle don Quijote de hacer lo que se le aconsejaba, con toda puntualidad, y así se dio luego orden como velase las armas en un corral grande que a un lado de la venta

350   estaba; y recogiéndolas don Quijote todas, las puso sobre una pila[121] que junto a un pozo[122] estaba, y, embrazando su adarga, asió de su lanza, y con gentil continente se comenzó a pasear delante de la pila; y cuando comenzó el paseo comenzaba a cerrar la noche.

Contó el ventero a todos cuantos estaban en la venta la locura de su huésped, la vela de las armas y la armazón de caballería[123] que esperaba. Admirándose de tan extraño

---

116 **no traía blanca** brought no money

117 **herradas** full

118 **ungüentos** ointments

119 **escuderos** squires

120 **alforjas** saddle bags

121 **pila** font

122 **pozo** well

123 **armazón de caballería** the action or ceremony of knighting someone

355 género de locura y fuéronselo a mirar desde lejos, y vieron que, con sosegado ademán, unas veces se paseaba; otras, arrimado a su lanza, ponía los ojos en las armas, sin quitarlos por un buen espacio de ellas. Acabó de cerrar la noche; pero con tanta claridad de la luna, que podía competir con el que se la prestaba; de manera que cuanto el novel caballero hacía era bien visto de todos. Antojósele en esto a uno de los arrieros que estaban en la venta ir

360 a dar agua a su recua, y fue menester quitar las armas de don Quijote, que estaban sobre la pila; el cual, viéndole llegar, en voz alta le dijo:

— ¡Oh tú, quienquiera que seas, atrevido caballero, que llegas a tocar las armas del más valeroso andante que jamás se ciñó espada! Mira lo que haces, y no las toques, si no quieres dejar la vida en pago de tu atrevimiento.

365 No se curó el arriero de estas razones (y fuera mejor que se curara, porque fuera curarse en salud); antes, trabando de las correas, las arrojó gran trecho de sí. Lo cual visto por don Quijote, alzó los ojos al cielo y, puesto el pensamiento (a lo que pareció) en su señora Dulcinea, dijo:

— Socorredme, señora mía, en esta primera afrenta que a este vuestro avasallado

370 pecho se le ofrece: no me desfallezca[124] en este primer trance vuestro favor y amparo.

Y diciendo estas y otras semejantes razones, soltando la adarga, alzó la lanza a dos manos y dio con ella tan gran golpe al arriero en la cabeza, que le derribó en el suelo tan maltrecho[125] que, si se segundara con otro, no tuviera necesidad de maestro que le curara. Hecho esto, recogió sus armas y tornó a pasearse con el mismo reposo que primero. Desde

375 allí a poco, sin saberse lo que había pasado (porque aún estaba aturdido el arriero), llegó otro con la misma intención de dar agua a sus mulos y, llegando a quitar las armas para desembarazar la pila, sin hablar don Quijote palabra y sin pedir favor a nadie, soltó otra vez la adarga, y alzó otra vez la lanza, y, sin hacerla pedazos, hizo más de tres la cabeza del segundo arriero, porque se la abrió por cuatro. Al ruido acudió toda la gente de la venta,

380 y entre ellos el ventero. Viendo esto don Quijote, embrazó su adarga y, puesta mano a su espada, dijo:

— ¡Oh, señora de la fermosura, esfuerzo y vigor del debilitado corazón mío! Ahora es tiempo que vuelvas los ojos de tu grandeza a este tu cautivo caballero, que tamaña aventura está atendiendo.

385 Con esto cobró, a su parecer, tanto ánimo, que si le acometieran todos los arrieros del mundo, no volviera el pie atrás. Los compañeros de los heridos, que tales los vieron, comenzaron desde lejos a llover piedras sobre don Quijote, el cual, lo mejor que podía, se reparaba con su adarga, y no se osaba apartar de la pila, por no desamparar las armas. El ventero daba voces que le dejasen, porque ya les había dicho como era loco, y que

390 por loco se libraría, aunque los matase a todos. También don Quijote las daba, mayores, llamándolos de alevosos y traidores, y que el señor del castillo era un follón y mal nacido caballero, pues de tal manera consentía que se tratasen los andantes caballeros; y que si él

---

124 **desfallezca** fail   125 **maltrecho** bruised

hubiera recibido la orden de caballería, que él le diera a entender su alevosía:

— Pero de vosotros, soez y baja canalla, no hago caso alguno; tirad, llegad, venid, y
395   ofendedme en cuanto pudiereis; que vosotros veréis el pago que lleváis de vuestra sandez y
demasía.

Decía esto con tanto brío[126] y denuedo[127], que infundió un terrible temor en los que
le acometían; y así por esto como por las persuasiones del ventero le dejaron de tirar; y él
dejó retirar a los heridos, y tornó a la vela de sus armas, con la misma quietud y sosiego[128]
400   que primero.

No le parecieron bien al ventero las burlas de su huésped, y determinó abreviar y darle
la negra orden de caballería luego, antes que otra desgracia sucediese. Y así, llegándose a
él, se disculpó de la insolencia que aquella gente baja con él había usado, sin que él supiese
cosa alguna; pero que bien castigados quedaban de su atrevimiento. Díjole como ya le
405   había dicho que en aquel castillo no había capilla, y para lo que restaba de hacer tampoco
era necesaria; que todo el toque de quedar armado caballero consistía en la pescozada
y en el espaldarazo[129], según él tenía noticia del ceremonial de la orden, y que aquello en
mitad del campo se podía hacer; y que ya había cumplido con lo que tocaba al velar de las
armas, que con solas dos horas de vela se cumplía, cuanto más que él había estado más de
410   cuatro. Todo se lo creyó don Quijote, y dijo que él estaba allí pronto para obedecerle y que
concluyese con la mayor brevedad que pudiese; porque si fuese otra vez acometido y se
viese armado caballero, no pensaba dejar persona viva en el castillo, excepto aquellas que
él le mandase, a quien por su respeto dejaría.

Advertido y medroso de esto el castellano, trajo luego un libro donde asentaba la paja
415   y la cebada que daba a los arrieros, y con un cabo de vela que le traía un muchacho, y con
las dos ya dichas doncellas, se vino adonde don Quijote estaba, al cual mandó hincar de
rodillas; y, leyendo en su manual (como que decía alguna devota oración), en mitad de la
leyenda alzó la mano y dióle sobre el cuello un buen golpe, y tras él, con su misma espada,
un gentil espaldarazo, siempre murmurando entre dientes, como que rezaba. Hecho
420   esto, mandó a una de aquellas damas que le ciñese la espada, la cual lo hizo con mucha
desenvoltura y discreción, porque no fue menester poca para no reventar de risa a cada
punto de las ceremonias; pero las proezas que ya habían visto del novel caballero les tenían
la risa a raya. Al ceñirle la espada dijo la buena señora:

— Dios haga a vuestra merced muy venturoso caballero y le dé ventura en lides.

425   Don Quijote le preguntó cómo se llamaba, porque él supiese de allí adelante a quién
quedaba obligado por la merced recibida, porque pensaba darle alguna parte de la honra
que alcanzase por el valor de su brazo. Ella respondió con mucha humildad que se llamaba
la Tolosa, y que era hija de un remendón[130] natural de Toledo, que vivía a las tiendillas de

---

126 **brío** enthusiasm

127 **denuedo** courage

128 **sosiego** calm

129 **la pescozada y el espaldarazo** dubbing the nape
    of the neck and the back

130 **remendón** cobbler

Sancho Bienaya, y que dondequiera que ella estuviese le serviría y le tendría por señor. Don
430 Quijote le replicó que, por su amor, le hiciese merced que de allí adelante se pusiese don,
y se llamase doña Tolosa. Ella se lo prometió, y la otra le calzó la espuela[131]; con la cual le
pasó casi el mismo coloquio que con la de la espada. Preguntóle su nombre, y dijo que se
llamaba la Molinera y que era hija de un honrado molinero de Antequera; a la cual también
rogó don Quijote que se pusiese don, y se llamase doña Molinera, ofreciéndole nuevos
435 servicios y mercedes.

Hechas, pues, de galope y aprisa las hasta allí nunca vistas ceremonias, no vio la
hora don Quijote de verse a caballo y salir buscando las aventuras; y, ensillando luego a
Rocinante, subió en él y, abrazando a su huésped, le dijo cosas tan extrañas agradeciéndole
la merced de haberle armado caballero, que no es posible acertar a referirlas. El ventero,
440 por verle ya fuera de la venta, con no menos retóricas, aunque con más breves palabras,
respondió a las suyas, y, sin pedirle la costa de la posada, le dejó ir a la buena hora.

---

131 **espuela** spurs

Sugerencias para el análisis y la discusión del Capítulo III

1. ¿Qué decide hacer el ventero y por qué?

2. Busca y señala la inversión de la vida del caballero que realiza el ventero en su discurso. ¿Cómo se compara don Quijote con el ventero?

3. ¿Por qué no se le ocurre a don Quijote llevar dinero? ¿Es su respuesta lógica?

4. Comenta cómo se desarrolla la ceremonia de la armadura. Compara punto por punto la ceremonia ritual y la de don Quijote.

5. Discute la reacción de los arrieros. ¿Por qué es extrema?

6. Al final del capítulo hay unos intercambios entre las mujeres y don Quijote. ¿Qué les dice? ¿Cómo reaccionan ellas?

7. Enumera las diferentes reacciones de las personas que entran en contacto con don Quijote. Analiza las diferencias.

8. ¿Notas algún indicio de que el mundo que percibe don Quijote haya permeado o contaminado al del ventero y de las mozas?

Capítulo IV

De lo que sucedió a nuestro caballero cuando salió de la venta

La del alba sería cuando don Quijote salió de la venta, tan contento, tan gallardo, tan alborozado[132] por verse ya armado caballero, que el gozo le reventaba por las cinchas del caballo. Mas viniéndole a la memoria los consejos de su huésped acerca de las

445 prevenciones tan necesarias que había de llevar consigo, especial la de los dineros y camisas, determinó volver a su casa y acomodarse de todo y de un escudero, haciendo cuenta de recibir a un labrador vecino suyo, que era pobre y con hijos, pero muy a propósito para el oficio escuderil de la caballería. Con este pensamiento guió a Rocinante hacia su aldea, el cual, casi conociendo la querencia, con tanta gana comenzó a caminar

450 que parecía que no ponía los pies en el suelo.

No había andado mucho, cuando le pareció que a su diestra mano, de la espesura de un bosque que allí estaba, salían unas voces delicadas, como de persona que se quejaba; y apenas las hubo oído, cuando dijo:

— Gracias doy al cielo por la merced que me hace, pues tan presto me pone ocasiones

455 delante donde yo pueda cumplir con lo que debo a mi profesión, y donde pueda coger el fruto de mis buenos deseos. Estas voces, sin duda, son de algún menesteroso[133], o menesterosa, que ha menester mi favor y ayuda.

Y volviendo las riendas, encaminó a Rocinante hacia donde le pareció que las voces salían. Y a pocos pasos que entró por el bosque, vio atada una yegua[134] a una encina[135], y

460 atado en otra un muchacho, desnudo de medio cuerpo arriba, hasta de edad de quince años, que era el que las voces daba, y no sin causa, porque le estaba dando con una pretina muchos azotes[136] un labrador de buen talle, y cada azote le acompañaba con una reprensión y consejo. Porque decía:

— La lengua queda[137] y los ojos listos.

465 Y el muchacho respondía:

— No lo haré otra vez, señor mío; por la pasión de Dios que no lo haré otra vez, y yo prometo de tener de aquí adelante más cuidado con el hato.

Y viendo don Quijote lo que pasaba, con voz airada dijo:

— Descortés caballero, mal parece tomaros con quien defender no se puede; subid

470 sobre vuestro caballo y tomad vuestra lanza –que también tenía una lanza arrimada a la encina adonde estaba arrendada la yegua–; que yo os haré conocer ser de cobardes lo que estáis haciendo.

El labrador, que vio sobre sí aquella figura llena de armas blandiendo la lanza sobre su rostro, túvose por muerto, y con buenas palabras respondió:

---

132 **alborazado** jubilant	134 **yegua** mare	136 **azotes** whipping
133 **menesteroso** needy	135 **encina** oak	137 **queda** silent

475 — Señor caballero, este muchacho que estoy castigando es un mi criado, que me sirve de guardar una manada de ovejas que tengo en estos contornos; el cual es tan descuidado, que cada día me falta una; y porque castigo su descuido o bellaquería, dice que lo hago de miserable, por no pagarle la soldada que le debo, y en Dios y en mi ánima que miente[138].

— ¿"Miente" delante de mí, ruin villano? –dijo don Quijote–. Por el sol que nos
480 alumbra, que estoy por pasaros de parte a parte con esta lanza: Pagadle luego sin más réplica; si no, por el Dios que nos rige que os concluya y aniquile en este punto. Desatadlo[139] luego.

El labrador bajó la cabeza, y, sin responder palabra, desató a su criado, al cual preguntó don Quijote que cuánto le debía su amo. Él dijo que nueve meses, a siete reales cada mes.
485 Hizo la cuenta don Quijote y halló que montaban sesenta y tres reales, y díjole al labrador que al momento los desembolsase, si no quería morir por ello. Respondió el medroso villano que para el paso en que estaba y juramento que había hecho (y aún no había jurado[140] nada), que no eran tantos; porque se le habían de descontar y recibir en cuenta tres pares de zapatos que le habían dado y un real de dos sangrías que le habían hecho
490 estando enfermo.

— Bien está todo eso –replicó don Quijote–; pero quédense los zapatos y las sangrías por los azotes que sin culpa le habéis dado; que si él rompió el cuero[141] de los zapatos que vos pagasteis, vos le habéis rompido el de su cuerpo; y si le sacó el barbero sangre estando enfermo, vos en sanidad se la habéis sacado: ansí que, por esta parte, no os debe nada.

495 — El daño está, señor caballero, en que no tengo aquí dineros: véngase Andrés conmigo a mi casa; que yo se los pagaré un real sobre otro.

— ¿Irme yo con él –dijo el muchacho– más? ¡Mal año! No, señor, ni por pienso: porque, en viéndose sólo, me desollará[142] como a un San Bartolomé.

— No hará tal –replicó don Quijote–; basta que yo se lo mande para que me tenga
500 respeto; y con que él me lo jure por la ley de caballería que ha recibido, le dejaré ir libre y aseguraré la paga.

— Mire vuestra merced, señor, lo que dice –dijo el muchacho–: que este mi amo no es caballero ni ha recibido orden de caballería alguna; que es Juan Haldudo el rico, el vecino del Quintanar.

505 — Importa poco eso –respondió don Quijote–; que Haldudos puede haber caballeros; cuanto más que cada uno es hijo de sus obras.

— Así es verdad –dijo Andrés–; pero este mi amo, ¿de qué obras es hijo, pues me niega mi soldada y mi sudor y trabajo?

— No niego, hermano Andrés –respondió el labrador–; y hacedme placer de veniros
510 conmigo; que yo juro por todas las órdenes que de caballerías hay en el mundo de pagaros,

---

138 **miente** (he) lies   140 **jurado** sworn   142 **desollará** will skin

139 **desatadlo** untie him   141 **cuero** leather

como tengo dicho, un real sobre otro, y aún sahumados[143].

— Del sahumerio os hago gracia[144] –dijo don Quijote–; dádselos en reales, que con eso me contento; y mirad que lo cumpláis como lo habéis jurado; si no, por el mismo juramento os juro de volver a buscaros y a castigaros, y que os tengo de hallar aunque os escondáis más que una lagartija. Y si queréis saber quién os manda esto, para quedar con más veras obligado a cumplirlo, sabed que yo soy el valeroso don Quijote de la Mancha, el desfacedor de agravios y sinrazones, y a Dios quedad, y no se os parta de las mientes lo prometido y jurado, so pena de la pena pronunciada.

Y en diciendo esto, picó a su Rocinante, y en breve espacio se apartó de ellos. Siguióle el labrador con los ojos, y cuando vio que había traspuesto del bosque y que ya no parecía, volvióse a su criado Andrés, y díjole:

— Venid acá, hijo mio, que os quiero pagar lo que os debo, como aquel deshacedor de agravios me dejó mandado.

— Eso juro yo –dijo Andrés–; y ¡cómo que andará vuestra merced acertado en cumplir el mandamiento de aquel buen caballero, que mil años viva; que, según es de valeroso y de buen juez, vive Roque, que si no me paga, que vuelva y ejecute lo que dijo!

— También lo juro yo –dijo el labrador–; pero, por lo mucho que os quiero, quiero acrecentar[145] la deuda, por acrecentar la paga.

Y asiéndole del brazo, le tornó a atar a la encina, donde le dio tantos azotes, que le dejó por muerto.

— Llamad, señor Andrés, ahora –decía el labrador– al desfacedor de agravios; veréis cómo no desface aquéste. Aunque creo que no está acabado de hacer, porque me viene gana de desollaros vivo, como vos temíais.

Pero, al fin, le desató, y le dio licencia que fuese a buscar a su juez para que ejecutase la pronunciada sentencia. Andrés se partió algo mohíno, jurando de ir a buscar al valeroso don Quijote de la Mancha y contarle punto por punto lo que había pasado, y que se lo había de pagar con las setenas. Pero, con todo esto, él se partió llorando y su amo se quedó riendo. Y de esta manera deshizo el agravio el valeroso don Quijote; el cual, contentísimo de lo sucedido, pareciéndole que había dado felicísimo y alto principio a sus caballerías, con gran satisfacción de sí mismo iba caminando hacia su aldea, diciendo a media voz:

— Bien te puedes llamar dichosa sobre cuantas hoy viven sobre la tierra, ¡oh, sobre las bellas, bella Dulcinea del Toboso!, pues te cupo en suerte tener sujeto y rendido a toda tu voluntad y talante a un tan valiente y tan nombrado caballero como lo es y será don Quijote de la Mancha; el cual, como todo el mundo sabe, ayer recibió la orden de caballería, y hoy ha desfecho el mayor tuerto y agravio que formó la sinrazón y cometió la crueldad: hoy quitó el látigo de la mano de aquel despiadado enemigo que tan sin ocasión vapulaba a aquel delicado infante.

---

143 **sahumado** scented   144 **os hago gracia** I dispense you   145 **acrecentar** enlarge

En esto llegó a un camino que en cuatro se dividía, y luego se le vino a la imaginación las encrucijadas[146] donde los caballeros andantes se ponían a pensar cuál camino de

550 aquéllos tomarían; y por imitarlos, estuvo un rato quedo, y al cabo de haberlo muy bien pensado, soltó la rienda a Rocinante, dejando a la voluntad del rocín la suya, el cual siguió su primer intento, que fue el irse camino de su caballeriza. Y habiendo andado como dos millas, descubrió don Quijote un grande tropel de gente, que, como después se supo, eran unos mercaderes[147] toledanos que iban a comprar seda a Murcia. Eran seis, y venían con

555 sus quitasoles[148], con otros cuatro criados a caballo y tres mozos de mulas a pies. Apenas los divisó don Quijote, cuando se imaginó ser cosa de nueva aventura; y, por imitar en todo cuanto a él le parecía posible los pasos que había leído en sus libros, le pareció venir allí de molde uno que pensaba hacer. Y así, con gentil continente y denuedo, se afirmó bien en los estribos, apretó la lanza, llegó la adarga al pecho y, puesto en la mitad del camino,

560 estuvo esperando que aquellos caballeros andantes llegasen, que ya él por tales los tenía y juzgaba; y cuando llegaron a trecho que se pudieron ver y oír, levantó don Quijote la voz y con ademán arrogante dijo:

— Todo el mundo se tenga, si todo el mundo no confiesa que no hay en el mundo todo doncella más hermosa que la Emperatriz de la Mancha, la sin par Dulcinea del Toboso.

565 Paráronse los mercaderes al son de estas razones y a ver la extraña figura del que las decía, y por las razones luego echaron de ver la locura de su dueño; mas quisieron ver despacio en qué paraba aquella confesión que se les pedía, y uno de ellos, que era un poco burlón y muy mucho discreto, le dijo:

— Señor caballero, nosotros no conocemos quién sea esa buena señora que decís;

570 mostrádnosla: que si ella fuere de tanta hermosura como significáis, de buena gana y sin apremio alguno confesaremos la verdad que por parte vuestra nos es pedida.

— Si os la mostrara –replicó don Quijote–, ¿qué hicierais vosotros en confesar una verdad tan notoria? La importancia está en que sin verla lo habéis de creer, confesar, afirmar, jurar y defender: si no, conmigo sois en batalla, gente descomunal y soberbia. Que,

575 ahora vengáis uno a uno, como pide la orden de caballería; ahora todos juntos, como es costumbre y mala usanza de los de vuestra ralea, aquí os aguardo y espero, confiado en la razón que de mi parte tengo.

— Señor caballero –replicó el mercader–, suplico a vuestra merced en nombre de todos estos príncipes que aquí estamos, que, porque no encarguemos nuestras conciencias

580 confesando una cosa por nosotros jamás vista ni oída, y más siendo tan en perjuicio de las emperatrices y reinas del Alcarria y Extremadura, que vuestra merced sea servido de mostrarnos algún retrato de esa señora, aunque sea tamaño[149] como un grano de trigo; que por el hilo se sacará el ovillo, y quedaremos con esto satisfechos y seguros, y vuestra merced quedará contento y pagado; y aun creo que estamos ya tan de su parte,

---

146 **encrucijada** crossroad

147 **mercaderes** merchants

148 **quitasoles** parasol

149 **tamaño** size

585 que, aunque su retrato nos muestre que es tuerta[150] de un ojo y que del otro le mana[151] bermellón y piedra azufre[152], con todo eso, por complacer a vuestra merced, diremos en su favor todo lo que quisiere.

— No le mana, canalla infame –respondió don Quijote encendido en cólera–; no le mana, digo, eso que decís, sino ámbar y algalia entre algodones; y no es tuerta ni
590 corcovada[153], sino más derecha que un huso[154] de Guadarrama. Pero ¡vosotros pagaréis la grande blasfemia que habéis dicho contra tamaña beldad como es la de mi señora!

Y en diciendo esto, arremetió con la lanza baja contra el que lo había dicho con tanta furia y enojo, que si la buena suerte no hiciera que en la mitad del camino tropezara y cayera Rocinante, lo pasara mal el atrevido mercader. Cayó Rocinante, y fue rodando su
595 amo una buena pieza por el campo; y queriéndose levantar, jamás pudo: tal embarazo le causaban la lanza, adarga, espuelas y celada, con el peso de las antiguas armas. Y entre tanto que pugnaba por levantarse y no podía, estaba diciendo:

— Non fuyáis, gente cobarde; gente cautiva, atended; que no por culpa mía, sino de mi caballo, estoy aquí tendido.

600 Un mozo de mulas de los que allí venían, que no debía de ser muy bien intencionado, oyendo decir al pobre caído tantas arrogancias, no lo pudo sufrir sin darle la respuesta en las costillas[155]. Y llegándose a él, tomó la lanza, y después de haberla hecho pedazos, con uno de ellos comenzó a dar a nuestro don Quijote tantos palos[156], que, a despecho y pesar de sus armas, le molió como cibera. Dábanle voces sus amos que no le diese tanto y que le
605 dejase; pero estaba ya el mozo picado y no quiso dejar el juego hasta envidar todo el resto de su cólera; y acudiendo por los demás trozos de la lanza, los acabó de deshacer sobre el miserable caído, que, con toda aquella tempestad de palos que sobre él vía no cerraba la boca, amenazando al cielo y a la tierra, y a los malandrines, que tal le parecían.

Cansóse el mozo, y los mercaderes siguieron su camino, llevando que contar en todo
610 él del pobre apaleado. El cual, después que se vio solo, tornó a probar si podía levantarse; pero si no lo pudo hacer cuando sano y bueno, ¿cómo lo haría molido[157] y casi deshecho? Y aún se tenía por dichoso, pareciéndole que aquélla era propia desgracia de caballeros andantes, y toda la atribuía a la falta de su caballo; y no era posible levantarse, según tenía brumado todo el cuerpo.

---

150 **tuerta** one-eyed	153 **corcovada** humpbacked	156 **palos** blows
151 **mana** ooze	154 **huso** spindle	157 **molido** beaten
152 **vermellón y tierra de azufre** vermillion and sulphur	155 **costillas** ribs	

Sugerencias para el análisis y la discusión del Capítulo IV

1. ¿Cómo se encuentra don Quijote al salir de la venta? ¿Por qué vuelve a su casa?

2. Describe el espectáculo que ve don Quijote. ¿Qué hace el labrador?

3. ¿Cómo se tratan entre ellos el labrador y don Quijote? Explica cómo don Quijote transforma la realidad de nuevo.

4. Comenta el final de este episodio y compáralo con el final del capítulo anterior.

5. ¿Cuál es tu opinión del castigo de Andrés? ¿Podría estar justificado?

6. ¿Cómo decide don Quijote qué camino seguir?

7. A continuación, don Quijote se encuentra con unos mercaderes toledanos. ¿Son razonables con la petición que les hace?

8. ¿Por qué se enoja tanto don Quijote?

9. ¿Qué reacción tiene el mozo de mulas? ¿Qué hace con la lanza? ¿Qué significa? ¿Cuál es tu reacción? ¿Risa, lástima, simpatía?

Capítulo V
Donde se prosigue la narración de la desgracia de nuestro caballero

615   Viendo, pues, que, en efecto, no podía menearse[158], acordó de acogerse a su ordinario remedio, que era pensar en algún paso de sus libros, y trajole su locura a la memoria aquel de Valdovinos y del Marqués de Mantua, cuando Carloto le dejó herido en la montaña, historia sabida de los niños, no ignorada de los mozos, celebrada y aun creída de los viejos, y, con todo esto, no más verdadera que los milagros de Mahoma. Ésta, pues, le pareció
620   a él que le venía de molde para el paso en que se hallaba; y así, con muestras de grande sentimiento, se comenzó a volcar por la tierra y a decir con debilitado aliento lo mismo que dicen decía el herido caballero del bosque:

—¿Dónde estás, señora mía,

que no te duele mi mal?

625   O no lo sabes, señora,

o eres falsa y desleal.

Y de esta manera fue prosiguiendo el romance, hasta aquellos versos que dicen:

¡Oh noble Marqués de Mantua,

mi tío y señor carnal!

630   Y quiso la suerte que, cuando llegó a este verso, acertó a pasar por allí un labrador de su mismo lugar y vecino suyo, que venía de llevar una carga de trigo[159] al molino; el cual, viendo aquel hombre allí tendido, se llegó a él y le preguntó que quién era y qué mal sentía, que tan tristemente se quejaba. Don Quijote creyó, sin duda, que aquél era el Marqués de Mantua, su tío, y así, no le respondió otra cosa sino fué proseguir en su romance, donde le
635   daba cuenta de su desgracia y de los amores del hijo del Emperante con su esposa, todo de la misma manera que el romance lo canta.

El labrador estaba admirado oyendo aquellos disparates; y quitándole la visera, que ya estaba hecha pedazos, de los palos, le limpió el rostro, que lo tenía cubierto de polvo, y apenas le hubo limpiado, cuando le conoció y le dijo:

640   —Señor Quijana –que así se debía de llamar cuando él tenía juicio y no había pasado de hidalgo sosegado a caballero andante–, ¿quién ha puesto a vuestra merced de esta suerte?

Pero él seguía con su romance a cuanto le preguntaba. Viendo esto el buen hombre, lo mejor que pudo le quitó el peto y espaldar, para ver si tenía alguna herida; pero no vio
645   sangre ni señal alguna. Procuró levantarle del suelo, y no con poco trabajo le subió sobre su jumento, por parecer caballería más sosegada. Recogió las armas, hasta las astillas[160] de la lanza, y liólas sobre Rocinante, al cual tomó de la rienda y del cabestro al asno, y se

---

158 **menearse** move   159 **trigo** wheat   160 **astillas** splinters

encaminó hacia su pueblo, bien pensativo de oír los disparates que don Quijote decía; y
no menos iba don Quijote, que, de puro molido y quebrantado, no se podía tener sobre el

650 borrico[161], y de cuando en cuando daba unos suspiros que los ponía en el cielo; de modo
que de nuevo obligó a que el labrador le preguntase qué mal sentía; y no parece sino que
el diablo le traía a la memoria los cuentos acomodados a sus sucesos; porque en aquel
punto, olvidándose de Valdovinos, se acordó del moro Abindarráez, cuando el alcaide
de Antequera, Rodrigo de Narváez, le prendió y llevó cautivo a su alcaidía. De suerte que

655 cuando el labrador le volvió a preguntar que cómo estaba y qué sentía, le respondió las
mismas palabras y razones que el cautivo abencerraje respondía a Rodrigo de Narváez, del
mismo modo que él había leído la historia en la Diana de Jorge de Montemayor, donde se
escribe; aprovechándose de ella tan a propósito, que el labrador se iba dando al diablo de
oír tanta máquina de necedades; por donde conoció que su vecino estaba loco, y dábase

660 prisa a llegar al pueblo, por excusar el enfado que don Quijote le causaba con su larga
arenga. Al cabo de la cual dijo:

—Sepa vuestra merced, señor don Rodrigo de Narváez, que esta hermosa Jarifa que
he dicho es ahora la linda Dulcinea del Toboso, por quien yo he hecho, hago y haré los más
famosos hechos de caballerías que se han visto, vean ni verán en el mundo.

665 A esto respondió el labrador:

—Mire vuestra merced, señor, pecador de mí, que yo no soy don Rodrigo de Narváez,
ni el Marqués de Mantua, sino Pedro Alonso, su vecino; ni vuestra merced es Valdovinos ni
Abindarráez, sino el honrado hidalgo del señor Quijana.

—Yo sé quién soy –respondió don Quijote–, y sé que puedo ser, no sólo los que he

670 dicho, sino todos los doce Pares de Francia, y aun todos los nueve de la Fama, pues a todas
las hazañas que ellos todos juntos y cada uno por sí hicieron se aventajarán las mías.

En estas pláticas y en otras semejantes llegaron al lugar, a la hora que anochecía; pero
el labrador aguardó a que fuese algo más tarde, porque no viesen al molido hidalgo tan
mal caballero. Llegada, pues la hora que le pareció, entró en el pueblo y en la casa de don

675 Quijote, la cual halló toda alborotada[162], y estaban en ella el cura y el barbero del lugar, que
eran grandes amigos de don Quijote, que estaba diciéndoles su ama a voces:

—¿Qué le parece a vuestra merced, señor licenciado Pero Pérez –que así se llamaba
el cura–, de la desgracia de mi señor? Tres días ha que no parecen él, ni el rocín, ni la
adarga, ni la lanza, ni las armas. ¡Desventurada de mí!, que me doy a entender, y así es ello

680 la verdad como nací para morir, que estos malditos libros de caballerías que él tiene y
suele leer tan de ordinario le han vuelto el juicio; que ahora me acuerdo haberle oído decir
muchas veces, hablando entre sí, que quería hacerse caballero andante e irse a buscar las
aventuras por esos mundos. Encomendados sean a Satanás y a Barrabás tales libros, que
así han echado a perder el más delicado entendimiento que había en toda la Mancha.

685 La sobrina decía lo mismo, y aun decía más:

---

161 **borrico** donkey 162 **alborotada** upset

—Sepa, señor maese Nicolás –que éste era el nombre del barbero–, que muchas veces le aconteció a mi señor tío estarse leyendo en estos desalmados libros de desventuras dos días con sus noches, al cabo de los cuales arrojaba el libro de las manos y ponía mano a la espada y andaba a cuchilladas con las paredes; y cuando estaba muy cansado decía que había muerto a cuatro gigantes como cuatro torres, y el sudor que sudaba del cansancio decía que era sangre de las heridas que había recibido en la batalla, y bebíase luego un gran jarro de agua fría, y quedaba sano y sosegado, diciendo que aquella agua era una preciosísima bebida que le había traído el sabio Esquife, un grande encantador y amigo suyo. Mas yo me tengo la culpa de todo, que no avisé a vuestras mercedes de los disparates de mi señor tío para que los remediaran antes de llegar a lo que ha llegado y quemaran[163] todos estos descomulgados libros; que tiene muchos que bien merecen ser abrasados, como si fuesen de herejes.

—Esto digo yo también –dijo el Cura–, y a fe que no se pase el día de mañana sin que de ellos no se haga auto público, y sean condenados al fuego, porque no den ocasión a quien los leyere de hacer lo que mi buen amigo debe de haber hecho.

Todo esto estaban oyendo el labrador y don Quijote, con que acabó de entender el labrador la enfermedad de su vecino, y así, comenzó a decir a voces:

—Abran vuestras mercedes al señor Valdovinos y al señor Marqués de Mantua, que viene mal herido, y al señor moro Abindarráez, que trae cautivo el valeroso Rodrigo de Narváez, alcaide de Antequera.

A estas voces salieron todos, y como conocieron los unos a su amigo, las otras a su amo y tío, que aun no se había apeado del jumento, porque no podía, corrieron a abrazarle. Él dijo:

—Ténganse todos; que vengo malherido por la culpa de mi caballo. Llévenme a mi lecho, y llámese, si fuera posible, a la sabia Urganda, que cure y cate de mis heridas.

—¡Mira, en hora mala –dijo a este punto el ama–, si me decía a mí bien mi corazón del pie que cojeaba mi señor! Suba vuestra merced en buen hora; que sin que venga esa hurgada, le sabremos aquí curar. ¡Malditos, digo, sean otra vez y otras ciento estos libros de caballerías, que tal han parado a vuestra merced!

Lleváronle luego a la cama, y, catándole las heridas, no le hallaron ninguna; y él dijo que todo era molimiento[164], por haber dado una gran caída con Rocinante, su caballo, combatiéndose con diez jayanes[165], los más desaforados y atrevidos que se pudieran hallar en gran parte de la tierra.

—¡Ta, ta! –dijo el cura–. ¿Jayanes hay en la danza? Para mi santiguada que yo los queme mañana antes que llegue la noche.

Hiciéronle a don Quijote mil preguntas, y a ninguna quiso responder otra cosa sino que le diesen de comer y le dejasen dormir, que era lo que más le importaba. Hízose así, y

---

163 **quemaran** would burn   164 **molimiento** bruises   165 **jayanes** giants

el Cura se informó muy a la larga del labrador del modo que había hallado a don Quijote. Él se lo contó todo, con los disparates que al hallarle y al traerle había dicho, que fue poner

725 más deseo en el licenciado de hacer lo que otro día hizo, que fue llamar a su amigo el barbero maese Nicolás, con el cual se vino a casa de don Quijote.

Sugerencias para el análisis y la discusión del Capítulo V

1. ¿Qué hace don Quijote cuando se encuentra herido y derrotado en el suelo?

2. Lo encuentra un labrador, vecino suyo, Pedro Alonso. ¿Quién cree don Quijote que es?

3. ¿Qué reconoce en seguida Pedro Alonso? ¿Qué pasos toma para ayudar a don Quijote? Nombra varios y su importancia.

4. Don Quijote dice: "Yo sé quién soy, y sé qué puedo ser…". Comenta esta frase tan significativa.

5. ¿Qué comentan el cura, el barbero, el ama y la sobrina? ¿Qué piensan hacer?

6. ¿Qué explicación les da don Quijote?

7. Describe el carácter de Pedro Alonso. Enumera las diferentes personas que se han encontrado con don Quijote, su profesión, sus reacciones. ¿Qué galería social nos presenta Cervantes?

Resumen del Capítulo VI

Mientras don Quijote descansa, el cura, el barbero, el ama y la sobrina van a la habitación donde están sus libros, causa de su locura, y deciden quemarlos. El cura y el barbero quieren seleccionar y los comentan de uno e uno. Por ejemplo, el cura quiere quemar el *Amadís de Gaula*, el primero de los libros de caballería, pero el barbero dice que es el mejor y lo perdonan. También perdonan algunos de poesía y, entre ellos, encuentran *La Galatea* de Miguel de Cervantes, "un gran amigo mío, dice el barbero, más versado en desdichas que en versos", y su libro uno "que propone algo y no concluye nada".

Se cansan de seleccionar y queman la mayor parte de los libros.

Resumen del Capítulo VII

Don Quijote está recuperándose quince días, creyéndose ahora que don Roldán, héroe francés, le ha malherido. El ama y los otros deciden cerrar con una pared la habitación de los libros y le dicen que un encantador se la llevó volando con todos sus libros, dejando mucho humo. Don Quijote adapta la explicación: "El mago Fristón, dice don Quijote, gran enemigo mío".

Durante estos días, don Quijote convence a un hombre simple del pueblo, Sancho Panza, que vaya con él de escudero, prometiéndole hacerle gobernador de una isla que conquiste.

Consigue, malvendiendo objetos, algo de dinero para seguir el consejo del ventero y una noche cuando nadie los ve, los dos salen del pueblo. Don Quijote cabalga en su Rocinante y Sancho, que ha dejado a mujer e hijos, en su burro.

Capítulo VIII

Del buen suceso que el valeroso don Quijote tuvo en la espantable y jamás imaginada aventura de los molinos de viento[166], con otros sucesos dignos de feliz recordación

En esto descubrieron treinta o cuarenta molinos de viento que hay en aquel campo, y así como don Quijote los vio, dijo a su escudero:

—La ventura va guiando nuestras cosas mejor de lo que acertáramos a desear; porque
730 ves allí, amigo Sancho Panza, dónde se descubren treinta, o pocos más desaforados gigantes, con quien pienso hacer batalla y quitarles a todos las vidas, con cuyos despojos[167] comenzaremos a enriquecer, que ésta es buena guerra, y es gran servicio de Dios quitar tan mala simiente[168] de sobre la faz de la tierra.

— ¿Qué gigantes? –dijo Sancho Panza.

735 — Aquellos que allí ves –respondió su amo– de los brazos largos, que los suelen tener algunos de casi dos leguas.

— Mire vuestra merced –respondió Sancho– que aquellos que allí se parecen no son gigantes, sino molinos de viento, y lo que en ellos parecen brazos son las aspas[169], que, volteadas del viento, hacen andar la piedra del molino.

740 — Bien parece –respondió don Quijote– que no estás cursado en esto de las aventuras: ellos son gigantes; y si tienes miedo, quítate de ahí, y ponte en oración en el espacio que yo voy a entrar con ellos en fiera y desigual batalla.

Y diciendo esto, dio de espuelas a su caballo Rocinante, sin atender a las voces que su escudero Sancho le daba, advirtiéndole que, sin duda alguna, eran molinos de viento y no
745 gigantes aquellos que iba a acometer. Pero él iba tan puesto en que eran gigantes, que ni oía las voces de su escudero Sancho, ni echaba de ver aunque estaba ya bien cerca, lo que eran; antes iba diciendo en voces altas:

— Non fuyades[170], cobardes y viles criaturas; que un solo caballero es el que os acomete.

750 Levantóse en esto un poco de viento, y las grandes aspas comenzaron a moverse, lo cual visto por don Quijote, dijo:

— Pues aunque mováis más brazos que los del gigante Briareo, me lo habéis de pagar.

Y diciendo esto, y encomendándose de todo corazón a su señora Dulcinea, pidiéndole que en tal trance le socorriese[171], bien cubierto de su rodela, con la lanza en el ristre,
755 arremetió a todo el galope de Rocinante y embistió con el primero molino que estaba delante; y dándole una lanzada en el aspa, la volvió el viento con tanta furia, que hizo

---

166 **molinos de viento** windmills

167 **despojos** spoils

168 **simiente** seed

169 **aspas** wings (of a windmill)

170 **Non fuyades** Do not flee

171 **socorriese** would help

la lanza pedazos, llevándose tras sí al caballo y al caballero, que fue rodando muy maltrecho[172] por el campo. Acudió Sancho Panza a socorrerle, a todo el correr de su asno, y cuando llegó halló que no se podía menear: tal fue el golpe que dio con él Rocinante.

760   — ¡Válgame Dios! –dijo Sancho–. ¿No le dije yo a vuestra merced que mirase bien lo que hacía, que no eran sino molinos de viento, y no lo podía ignorar sino quien llevase otros tales en la cabeza?

    — Calla, amigo Sancho –respondió don Quijote–; que las cosas de la guerra, más que otras, están sujetas a continua mudanza[173]; cuanto más, que yo pienso, y así es verdad,
765 que aquel sabio Frestón, que me robó el aposento y los libros ha vuelto estos gigantes en molinos, por quitarme la gloria de su vencimiento: tal es la enemistad que me tiene; más al cabo, han de poder poco sus malas artes contra la bondad de mi espada.

    — Dios lo haga como puede –respondió Sancho Panza. Y, ayudándole a levantar, tornó a subir sobre Rocinante, que medio despaldado estaba. Y, hablando de la pasada aventura,
770 siguieron el camino del Puerto Lápice, porque allí decía don Quijote que no era posible dejar de hallarse muchas y diversas aventuras, por ser lugar muy pasajero, sino que iba muy pesaroso por haberle faltado la lanza; y diciéndoselo a su escudero, le dijo:

    — Yo me acuerdo haber leído que un caballero español llamado Diego Pérez de Vargas, habiéndosele en una batalla roto la espada, desgajó de una encina un pesado ramo o
775 tronco[174], y con él hizo tales cosas aquel día y machacó tantos moros, que le quedó por sobrenombre Machuca, y así él como sus descendientes se llamaron desde aquel día en adelante Vargas y Machuca. Te he dicho esto porque de la primera encina o roble que se me depare pienso desgajar otro tronco, tal y tan bueno como aquel que me imagino; y pienso hacer con él tales hazañas, que tú te vengas por bien afortunado de haber merecido
780 venir a verlas y a ser testigo[175] de cosas que apenas podrán ser creídas.

    — A la mano de Dios –dijo Sancho–; yo lo creo todo así como vuestra merced lo dice; pero enderécese un poco, que parece que va de medio lado, y debe de ser del molimiento de la caída.

    — Así es la verdad –respondió don Quijote–; y si no me quejo del dolor es porque no
785 es dado a los caballeros andantes quejarse de herida alguna, aunque se les salgan las tripas por ella.

    — Si eso es así, no tengo yo que replicar –respondió Sancho–; pero sabe Dios si yo me holgara que vuestra merced se quejara cuando alguna cosa le doliera. De mí sé decir que me he de quejar del más pequeño dolor que tenga, si ya no se entiende también con los
790 escuderos de los caballeros andantes eso del no quejarse.

    No se dejó de reír don Quijote de la simplicidad de su escudero; y así le declaró que podía muy bien quejarse cómo y cuándo quisiese sin gana o con ella; que hasta entonces

---

172 **maltrecho** injured

173 **mudanza** change

174 **tronco** trunk

175 **testigo** witness

no había leído cosa en contrario en la orden de caballería. Díjole Sancho que mirase
que era hora de comer. Respondióle su amo que por entonces no le hacía menester; que
795   comiese él cuando se le antojase. Con esta licencia, se acomodó Sancho lo mejor que pudo
sobre su jumento, y sacando de las alforjas lo que en ellas había puesto, iba caminando y
comiendo detrás de su amo muy de su espacio, y de cuando en cuando empinaba la bota[176]
con tanto gusto, que le pudiera envidiar el más regalado bodegonero de Málaga. Y en tanto
que él iba de aquella manera menudeando tragos, no se le acordaba de ninguna promesa
800   que su amo le hubiese hecho, ni tenía por ningún trabajo, sino por mucho descanso andar
buscando las aventuras, por peligrosas que fuesen.

En resolución aquella noche la pasaron entre unos árboles, y del uno de ellos desgajó
don Quijote un ramo seco que casi le podía servir de lanza, y puso en él el hierro que quitó
de la que se le había quebrado. Toda aquella noche no durmió don Quijote pensando en su
805   señora Dulcinea, por acomodarse a lo que había leído en sus libros, cuando los caballeros
pasaban sin dormir muchas noches en las florestas y despoblados entretenidos con las
memorias de sus señoras. No la pasó así Sancho Panza; que, como tenía el estómago lleno,
y no de agua de chicoria, de un sueño se la llevó toda, y no fueran parte para despertarle,
si su amo no le llamara, los rayos del sol, que le daban en el rostro, ni el canto de las aves,
810   que, muchas y muy regocijadamente, la venida del nuevo día saludaban. Al levantarse dio
un tiento a la bota, y hallóla algo más flaca que la noche antes, y afligiósele el corazón, por
parecerle que no llevaban camino de remediar tan presto su falta. No quiso desayunarse
don Quijote, porque, como está dicho, dio en sustentarse de sabrosas memorias. Tornaron
a su comenzado camino del Puerto Lápice, y a obra de las tres del día le descubrieron.

815   — Aquí, –dijo en viéndole don Quijote– podemos, hermano Sancho Panza, meter las
manos hasta los codos en esto que llaman aventuras. Mas advierte que, aunque me veas
en los mayores peligros del mundo, no has de poner mano a tu espada para defenderme,
si ya no vieres que los que me ofenden es canalla y gente baja, que en tal caso bien puedes
ayudarme; pero si fueren caballeros, en ninguna manera te es lícito ni concedido por las
820   leyes de caballería que me ayudes, hasta que seas armado caballero.

— Por cierto, señor –respondió Sancho–, que vuestra merced sea muy bien obedecido
en esto; y más, que yo de mío me soy pacífico y enemigo de meterme en ruidos ni
pendencias[177]: bien es verdad que en lo que tocare a defender mi persona, no tendré mucha
cuenta con esas leyes, pues las divinas y humanas permiten que cada uno se defienda de
825   quien quisiere agraviarle.

— No digo yo menos –respondió don Quijote–; pero en esto de ayudarme contra
caballeros has de tener a raya tus naturales ímpetus.

— Digo que así lo haré –respondió Sancho–, y que guardaré ese precepto tan bien
como el día del domingo.

---

176 **empinaba la bota** he drank from the wineskin   177 **pendencias** quarrels

830   Estando en estas razones, asomaron por el camino dos frailes de la orden de San

Benito, caballeros sobre dos dromedarios; que no eran más pequeñas dos mulas en que

venían. Traían sus antojos[178] de camino y sus quitasoles. Detrás de ellos venía un coche,

con cuatro o cinco de a caballo que le acompañaban y dos mozos de mulas a pie. Venía

en el coche, como después se supo, una señora vizcaína[179], que iba a Sevilla, donde estaba

835 su marido, que pasaba a las Indias con un muy honroso cargo. No venían los frailes con

ella, aunque iban el mismo camino; mas apenas los divisó don Quijote, cuando dijo a su

escudero:

       — O yo me engaño, o ésta ha de ser la más famosa aventura que se haya visto;

porque aquellos bultos[180] negros que allí parecen deben de ser, y son, sin duda, algunos

840 encantadores que llevan hurtada alguna princesa en aquel coche, y es menester deshacer

este tuerto a todo mi poderío.

       — Peor será esto que los molinos de viento –dijo Sancho–. Mire, señor, que aquellos

son frailes de San Benito, y el coche debe de ser de alguna gente pasajera. Mire que digo

que mire bien lo que hace, no sea el diablo que le engañe.

845   — Ya te he dicho, Sancho –respondió don Quijote–, que sabes poco de achaque de

aventuras: lo que yo digo es verdad, y ahora lo verás.

       Y diciendo esto, se adelantó y se puso en la mitad del camino por donde los frailes

venían, y en llegando tan cerca que a él le pareció que le podrían oír lo que dijese, en alta

voz dijo:

850   — Gente endiablaba y descomunal, dejad luego al punto las altas princesas que en

ese coche lleváis forzadas; si no, aparejaos a recibir presta muerte, por justo castigo de

vuestras malas obras.

       Detuvieron los frailes las riendas, y quedaron admirados, así de la figura de don Quijote

como de sus razones, a las cuales respondieron:

855   — Señor caballero, nosotros no somos endiablados ni descomunales, sino dos

religiosos de San Benito que vamos nuestro camino, y no sabemos si en este coche vienen,

o no, ningunas forzadas princesas.

       — Para conmigo no hay palabras blandas; que ya yo os conozco, fementida canalla[181]

–dijo don Quijote.

860   Y sin esperar más respuesta, picó a Rocinante y, la lanza baja, arremetió contra el

primero fraile, con tanta furia y denuedo, que si el fraile no se dejara caer de la mula, él le

hiciera venir al suelo mal de su grado y aun mal herido, si no cayera muerto. El segundo

religioso, que vio del modo que trataban a su compañero, puso piernas al castillo de su

buena mula, y comenzó a correr por aquella campaña más ligero que el mismo viento.

865   Sancho Panza, que vio en el suelo al fraile, apeándose ligeramente de su asno,

---

178 **antojos de camino** protective mask

179 **vizcaína** Basque woman

180 **bultos** shapes

181 **fementida canalla** lying lowlifes

arremetió a él y le comenzó a quitar los hábitos. Llegaron en esto dos mozos de los frailes y preguntáronle que por qué le desnudaba. Respondióles Sancho que aquello le tocaba a él legítimamente, como despojos de la batalla que su señor don Quijote había ganado. Los mozos, que no sabían de burlas, ni entendían aquello de despojos ni batallas, viendo que ya

870   don Quijote estaba desviado de allí, hablando con las que en el coche venían, arremetieron con Sancho y dieron con él en el suelo, y, sin dejarle pelo en las barbas, le molieron a coces[182] y le dejaron tendido en el suelo, sin aliento ni sentido; y, sin detenerse un punto, tornó a subir el fraile, todo temeroso y acobardado y sin color en el rostro; y cuando se vio a caballo, picó tras su compañero, que un buen espacio de allí le estaba aguardando,

875   y esperando en qué paraba aquel sobresalto, y sin querer aguardar el fin de todo aquel comenzado suceso, siguieron su camino, haciéndose más cruces que si llevaran al diablo a las espaldas. Don Quijote estaba, como se ha dicho, hablando con la señora del coche, diciéndole:

      — La vuestra hermosura, señora mía, puede hacer de su persona lo que más le viniere

880   en talante, porque ya la soberbia de vuestros robadores yace por el suelo, derribada por este mi fuerte brazo; y porque no penéis por saber el nombre de vuestro libertador, sabed que yo me llamo don Quijote de la Mancha, caballero andante y aventurero, y cautivo de la sin par y hermosa doña Dulcinea del Toboso; y en pago del beneficio que de mí habéis recibido, no quiero otra cosa sino que volváis al Toboso y que de mi parte, os presentéis

885   ante esta señora y le digáis lo que por vuestra libertad he hecho.

      Todo esto que don Quijote decía escuchaba un escudero de los que el coche acompañaban, que era vizcaíno; el cual, viendo que no quería dejar pasar el coche adelante, sino que decía que luego había de dar la vuelta al Toboso, se fue para don Quijote y, asiéndole de la lanza, le dijo, en mala lengua castellana y peor vizcaína, de esta manera:

890   — Anda, caballero que mal andes; por el Dios que crióme, que, si no dejas coche, así te matas como estás ahí vizcaíno.

      Entendióle muy bien don Quijote, y con mucho sosiego le respondió:

      — Si fueras caballero, como no lo eres, ya yo hubiera castigado tu sandez[183] y atrevimiento, cautiva criatura.

895   A lo cual replicó el vizcaíno:

      — ¿Yo no caballero? Juro a Dios tan mientes como cristiano. Si lanza arrojas y espada sacas, ¡el agua cuán presto verás que al gato llevas! Vizcaíno por tierra, hidalgo por mar, hidalgo por el diablo, y mientes que mira si otra dices cosa.

      — Ahora lo veréis, dijo Agrages –respondió don Quijote.

900   Y arrojando la lanza en el suelo, sacó su espada y embrazó su rodela, y arremetió al vizcaíno con determinación de quitarle la vida. El vizcaíno, que así le vio venir, aunque quisiera apearse de la mula, que, por ser de las malas de alquiler, no había que fiar en

---

182 **molieron a coces** they kicked repeatedly   183 **sandez** stupidity

ella, no pudo hacer otra cosa sino sacar su espada; pero avínole bien que se halló junto al coche, de donde pudo tomar una almohada, que le sirvió de escudo, y luego se fueron el uno para el otro como si fueran dos mortales enemigos. La demás gente quisiera ponerlos en paz; mas no pudo, porque decía el vizcaíno en sus mal trabadas razones que si no le dejaban acabar su batalla, que él mismo había de matar a su ama y a toda la gente que se lo estorbase. La señora del coche, admirada y temerosa de lo que veía, hizo al cochero que se desvíase de allí algún poco, y desde lejos se puso a mirar la rigurosa contienda, en el discurso de la cual dio el vizcaíno una gran cuchillada a don Quijote encima de un hombro, por encima de la rodela, que, a dársela sin defensa, le abriera hasta la cintura. Don Quijote, que sintió la pesadumbre de aquel desaforado golpe, dio una gran voz diciendo:

— ¡Oh, señora de mi alma, Dulcinea, flor de la fermosura, socorred a este vuestro caballero, que, por satisfacer a la vuestra mucha bondad, en este riguroso trance se halla!

El decir esto, y el apretar la espada, y el cubrirse bien de su rodela, y el arremeter al vizcaíno todo fue en un tiempo, llevando determinación de aventurarlo todo a la de un golpe solo.

El vizcaíno, que así le vio venir contra él, bien entendió por su denuedo su coraje, y determinó de hacer lo mismo que don Quijote; y así, le aguardó bien cubierto de su almohada, sin poder rodear la mula a una ni a otra parte; que ya de puro cansada y no hecha a semejantes niñerías, no podía dar un paso.

Venía pues, como se ha dicho, don Quijote contra el cauto vizcaíno, con la espada en alto, con determinación de abrirle por medio, y el vizcaíno le aguardaba así mismo levantada la espada y aforrado con su almohada, y todos los circunstantes estaban temerosos y colgados de lo que había de suceder de aquellos tamaños golpes que se amenazaban; y la señora del coche y las demás criadas suyas estaban haciendo mil votos y ofrecimientos a todas las imágenes y casas de devoción de España, por que Dios librase a su escudero y a ellas de aquel tan grande peligro en que se hallaban. Pero está el daño de todo esto que en este punto y término deja pendiente el autor de esta historia esta batalla, disculpándose[184] que no halló más escrito de estas hazañas de don Quijote, de las que deja referidas. Bien es verdad que el segundo autor de esta obra no quiso creer que tan curiosa historia estuviese entregada a las leyes del olvido, ni que hubiesen sido tan poco curiosos los ingenios de la Mancha, que no tuviesen en sus archivos[185] o en sus escritorios algunos papeles que de este famoso caballero tratasen; y así, con esta imaginación, no se desesperó de hallar el fin de esta apacible historia, el cual, siéndole el cielo favorable, le hallo del modo que se contará en la segunda parte.

---

184 **disculpándose** excusing himself   185 **archivos** archives

Sugerencias para el análisis y la discusión del Capítulo VIII

1. Don Quijote va acompañado de Sancho Panza en esta aventura. ¿Qué ve cada uno?

2. ¿Cuál es la explicación de don Quijote?

3. Interpreta la lucha de don Quijote contra los molinos.

4. ¿Por qué crees que este episodio ha captado la imaginación de lectores de todo el mundo?

5. Se van perfilando los papeles del caballero y el escudero. ¿Cuál es la actitud de cada uno frente al dolor, la comida, dormir y luchar?

6. ¿Qué ve don Quijote en el camino y qué es en realidad?

7. ¿Qué hacen cada uno, don Quijote y Sancho Panza, al encontrarse con el primer fraile?

8. Comenta el lenguaje de don Quijote en la última parte del capítulo y compáralo con el del narrador.

9. Comenta también el lenguaje del vizcaíno, escudero de la señora.

10. ¿En qué consiste el humor del episodio del vizcaíno?

11. Con este episodio acaba la primera parte (de la Primera Parte). ¿Por qué termina así? Comenta las palabras del narrador.

Capítulo IX

Donde se concluye y da fin a la estupenda batalla que el gallardo vizcaíno y el valiente manchego tuvieron

Dejamos en la primera parte desta historia al valeroso vizcaíno y al famoso don Quijote con las espadas altas y desnudas, en guisa de[186] descargar dos furibundos fendientes[187], tales que, si en lleno se acertaban, por lo menos se dividirían y fenderían de arriba abajo y abrirían como una granada; y que en aquel punto tan dudoso paró y quedó destroncada[188] tan sabrosa historia, sin que nos diese noticia su autor dónde se podría hallar lo que della faltaba.

Causóme esto mucha pesadumbre[189], porque el gusto de haber leído tan poco se volvía en disgusto, de pensar el mal camino que se ofrecía para hallar lo mucho que, a mi parecer, faltaba de tan sabroso cuento. Parecióme cosa imposible y fuera de toda buena costumbre que a tan buen caballero le hubiese faltado algún sabio[190] que tomara a cargo el escrebir sus nunca vistas hazañas, cosa que no faltó a ninguno de los caballeros andantes, de los que dicen las gentes que van a sus aventuras, porque cada uno dellos tenía uno o dos sabios, como de molde, que no solamente escribían sus hechos, sino que pintaban sus más mínimos pensamientos y niñerías, por más escondidas que fuesen; y no había de ser tan desdichado[191] tan buen caballero, que le faltase a él lo que sobró a Platir y a otros semejantes. Y así, no podía inclinarme a creer que tan gallarda[192] historia hubiese quedado manca[193] y estropeada[194]; y echaba la culpa a la malignidad del tiempo, devorador y consumidor de todas las cosas, el cual, o la tenía oculta o consumida.

Por otra parte, me parecía que, pues entre sus libros se habían hallado tan modernos como Desengaño de celos y Ninfas y Pastores de Henares, que también su historia debía de ser moderna; y que, ya que no estuviese escrita, estaría en la memoria de la gente de su aldea y de las a ella circunvecinas[195]. Esta imaginación me traía confuso y deseoso de saber, real y verdaderamente, toda la vida y milagros de nuestro famoso español don Quijote de la Mancha, luz y espejo de la caballería manchega, y el primero que en nuestra edad y en estos tan calamitosos tiempos se puso al trabajo y ejercicio de las andantes armas, y al desfacer agravios[196], socorrer[197] viudas, amparar[198] doncellas, de aquellas que andaban con sus azotes y palafrenes[199], y con toda su virginidad a cuestas[200], de monte en monte y de valle en valle; que, si no era que algún follón[201], o algún villano de hacha y capellina[202], o algún descomunal gigante las forzaba, doncella hubo en los pasados tiempos que, al cabo

---

186 **en guisa de** in a position to

187 **fendientes** blows

188 **destroncada** cut short

189 **pesadumbre** grief

190 **sabio** sage

191 **desdichado** unfortunate

192 **gallarda** gallant

193 **manca** incomplete

194 **estropeada** ruined

195 **circunvecinas** neighboring

196 **desfacer agravios** righting wrongs

197 **socorrer** helping

198 **amparar** protecting

199 **azotes y palafrenes** whips and horses

200 **a cuestas** carrying the heavy burden

201 **follón** rogue

202 **villano de hacha y capellina** a hooded villain carrying a battle-axe

de ochenta años, que en todos ellos no durmió un día debajo de tejado, y se fue tan entera a la sepultura[203] como la madre que la había parido. Digo, pues, que, por estos y otros muchos respetos, es digno nuestro gallardo Quijote de continuas y memorables alabanzas; y aun a mí no se me deben negar, por el trabajo y diligencia que puse en buscar el fin desta

970 agradable historia; aunque bien sé que si el cielo, el caso y la fortuna no me ayudan, el mundo quedará falto y sin el pasatiempo y gusto que bien casi dos horas podrá tener el que con atención la leyere[204]. Pasó, pues, el hallarla en esta manera: Estando yo un día en el Alcaná de Toledo, llegó un muchacho a vender unos cartapacios[205] y papeles viejos a un sedero[206]; y, como yo soy aficionado a leer, aunque sean los papeles rotos de las calles,

975 llevado desta mi natural inclinación, tomé un cartapacio de los que el muchacho vendía, y vile con caracteres que conocí ser arábigos. Y, puesto que, aunque los conocía, no los sabía leer, anduve mirando si parecía por allí algún morisco aljamiado[207] que los leyese; y no fue muy dificultoso hallar intérprete semejante, pues, aunque le buscara de otra mejor y más antigua lengua, le hallara. En fin, la suerte me deparó[208] uno, que, diciéndole mi deseo y

980 poniéndole el libro en las manos, le abrió por medio, y, leyendo un poco en él, se comenzó a reír.

Preguntéle yo que de qué se reía, y respondióme que de una cosa que tenía aquel libro escrita en el margen por anotación. Díjele que me la dijese; y él, sin dejar la risa, dijo:

-Está, como he dicho, aquí en el margen escrito esto: "Esta Dulcinea del Toboso, tantas

985 veces en esta historia referida, dicen que tuvo la mejor mano para salar[209] puercos[210] que otra mujer de toda la Mancha".

Cuando yo oí decir "Dulcinea del Toboso", quedé atónito[211] y suspenso, porque luego se me representó que aquellos cartapacios contenían la historia de don Quijote. Con esta imaginación, le di priesa que leyese el principio, y, haciéndolo ansí, volviendo de

990 improviso el arábigo en castellano, dijo que decía: Historia de don Quijote de la Mancha, escrita por Cide Hamete Benengeli, historiador arábigo. Mucha discreción fue menester[212] para disimular el contento que recebí cuando llegó a mis oídos el título del libro; y, salteándosele[213] al sedero, compré al muchacho todos los papeles y cartapacios por medio real; que, si él tuviera discreción y supiera lo que yo los deseaba, bien se pudiera prometer

995 y llevar más de seis reales de la compra. Apartéme luego con el morisco por el claustro de la iglesia mayor, y roguéle me volviese aquellos cartapacios, todos los que trataban de don Quijote, en lengua castellana, sin quitarles ni añadirles nada, ofreciéndole la paga que él quisiese. Contentóse con dos arrobas de pasas[214] y dos fanegas de trigo[215], y prometió de

---

203	**sepultura** grave	210	**puercos** pigs
204	**leyere** will read	211	**atónito** astonished
205	**cartapacios** booklets	212	**menester** necessary
206	**sedero** silk mercer	213	**salteándosele** seizing it from him
207	**morisco aljamiado** Spanish-speaking Moor	214	**arrobas de pasas** bags of raisins
208	**deparó** offered	215	**fanegas de trigo** bushels of wheat
209	**salar** to salt for conservation		

traducirlos bien y fielmente y con mucha brevedad. Pero yo, por facilitar más el negocio y
por no dejar de la mano tan buen hallazgo[216], le truje[217] a mi casa, donde en poco más de
mes y medio la tradujo toda, del mesmo modo que aquí se refiere.

Estaba en el primero cartapacio, pintada muy al natural, la batalla de don Quijote con
el vizcaíno, puestos en la mesma postura que la historia cuenta, levantadas las espadas,
el uno cubierto de su rodela, el otro de la almohada, y la mula del vizcaíno tan al vivo, que
estaba mostrando ser de alquiler a tiro de ballesta[218]. Tenía a los pies escrito el vizcaíno
un título que decía: Don Sancho de Azpetia, que, sin duda, debía de ser su nombre, y a los
pies de Rocinante estaba otro que decía: Don Quijote. Estaba Rocinante maravillosamente
pintado, tan largo y tendido[219], tan atenuado[220] y flaco, con tanto espinazo[221], tan hético
confirmado[222], que mostraba bien al descubierto con cuánta advertencia y propriedad
se le había puesto el nombre de Rocinante. Junto a él estaba Sancho Panza, que tenía del
cabestro[223] a su asno, a los pies del cual estaba otro rétulo[224] que decía: Sancho Zancas, y
debía de ser que tenía, a lo que mostraba la pintura, la barriga grande, el talle corto y las
zancas largas; y por esto se le debió de poner nombre de Panza y de Zancas, que con estos
dos sobrenombres le llama algunas veces la historia. Otras algunas menudencias[225] había
que advertir, pero todas son de poca importancia y que no hacen al caso a la verdadera
relación de la historia; que ninguna es mala como sea verdadera.

Si a ésta se le puede poner alguna objeción cerca de su verdad, no podrá ser otra sino
haber sido su autor arábigo, siendo muy propio de los de aquella nación ser mentirosos;
aunque, por ser tan nuestros enemigos, antes se puede entender haber quedado falto en
ella que demasiado. Y ansí me parece a mí, pues, cuando pudiera y debiera estender la
pluma en las alabanzas de tan buen caballero, parece que de industria las pasa en silencio:
cosa mal hecha y peor pensada, habiendo y debiendo ser los historiadores puntuales,
verdaderos y no nada apasionados, y que ni el interés ni el miedo, el rancor ni la afición, no
les hagan torcer[226] del camino de la verdad, cuya madre es la historia, émula del tiempo,
depósito de las acciones, testigo de lo pasado, ejemplo y aviso de lo presente, advertencia
de lo por venir. En ésta sé que se hallará todo lo que se acertare a desear[227] en la más
apacible; y si algo bueno en ella faltare, para mí tengo que fue por culpa del galgo[228] de
su autor, antes que por falta del sujeto. En fin, su segunda parte, siguiendo la tradución,
comenzaba desta manera:

Puestas y levantadas en alto las cortadoras espadas de los dos valerosos y enojados
combatientes, no parecía sino que estaban amenazando al cielo, a la tierra y al abismo:
tal era el denuedo y continente[229] que tenían. Y el primero que fue a despanescargar el

---

216 **hallazgo** great discovery

217 **truje** took

218 **tiro de ballesta** crossbow shot

219 **tendido** stretched out

220 **atenuado** thin

221 **espinazo** backbone

222 **hético confirmado** emaciated by consumption

223 **cabestro** halter

224 **rétulo** title

225 **menudencias** insignificant details

226 **torcer** twist

227 **todo lo que se acertare a desear** all that could possibly be desired

228 **galgo** hound

229 **denuedo y continente** resolve and countenance

golpe fue el colérico vizcaíno, el cual fue dado con tanta fuerza y tanta furia que, a no

volvérsele la espada en el camino, aquel solo golpe fuera bastante para dar fin a su rigurosa

1035   contienda[230] y a todas las aventuras de nuestro caballero; mas la buena suerte, que para

mayores cosas le tenía guardado, torció la espada de su contrario, de modo que, aunque

le acertó en el hombro izquierdo, no le hizo otro daño que desarmarle todo aquel lado,

llevándole de camino gran parte de la celada, con la mitad de la oreja; que todo ello con

espantosa[1] ruina vino al suelo, dejándole muy maltrecho[231].

1040   ¡Válame Dios, y quién será aquel que buenamente pueda contar ahora la rabia que

entró en el corazón de nuestro manchego, viéndose parar de aquella manera! No se

diga más, sino que fue de manera que se alzó de nuevo en los estribos[232], y, apretando

más la espada en las dos manos, con tal furia descargó sobre el vizcaíno, acertándole de

lleno sobre la almohada y sobre la cabeza, que, sin ser parte tan buena defensa, como

1045   si cayera sobre él una montaña, comenzó a echar sangre por las narices, y por la boca y

por los oídos, y a dar muestras de caer de la mula abajo, de donde cayera, sin duda, si no

se abrazara con el cuello; pero, con todo eso, sacó los pies de los estribos y luego soltó

los brazos; y la mula, espantada del terrible golpe, dio a correr por el campo, y a pocos

corcovos[234] dio con su dueño en tierra.

1050   Estábaselo con mucho sosiego[235] mirando don Quijote, y, como lo vio caer, saltó de su

caballo y con mucha ligereza[236] se llegó a él, y, poniéndole la punta de la espada en los ojos,

le dijo que se rindiese; si no, que le cortaría la cabeza. Estaba el vizcaíno tan turbado[237]

que no podía responder palabra, y él lo pasara mal, según estaba ciego don Quijote, si las

señoras del coche, que hasta entonces con gran desmayo habían mirado la pendencia[238],

1055   no fueran adonde estaba y le pidieran con mucho encarecimiento[239] les hiciese tan gran

merced y favor de perdonar la vida a aquel su escudero. A lo cual don Quijote respondió,

con mucho entono[240] y gravedad:

       -Por cierto, fermosas señoras, yo soy muy contento de hacer lo que me pedís; mas ha

de ser con una condición y concierto[241], y es que este caballero me ha de prometer de ir

1060   al lugar del Toboso y presentarse de mi parte ante la sin par doña Dulcinea, para que ella

haga dél lo que más fuere de su voluntad.

       La temerosa y desconsolada[242] señora, sin entrar en cuenta[243] de lo que don Quijote

pedía, y sin preguntar quién Dulcinea fuese, le prometió que el escudero haría todo aquello

que de su parte le fuese mandado.

1065   -Pues en fe de esa palabra, yo no le haré más daño, puesto que me lo tenía bien

merecido.

---

230 **contienda** battle	234 **corcovos** leaps	239 **encarecimiento** insistence
231 **espantosa** frightening	235 **sosiego** calm	240 **entono** grandeur
232 **maltrecho** battered	236 **ligereza** speed	241 **concierto** point of agreement
233 **estribos** stirrups	237 **turbado** distressed	242 **desconsoladas** inconsolable
	238 **pendencia** struggle	243 **sin entrar en cuenta** without discussing

Sugerencias para el análisis y la discusión del Capítulo IX

1. Analiza la clase de narrador que se presenta en el Capítulo IX y su punto de vista.

2. Explica la causa de la "pesadumbre" del narrador.

3. ¿Cómo define el narrador el papel del "sabio" de la típica novela de caballería?

4. ¿Cómo describe el narrador a don Quijote? ¿Lo encuentra a la altura del típico caballero andante de las novelas de caballería?

5. ¿Dónde descubre el narrador el resto de la historia? Analiza el hallazgo.

6. ¿Quién es Cide Hamete Benengeli?

7. ¿Cómo se describe a Dulcinea del Toboso?

8. Ahora el narrador puede conocer el final de la aventura del Capítulo VIII. ¿Quién sale vencedor de la batalla entre don Quijote y el vizcaíno?

9. ¿Qué requiere don Quijote a cambio de perdonar la vida del vizcaíno?

10. ¿Cómo se distinguen dos narradores/autores en el Capítulo IX?

11. En el Capítulo IX el narrador critica el relato que está leyendo, en comparación con otras novelas de caballería: "Parecióme cosa imposible y fuera de toda buena costumbre que a tan buen caballero le hubiese faltado algún sabio que tomara cargo el escribir sus nunca vistas hazañas." ¿Por qué le decepciona el relato? ¿Estás de acuerdo con su valoración? Defiende tu respuesta.

12. Compara la descripción de Dulcinea del Toboso con los retratos femeninos de los sonetos de Góngora y/o Garcilaso y analiza el efecto en cada contexto. ¿Qué recursos literarios usan los autores?

Segunda parte

Capítulo LXXIV

De cómo don Quijote cayó malo, y del testamento que hizo, y su muerte

Como las cosas humanas no sean eternas, yendo siempre en declinación de sus principios hasta llegar a su último fin, especialmente las vidas de los hombres, y como la de don Quijote no tuviese privilegio del cielo para detener el curso de la suya, llegó su

1070   fin y acabamiento cuando él menos lo pensaba; porque, o ya fuese de la melancolía que le causaba el verse vencido[244], o ya por la disposición del cielo, que así lo ordenaba, se le arraigó una calentura[245] que le tuvo seis días en la cama, en los cuales fue visitado muchas veces del cura, del bachiller y del barbero, sus amigos, sin quitársele de la cabecera Sancho Panza, su buen escudero.

1075   Éstos, creyendo que la pesadumbre de verse vencido y de no ver cumplido su deseo en la libertad y desencanto[246] de Dulcinea le tenía de aquella suerte, por todas las vías posibles procuraban alegrarle, diciéndole el bachiller que se animase y levantase, para comenzar su pastoral ejercicio, para el cual tenía ya compuesta una égloga, que mal año para cuantas Sanazaro había compuesto, y que ya tenía comprados de su propio dinero dos famosos

1080   perros para guardar el ganado[247]: el uno llamado Barcino, y el otro Butrón, que se los había vendido un ganadero[248] del Quintanar. Pero no por esto dejaba don Quijote sus tristezas.

Llamaron sus amigos al médico, tomóle el pulso, y no le contentó mucho, y dijo que, por sí o por no, atendiese a la salud de su alma, porque la del cuerpo corría peligro[249]. Oyólo don Quijote con ánimo sosegado[250] pero no lo oyeron así su ama, su sobrina y su escudero,

1085   los cuales comenzaron a llorar tiernamente, como si ya le tuvieran muerto delante. Fue el parecer del médico que melancolías y desabrimientos[251] le acababan. Rogó don Quijote que le dejasen solo, porque quería dormir un poco. Hiciéronlo así y durmió de un tirón[252], como dicen, más de seis horas; tanto, que pensaron el ama y la sobrina que se había de quedar en el sueño. Despertó al cabo del tiempo dicho, y, dando una gran voz, dijo:

1090   — ¡Bendito[253] sea el poderoso Dios, que tanto bien me ha hecho! En fin, sus misericordias[254] no tienen límite, ni las abrevian ni impiden los pecados de los hombres.

Estuvo atenta la sobrina a las razones del tío, y pareciéronle más concertadas[255] que él solía decirlas, a lo menos, en aquella enfermedad, y preguntóle:

— ¿Qué es lo que vuestra merced dice, señor? ¿Tenemos algo de nuevo? ¿Qué

1095   misericordias son éstas, o qué pecados de los hombres?

---

244 **vencido** conquered	248 **ganadero** shepherd	252 **tirón** a stretch
245 **se le arraigó una calentura** a fever took hold of him	249 **corría peligro** was in danger	253 **bendito** blessed
246 **desencanto** disappointment	250 **sosegado** at peace	254 **misericordias** mercy
247 **ganado** flock	251 **desabrimientos** despondency	255 **concertadas** logical

— Las misericordias -respondió don Quijote-, sobrina, son las que en este instante ha usado Dios conmigo, a quien, como dije, no las impiden mis pecados. Yo tengo juicio ya, libre y claro, sin las sombras caliginosas[256] de la ignorancia, que sobre él me pusieron mi amarga[257] y continua leyenda de los detestables libros de las caballerías. Ya conozco sus
1100 disparates[258] y sus embelecos[259], y no me pesa sino que este desengaño[260] ha llegado tan tarde, que no me deja tiempo para hacer alguna recompensa[261], leyendo otros que sean luz del alma. Yo me siento, sobrina, a punto de muerte; querría hacerla de tal modo, que diese a entender que no había sido mi vida tan mala que dejase renombre[262] de loco, que, puesto que lo he sido, no querría confirmar esta verdad en mi muerte. Llámame, amiga, a
1105 mis buenos amigos: el cura, al bachiller Sansón Carrasco y a maese Nicolás, el barbero, que quiero confesarme y hacer mi testamento.

Pero de este trabajo se escusó la sobrina con la entrada de los tres. Apenas los vio don Quijote, cuando dijo:

— Dadme albricias[263], buenos señores, de que ya yo no soy don Quijote de la Mancha,
1110 sino Alonso Quijano, a quien mis costumbres me dieron renombre de Bueno. Ya soy enemigo de Amadís de Gaula y de toda la infinita caterva[264] de su linaje, ya me son odiosas todas las historias profanas del andante caballería, ya conozco mi necedad[265] y el peligro en que me pusieron haberlas leído, ya, por misericordia de Dios, escarmentando en cabeza propia[266], las abomino.

1115 Cuando esto le oyeron decir los tres, creyeron, sin duda, que alguna nueva locura le había tomado. Y Sansón le dijo:

— ¿Ahora, señor don Quijote, que tenemos nueva que está desencantada la señora Dulcinea, sale vuestra merced con eso? Y ¿agora que estamos tan a pique[267] de ser pastores, para pasar cantando la vida, como unos príncipes, quiere vuesa merced hacerse
1120 ermitaño[268]? Calle, por su vida, vuelva en sí, y déjese de cuentos.

— Los de hasta aquí -replicó don Quijote-, que han sido verdaderos en mi daño, los ha de volver mi muerte, con ayuda del cielo, en mi provecho[269]. Yo, señores, siento que me voy muriendo a toda priesa; déjense burlas aparte, y tráiganme un confesor que me confiese y un escribano[270] que haga mi testamento, que en tales trances como éste no se ha de burlar
1125 el hombre con el alma; y así, suplico[271] que, en tanto que el señor cura me confiesa, vayan por el escribano.

Miráronse unos a otros, admirados de las razones de don Quijote, y, aunque en duda, le quisieron creer; y una de las señales por donde conjeturaron se moría fue el haber vuelto

---

256 **caliginosas** dark

257 **amarga** bitter

258 **disparates** crazy ideas

259 **embelecos** delusions

260 **desengaño** disillusion

261 **recompensa** compensation

262 **renombre** glory

263 **Dadme albricias** Congratulate me

264 **caterva** throng

265 **necedad** foolishness

266 **escarmentando en cabeza propia**
I have learned my lesson

267 **estamos tan a pique** on the brink

268 **ermitaño** hermit

269 **provecho** benefit

270 **escribano** notary

271 **suplico** I beg

con tanta facilidad de loco a cuerdo[272], porque a las ya dichas razones añadió otras muchas
1130 tan bien dichas, tan cristianas y con tanto concierto[273], que del todo les vino a quitar la
duda, y a creer que estaba cuerdo.

Hizo salir la gente el cura, y quedóse solo con él, y confesóle.

El bachiller fue por el escribano, y de allí a poco volvió con él y con Sancho Panza; el
cual Sancho, que ya sabía por nuevas del bachiller en qué estado estaba su señor, hallando
1135 a la ama y a la sobrina llorosas, comenzó a hacer pucheros[274] y a derramar[275] lágrimas.
Acabóse la confesión, y salió el cura, diciendo:

— Verdaderamente se muere, y verdaderamente está cuerdo Alonso Quijano el Bueno;
bien podemos entrar para que haga su testamento.

Estas nuevas dieron un terrible empujón a los ojos preñados[276] de ama, sobrina y de
1140 Sancho Panza, su buen escudero, de tal manera, que los hizo reventar las lágrimas de los
ojos y mil profundos suspiros del pecho; porque, verdaderamente, como alguna vez se ha
dicho, en tanto que don Quijote fue Alonso Quijano el Bueno, a secas, y en tanto que fue
don Quijote de la Mancha, fue siempre de apacible condición y de agradable trato[277], y por
esto no sólo era bien querido de los de su casa, sino de todos cuantos le conocían.

1145 Entró el escribano con los demás, y, después de haber hecho la cabeza del testamento
y ordenado su alma don Quijote, con todas aquellas circunstancias cristianas que se
requieren, llegando a las mandas, dijo:

— Ítem[278], es mi voluntad que de ciertos dineros que Sancho Panza, a quien en mi
locura hice mi escudero, tiene, que, porque ha habido entre él y mí ciertas cuentas, y dares
1150 y tomares[279], quiero que no se le haga cargo dellos, ni se le pida cuenta alguna, sino que
si sobrare alguno, después de haberse pagado de lo que le debo, el restante sea suyo, que
será bien poco, y buen provecho le haga; y, si como estando yo loco fui parte para darle
el gobierno de la ínsula, pudiera agora, estando cuerdo, darle el de un reino, se le diera,
porque la sencillez de su condición y fidelidad de su trato lo merece.

1155 Y, volviéndose a Sancho, le dijo:

— Perdóname, amigo, de la ocasión que te he dado de parecer loco como yo,
haciéndote caer en el error en que yo he caído, de que hubo y hay caballeros andantes en el
mundo.

— ¡Ay! -respondió Sancho, llorando-: no se muera vuestra merced, señor mío, sino
1160 tome mi consejo y viva muchos años, porque la mayor locura que puede hacer un hombre
en esta vida es dejarse morir, sin más ni más, sin que nadie le mate, ni otras manos
le acaben que las de la melancolía. Mire no sea perezoso, sino levántese desa cama, y
vámonos al campo vestidos de pastores, como tenemos concertado: quizá tras de alguna

---

272 **cuerdo** sane

273 **concierto** logic

274 **hacer pucheros** sniffle

275 **derramar** shed

276 **preñados** full

277 **trato** conduct

278 **Ítem** also

279 **dares y tomares** amounts given and received

mata hallaremos a la señora doña Dulcinea desencantada, que no haya más que ver. Si es

1165 que se muere de pesar de verse vencido, écheme a mí la culpa, diciendo que por haber yo cinchado[280] mal a Rocinante le derribaron[281]; cuanto más, que vuestra merced habrá visto en sus libros de caballerías ser cosa ordinaria derribarse unos caballeros a otros, y el que es vencido hoy ser vencedor mañana.

— Así es -dijo Sansón-, y el buen Sancho Panza está muy en la verdad destos casos.

1170 — Señores -dijo don Quijote-, vámonos poco a poco, pues ya en los nidos de antaño no hay pájaros hogaño[282]: yo fui loco, y ya soy cuerdo; fui don Quijote de la Mancha, y soy agora, como he dicho, Alonso Quijano el Bueno. Pueda con vuestras mercedes mi arrepentimiento y mi verdad volverme a la estimación que de mí se tenía, y prosiga adelante el señor escribano.

1175 Ítem, mando toda mi hacienda, a puerta cerrada, a Antonia Quijana, mi sobrina, que está presente, habiendo sacado primero de lo más bien parado della lo que fuere menester para cumplir las mandas que dejo hechas; y la primera satisfación que se haga quiero que sea pagar el salario que debo del tiempo que mi ama me ha servido, y más veinte ducados para un vestido. Dejo por mis albaceas[283] al señor cura y al señor bachiller Sansón

1180 Carrasco, que están presentes.

Ítem, es mi voluntad que si Antonia Quijana, mi sobrina, quisiere casarse, se case con hombre de quien primero se haya hecho información que no sabe qué cosas sean libros de caballerías; y, en caso que se averiguare que lo sabe, y, con todo eso, mi sobrina quisiere casarse con él, y se casare, pierda todo lo que le he mandado, lo cual puedan mis albaceas

1185 distribuir en obras pías a su voluntad.

Ítem, suplico a los dichos señores mis albaceas que si la buena suerte les trujere[284] a conocer al autor que dicen que compuso una historia que anda por ahí con el título de Segunda parte de las hazañas de don Quijote de la Mancha, de mi parte le pidan, cuan encarecidamente ser pueda, perdone la ocasión que sin yo pensarlo le di de haber

1190 escrito tantos y tan grandes disparates como en ella escribe, porque parto desta vida con escrúpulo de haberle dado motivo para escribirlos.

Cerró con esto el testamento, y, tomándole un desmayo, se tendió de largo a largo en la cama. Alborotáronse[285] todos y acudieron[286] a su remedio, y en tres días que vivió después deste donde hizo el testamento, se desmayaba muy a menudo. Andaba la casa alborotada;

1195 pero, con todo, comía la sobrina, brindaba el ama, y se regocijaba Sancho Panza; que esto del heredar algo borra o templa[287] en el heredero la memoria de la pena que es razón que deje el muerto.

---

280 **cinchado** girthed

281 **derribaron** knocked down

282 **En los nidos de antaño no hay pájaros hogaño**
(Popular refrain) Everything has changed

283 **albaceas** executors

284 **trujere** take

285 **Alborotáronse** they became upset

286 **acudieron** came to help

287 **templa** softens

En fin, llegó el último de don Quijote, después de recebidos todos los sacramentos, y
después de haber abominado[288] con muchas y eficaces razones de los libros de caballerías.
1200 Hallóse el escribano presente, y dijo que nunca había leído en ningún libro de caballerías
que algún caballero andante hubiese muerto en su lecho[289] tan sosegadamente y tan
cristiano como don Quijote; el cual, entre compasiones y lágrimas de los que allí se
hallaron, dio su espíritu: quiero decir que se murió.

Viendo lo cual el cura, pidió al escribano le diese por testimonio como Alonso Quijano
1205 el Bueno, llamado comúnmente don Quijote de la Mancha, había pasado desta presente
vida y muerto naturalmente; y que el tal testimonio pedía para quitar la ocasión de algún
otro autor que Cide Hamete Benengeli le resucitase falsamente, y hiciese inacabables
historias de sus hazañas.

Este fin tuvo el Ingenioso Hidalgo de la Mancha, cuyo lugar no quiso poner
1210 Cide Hamete puntualmente, por dejar que todas las villas y lugares de la Mancha
contendiesen[290] entre sí por ahijársele y tenérsele por suyo, como contendieron las siete
ciudades de Grecia por Homero.

Déjanse de poner aquí los llantos de Sancho, sobrina y ama de don Quijote, los nuevos
epitafios de su sepultura, aunque Sansón Carrasco le puso éste:

1215   Yace aquí el Hidalgo fuerte

que a tanto estremo llegó

de valiente, que se advierte

que la muerte no triunfó

de su vida con su muerte.

1220   Tuvo a todo el mundo en poco;

fue el espantajo[291] y el coco[292]

del mundo, en tal coyuntura,[293]

que acreditó su ventura[294]

morir cuerdo y vivir loco.

1225   Y el prudentísimo Cide Hamete dijo a su pluma:

— Aquí quedarás, colgada desta espetera y deste hilo de alambre, ni sé si bien cortada
o mal tajada péñola mía, adonde vivirás luengos siglos, si presuntuosos y malandrines
historiadores no te descuelgan para profanarte. Pero, antes que a ti lleguen, les puedes
advertir, y decirles en el mejor modo que pudieres:

1230   ¡Tate, tate[295], folloncicos[296]!

288	**abominado** condemned	291	**espantajo** scarecrow	294	**ventura** luck
289	**lecho** bed	292	**coco** weevil	295	**Tate, tate** Look out, look out
290	**contendiesen** argue	293	**coyuntura** occasion	296	**folloncicos** rogues

De ninguno sea tocada;

porque esta empresa, buen rey,

para mí estaba guardada.

Para mí sola nació don Quijote, y yo para él; él supo obrar y yo escribir; solos los dos
1235 somos para en uno, a despecho y pesar del escritor fingido y tordesillesco que se atrevió, o
se ha de atrever, a escribir con pluma de avestruz grosera y mal deliñada las hazañas de mi
valeroso caballero, porque no es carga de sus hombros ni asunto de su resfriado ingenio; a
quien advertirás, si acaso llegas a conocerle, que deje reposar en la sepultura los cansados
y ya podridos huesos de don Quijote, y no le quiera llevar, contra todos los fueros[297] de la
1240 muerte, a Castilla la Vieja, haciéndole salir de la fuesa donde real y verdaderamente yace[298]
tendido de largo a largo, imposibilitado de hacer tercera jornada y salida nueva; que, para
hacer burla de tantas como hicieron tantos andantes caballeros, bastan las dos que él hizo,
tan a gusto y beneplácito[299] de las gentes a cuya noticia llegaron, así en éstos como en los
estraños reinos». Y con esto cumplirás con tu cristiana profesión, aconsejando bien a quien
1245 mal te quiere, y yo quedaré satisfecho y ufano[300] de haber sido el primero que gozó el fruto
de sus escritos enteramente, como deseaba, pues no ha sido otro mi deseo que poner en
aborrecimiento[301] de los hombres las fingidas[302] y disparatadas[303] historias de los libros de
caballerías, que, por las de mi verdadero don Quijote, van ya tropezando, y han de caer del
todo, sin duda alguna. Vale.

❖ ❖ ❖ ❖ ❖ ❖ ❖ ❖ ❖ ❖ ❖ ❖

---

297 **fueros** ancient laws

298 **yace** lies

299 **beneplácito** approbation

300 **ufano** pleased

301 **aborrecimiento** hatred

302 **fingidas** false

303 **disparatadas** absurd

Sugerencias para el análisis y la discusión del Capítulo LXXIV de la Segunda Parte

1. ¿Cuál es la causa de la enfermedad de don Quijote? ¿Cómo tratan los amigos de curarlo?

2. ¿Cómo trata el bachiller de animar a don Quijote? Analiza su actitud.

3. ¿Cómo expresa don Quijote un cambio de opinión respecto a las novelas de caballerías? ¿Qué tipo de obras prefiere?

4. ¿Cómo responden sus amigos cuando don Quijote declara que vuelve a ser Alonso Quijano?

5. Explica cómo funciona la metonimia en la siguiente frase: "Ya soy enemigo de Amadís de Gaula."

6. ¿Cómo reacciona Sancho cuando don Quijote pide que lo perdone?

7. Explica los recursos literarios y el significado de "en los nidos de antaño no hay pájaros hogaño".

8. ¿Cómo cierra don Quijote su relación con el autor del *Quijote* apócrifo?

9. ¿Quién narra el último párrafo del libro y a qué se dirige? ¿Por qué?

10. Según las últimas frases del libro, ¿cuál ha sido el único propósito de la narración? ¿Consigue el objetivo?

11. Analiza la siguiente frase: "En tanto que don Quijote fue Alonso Quijano el Bueno, a secas, y en tanto que fue don Quijote de la Mancha, fue siempre de apacible condición y de agradable trato, y por esto no sólo era bien querido de los de su casa, sino de todos cuantos le conocían." Compárala con las palabras de don Quijote en la siguiente página ("Fui don Quijote de la Mancha, y soy agora, como he dicho, Alonso Quijano el Bueno") y con los nombres que se emplean hasta el final de la obra.

12. ¿En qué términos elogia el escribano a don Quijote en su muerte? ¿Cuál es su punto de comparación? ¿Qué revela este momento sobre la división entre la realidad y la ficción?

13. Comenta el gesto de dar las últimas palabras de la obra a Cide Hamete.

Temas de discusión y ensayos para la obra completa

1. Compara y contrasta los personajes de don Quijote y Sancho. ¿Cómo se relacionan sus personalidades con la distinción entre idealismo y pragmatismo o entre fantasía y realidad?

2. Basándote en lo que has leído, describe los ideales de don Quijote.

3. Según lo que has leído en estos capítulos, ¿es don Quijote un personaje que causa más admiración o desprecio? ¿Es una figura trágica o cómica? ¿Es un héroe o un payaso? Recuerda que muchos de los personajes con los que se

encuentra don Quijote, Sancho entre ellos, no se burlan de él, a pesar de su aspecto y actitud. ¿Por qué ocurre esto, en tu opinión?

4. Selecciona y comenta alguno de los personajes secundarios. Junto con don Quijote y Sancho, los personajes secundarios dibujan un retrato de la sociedad de la época. Descríbela. ¿Cuál es la actitud de Cervantes hacia ella?

5. Si el *Quijote* es, como se ha dicho, una representación de la vida real, ¿cómo es la vida según Cervantes?

6. Comenta las diferentes mujeres que salen en estos capítulos del *Quijote*. ¿Cómo las trata don Quijote? Piensa sobre todo en la adoración de don Quijote por Dulcinea.

7. De los dos arquetipos universales, don Quijote y Sancho, ¿cuál se acerca más a una sociedad deseable? ¿Debería nuestra sociedad "quijotizarse" o "sanchizarse"?

8. ¿Cuáles crees que son las razones principales del éxito inmediato del *Quijote*? ¿Por qué hoy no goza de la misma popularidad y se considera lectura intelectual?

◆ ◆ ◆ ◆ ◆ ◆ ◆ ◆ ◆ ◆ ◆

Actividades para la Unidad 3

A. Lazarillo

1. Debatan estas dos posiciones: Lázaro es un pequeño delincuente y ladrón que no tiene lealtades y actúa sin principios morales. Lázaro hace legítimamente lo que debe para sobrevivir.

2. Haz un mapa de las andanzas de Lázaro. Con un modelo adecuado, obtenido en la biblioteca o en internet, los estudiantes pueden hacer una imitación ilustrada de un mapa antiguo.

3. Busca el *Lazarillo de Tormes* de Francisco de Goya (1808-1812). Es posterior a la época pero una buena representación de uno de los episodios. Explica cuál.

4. En grupos, los estudiantes podrán comparar una versión moderna de *Lazarillo* con la presentada en *Azulejo* y estudiar la evolución del lenguaje. Pueden añadir a esta lista sus observaciones del *Quijote* para concluir cuatro o cinco diferencias fundamentales (la posición de los pronombres es un ejemplo).

5. Los alumnos seleccionan los momentos que les parecen más interesantes y los dramatizan con sus propias palabras.

6. Un grupo de estudiantes busca representaciones artísticas de los siglos XVI y XVII de niños (Velázquez, Ribera, Murillo y Brueghel entre otros) de distintas clases sociales. Deben compararlos, comentar sus ocupaciones y manera de vestirse. También deben señalar cuáles de ellos podrían ser pícaros, y cuál sería su situación.

7. En clase, entre todos los estudiantes se pueden encontrar "pícaros" contemporáneos de novelas, televisión o películas.

8. Los estudiantes pueden ver fragmentos de la película *El Lazarillo de Tormes* (1959) de César Fernández Ardavín en YouTube.

9. Hagan un dibujo de cada uno de los episodios, distribuidos entre los estudiantes, para que se pueda recopilar un "libro ilustrado" elaborado por la clase.

10. Narra una breve versión contemporánea: imagina y describe un muchacho que podría existir hoy y vivir de su ingenio burlándose de las normas establecidas.

11. Los alumnos escribirán un tratado nuevo (Tratado "3.5", por ejemplo) en el que inventarán otra aventura para Lázaro, imitando el estilo del autor y siendo fiel a su espíritu y tono, incorporando el mismo humor y la misma carga crítica de la obra.

12. Por las tierras de España, los ciegos iban de pueblo en pueblo acompañados de sus lazarillos (guías). Inventaban poemas musicales, coplas, que comentaban sucesos o noticias del pueblo y los cantaban en los lugares públicos. El lazarillo vendía la copla en forma impresa. Estas "coplas de ciego" son parte de una larga tradición oral y típicamente consisten en estrofas de cuatro versos octosílabos con rima (consonante o asonante) en los pares, al estilo de los romances. Inventa tu propia "copla de ciego"–con sus correspondientes copias impresas para "vender" a los compañeros de clase–en la que se comenta un acontecimiento de tu vida del colegio o de la comunidad donde vives.

B. Quijote

13. Imagina una versión distinta del *Quijote* en la que los dos protagonistas son mujeres, es decir, doña Quijotea y Sancha Panza. ¿Cómo serían diferentes sus interacciones y aventuras? Los alumnos crean situaciones y diálogos.

14. Don Quijote visita los *talk shows* de día. Representa una serie de distintas entrevistas: don Quijote con Ellen DeGeneres, Oprah, Jerry Springer, Dr. Phil o The Talk.

15. Don Quijote y Sancho Panza dan un salto a través del tiempo, se encuentran inesperadamente en Nueva York como partícipes en un *reality show*. Sé fiel al carácter del caballero y su escudero. Los estudiantes crean situaciones y diálogos.

16. Don Quijote se encuentra ante un juez que tiene que decidir si debe ingresarlo en un hospital psiquiátrico. Los testigos que aparecen son el ventero, las mozas, Andrés, Haldudo, Pedro Alonso, el cura, Sancho y el dueño del molino que ha atacado don Quijote. ¿Quién lo defiende? ¿Cómo se defiende don Quijote a sí mismo? Los alumnos dramatizan la escena.

17. Busquen personajes quijotescos en la vida o ficción contemporáneas.

18. Discutan los paralelos entre la película *Más extraño que la ficción* (*Stranger Than Fiction*) y el *Quijote*. Pueden ver el tráiler en YouTube.

19. Busquen en *Google Images* las "ilusiones ópticas" del pintor mexicano Octavio Ocampo (1943-). Su serie de don Quijote es provocadora y muy conocida.

20. Los siguientes sitios web son muy buenos (mirar la guía digital para encontrar enlaces vivos):

- La mejor versión del texto, con todo tipo de explicaciones de vocabulario, geográficas, etc. es la del Instituto Cervantes; http://cvc.cervantes.es/obref/quijote/

- El magnífico sitio web http://www.ellibrototal.com/ltotal/ tiene crítica, música, comentarios, además del libro completo por capítulos.

- Los estudiantes pueden ver en internet la versión del *Quijote* de la Televisión Española con Fernando Rey (http://www.rtve.es/television/el-quijote/).

- Con la ayuda del Instituto Cervantes (http://cvc.cervantes.es/quijote/), los estudiantes pueden explorar varias representaciones del *Quijote* en la música, el cine, la publicidad, los carteles y los productos.

- Los estudiantes pueden leer varios ensayos sobre cómo se ha recibido el *Quijote* en diferentes países de Hispanoamérica (http://cvc.cervantes.es/literatura/quijote_america/default.htm).

- Los estudiantes pueden escuchar su episodio favorito en la página de YouTube dedicado al *Quijote* (http://www.youtube.com/user/ElQuijote).

- Para encontrar un banco de imágenes, que ayuda a visualizar los personajes y la época de Cervantes, ir a http://www.qbi2005.com/

- El *Cervantes Project* está en inglés y contiene mucha información sobre el autor: http://cervantes.tamu.edu/V2/CPI/index.html

- La Biblioteca Nacional Española ha preparado el siguiente sitio web interactivo con música, grabados, información sobre las ediciones del *Quijote* y mucho más: http://quijote.bne.es/libro.html

Cuestiones esenciales para la Unidad 3

1. En la obra *Muchacho espulgándose* (aproximadamente 1650), Bartolomé Esteban Murillo retrata a un joven pobre y solitario. ¿En qué aspectos y detalles se enfoca el artista? Compara el retrato de Murillo con la imagen de Lazarillo que surge de la novela.

2. Si Lázaro sirve de modelo de antihéroe, ¿qué valores enseña? ¿Son valores positivos o negativos (o los dos)? ¿Ha cambiado hoy la evaluación de estos valores? Recuerda los diferentes contextos socioeconómicos en tu respuesta.

3. La novela picaresca surge en el XVI en parte como reacción a los relatos de caballeros y sus fabulosas hazañas. Explica cómo sirve la novela de caballería como intertexto implícito de *Lazarillo de Tormes*. Contrasta el estilo y el contenido de los dos subgéneros.

4. Compara a los antihéroes, Lázaro y don Quijote. ¿Cómo funciona la parodia en cada una de las obras?

5. ¿Cuáles son las razones por las que Lázaro vive una vida marginada? ¿Qué factores socioeconómicos hacen que un niño viva esta realidad? ¿Cómo reflexiona *Lazarillo de Tormes* sobre la crisis del momento?

6. *El Lazarillo y La historia del hombre que se convirtió en perro* de Dragún incluyen una fuerte crítica social. ¿Cómo se representan en obras literarias de periodos tan distintos las relaciones entre grupos de diferente nivel económico? Explica cómo los factores socioculturales de cada época influyen en el contenido y en el modo de expresar esta crítica.

7. Analiza las relaciones de poder en *Lazarillo de Tormes* y compáralas con lo que has aprendido del contexto sociohistórico. ¿Quién tiene poder en la sociedad de la España del siglo XVI? ¿Hay ejemplos de resistencia al poder? Discute las diferentes formas de poder y cómo se ejercen.

8. Identifica y describe el papel de los personajes femeninos en *Lazarillo de Tormes*. ¿Cómo se comparan con las mujeres del Quijote, por una parte, y con las de los sonetos de Garcilaso y Góngora, por otra? ¿Qué revela el Lazarillo acerca de la percepción de la mujer?

9. Compara cómo se presenta en el *Lazarillo y el Quijote* a la gente marginada por la sociedad.

10. ¿De qué manera se transforman Lázaro y don Quijote a consecuencia de sus relaciones con otros personajes?

11. En el Capítulo IV del *Quijote* se narra el episodio de Andrés y su amo. Compara el episodio con la trama del *Lazarillo*. ¿Qué visión se presenta de los niños de la época? ¿Qué protección social tienen? ¿Se consideraba entonces la niñez una etapa de desarrollo fundamentalmente distinta de la edad adulta, como ocurre en nuestra época?

12. Explica con ejemplos y detalles qué representa este grabado (1863) de Gustave Doré.

13. En la imaginación pública, la figura de don Quijote cobró una dimensión más elevada en la época del Romanticismo (siglo XIX) que en la contemporánea de Cervantes. ¿Podrías explicar por qué? Piensa en los rasgos heroicos de don Quijote. ¿Qué tipo de héroe es? ¿Con qué frecuencia logra cumplir sus deseos?

14. ¿De qué manera se transforma don Quijote a lo largo de la obra? ¿Influyen en su transformación las relaciones con otros personajes? ¿Sus experiencias? ¿Hay desarrollo en otros personajes (por ejemplo, Sancho Panza)? Analiza los cambios y a qué se deben.

15. ¿Qué preguntas plantea el *Quijote* acerca de la realidad y la fantasía? Analiza una escena en que la obra estudia los límites entre ellas. ¿Cómo se confunden? ¿Cuál es el efecto?

16. Los autores del *Lazarillo* y del *Quijote* parecen esconderse detrás de un narrador que ellos mismos presentan como autor verdadero del texto. Discute el propósito de esta técnica literaria.

17. Busca en el *Quijote* los nombres de las diferentes partes de la armadura del caballero y la ceremonia de la "armadura". Era un rito interesante y solemne, que los lectores del *Quijote* conocían. Compara la técnica en las dos obras y discute su propósito.

UNIDAD 4. EL ARTE NUEVO DE HACER TEATRO

Tirso de Molina

(1583-1648)

Datos biográficos

Gabriel Téllez, generalmente conocido por su seudónimo Tirso de Molina, es una de las figuras más destacadas del teatro del Siglo de Oro. A pesar de su importancia literaria, gran parte de su biografía sigue siendo un misterio, lo que ha llevado a algunos estudiosos a especular sobre ella. Se ha pensado, aunque sin probarse de manera satisfactoria, que Tirso podría ser el hijo ilegítimo del poderoso duque de Osuna. Lo único cierto de su juventud es que a los dieciséis años era novicio en un convento en Guadalajara y que se hizo fraile a los diecisiete. No fue, sin embargo, un recluso apartado de la vida social, sino un agudo crítico de su época.

Tirso de Molina compuso sus primeras obras dramáticas en el claustro. Vivió en varias ciudades españolas y en la colonia americana de Santo Domingo hasta los años 20, cuando se mudó a la corte. En esa época su teatro gozaba de una inmensa popularidad y por eso resulta un poco difícil comprender los acontecimientos que prosiguen, sobre todo, su huida de la corte. Al parecer, en 1625 Tirso se vio metido en un escándalo. Fue acusado de obscenidad y de retratar vicios en sus obras, sancionado y desterrado. No se sabe hoy día si sus enemigos eran políticos o literarios, posiblemente irritados por sus escritos satíricos. Aunque el fraile escritor no dejó de componer obras, a partir de entonces decayó considerablemente su producción literaria.

La obra dramática de Tirso

El teatro de Tirso de Molina pertenece al "ciclo de Lope". Es decir, sus obras siguen el patrón cultivado por el gran dramaturgo de la época, el denominado inventor del teatro español, Lope de Vega. Las obras de este ciclo contienen una estructura relativamente libre. Tienden a esquivar las tres unidades clásicas (de lugar, tiempo y acción) y a valerse del lenguaje popular. Destacan en Tirso algunos aspectos que le diferencian de otros autores del ciclo: cultiva en sus personajes una psicología compleja y muestra en sus versos frecuentes notas de ingenio, culteranismos y, sobre todo, conceptismos.

Su obra más importante, *El burlador de Sevilla y convidado de piedra*, reelabora una leyenda con ciertos precedentes en la época. El mito de don Juan ya era conocido antes del drama de Tirso, pero ningún autor había logrado convertir al libertino personaje en un carácter universal. Desde la obra de Tirso, el mito de la figura que se burla de los hombres y engaña a las mujeres por el mero placer que le produce, ha reaparecido en tan numerosas obras (Molière, Byron, Mozart y Zorrilla, entre otros) que ha llegado a ser considerado más que un personaje literario, una forma de ser, un arquetipo humano. Tirso da vida a un personaje no sólo abusador, sino elegante y seductor; que huye de la ley y desafía a otros poderes. Es un carácter tan rico y complejo, que hasta el día de hoy ha provocado su propio culto en innumerables interpretaciones.

Son también notables en *El burlador de Sevilla y convidado de piedra* el uso de otro mito de la época –el convidado de piedra o invitado muerto– en el desafío entre don Juan y la estatua del Comendador, y el justo final impuesto a las aventuras pecadoras del protagonista.

Notas para facilitar la lectura

- Tirso utiliza algunos arcaísmos a los que es fácil acostumbrarse. Por ejemplo, usa a veces érades por erais, aquesta por esta. Cuando le conviene por la métrica o el efecto sonoro, Tirso coloca los pronombres después del verbo: vite, adoréte, abraséme, por te vi, te adoré, me abrasé; amparéle, hospedéle, por le amparé, le hospedé. Frecuentemente, el infinitivo con un pronombre ve transformada su ortografía: porfialla por porfiarla, asomalle por asomarle, gozalla por gozarla y otros.

- Repetidas veces aparece la frase "¡Tan (Qué) largo me lo fiáis!", que significa "Plenty of time for me to pay that debt!". Esta expresión era de fácil comprensión en la época, cuando pedir préstamos y pagar más tarde con intereses era práctica común.

- Del verso 431 al 548 hay un largo monólogo en el que Tisbea nos narra su vida, su carácter y su actitud de dureza hacia los hombres que la aman. Habla, aquí y más adelante, con un lenguaje elegante y refinado, sorprendente en labios de una humilde pescadora.

- De nuevo, del verso 810-946 hay un monólogo en el que don Gonzalo, Comendador del rey y padre de doña Ana, habla de Lisboa de donde acaba de llegar.

- "Dar perro muerto", versos 1408 y 1732 de la Jornada Segunda, quiere decir no pagar a una prostituta.

- Dos Hermanas, donde comienza la acción en la Jornada Tercera, es un pueblo al sur de Sevilla.

- Los nombres Lucrecia y Emilia, nombradas por Aminta en los versos 2341 y siguientes, hacen alusión a dos damas romanas de probada virtud y fortaleza.

- La serie de mujeres burladas por don Juan en las tres jornadas son la Duquesa Isabela, Tisbea, doña Ana de Ulloa y Arminta, nobles y plebeyas sin distinción. La trama resulta complicada para el lector por la relación de estas mujeres con los personajes masculinos: el Duque Octavio que está enamorado de Isabela; el Marqués de la Mota, amigo de don Juan, enamorado de doña Ana; don Gonzalo de Ulloa, el Comendador, padre de doña Ana; el rey, que a pesar de conocer las acciones de don Juan, decide casar a Octavio con doña Ana y a Isabela con don Juan.

- Los versos entre paréntesis son apartes (*asides*) que son audibles para los espectadores, pero no para los otros personajes en la escena.

- El vocabulario necesario para la comprensión de la obra está al final del libro bajo **Vocabulario general**.

El burlador de Sevilla y convidado de piedra

Hablan en ella las siguientes personas

ISABELA, *duquesa*

DON JUAN TENORIO, *hijo*

EL REY DE NÁPOLES

DON PEDRO TENORIO, *embajador de España en la Corte del Rey de Nápoles, tío de don Juan*

EL DUQUE OCTAVIO

RIPIO, *su criado*

TISBEA, *pescadora*

CATALINÓN, *lacayo de Don Juan*

CORIDÓN, *pescador*

ANFRISO, *pescador*

EL REY DE CASTILLA, *Alfonso* XI

DON GONZALO DE ULLOA, *Comendador de Calatrava*

BELISA, *pescadora*

DON JUAN TENORIO, *el Viejo , padre de don Juan*

EL MARQUÉS DE LA MOTA

DOÑA ANA DE ULLOA, *hija de don Gonzalo*

BATRICIO, *pastor*

AMINTA, *pastora*

GASENO, *pastor viejo, padre de Aminta*

BELISA, *pastora*

FABIO, *criado de Isabela*

JORNADA PRIMERA

[Sala En El Palacio Del Rey De Nápoles]
[Es De Noche, No Hay Luz]
Salen Don Juan Tenorio, Embozado, Y Isabela, Duquesa.

ISABELA.	Duque Octavio, por aquí
	podrás salir más seguro.
D. JUAN.	Duquesa, de nuevo os juro
	de cumplir el dulce sí.
5 ISABELA.	¿Mis glorias serán verdades,
	promesas y ofrecimientos,
	regalos y cumplimientos,
	voluntades y amistades?
D. JUAN.	Sí, mi bien.
10 ISABELA.	Quiero sacar una luz.
D. JUAN.	Pues ¿para qué?
ISABELA.	Para que al alma dé fe
	del bien que llego a gozar.
D. JUAN.	Mataréte la luz yo.
15 ISABELA.	¡Ah, cielo! ¿Quién eres, hombre?

D. JUAN.	¿Quién soy? Un hombre sin nombre.	
ISABELA.	¿Que no eres el duque?	
D. JUAN.	No.	
ISABELA.	¡Ah, de palacio!	
D. JUAN.	Detente.	20
	Dame, duquesa, la mano.	
ISABELA.	No me detengas, villano.	
	¡Ah, del rey! ¡Soldados, gente!	

Sale EL REY DE NÁPOLES *con una vela.*

REY.	¿Qué es esto?	25
ISABELA.	(¡El rey! ¡Ay, triste!)	
REY.	¿Quién eres?	
D. JUAN.	¿Quién ha de ser?	

Un hombre y una mujer.

30 REY.   (Esto en prudencia consiste.)
                       ¡Ah, de mi guarda! Prended
                  a este hombre.

ISABELA.   (*Cúbrese el rostro*). ¡Ay, perdido honor!

Sale D. PEDRO TENORIO, *embajador de España, y*
35   GUARDA.

D. PEDRO.   ¡En tu cuarto, gran señor,
                  voces! ¿Quién la causa fue?

REY.   Don Pedro Tenorio, a vos
                  esta prisión os encargo. Si ando
40   corto, andad vos largo;
                  mirad quién son estos dos.
                       Y con secreto ha de ser,
                  que algún mal suceso creo,
                  porque si yo aquí lo veo,
45   no me queda más que ver.

                  Vase EL REY.

D. PEDRO.   Prendedle.
D. JUAN.   ¿Quién ha de osar?
                  Bien puedo perder la vida,
50   mas ha de ir tan bien vendida
                  que a alguno le ha de pesar.
D. PEDRO.   ¡Matadle!
D. JUAN.   ¿Quién os engaña?
                  Ved que caballero soy.
55 D. PEDRO.   Rabiando de enojo estoy.
D. JUAN.   El embajador de España
                  llegue; que sólo ha de ser
                  él quien me rinda.
D. PEDRO.   (*A la* GUARDA). Apartad.
60   A ese cuarto os retirad
                  todos con esa mujer.—

                  Vanse la GUARDA *y* ISABELA.

Ya estamos solos los dos;
                  muestra aquí tu esfuerzo y brío.
D. JUAN.   Aunque tengo esfuerzo, tío,   65
                  no lo tengo para vos.
D. PEDRO.   ¡Di quién eres!
D. JUAN.   Ya lo digo:
                  tu sobrino.

                  Se desemboza.   70

D. PEDRO.   (¡Ay, corazón,
                  que temo alguna traición!)
                  ¿Qué es lo que has hecho, enemigo?
                       ¿Cómo estás de aquesta suerte?
                  Dime presto lo que ha sido.   75
                  ¡Desobediente, atrevido!
                  Estoy por darte la muerte.
                       Acaba.
D. JUAN.   Tío y señor,
                  mozo soy y mozo fuiste;   80
                  y pues que de amor supiste,
                       tenga disculpa mi amor.
                       Y pues a decir me obligas
                  la verdad, oye y diréla:
                  yo engañé y gocé a Isabela   85
                  la duquesa.
D. PEDRO.   No prosigas;
                  tente. ¿Cómo la engañaste?
                  Habla quedo, y cierra el labio.
D. JUAN.   Fingí ser el duque Octavio.   90
D. PEDRO.   No digas más; calla, baste.
                       (Perdido soy si el rey sabe
                  este caso. ¿Qué he de hacer?
                  Industria me ha de valer
                  en un negocio tan grave.)   95
                       Di, vil, ¿no bastó emprender
                  con ira y con fuerza extraña
                  tan gran traición en España
                  con otra noble mujer,
                       sino en Nápoles también   100

y en el palacio real,
con mujer tan principal?
¡Castíguete el cielo, amén!
    Tu padre desde Castilla

105   a Nápoles te envió,
y en sus márgenes te dio
tierra la espumosa orilla
    del mar de Italia, atendiendo
que el haberte recibido

110   pagaras agradecido,
¡y estás su honor ofendiendo.
    y en tan principal mujer!
Pero en aquesta ocasión
nos daña la dilación;

115   mira qué quieres hacer.

D. JUAN.   No quiero daros disculpa;
que la habré de dar siniestra.
Mi sangre es, señor, la vuestra;
sacadla, y pague la culpa.

120   A esos pies estoy rendido,
y ésta es mi espada, señor.

D. PEDRO. Álzate y muestra valor, que esa
humildad me ha vencido.
    ¿Atreveráste a bajar

125   por ese balcón?

D. JUAN.   Sí atrevo,
que alas en tu favor llevo.

D. PEDRO. Pues yo te quiero ayudar.
    Vete a Sicilia o Milán,

130   donde vivas encubierto.

D. JUAN. Luego me iré.

D. PEDRO.   ¿Cierto?

D. JUAN.   Cierto.

D. PEDRO. Mis cartas te avisarán

135   en qué para este suceso
triste que causado has.

D. JUAN. (Para mí alegre, dirás.)
Que tuve culpa confieso.

D. PEDRO.   Esa mocedad te engaña.

140   Baja, pues, ese balcón.

D. JUAN.   (Con tan justa pretensión
gozoso me parto a España.)

Vase D. JUAN *y entra* el REY.

D. PEDRO.   Ejecutando, señor,
lo que mandó vuestra alteza,   145
el hombre...

REY.   ¿Murió?

D. PEDRO.   Escapóse
de las cuchillas soberbias.

REY.   ¿De qué forma?   150

D. PEDRO.   Desta forma:
Aun no lo mandaste apenas
cuando, sin dar más disculpa,
    la espada en la mano
aprieta, revuelve la capa al   155
brazo, y con gallarda presteza,
ofendiendo a los soldados
y buscando su defensa,
viendo vecina la muerte,
por el balcón de la huerta   160
se arroja desesperado.
Siguióle con diligencia
tu gente; cuando salieron
por esa vecina puerta,
le hallaron agonizando   165
como enroscada culebra.
Levantóse, y al decir
los soldados, «¡Muera, muera!,»
 bañado con sangre el rostro,
con tan heroica presteza   170
se fue, que quedé confuso.
La mujer, que es Isabela,
–que para admirarte nombro–
retirada en esa pieza,
dice que es el duque Octavio   175
que con engaño y cautela
la gozó.

REY.   ¿Qué dices?

D. PEDRO.	Digo	
180	lo que ella propia confiesa.	
REY.	(¡Ah, pobre honor! Si eres alma	
	del hombre, ¿por qué te dejan	
	en la mujer inconstante,	
	si es la misma ligereza?)	
185	¡Hola!	

Sale un CRIADO.

CRIADO.	¡Gran señor!	
REY.	Traed	
	delante de mi presencia	
190	esa mujer.	
D. PEDRO.	Ya la guardia	
	viene, gran señor, con ella.	

Trae LA GUARDA *a* ISABELA.

ISABELA.	(¿Con qué ojos veré al rey?)–	
195	REY.	Idos, y guardad la puerta
	de esa cuadra. Di, mujer,	
	¿qué rigor, qué airada estrella	
	te incitó, que en mi palacio,	
	con hermosura y soberbia,	
200	profanases sus umbrales?	
ISABELA.	Señor...	
REY.	Calla, que la lengua	
	no podrá dorar el yerro que has	
	cometido en mi ofensa.	
205	¿Aquél era el duque Octavio?	
ISABELA.	Señor...	
REY.	(¡No importan fuerzas,	
	guardas, criados, murallas,	
	fortalecidas almenas,	
210	para amor, que la de un niño	
	hasta los muros penetra!)	
	Don Pedro Tenorio, al punto	
	a esa mujer llevad presa	
	a una torre, y con secreto	

	haced que al duque le prendan;	215
	que quiero hacer que le cumpla	
	la palabra a la promesa.	
ISABELA.	Gran señor, volvedme el rostro.	
REY.	Ofensa a mi espalda hecha	
	es justicia y es razón	220
	castigalla a espaldas vueltas.	
D. PEDRO.	Vamos, duquesa	

Vase EL REY.

ISABELA.	(Mi culpa	
	no hay disculpa que la venza;	225
	mas no será el yerro tanto si	
	el duque Octavio lo enmienda.)	

[SALA DE CASA DEL DUQUE OCTAVIO EN NÁPOLES]

Salen EL DUQUE *y* RIPIO, *su criado.*   230

RIPIO.	¿Tan de mañana, señor,	
	te levantas?	
OCTAVIO.	No hay sosiego	
	que pueda apagar el fuego que	
	enciende en mi alma Amor.	235
	Porque, como al fin es niño,	
	no apetece cama blanda	
	entre regalada holanda,	
	cubierta de blanco armiño.	
	Acuéstase, no sosiega,	240
	siempre quiere madrugar	
	por levantarse a jugar;	
	que, al fin, como niño, juega.	
	Pensamientos de Isabela	
	me tienen, amigo, en calma;	245
	que como vive en el alma,	
	anda el cuerpo siempre en vela,	
	guardando ausente y	
	presente el castillo del honor.	
RIPIO.	Perdóname, que tu amor	250

es amor impertinente.

OCTAVIO.   ¿Qué dices, necio?

RIPIO.   Esto digo:

impertinencia es amar

255   como amas. ¿Vas a escuchar?

OCTAVIO. ¡Sí, prosigue!

RIPIO.   Ya prosigo.

¿Quiérete Isabela a ti?

OCTAVIO. ¿Eso, necio, has de dudar?

260 RIPIO.   No, mas quiero preguntar.

¿Y tú, no la quieres?

OCTAVIO.   Sí.

RIPIO.   Pues ¿no seré majadero,

y de solar conocido,

265   si pierdo yo mi sentido

por quien me quiere y la quiero?

Si ella a ti no te quisiera,

fuera bien el porfialla,

regalalla y adoralla,

270   y aguardar que se rindiera;

mas si los dos os queréis

con una misma igualdad,

dime, ¿hay más dificultad

de que luego os desposéis?

275 OCTAVIO.   Eso fuera, necio, a ser

de lacayo o lavandera

la boda.

RIPIO.   Pues, ¿es quienquiera

una lavandriz mujer,

280   lavando y fregatrizando,

defendiendo y ofendiendo,

los paños suyos tendiendo,

regalando y remendando?

Dando dije, porque al dar

285   no hay cosa que se le iguale;

y si no, a Isabela dale,

a ver si sabe tomar.

Sale UN CRIADO.

CRIADO.   El embajador de España

en este punto se apea   290

en el zaguán, y desea,

con ira y fiereza extraña

hablarte. Y si no entendí

yo mal, entiendo es prisión.

OCTAVIO. ¿Prisión? Pues, ¿por qué ocasión?   295

Decid que entre.

Sale DON PEDRO TENORIO, *con guardas.*

D. PEDRO.   Quien así

con tanto descuido duerme,

limpia tiene la conciencia.   300

OCTAVIO. Cuando viene Vuexcelencia

a honrarme y favorecerme,

no es justo que duerma yo;

velaré toda mi vida.

¿A qué y por qué es la venida?   305

D. PEDRO. Porque aquí el rey me envió.

OCTAVIO.   Si el rey mi señor se acuerda

de mí en aquesta ocasión,

será justicia y razón

que por él la vida pierda.   310

Decidme, señor, ¿qué dicha

o qué estrella me ha guiado, que

de mí el rey se ha acordado?

D. PEDRO. Fue, duque, vuestra desdicha.

Embajador del rey soy;   315

de él os traigo una embajada.

OCTAVIO. Marqués, no me inquieta nada. Decid,

que aguardando estoy.

D. PEDRO.   A prenderos me ha enviado

el rey; no os alborotéis.   320

OCTAVIO. ¡Vos por el rey me prendéis!

Pues, ¿en qué he sido culpado?

D. PEDRO.   Mejor lo sabéis que yo.

Mas, por si acaso me engaño,

escuchad el desengaño,   325

y a lo que el rey me envió.

Cuando los negros gigantes,
plegando funestos toldos,
ya del crepúsculo huyen,

330 tropezando unos con otros,
estando yo con su alteza
tratando ciertos negocios
          –porque antípodas del sol
son siempre los poderosos–,

335 voces de mujer oímos,
cuyos ecos, medio roncos
por los artesones sacros,
nos repitieron «¡socorro!»
A las voces y al ruido

340 acudió, duque, el rey propio.
Halló a Isabela en los brazos
de algún hombre poderoso;
mas quien al cielo se atreve,
sin duda es gigante o monstruo.

345 Mandó el rey que los prendiera.
Quedé con el hombre solo;
llegué y quise desarmalle;
pero pienso que el Demonio
en él tomó forma humana,

350 pues que, envuelto en humo y
polvo, se arrojó por los balcones,
entre los pies de esos olmos
que coronan del palacio
los chapiteles hermosos.

355 Hice prender la duquesa,
y en la presencia de todos
dice que es el duque Octavio
el que con mano de esposo
la gozó.

360 OCTAVIO.   ¿Qué dices?
    D. PEDRO.   Digo
lo que al mundo es ya notorio
y que tan claro se sabe:
que a Isabela por mil modos...

365 OCTAVIO.   Dejadme, no me digáis
tan gran traición de Isabela.

Mas si fue su amor cautela,
mal hacéis si lo calláis.
Proseguid, que me matáis

370 dulcemente en mi porfía,
que es vuestra lengua sangría,
y la muerte no se siente,
que morir tan dulcemente
lisonja a mi mal sería.

375 ¿Será verdad que Isabela,
alma, se olvidó de mí
para darme muerte? Sí;
que el bien suena y el mal vuela.
Ya el pecho nada recela

380 juzgando si son antojos;
que, por darme más enojos,
al entendimiento entró
y por la oreja escuchó
lo que acreditan los ojos.

385 Señor marqués, ¿es posible
que Isabela me ha engañado,
y que mi amor ha burlado?
¡Parece cosa imposible!
¡Oh, mujer! ¡Ley tan terrible

390 de honor, a quien me provoco
a emprender! Mas ya no toco
en tu honor esta cautela.
¿Anoche con Isabela
hombre en palacio? ¡Estoy loco!

395 D. PEDRO. Como es verdad que en los
vientos hay aves, en el mar peces,
que participan a veces
de todos cuatro elementos;
como en la gloria hay contentos,

400 lealtad en el buen amigo,
traición en el enemigo,
en la noche oscuridad,
y en el día claridad,
así es verdad lo que digo.

405 OCTAVIO. Marqués, yo os quiero creer,
ya no hay cosa que me espante;

	que la mujer más constante
	es, en efecto, mujer.
	No me queda más que ver,
410	pues es patente mi agravio.
D. PEDRO.	Pues que sois prudente y sabio,
	elegid el mejor medio.
OCTAVIO.	Ausentarme es mi remedio.
D. PEDRO.	Pues sea presto, duque Octavio.
415 OCTAVIO.	Embarcarme quiero a España, y
	darle a mis males fin.

D. PEDRO.	Por la puerta del jardín,	
	duque, esta prisión se engaña.	
OCTAVIO.	¡Ah, veleta! ¡Débil caña!	
	A más furor me provoco,	420
	y extrañas provincias toco,	
	huyendo de esta cautela.	
	¡Patria, adiós! ¡Con Isabela	
	hombre en palacio! ¡Estoy loco!	
	Vanse.	425

Sugerencias para el análisis y la discusión de la Jornada Primera Versos 1-426

1. ¿Por qué decimos que esta obra empieza *in medias res*?

2. Observa que la escena empieza de noche en la oscuridad y que don Juan está embozado, con la cara cubierta. ¿Qué importancia puede tener?

3. Interpreta las palabras de don Juan: "Soy un hombre sin nombre" (v. 16).

4. ¿Por qué se encuentra don Juan, un noble español, en Nápoles? Mira los versos 98-109.

5. Nombra todas las mentiras que han tenido lugar. ¿Es don Juan el único que miente?

6. Observa y analiza el tratamiento que recibe Isabela después del engaño de don Juan. ¿Qué solución encuentra Isabela a su deshonra?

7. Comenta las acciones de don Pedro en estas escenas, con don Juan, con el Rey, con Octavio. ¿Cuál es su solución a la "crisis"? ¿Por qué usa hipérboles en los versos 153-179, 325-361?

8. ¿Está Octavio enamorado de Isabela? ¿Cuál es su explicación de lo que pasó? Compara y contrasta sus palabras antes y después de la visita de don Pedro.

9. En pocas páginas hemos observado varias huidas. Búscalas y coméntalas.

10. ¿Qué retrato de la nobleza nos hace Tirso?

11. ¿Qué rasgos del carácter de don Juan revelan sus palabras en las primeras páginas?

[PLAYA DE TARRAGONA]

Sale TISBEA, *pescadora, con una caña de pescar en la mano.*

TISBEA.	Yo, de cuantas el mar	
430	pies de jazmín y rosa	
	en sus riberas besa	
	con fugitivas olas,	
	aquí donde el sol pisa	
	soñolientas las ondas,	
	alegrando zafiros	435
	las que espantaba sombras.	
	Por la menuda arena,	
	–unas veces aljófar	
	y átomos otras veces	
	del sol que así le adora–	440
	oyendo de las aves	
	las quejas amorosas,	

y los combates dulces
del agua entre las rocas.
445   Ya con la sutil caña
que al débil peso dobla
del necio pececillo
que el mar salado azota;
o ya con la atarraya
450   –que en sus moradas hondas
prende cuantos habitan
aposentos de conchas–
segura me entretengo;
que en libertad se goza
455   el alma que amor áspid
no le ofende ponzoña.
En pequeñuelo esquife
y en compañía de otras
tal vez al mar le peino
460   la cabeza espumosa;
y cuando más perdidas
querellas de amor forman,
como de todos río,
envidia soy de todas.
465   ¡Dichosa yo mil veces,
amor, pues me perdonas,
si ya, por ser humilde,
no desprecias mi choza!
Obeliscos de paja
470   mi edificio coronan,
nidos, si no hay cigarras,
a tortolillas locas.
Mi honor conservo en pajas,
como fruta sabrosa,
475   vidrio guardado en ellas
para que no se rompa.
De cuantos pescadores
con fuego Tarragona
de piratas defiende
480   en la argentada costa,
desprecio soy y encanto;
a sus suspiros sorda,
a sus ruegos terrible,

a sus promesas roca.
Anfriso, a quien el cielo   485
con mano poderosa,
prodigó en cuerpo y alma,
dotó de gracias todas,
medido en las palabras,
liberal en las obras,   490
sufrido en los desdenes,
modesto en las congojas,
mis pajizos umbrales,
que heladas noches ronda,
a pesar de los tiempos,   495
las mañanas remoza;
pues con los ramos verdes
que de los olmos corta,
mis pajas amanecen
ceñidas de lisonjas.   500
Ya con vigüelas dulces
y sutiles zampoñas
músicas me consagra;
y todo no le importa,
porque en tirano imperio   505
vivo, de amor señora;
que halla gusto en sus penas
y en sus infiernos gloria.
Todas por él se mueren,
y yo, todas las horas,   510
le mato con desdenes:
de amor condición propia,
querer donde aborrecen,
despreciar donde adoran;
que si le alegran, muere,   515
y vive si le oprobian.
En tan alegre día
segura de lisonjas,
mis juveniles años
amor no los malogra;   520
que en edad tan florida,
amor, no es suerte poca
no ver entre estas redes
las tuyas amorosas.

525	Pero, necio discurso
	que mi ejercicio estorbas,
	en él no me diviertas
	en cosa que no importa.
	Quiero entregar la caña
530	al viento, y a la boca
	del pececillo el cebo.
	Pero al agua se arrojan
	dos hombres de una nave,
	antes que el mar la sorba,
535	que sobre el agua viene
	y en un escollo aborda,
	como hermoso pavón,
	hace las velas cola,
	adonde los pilotos
540	todos los ojos pongan.
	Las olas va escarbando
	y ya su orgullo y pompa
	casi la desvanece.
	Agua un costado toma…
545	Hundióse y dejó al viento
	la gavia, que la escoja
	para morada suya;
	que un loco en gavias mora.

    Dentro: ¡Que me ahogo!

550	Un hombre al otro aguarda
	que dice que se ahoga.
	¡Gallarda cortesía!
	En los hombros le toma.
	Anquises le hace Eneas,
555	si el mar está hecho Troya.
	Ya, nadando, las aguas
	con valentía corta,
	y en la playa no veo
	quién le ampare y socorra.
560	Daré voces: «¡Tirso,
	Anfriso, Alfredo, hola!»
	Pescadores me miran,
	¡plega a Dios que me oigan!

	Mas milagrosamente
	ya tierra los dos toman,	565
	sin aliento el que nada,
	con vida el que le estorba.

Saca en brazos CATALINÓN *a* DON JUAN, *mojados.*

CATALINÓN.	¡Válgame la Cananea,
	y qué salado es el mar!	570
	Aquí bien puede nadar
	el que salvarse desea,
	que allá dentro es desatino,
	donde la muerte se fragua.
	Donde Dios juntó tanta agua,	575
	¿no juntara tanto vino?
	Agua salada, ¡extremada
	cosa para quien no pesca!
	Si es mala aun el agua fresca,
	¿qué será el agua salada?	580
	¡Oh quién hallara una fragua
	de vino, aunque algo encendido!
	Si del agua que he bebido
	escapo yo, no más agua.
	Desde hoy abrenuncio de	585
	ella; que la devoción me quita
	tanto, que aun agua bendita
	no pienso ver, por no vella.
	¡Ah, señor! Helado y frío
	está. ¿Si estará ya muerto?	590
	Del mar fue este desconcierto,
	y mío este desvarío.
	¡Mal haya aquel que primero
	pinos en el mar sembró,
	y que sus rumbos midió	595
	con quebradizo madero!
	¡Maldito sea el vil sastre
	que cosió el mar que dibuja
	con astronómica aguja,
	causa de tanto desastre!	600
	¡Maldito sea Jasón,
	y Tifis maldito sea!

		Muerto está. No hay quien lo
		crea. ¡Mísero Catalinón!
605		¿Qué he de hacer?
	TISBEA.	Hombre, ¿qué tienes
		en desventura iguales?
	CATALINÓN.	Pescadora, muchos males,
		y falta de muchos bienes.
610		Veo, por librarme a mí,
		sin vida a mi señor. Mira
		si es verdad.
	TISBEA.	No, que aún respira.
	CATALINÓN.	¿Por dónde? ¿Por aquí?
615	TISBEA.	Sí;
		pues ¿por dónde?
	CATALINÓN.	Bien podía
		respirar por otra parte.
	TISBEA.	Necio estás.
620	CATALINÓN.	Quiero besarte
		las manos de nieve fría.
	TISBEA.	Ve a llamar los pescadores
		que en aquella choza están.
	CATALINÓN.	Y si los llamo, ¿vendrán?
625	TISBEA.	Vendrán presto. No lo ignores.
		¿Quién es este caballero?
	CATALINÓN.	Es hijo aqueste señor
		del Camarero mayor
		del rey, por quien ser espero
630		antes de seis días conde
		en Sevilla, donde va,
		y adonde su alteza está,
		si a mi amistad corresponde.
	TISBEA.	¿Cómo se llama?
635	CATALINÓN.	Don Juan
		Tenorio.
	TISBEA.	Llama a mi gente.
	CATALINÓN.	Ya voy.

Vase.

640

Coge en el regazo TISBEA *a* DON JUAN.

	TISBEA.	(Mancebo excelente,	
		gallardo, noble y galán.)	
		Volved en vos, caballero.	
	D. JUAN.	¿Dónde estoy?	
	TISBEA.	Ya podéis ver;	645
		en brazos de una mujer.	
	D. JUAN.	Vivo en vos, si en el mar muero.	
		Ya perdí todo el recelo	
		que me pudiera anegar,	
		pues del infierno del mar	650
		salgo a vuestro claro cielo.	
		Un espantoso huracán	
		dio con mi nave al través,	
		para arrojarme a esos pies	
		que abrigo y puerto me dan.	655
		Y en vuestro divino oriente	
		renazco, y no hay que espantar,	
		pues ves que hay de amar a mar	
		una letra solamente.	
	TISBEA.	Muy grande aliento tenéis	660
		para venir sin aliento,	
		y tras de tanto tormento,	
		mucho tormento ofrecéis.	
		Pero si es tormento el mar,	
		y son sus ondas crueles,	665
		la fuerza de los cordeles	
		pienso que os hacen hablar.	
		Sin duda que habéis bebido	
		del mar la oración pasada,	
		pues, por ser de agua salada,	670
		con tan grande sal ha sido.	
		Mucho habláis cuando no habláis,	
		y cuando muerto venís,	
		mucho al parecer sentís;	
		¡plega a Dios que no mintáis!	675
		Parecéis caballo griego	
		que el mar a mis pies desagua,	
		pues venís formado de agua	
		y estáis preñado de fuego.	
		Y si mojado abrasáis,	680

estando enjuto, ¿qué haréis?
Mucho fuego prometéis;
¡plega a Dios que no mintáis!

D. JUAN.   A Dios, zagala, pluguiera
685   que en el agua me anegara
para que cuerdo acabara
y loco en vos no muriera;
          que el mar pudiera anegarme
entre sus olas de plata
690   que sus límites desata,
mas no pudiera abrasarme.
          Gran parte del sol mostráis,
pues que el sol os da licencia,
pues sólo con la apariencia,
695   siendo de nieve, abrasáis.

TISBEA.   Por más helado que estáis,
tanto fuego en vos tenéis,
que en este mío os ardéis.
¡plega a Dios que no mintáis!

700   *Salen* CATALINÓN, CORIDÓN *y* ANFRISO,
          pescadores.

CATALINÓN.   Ya vienen todos aquí.
TISBEA.   Y ya tu dueño vivo.
D. JUAN.   (a TISBEA)
705   Con tu presencia recibo
el aliento que perdí.

CORIDÓN.   ¿Qué nos mandas?
TISBEA.   Coridón, Anfriso, amigos…
CORIDÓN.   Todos
710   buscamos por varios modos
esta dichosa ocasión.
          Di qué nos mandas, Tisbea,
que por labios de clavel
no lo habrás mandado a aquél
715   que idolatrarte desea,
          apenas, cuando al momento,
sin cesar, en llano, o sierra,
surque el mar, tale la tierra,

pise el fuego, y pare el viento.

TISBEA.   (¡Oh, qué mal me parecían   720
estas lisonjas ayer,
y hoy echo en ellas de ver
que sus labios no mentían!)
          Estando, amigos, pescando
sobre este peñasco, vi   725
hundirse una nave allí,
y entre las olas nadando
          dos hombres; y compasiva,
di voces, y nadie oyó;
y en tanta aflicción llegó   730
libre de la furia esquiva
          del mar, sin vida a la arena,
de éste en los hombros cargado,
un hidalgo ya anegado,
y envuelta en tan triste pena   735
          a llamaros envié.

ANFRISO.   Pues aquí todos estamos,
manda que en tu gusto hagamos,
lo que pensado no fue.

TISBEA.   Que a mi choza los llevemos   740
quiero, donde agradecidos,
reparemos sus vestidos
y allí los regalemos;
          que mi padre gusta mucho
desta debida piedad.   745

CATALINÓN. (¡Extremada es su beldad!)
D. JUAN. (a CATALINÓN)
          Escucha aparte.
CATALINÓN.   Ya escucho.
D. JUAN.   Si te pregunta quién soy,   750
          di que no sabes.
CATALINÓN.   ¡A mí…
quieres advertirme a mí
lo que he de hacer!
D. JUAN.   Muerto voy   755
          por la hermosa pescadora.
Esta noche he de gozalla.
CATALINÓN. ¿De qué suerte?

D. JUAN.		Ven, y calla.	D. JUAN.	Ando en pena, como veis.
760	CORIDÓN.	Anfriso, dentro de un hora	TISBEA.	Mucho habláis.
		los pescadores prevén	D. JUAN.	Mucho encendéis. 770
		que canten y bailen.	TISBEA.	¡Plega a Dios que no mintáis!
	ANFRISO.	Vamos,		
		y esta noche nos hagamos		*Vanse.*
765		rajas, y palos también.		
	D. JUAN. (a TISBEA) Muerto soy.			
	TISBEA.	¿Cómo, si andáis?		

Sugerencias para el análisis y la discusión de la Jornada Primera Versos 427-770

1. ¿Cuál es la función de este largo monólogo (vv. 431-566)?

2. ¿Qué ha ocurrido con las tres unidades clásicas en este fragmento de la Jornada Primera?

3. Describe brevemente el carácter de Tisbea usando varios adjetivos. ¿Cómo trata a los hombres que la aman? ¿De qué está muy orgullosa?

4. Comenta la versificación del monólogo de Tisbea.

5. Cuenta la acción que *no* se puede ver en la escena. ¿Por qué no se representa?

6. ¿Qué sabe Tisbea de don Juan antes de hablar con él? ¿Por qué se enamora tan rápidamente, a pesar de su postura anterior?

7. ¿Miente también Tisbea?

8. ¿Cómo es el diálogo entre don Juan y Tisbea? ¿Qué sugieren o insinúan sus palabras?

9. ¿Está realmente enamorada Tisbea de don Juan?

10. ¿Por qué repite Tisbea "Plegue a Dios que no mintáis"?

11. "Fuego" y "abrasar" tienen dos connotaciones distintas. ¿Qué significan?

12. Se introduce el personaje de Catalinón. ¿Cuál es su papel?

13. ¿Es deshonesto Catalinón?

	[EL ALCÁZAR DE SEVILLA]		D. GONZALO.	Hallé en Lisboa
	Salen DON GONZALO DE ULLOA, *y e*L REY DON			al rey don Juan, tu primo, 780
775	ALONSO DE CASTILLA			[previniendo
				treinta naves de armada.
	REY.	¿Cómo os ha sucedido en la	REY.	¿Y para dónde?
		embajada,	D. GONZALO.	Para Goa me dijo, mas yo entiendo
		Comendador Mayor?		que a otra empresa más fácil 785

apercibe. A Ceuta o Tánger pienso
que pretende cercar este verano.

REY.   Dios le ayude,
y premie el celo de aumentar su
790   [gloria.
¿Qué es lo que concertasteis?

D. GONZALO.   Señor, pide
a Serpa, y Mora, y Olivencia y Toro;
y por eso te vuelve a Villaverde,
795   al Almendral, a Mértola y Herrera
entre Castilla y Portugal.

REY.   Al punto
se firman los conciertos, don
Gonzalo. Mas decidme primero
800   cómo ha ido en el camino; que
vendréis cansado y alcanzad
también.

D. GONZALO.   Para serviros,
nunca, señor, me canso.

805   REY.   ¿Es buena tierra
Lisboa?

D. GONZALO.   La mayor ciudad de
España; y si mandas que diga lo
que he visto de lo exterior y célebre,
810   en un punto en tu presencia te
pondré un retrato.

REY.   Yo gustaré de oíllo. Dadme silla.

D. GONZALO. Es Lisboa una octava maravilla.
De las entrañas de España,
815   que son las tierras de Cuenca,
nace el caudaloso Tajo,
que media España atraviesa.
Entra en el mar Oceáno,
en las sagradas riberas
820   de esta ciudad por la parte
del sur; mas antes que pierda
su curso y su claro nombre,
hace un puerto entre dos sierras,
donde están de todo el orbe
825   barcas, naves, caravelas.

Hay galeras y saetías
tantas, que desde la tierra
parece una gran ciudad
adonde Neptuno reina.
A la parte del poniente   830
guardan del puerto dos fuerzas,
de Cascaes y San Gián,
las más fuertes de la tierra.
Está desta gran ciudad
poco más de media legua   835
Belén, convento del santo
conocido por la piedra,
y por el león de guarda,
donde los reyes y reinas
católicos y cristianos   840
tienen sus casas perpetuas.
Luego esta máquina insigne,
desde Alcántara comienza
una gran legua a tenderse
al convento de Jabregas.   845
En medio está el valle hermoso
coronado de tres cuestas,
que quedara corto Apeles
cuando pintarlos quisiera;
porque miradas de lejos,   850
parecen piñas de perlas
que están pendientes del cielo,
en cuya grandeza inmensa
se ven diez Romas cifradas
en conventos y en iglesias,   855
en edificios y calles,
en solares y encomiendas,
en las letras y en las armas,
en la justicia tan recta,
y en una Misericordia   860
que está honrando su ribera,
y pudiera honrar a España
y aun enseñar a tenerla.
Y en lo que yo más alabo
de esta máquina soberbia,   865

es que del mismo castillo
en distancia de seis leguas
se ven sesenta lugares
que llega el mar a sus puertas,
870   uno de los cuales es
el convento de Olivelas,
en el cual vi por mis ojos
seiscientas y treinta celdas,
y entre monjas y beatas
875   pasan de mil y doscientas.
Tiene desde allí Lisboa,
en distancia muy pequeña,
mil y ciento y treinta quintas,
que en nuestra provincia Bética
880   llaman cortijos, y todas
con sus huertos y alamedas.
En medio de la ciudad
hay una plaza soberbia
que se llama del Ruzío,
885   grande, hermosa y bien dispuesta,
que habrá cien años y aun más
que el mar bañaba su arena;
y ahora de ella a la mar
hay treinta mil casas hechas;
890   que, perdiendo el mar su curso,
se tendió a partes diversas.
Tiene una calle que llaman
rua Nova o calle Nueva,
donde se cifra el oriente
895   en grandezas y riquezas;
tanto, que el rey me contó
que hay un mercader en ella
que, por no poder contarlo,
mide el dinero a fanegas.
900   El terrero, donde tiene
Portugal su casa regia,
tiene infinitos navíos,
varados siempre en la tierra,
de sólo cebada y trigo
905   de Francia y de Inglaterra.

Pues el palacio real,
que el Tajo sus manos besa,
es edificio de Ulises,
que basta para grandeza,
de quien toma la ciudad   910
nombre en la latina lengua,
llamándose Ulisibona,
cuyas armas son la esfera,
por pedestal de las llagas
que en la batalla sangrienta   915
al rey don Alfonso Enríquez
dio la Majestad inmensa.
Tiene en su gran Tarazana
diversas naves, y entre ellas,
las naves de la Conquista,   920
tan grandes, que de la tierra
miradas, juzgan los hombres
que tocan en las estrellas.
Y lo que de esta ciudad
te cuento por excelencia   925
es, que estando sus vecinos
comiendo, desde las mesas
ven los copos del pescado
que junto a sus puertan pescan,
que, bullendo entre las redes,   930
vienen a entrarse por ellas;
y sobre todo, el llegar
cada tarde a su ribera
más de mil barcos cargados
de mercancías diversas,   935
y de sustento ordinario:
pan, aceite, vino y leña,
frutas de infinita suerte,
nieve de Sierra de Estrella
que por las calles a gritos,   940
puesta sobre las cabezas,
las venden. Mas, ¿qué me canso?
porque es contar las estrellas
querer contar una parte
de la ciudad opulenta.   945

	Ciento y treinta mil vecinos		de mi mano.	960
	tiene, gran señor, por cuenta;	D. GONZALO.	Como sea	
	y por no cansarte más,		tu gusto, digo, señor,	
	un rey que tus manos besa.		que yo lo acepto por ella.	
950	REY. Más estimo, don Gonzalo,		Pero ¿quién es el esposo?	
	escuchar de vuestra lengua	REY. Aunque no está en esta tierra,		965
	esa relación sucinta,		es de Sevilla, y se llama	
	que haber visto su grandeza.		don Juan Tenorio.	
	¿Tenéis hijos?	D. GONZALO. Las nuevas		
955	D. GONZALO. Gran señor,		voy a llevar a doña Ana.	
	una hija hermosa y bella,	REY. Id en buena hora, y volved,		970
	en cuyo rostro divino		Gonzalo, con la respuesta.	
	se esmeró Naturaleza.			
	REY. Pues yo os la quiero casar		*Vanse.*	

> ## Sugerencias para el análisis y la discusión de la Jornada Primera Versos 771-970
>
> 1. Resume el diálogo de esta sección.
>
> 2. Según el texto de versos 953-970, ¿cómo eran los matrimonios entre los nobles? ¿Cómo se arreglaban?

[PLAYA DE TARRAGONA]
Sale DON JUAN TENORIO *y* CATALINÓN

		D. JUAN. Si burlar		990
			es hábito antiguo mío,	
			¿qué me preguntas, sabiendo	
			mi condición?	
975	D. JUAN. Esas dos yeguas prevén,	CATALINÓN. Ya sé que eres		
	pues acomodadas son.		castigo de las mujeres.	995
	CATALINÓN. Aunque soy Catalinón,	D. JUAN. Por Tisbea estoy muriendo,		
	soy, señor, hombre de bien;		que es buena moza.	
	que no se dijo por mí,	CATALINÓN. ¡Buen pago		
980	"Catalinón es el hombre";		a su hospedaje deseas!	
	que sabes que aqueste nombre	D. JUAN. Necio, lo mismo hizo Eneas		1000
	me asienta al revés a mí.		con la reina de Cartago.	
	D. JUAN. Mientras que los pescadores	CATALINÓN. Los que fingís y engañáis		
	van de regocijo y fiesta,		las mujeres de esa suerte	
985	tú las dos yeguas apresta;		lo pagaréis con la muerte.	
	que de sus pies voladores	D. JUAN. ¡Qué largo me lo fiáis!		1005
	sólo nuestro engaño fío.		Catalinón con razón	
	CATALINÓN. Al fin, ¿pretendes gozar		te llaman.	
	a Tisbea?			

CATALINÓN.   Tus pareceres
                    sigue, que en burlar mujeres
1010   quiero ser Catalinón.
                         Ya viene la desdichada.
D. JUAN.   Vete, y las yeguas prevén.
CATALINÓN. ¡Pobre mujer! Harto bien
                    te pagamos la posada.

1015   *Vase* CATALINÓN *y sale* TISBEA.

TISBEA.   El rato que sin ti estoy,
                    estoy ajena de mí.
D. JUAN.   Por lo que finges así,
                    ningún crédito te doy.
1020 TISBEA.   ¿Por qué?
D. JUAN.   Porque si me amaras,
                    mi alma favorecieras.
TISBEA.   Tuya soy.
D. JUAN.   Pues di, ¿qué esperas,
1025   o en qué, señora, reparas?
TISBEA.   Reparo en que fue castigo
                    de amor el que he hallado en ti.
D. JUAN.   Si vivo, mi bien, en ti,
                    a cualquier cosa me obligo.
1030   Aunque yo sepa perder
                    en tu servicio la vida,
                    la diera por bien perdida,
                    y te prometo de ser
                    tu esposo.
1035 TISBEA.   Soy desigual
                    a tu ser.
D. JUAN.   Amor es rey
                    que iguala con justa ley
                    la seda con el sayal.
1040 TISBEA.   Casi te quiero creer,
                    mas sois los hombres traidores.
D. JUAN.   ¿Posible es, mi bien, que ignores
                    mi amoroso proceder?
                         Hoy prendes con tus cabellos
1045   mi alma.

TISBEA.   Yo a ti me allano
                    bajo la palabra y mano
                    de esposo.
D. JUAN.   Juro, ojos bellos,
                    que mirando me matáis,   1050
                    de ser vuestro esposo.
TISBEA.   Advierte,
                    mi bien, que hay Dios y hay muerte.
D. JUAN.   (¡Qué largo me lo fiáis!)
                         Y mientras Dios me dé vida,   1055
                    yo vuestro esclavo seré.
                    Esta es mi mano y mi fe.
TISBEA.   No seré en pagarte esquiva.
D. JUAN.   Ya en mí mismo no sosiego.
TISBEA.   Ven, y será la cabaña   1060
                    del amor que me acompaña
                    tálamo de nuestro fuego.
                         Entre estas cañas te esconde
                    hasta que tenga lugar.
D. JUAN.   ¿Por dónde tengo de entrar?   1065
TISBEA.   Ven, y te diré por dónde.
D. JUAN.   Gloria al alma, mi bien, dais.
TISBEA.   Esa voluntad te obligue,
                    y si no, Dios te castigue.
D. JUAN.   (¡Qué largo me lo fiáis!)   1070

           Vanse, y salen CORIDÓN, ANFRISO, BELISA *y*
                              MÚSICOS.

CORIDÓN.   Ea, llamad a Tisbea,
                    y las zagalas llamad
                    para que en la soledad   1075
                    el huésped la corte vea.
ANFRISO.   ¡Tisbea, Usindra, Atandra!
                    No vi cosa más cruel.
                    ¡Triste y mísero de aquél
                    que en su fuego es salamandra!   1080
                         Antes que el baile empecemos
                    a Tisbea prevengamos.
BELISA.   Vamos a llamarla.

CORIDÓN.   Vamos.

1085 BELISA.   A su cabaña lleguemos.

CORIDÓN.   ¿No ves que estará ocupada

con los huéspedes dichosos

de quien hay mil envidiosos?

ANFRISO.   Siempre es Tisbea envidiada.

1090 BELISA.   Cantad algo mientras viene,

porque queremos bailar.

ANFRISO.   (¿Cómo podrá descansar

cuidado que celos tiene?)

(*Cantan*)

1095   *A pescar salió la niña*

tendiendo redes;

y en lugar de peces,

las almas prende.

Sale TISBEA.

1100 TISBEA.   ¡Fuego, fuego, que me quemo,

que mi cabaña se abrasa!

Repicad a fuego, amigos,

que ya dan mis ojos agua.

Mi pobre edificio queda

1105   hecho otra Troya en las llamas;

que después que faltan

Troyas quiere Amor quemar cabañas.

Mas si Amor abrasa peñas

con gran ira y fuerza extraña,

1110   mal podrán de su rigor

reservarse humildes pajas.

¡Fuego, zagales, fuego, agua, agua!

¡Amor, clemencia, que se abrasa el

[alma!

1115   ¡Ay, choza, vil instrumento

de mi deshonra y mi infamia!

¡Cueva de ladrones fiera,

que mis agravios amparas!

Rayos de ardientes estrellas

en tus cabelleras caigan,   1120

porque abrasadas estén,

si del viento mal peinadas.

¡Ah, falso huésped, que dejas

una mujer deshonrada!

Nube que del mar salió,   1125

para anegar mis entrañas.

¡Fuego, zagales, fuego, agua, agua!

¡Amor, clemencia, que se abrasa el

[alma!

Yo soy la que hacía siempre   1130

de los hombres burla tanta;

que siempre las que hacen

burla vienen a quedar burladas.

Engañóme el caballero

debajo de fe y palabra   1135

de marido, y profanó

mi honestidad y mi cama.

Gozóme al fin, y yo propia

le di a su rigor las alas

en dos yeguas que crié,   1140

con que me burló y se escapa.

Seguidle todos, seguidle.

Mas no importa que se vaya,

que en la presencia del rey

tengo de pedir venganza.   1145

¡Fuego, zagales, fuego, agua, agua!

¡Amor, clemencia, que se abrasa el

[alma!

Vase TISBEA

CORIDÓN.   Seguid al vil caballero.   1150

ANFRISO.   (¡Triste del que pena y calla!

Mas, ¡vive el cielo, que en él

me he de vengar de esta ingrata!)

Vamos tras ella nosotros,

porque va desesperada,   1155

y podrá ser que ella vaya

buscando mayor desgracia.

CORIDÓN.　　　Tal fin la soberbia tiene.

　　　　　　Su locura y confianza

1160　　　　paró en esto.

　　Dice TISBEA *dentro:* ¡Fuego, fuego!

ANFRISO.　　　　¡Al mar se arroja!

CORIDÓN.　　¡Tisbea, detente y para!

TISBEA. (*Dentro*) ¡Fuego, zagales, fuego, fuego y

　　　　　　rabia!　　　　　　　　　　　　1165

　　¡Amor, clemencia, que se abrasa el

　　　　　　　　　　　　　　　[alma!

Sugerencias para el análisis y la discusión de la Jornada Primera Versos 974-1165

1. ¿Cuántas parejas hemos conocido hasta ahora?

2. ¿Por qué quiere don Juan que Catalinón prepare dos yeguas?

3. En el diálogo entre Catalinón y don Juan (vv. 974-1011), ¿qué papel hace Catalinón? Haz una descripción completa de este personaje.

4. ¿Por qué acusa don Juan a Tisbea de "fingir" (v. 1015)?

5. ¿Por qué no confía Tisbea totalmente en don Juan?

6. ¿Qué promesas hace don Juan?

7. Hay algunos versos muy eróticos. ¿Cuáles son?

8. ¿En qué piensa don Juan cuando dice, "¡Qué largo me lo fiáis!"

9. ¿Qué nuevo elemento se introduce en las amonestaciones de Tisbea y Catalinón a don Juan?

10. Al final de la Jornada, Tisbea vuelve a usar las palabras "fuego" y "abrasar" con connotaciones diferentes de las de su diálogo anterior. ¿Cuáles son?

11. Nombra todas las transgresiones que ha cometido don Juan en su relación con Tisbea.

12. ¿Cómo termina la Jornada para el público?

13. Compara la reacción de Tisbea con la de Isabela.

JORNADA SEGUNDA

[El Alcázar De Sevilla]

Salen el rey don alonso y Don juan tenorio, el *Viejo*

REY.　　¿Qué me dices?

TENORIO.　　　　Señor, la verdad

1170　　digo. Por esta carta estoy del caso

　　cierto, que es de tu embajador y de mi

　　　　　　　　[hermano.

　　Halláronle en la cuadra del rey

　　mismo con una hermosa dama de

1175　　palacio.

REY.　　¿Qué calidad?

TENORIO.　　　　Señor, es la duquesa

　　Isabela.

REY.　　　　¿Isabela?

TENORIO.　　　　Por lo menos.　　1180

REY.　　¡Atrevimiento temerario! ¿Y dónde

　　ahora está?

TENORIO.　　　　Señor, a vuestra alteza

　　no he de encubrille la verdad; anoche

　　a Sevilla llegó con un criado.　　1185

REY.	Ya conocéis, Tenorio, que os estimo,
	y al rey informaré del caso luego,
	casando a ese rapaz con Isabela,
	volviendo a su sosiego al duque
1190	[Octavio,
	que inocente padece; y luego al punto
	haced que don Juan salga desterrado.
TENORIO.	¿Adónde, mi señor?
REY.	Mi enojo vea
1195	en el destierro de Sevilla; salga
	a Lebrija esta noche, y agradezca
	sólo al merecimiento de su padre…
	Pero, decid, don Juan, ¿qué diremos
	a Gonzalo de Ulloa, sin que erremos?
1200	Caséle con su hija, y no sé cómo
	lo puedo ahora remediar.
TENORIO.	Pues mira,
	gran señor, qué mandas que yo haga
	que esté bien al honor de esta
1205	señora, hija de un padre tal.
REY.	Un medio
	tomo con que absolvello del enojo
	entiendo: Mayordomo mayor
	pretendo hacelle.

Sale UN CRIADO.

1210	
CRIADO.	Un caballero llega de camino,
	y dice, señor, que es el duque Octavio.
REY.	¿El duque Octavio?
CRIADO.	Sí, señor.
1215 REY.	Sin duda
	que supo de don Juan el desatino,
	y que viene, incitado a la venganza,
	a pedir que le otorgue desafío.
TENORIO.	Gran señor, en tus heroicas manos
1220	está mi vida, que mi vida propia
	es la vida de un hijo inobediente;
	que, aunque mozo, gallardo y veleroso,
	y le llaman los mozos de su tiempo

	el Héctor de Sevilla, porque ha hecho
	tantas y tan extrañas mocedades, 1225
	la razón puede mucho. No permitas
	el desafío, si es posible.
REY.	Basta.
	Entre el duque.
TENORIO.	Señor, dame esas plantas. 1230
	¿Cómo podré pagar mercedes tantas?

Sale EL DUQUE OCTAVIO, *de camino.*

OCTAVIO.	A esos pies, gran señor, un peregrino,
	mísero y desterrado, ofrece el labio,
	juzgando por más fácil el camino 1235
	en vuestra grata presencia.
REY.	¡Duque Octavio!
OCTAVIO.	Huyendo vengo el fiero desatino
	de una mujer, el no pensado agravio
	de un caballero que la causa ha sido 1240
	de que así a vuestros pies haya venido.
REY.	Ya, duque Octavio, sé vuestra
	[inocencia.
	Yo al rey escribiré que os restituya
	en vuestro estado, puesto que el 1245
	[ausencia
	que hicisteis algún daño os atribuya.
	Yo os casaré en Sevilla, con licencia
	y también con perdón y gracia suya;
	que puesto que Isabela un ángel sea, 1250
	mirando la que os doy, ha de ser fea.
	Comendador mayor de Calatrava
	es Gonzalo de Ulloa, un caballero
	a quien el moro por temor alaba;
	que siempre es el cobarde lisonjero. 1255
	Este tiene una hija en quien bastaba
	en dote la virtud, que considero,
	después de la beldad, que es maravilla;
	y es sol de las estrellas de Sevilla.
	Esta quiero que sea vuestra esposa. 1260
OCTAVIO.	Cuando este viaje le emprendiera

sólo eso, mi suerte era dichosa,
sabiendo yo que vuestro gusto fuera.
REY. (A don Juan, el Viejo.)
1265   Hospedaréis al duque, sin que cosa
en su regalo falte.
OCTAVIO.   Quien espera
en vos, señor, saldrá de premios lleno.
Primero Alfonso sois, siendo el
1270   [Onceno.

Vanse

[UNA CALLE DE SEVILLA]
Salen EL DUQUE OCTAVIO *y* RIPIO.

RIPIO.   ¿Qué ha sucedido?
1275 OCTAVIO.   Que he dado
el trabajo recibido,
conforme me ha sucedido,
desde hoy por bien empleado.
           Hablé al rey, vióme y honróme.
1280 César con él César fui,
pues vi, peleé y vencí;
y hace que esposa tome
          de su mano, y se prefiere
a desenojar al rey
1285 en la fulminada ley.
RIPIO.   Con razón el nombre adquiere
          de generoso en Castilla.
Al fin ¿te llegó a ofrecer
mujer?
1290 OCTAVIO.   Sí, amigo, mujer
de Sevilla, que Sevilla
da, si averiguarlo quieres,
porque de oíllo te asombres,
si fuertes y airosos hombres,
1295 también gallardas mujeres.
          Un manto tapado, un brío,
donde un puro sol se esconde,
si no es en Sevilla, ¿adónde

se admite? El contento mío
          es tal, que ya me consuela   1300
en mi mal.

Salen DON JUAN *y* CATALINÓN.

CATALINÓN.   Señor, detente;
que aquí está el duque, inocente
Sagitario de Isabela,   1305
          aunque mejor le diré
Capricornio.
D. JUAN.   Disimula.
CATALINÓN.(Cuando le vende, le adula.)
D. JUAN. (Al duque). Como a Nápoles dejé   1310
          y la casa de mi tío
por un pleito de su alteza,
Octavio, con tal presteza
aunque fue el intento mío
          el despedirme de vos,   1315
no tuve lugar.
OCTAVIO.   Por eso,
don Juan, amigo os confieso;
que aquí nos vemos los dos
          en Sevilla. ¿Quién pensara,   1320
don Juan, que en Sevilla os viera?
D. JUAN. ¿Vos Puzol, vos la ribera
desde Parténope clara
          dejáis? Aunque es un lugar
Nápoles tan excelente,   1325
por Sevilla solamente
se puede, amigo, dejar.
OCTAVIO.   Si en Nápoles os oyera
y no en la parte que estoy,
del crédito que ahora os doy   1330
sospecho que me riera.
          Mas llegándola a habitar
es, por lo mucho que alcanza,
corta cualquier alabanza
que a Sevilla queréis dar.   1335
          ¿Quién es el que viene allí?

D. JUAN.	El que viene es el marqués
	de la Mota.
OCTAVIO.	Descortés
1340	es fuerza ser.
D. JUAN.	Si de mí
	algo hubiereis menester,
	aquí brazo y espada está.
CATALINÓN.	(Y si importa, gozará
1345	en su nombre otra mujer;
	que tiene buena opinión.)
OCTAVIO.	De vos estoy satisfecho.
CATALINÓN.	Si fuere de algún provecho,
	señores, Catalinón,
1350	vuarcedes continuamente
	me hallarán para servillos...
RIPIO.	¿Y dónde?
CATALINÓN.	En los Pajarillos,
	tabernáculo excelente.

1355   *Vanse* OCTAVIO *y* RIPIO *y sale* EL MARQUÉS DE
LA MOTA.

MOTA.	Todo hoy os ando buscando,
	y no os he podido hallar.
	¿Vos, don Juan, en el lugar
1360	y vuestro amigo penando
	en vuestra ausencia?
D. JUAN.	¡Por Dios,
	amigo, que me debéis
	esa merced que me hacéis!
1365 CATALINÓN.	(Como no le entreguéis vos
	moza o cosa que lo valga,
	bien podéis fiaros dél;
	que en cuanto a esto es cruel,
	tiene condición hidalga.)
1370 D. JUAN.	¿Qué hay de Sevilla?
MOTA.	Está ya
	toda esta corte mudada.
D. JUAN.	¿Mujeres?
MOTA.	Cosa juzgada.

D. JUAN.	¿Inés?	1375
MOTA.	A Vejel se va.	
D. JUAN.	Buen lugar para vivir	
	la que tan dama nació.	
MOTA.	El tiempo la desterró	
	a Vejel.	1380
D. JUAN.	Irá a morir.	
	¿Constanza?	
MOTA.	Es lástima vella	
	lampiña de frente y ceja.	
	Llámala el portugués vieja,	1385
	y ella imagina que bella.	
D. JUAN.	Sí, que velha en portugués	
	suena vieja en castellano.	
	¿Y Teodora?	
MOTA.	Este verano	1390
	se escapó del mal francés	
	por un río de sudores,	
	y está tan tierna y reciente	
	que anteayer me arrojó un diente	
	envuelto entre muchas flores.	1395
D. JUAN.	¿Julia, la del Candilejo?	
MOTA.	Ya con sus afeites lucha.	
D. JUAN.	¿Véndese siempre por trucha?	
MOTA.	Ya se da por abadejo.	
D. JUAN.	El barrio de Cantarranas,	1400
	¿tiene buena población?	
MOTA.	Ranas las más de ellas son.	
D. JUAN.	¿Y viven las dos hermanas?	
MOTA.	Y la mona de Tolú	
	de su madre Celestina	1405
	que les enseña doctrina.	
D. JUAN.	¡Oh vieja de Bercebú!	
	¿Cómo la mayor está?	
MOTA.	¿Blanca? Sin blanca ninguna;	
	tiene un santo a quien ayuna.	1410
D. JUAN.	¿Ahora en vigilias da?	
MOTA.	Es firme y santa mujer.	
D. JUAN.	¿Y esa otra?	
MOTA.	Mejor principio	

1415		tiene; no desecha ripio.		con su padre en la embajada.	

<table>
<tr><td>1415</td><td></td><td>tiene; no desecha ripio.</td></tr>
</table>

1415	tiene; no desecha ripio.
D. JUAN.	Buen albañil quiere ser.
	Marqués, ¿qué hay de perros
	[muertos?
MOTA.	Yo y don Pedro Esquivel
1420	dimos anoche uno cruel,
	y esta noche tengo ciertos
	otros dos.
D. JUAN.	Iré con vos;
	que también recorreré
1425	cierto nido que dejé
	en huevos para los dos.
	¿Qué hay de terrero?
MOTA.	No muero
	en terrero, que enterrado
1430	me tiene mayor cuidado.
D. JUAN.	¿Cómo?
MOTA.	Un imposible quiero.
D. JUAN.	Pues, ¿no os corresponde?
MOTA.	Sí,
1435	me favorece y me estima.
D. JUAN.	¿Quién es?
MOTA.	Doña Ana, mi prima,
	que es recién llegada aquí.
D. JUAN.	Pues, ¿dónde ha estado?
1440	MOTA.	En Lisboa,

	con su padre en la embajada.
D. JUAN.	¿Es hermosa?
MOTA.	Es extremada,
	porque en doña Ana de Ulloa
	se extremó Naturaleza. 1445
D. JUAN.	¿Tan bella es esa mujer?
	¡Vive Dios, que la he de ver!
MOTA.	Veréis la mayor belleza
	que los ojos del sol ven.
D. JUAN.	Casaos, si es tan extremada. 1450
MOTA.	El rey la tiene casada,
	y no se sabe con quién.
D. JUAN.	¿No os favorece?
MOTA.	Y me escribe.
CATALINÓN.	(No prosigas, que te engaña 1455
	el gran burlador de España.)
D. JUAN.	Quien tan satisfecho vive
	de su amor, ¿desdichas teme?
	Sacadla, solicitadla,
	escribidla y engañadla, 1460
	y el mundo se abrase y queme.
MOTA.	Ahora estoy aguardando
	la postrer resolución.
D. JUAN.	Pues no perdáis la ocasión,
	que aquí os estoy aguardando. 1465
MOTA.	Ya vuelvo.

Resumen de versos 1166-1408

La Jornada Segunda empieza con el diálogo del rey con don Juan Tenorio, el Viejo, que le informa que su hijo ha vuelto de Nápoles. Cuenta la verdad y le pide que proteja a su hijo y que no haga público el engaño. Al rey se le ocurre la solución: casar a don Juan con Isabela y desterrarlo de Sevilla. Sin embargo, existe un problema: ya que había prometido casar a la hija de don Gonzalo de Ulloa con don Juan. Cuando llega Octavio para insistir que es inocente, al rey se le ocurre otra solución: ¡casarlo con doña Ana de Ulloa!

En Sevilla, don Juan se encuentra con Octavio, a quien trata con gran cortesía. Se disculpa por no haberse despedido al partir tan rápido de Nápoles. Después se reúne con su amigo Mota con quien habla de mujeres (sin respeto y con burla; véanse los versos 1366-1408) y deciden ir de "perros muertos" (véase nota sobre "perros muertos" en Notas para facilitar la lectura).

Vase EL MARQUÉS.

CATALINÓN. (Al criado.) Señor Cuadrado,
        o señor Redondo, adiós.
1470 CRIADO.   Adiós.

Vase EL CRIADO.

D. JUAN.   Pues solos los dos,
    amigo, habemos quedado,
        síguele el paso al marqués,
1475   que en el palacio se entró.

Vase CATALINÓN. *Habla por una reja* UNA MUJER.

MUJER.   ¡Ce!, ¿a quién digo?
D. JUAN.   ¿Quién llamó?
MUJER.   Pues sois prudente y cortés
1480   y su amigo, dadle luego
    al marqués este papel;
    mirad que consiste en él
    de una señora el sosiego.
D. JUAN.   Digo que se lo daré.
1485   Soy su amigo y caballero.
MUJER.   Basta, señor forastero.
    Adiós.

Vase.

D. JUAN.   Ya la voz se fue.
1490   ¿No parece encantamento
    esto que ahora ha pasado?
    A mí el papel ha llegado
    por la estafeta del viento.
        Sin duda que es la dama
1495   que el marqués me ha encarecido.
    Venturoso en esto he sido.
    Sevilla a voces me llama
        el *Burlador*, y el mayor
    gusto que en mí puede haber

es burlar una mujer   1500
y dejarla sin honor.
    ¡Vive Dios, que le he de abrir,
pues salí de la plazuela!
Mas ¿si hubiese otra Isabela?
Gana me da de reír.   1505
    Ya está abierto el tal papel,
y que es suyo es cosa llana,
porque aquí firma doña Ana.
Dice así: «Mi padre infiel
    en secreto me ha casado   1510
sin poderme resistir;
no sé si podré vivir,
porque la muerte me ha dado.
    Si estimas, como es razón,
mi amor y mi voluntad;   1515
y si tu amor fue verdad,
muéstralo en esta ocasión.
    Porque veas que te estimo,
ven esta noche a la puerta,
que estará a las once abierta,   1520
donde tu esperanza, primo,
    goces, y el fin de tu amor.
Traerás, mi gloria, por señas
de Leonorilla y las dueñas,
una capa de color.   1525
    Mi amor todo de ti fío,
y adiós.»– ¡Desdichado amante!
¿Hay suceso semejante?
Ya de la burla me río.
    Gozaréla, ¡vive Dios!,   1530
con el engaño y cautela
que en Nápoles a Isabela.

Sale CATALINÓN.

CATALINÓN.Ya el marqués viene.
D. JUAN.   Los dos   1535
    aquesta noche tenemos
    que hacer.

CATALINÓN.   ¿Hay engaño nuevo?

D. JUAN.   Extremado.

1540   CATALINÓN.   No lo apruebo.

Tú pretendes que escapemos

una vez, señor, burlados;

que el que vive de burlar

burlado habrá de escapar,

1545   pagando tantos pecados

de una vez.

D. JUAN.   ¿Predicador

te vuelves, impertinente?

CATALINÓN. La razón hace al valiente.

1550   D. JUAN.   Y al cobarde hace el temor.

El que se pone a servir

voluntad no ha de tener,

y todo ha de ser hacer

y nada ha de ser decir.

1555   Sirviendo, jugando estás,

y si quieres ganar luego,

haz siempre, porque en el juego

quien más hace, gana más.

CATALINÓN.   Y también quien hace y dice

1560   pierde por la mayor parte.

D. JUAN.   Esta vez quiero avisarte

porque otra vez no te avise.

CATALINÓN.   Digo que de aquí adelante

lo que me mandes haré,

1565   y a tu lado forzaré

un tigre y un elefante.

Guárdese de mí un prior;

que si me mandas que calle

y le fuerce, he de forzalle

1570   sin réplica, mi señor.

D. JUAN.   Calla, que viene el marqués.

CATALINÓN. Pues ¿ha de ser el forzado?

Sale EL MARQUÉS DE LA MOTA.

D. JUAN.   Para vos, marqués, me han dado

1575   un recaudo harto cortés

por esa reja, sin ver

el que me lo daba allí;

sólo en la voz conocí

que me lo daba mujer.

Dícete al fin que a las doce   1580

vayas secreto a la puerta–

que estará esperando abierta,

donde tu esperanza goce

la posesión de tu amor,

y que llevases por señas   1585

de Leonorilla y las dueñas

una capa de color.

MOTA.   ¿Qué decís?

D. JUAN.   Que este recaudo

de una ventana me dieron,   1590

sin ver quién.

MOTA.   Con él pusieron

sosiego en tanto cuidado.

¡Ay amigo! Sólo en ti

mi esperanza renaciera.   1595

Dame esos pies.

D. JUAN.   Considera

que no está tu prima en mí.

Eres tú quien ha de ser

quien la tiene de gozar,   1600

¿y me llegas a abrazar

los pies?

MOTA.   Es tal el placer

que me ha sacado de mí.

¡Oh sol! Apresura el paso.   1605

D. JUAN.   Ya el sol camina al ocaso.

MOTA.   Vamos, amigos, de aquí,

y de noche nos pondremos.

¡Loco voy!

D. JUAN.   (Bien se conoce;   1610

mas yo bien sé que a las doce

harás mayores extremos.)

MOTA.   ¡Ay, prima del alma, prima,

que quieres premiar mi fe!

CATALINÓN. (¡Vive Cristo, que no dé   1615

una blanca por su prima!)

Sugerencias para el análisis y la discusión de la Jornada Segunda Versos 1409-1609

1. ¿Cómo se relaciona don Juan con sus amigos?
2. Explica la ironía de la conversación entre Mota y don Juan
3. ¿Qué otra promesa hace don Juan que no piensa guardar?
4. ¿Qué piensas de la conducta de doña Ana? ¿Es ella inocente aquí?
5. ¿Cuál es el nuevo plan de don Juan? ¿Cuál es su motivación?
6. ¿Qué advierte Catalinón? ¿Y qué le responde don Juan?
7. ¿Qué mensaje le da don Juan a Mota?
8. Compara a Mota con don Juan.

Vase EL MARQUÉS, *y sale* DON JUAN, *el Viejo.*

TENORIO.	¿Don Juan?	
CATALINÓN.	Tu padre te llama.	
D. JUAN.	¿Qué manda vueseñoría?	
1620 TENORIO.	Verte más cuerdo quería,	
	más bueno y con mejor fama.	
	¿Es posible que procuras	
	todas las horas mi muerte?	
D. JUAN.	¿Por qué vienes de esa suerte?	
1625 TENORIO.	Por tu trato, y tus locuras.	
	Al fin el rey me ha mandado	
	que te eche de la ciudad,	
	porque está de una maldad	
	con justa causa indignado.	
1630	Que, aunque me lo has	
	encubierto, ya en Sevilla el rey lo sabe,	
	cuyo delito es tan grave,	
	que a decírtelo no acierto.	
	¿En el palacio real	
1635	traición, y con un amigo?	
	Traidor, Dios te dé el castigo	
	que pide delito igual.	
	Mira que, aunque al parecer	
	Dios te consiente y aguarda,	
1640	su castigo no se tarda,	

	y que castigo ha de haber	
	para los que profanáis	
	su nombre, que es juez fuerte	
	Dios en la muerte.	
D. JUAN.	¿En la muerte?	1645
	¿Tan largo me lo fiáis?	
	De aquí allá hay gran jornada.	
TENORIO.	Breve te ha de parecer.	
D. JUAN.	Y la que tengo de hacer,	
	pues a su Alteza le agrada	1650
	ahora, ¿es larga también?	
TENORIO.	Hasta que el injusto agravio	
	satisfaga el duque Octavio,	
	y apaciguados estén	
	en Nápoles de Isabela,	1655
	los sucesos que has causado,	
	en Lebrija retirado	
	por tu traición y cautela	
	quiere el rey que estés ahora,	
	pena a tu maldad ligera.	1660
CATALINÓN.	(Si el caso también supiera	
	de la pobre pescadora,	
	más se enojara el buen viejo.)	
TENORIO.	Pues no te vence castigo	
	con cuanto hago y cuanto digo,	1665
	a Díos tu castigo dejo.	

Vase.

CATALINÓN.   Fuése el viejo enternecido.

D. JUAN.   Luego las lágrimas copia,
1670   condición de viejo propia.
              Vamos, pues ha anochecido,
              a buscar al marqués.

CATALINÓN.   Vamos,
              y al fin gozarás su dama.

1675 D. JUAN.   Ha de ser burla de fama.

CATALINÓN. Ruego al cielo que salgamos
              de ella en paz.

D. JUAN.   ¡Catalinón,
              en fin!

1680 CATALINÓN.   Y tú, señor, eres
              langosta de las mujeres,
              y con público pregón,
              porque de ti se guardara,
              cuando a noticia viniera
1685   de la que doncella fuera,
              fuera bien se pregonara:
              "Guárdense todos de un hombre
              que a las mujeres engaña,
              y es el burlador de España".

1690 D. JUAN.   Tú me has dado gentil nombre.

Sale EL MARQUÉS, *de noche, con* MÚSICOS, *y
pasea el tablado y se entran cantando.*

MÚSICOS. *(Cantan.)*   *El que un bien gozar espera,*
              cuando espera desespera.

1695 D. JUAN.   ¿Qué es esto?

CATALINÓN.   Música es.

MOTA.   Parece que habla conmigo
              el poeta. ¿Quién va?

D. JUAN.   Amigo.

1700 MOTA.   ¿Es don Juan?

D. JUAN.   ¿Es el marqués?

MOTA.   ¿Quién puede ser sino yo?

D. JUAN.   Luego que la capa vi,

que érades vos conocí.

MOTA.   Cantad, pues don Juan llegó.   1705

MÚSICOS. *(Cantan.)*   *El que un bien gozar espera,*
              cuando espera desespera.

D. JUAN.   ¿Qué casa es la que miráis?

MOTA.   De don Gonzalo de Ulloa.

D. JUAN.   ¿Dónde iremos?   1710

MOTA.   A Lisboa.

D. JUAN.   ¿Cómo, si en Sevilla estáis?

MOTA.   Pues, ¿aqueso os maravilla?
              ¿No vive, con gusto igual,
              lo peor de Portugal   1715
              en lo mejor de Castilla?

D. JUAN.   ¿Dónde viven?

MOTA.   En la calle
              de la Sierpe, donde ves
              a Adán vuelto en portugués;   1720
              que en aqueste amargo valle
              con bocados solicitan
              mil Evas que, aunque dorados,
              en efecto, son bocados
              con que el dinero nos quitan.   1725

CATALINÓN.   Ir de noche no quisiera
              por esa calle cruel,
              pues lo que de día en miel
              entonces lo dan en cera.
              Una noche, por mi mal,   1730
              la vi sobre mí vertida,
              y hallé que era corrompida
              la cera de Portugal.

D. JUAN.   Mientras a la calle vais,
              yo dar un perro quisiera.   1735

MOTA.   Pues cerca de aquí me espera
              un bravo.

D. JUAN.   Si me dejáis,
              señor marqués, vos veréis
              cómo de mí no se escapa.   1740

MOTA.   Vamos, y poneos mi capa,
              para que mejor lo deis.

D. JUAN.   Bien habéis dicho. Venid,

y me enseñaréis la casa.

1745 MOTA.   Mientras el suceso pasa,
la voz y habla fingid.
¿Veis aquella celosía?

D. JUAN.   Ya la veo.

MOTA.   Pues llegad,
1750   y decid «Beatriz» y entrad.

D. JUAN.   ¿Qué mujer?

MOTA.   Rosada, y fría.

CATALINÓN.   Será mujer cantimplora.

MOTA.   En Gradas os aguardamos.

1755 D. JUAN.   Adiós, marqués.

CATALINÓN.   ¿Dónde vamos?

D. JUAN.   Adonde la burla ahora
ejecute.

CATALINÓN.   No se escapa
1760   nadie de ti.

D. JUAN.   El trueque adoro.

CATALINÓN. Echaste la capa al toro.

D. JUAN.   No, el toro me echó la capa.

Vanse DON JUAN *y* CATALINÓN.

1765 MOTA.   La mujer ha de pensar
que soy yo.

MÚSICOS.   ¡Qué gentil perro!

MOTA.   Esto es acertar por yerro.

MÚSICOS.   Todo este mundo es errar.

1770 *(Cantan.)*   *El que un bien gozar espera,*
cuando espera desespera.

Vanse.

[SALA EN CASA DE DON GONZALO DE ULLOA]
DOÑA ANA DE ULLOA, *dentro.*

1775 DOÑA ANA   ¡Falso, no eres el marqués!
¡Que me has engañado!

D. JUAN. *(Dentro.)*   Digo
que lo soy.

DOÑA ANA. *(Dentro)* ¡Fiero enemigo,
mientes, mientes!   1780

Sale DON GONZALO *con la espada desnuda.*

D. GONZALO.   La voz es
de doña Ana la que siento.

DOÑA ANA.   ¿No hay quien mate este traidor,
homicida de mi honor?   1785

D. GONZALO.   ¿Hay tan grande atrevimiento?
"Muerto honor", dijo, ¡ay de mí!
es su lengua tan liviana
que aquí sirve de campana.

DOÑA ANA. *(Dentro)* ¡Matadle!   1790

Salen DON JUAN *y* CATALINÓN, *con las espadas*
desnudas.

D. JUAN.   ¿Quién está aquí?

D. GONZALO.   La barbacana caída
de la torre de este honor   1795
que has combatido, traidor,
donde era alcaide la vida.

D. JUAN.   Déjame pasar.

D. GONZALO.   ¿Pasar?
Por la punta de esta espada.   1800

D. JUAN.   Morirás.

D. GONZALO.   No importa nada.

D. JUAN.   Mira que te he de matar.

Riñen.

D. GONZALO.   ¡Muere, traidor!   1805

D. JUAN.   De esta suerte
muero yo.

Le hiere.

CATALINÓN.   Si escapo de aquesta,
no más burlas, no más fiesta.   1810

D. GONZALO. (*Cayendo.*)

    ¡Ay, que me has dado la muerte!

    Mas, si el honor me quitaste,

    ¿de qué la vida servía?

1815 D. JUAN.   ¡Huye!

Vanse DON JUAN *y* CATALINÓN.

D. GONZALO.   Aguarda, que es sangría

    con que el valor me aumentaste.

    Muerto soy; no hay quién aguarde.

1820   Seguiréle mi furor;

    que es traidor, y el que es traidor

    es traidor porque es cobarde.

Entran muerto a DON GONZALO.

[CALLE]

1825 *Sale* EL MARQUÉS DE LA MOTA *y* MÚSICOS.

MOTA.   Presto las doce darán,

    y mucho don Juan se tarda.

    ¡Fiera prisión del que aguarda!

Salen DON JUAN *y* CATALINÓN.

1830 D. JUAN.   ¿Es el marqués?

MOTA.   ¿Es don Juan?

D. JUAN.   Yo soy; tomad vuestra capa.

MOTA.   ¿Y el perro?

D. JUAN.   Funesto ha sido.

1835   Al fin, marqués, muerto ha habido.

CATALINÓN. Señor, del muerto te escapa.

MOTA.   ¿Burlásteisla?

D. JUAN.   Sí, burlé.

CATALINÓN. (Y así a vos os ha burlado.)

1840 D. JUAN.   Cara la burla ha costado.

MOTA.   Yo, don Juan, lo pagaré,

    porque estará la mujer

    quejosa de mí.

D. JUAN.   Las doce

    darán.   1845

MOTA.   Como mi bien goce,

    nunca llegue a amanecer.

D. JUAN.   Adiós, marqués.

CATALINÓN.   (Muy buen lance

    el desdichado hallará.)   1850

D. JUAN.   Huyamos.

CATALINÓN.   Señor, no habrá

    aguilita que me alcance.

Vanse.

MOTA.   Vosotros os podéis ir   1855

    todos a casa, que yo

    he de ir solo.

    Dios crïó

    las noches para dormir.

Vanse, y queda EL MARQUÉS.   1860

Una voz dentro.   ¿Vióse desdicha mayor,

    y vióse mayor desgracia?

MOTA.   ¡Válgame Dios! Voces siento

    en la plaza del Alcázar.

    ¿Qué puede ser a estas horas?   1865

    Un hielo me baña el alma.

    Desde aquí parece todo

    una Troya que se abrasa,

    porque tantas hachas juntas

    hacen gigantes de llamas.   1870

    Un grande escuadrón de luces

    se acerca hacia mí; ¿por qué anda

    el fuego emulando estrellas

    dividiéndose en escuadras?

    Quiero preguntar lo que es.   1875

Sale DON JUAN TENORIO, *el Viejo y* LA GUARDA
con hachas.

TENORIO.   ¿Qué gente?

MOTA.   Gente que aguarda
1880   saber de aqueste ruido
         la ocasión.

TENORIO.   Esta es la capa
         que dijo el Comendador
         en las postreras palabras. Prendeldo.

1885 MOTA.   ¿Prenderme a mí?

TENORIO.   Volved la espada a la vaina,
         que la mayor valentía
         es no tratar de las armas.

         MOTA.   ¿Cómo al marqués de la Mota
1890   hablan así?

TENORIO.   Dad la espada;
         que el rey os manda prender.

         MOTA.   ¡Vive Dios!

            Sale EL REY *y* ACOMPAÑAMIENTO.

1895 REY.   En toda España
         no ha de caber, ni tampoco
         en Italia, si va a Italia.

TENORIO.   Señor, aquí está el marqués.

MOTA.   ¿Vuestra alteza a mí me manda
1900   prender?

REY.   Llevalde y ponelde
         la cabeza en una escarpia.
         ¿En mi presencia te pones?

         MOTA.   (¡Ah, glorias de amor tiranas,
1905   siempre en el pasar ligeras,
         como en el vivir pesadas!
         Bien dijo un sabio que había
         entre la boca y la taza

peligro; mas el enojo
del rey me admira y me espanta)   1910
¿No sabré por qué voy preso?

TENORIO.   ¿Quién mejor sabrá la causa
         que vueseñoría?

MOTA.   ¿Yo?

TENORIO.   Vamos.   1915

MOTA.   ¡Confusión extraña!

REY.   Fulmínesele el proceso
         al marqués luego, y mañana
         le cortarán la cabeza.
         Y al Comendador, con cuanta   1920
         solemnidad y grandeza
         se da a las personas sacras
         y reales, el entierro
         se haga; en bronce y piedras
         varias un sepulcro con un bulto   1925
         le ofrezcan, donde en mosaicas
         labores, góticas letras
         den lengua a sus venganzas.
         Y entierro, bulto y sepulcro
         quiero que a mi costa se haga.   1930
         ¿Dónde doña Ana se fue?

TENORIO.   Fuese al sagrado, doña Ana,
         de mi señora la reina.

REY.   Ha de sentir esta falta
         Castilla; tal capitán   1935
         ha de llorar Calatrava.

            Vanse todos.

Sugerencias para el análisis y la discusión de la Jornada Segunda Versos 1610-1940

1. ¿Cuál es la admonición del padre de don Juan?

2. Comenta el papel de Catalinón en estas páginas. Catalinón tiene dos funciones muy distintas a lo largo de la obra, ¿cuáles son?

3. Observa la ironía del plan de Mota y el papel de la capa.

[CAMPO A LA ENTRADA DE DOS HERMANAS]

Salen BATRICIO, *desposado con* AMINTA;

1940 GASENO, *viejo;* BELISA, *pastora, y* PASTORES *y*
MÚSICOS.

(Cantan) Lindo sale el sol de abril,

con trébol y torongil;

y aunque le sirva de estrella,

1945 *Aminta sale más bella.*

BATRICIO.　　Sobre esta alfombra florida,

adonde, en campos de escarcha,

el sol sin aliento marcha

con su luz recién nacida,

1950 os sentad, pues nos convida

al tálamo el sitio hermoso.

AMINTA.　Cantadle a mi dulce esposo

favores de mil en mil.

　　　　　　(Cantan.)

1955 *Lindo sale el sol de abril,*

con trébol y torongil.

GASENO.　　Ya, Batricio, os he entregado

el alma y ser en mi Aminta.

BATRICIO.　Por eso se baña y pinta

1960 de más colores el prado;

con deseos la he ganado,

con obras le he merecido.

MÚSICOS.　Tal mujer y tal marido

vivan juntos años mil.

1965 *Lindo sale el sol de abril*

con trébol y torongil.

BATRICIO.　　No sale el sol de Oriente

como el sol que al alma sale,

que no hay sol que al sol se iguale

1970 de sus niñas y su frente;

de este sol claro y luciente

que eclipsa al sol su arrebol,

y así cantadle a mi sol

motetes de mil en mil.

MÚSICOS.　*(Cantan) Lindo sale el sol de abril* 1975

por trébol y torongil.

AMINTA.　　Batricio, yo lo agradezco,

falso y lisonjero estás.

Mas si tus rayos me das,

por ti ser luna merezco. 1980

Tú eres el sol por quien crezco

después de salir menguante,

para que el alba te cante

la salva en tono sutil.

(Cantan) Lindo sale el sol de abril, 1985

con trébol y torongil

Sale UN PASTOR.

PASTOR.　　Señores, el desposorio

huéspedes ha de tener.

GASENO.　A todo el mundo ha de ser 1990

este contento notorio.

BATRICIO.　¿Quién viene?

PASTOR.　　　　Don Juan Tenorio.

GASENO.　¿El viejo?

PASTOR.　　　No ese don Juan, 1995

sino su hijo el galán.

BATRICIO.　Téngolo por mal agüero,

que galán y caballero

quitan gusto y celos dan.

　　　　Pues ¿quién noticias le dio 2000

de mis bodas?

PASTOR.　　　De camino

pasa a Lebrija.

BATRICIO.   Imagino
2005   que el demonio le envió;
            mas, ¿de qué me aflijo yo?
            Vengan a mis dulces bodas
            del mundo las gentes todas.
            Mas, con todo, ¿un caballero
2010   en mis bodas? ¡mal agüero!
GASENO.   Venga el Coloso de Rodas,
                venga el Papa, el Preste Juan
            y don Alfonso el Onceno
            con su corte; que en Gaseno
2015   ánimo y valor verán.
            Montes en casa hay de pan,
            Guadalquivides de vino,
            Babilonias de tocino,
            y entre ejércitos cobardes
2020   de aves, para que los lardes,
            el pollo y el palomino.
                Venga tan gran caballero
            a ser hoy en Dos Hermanas
            honra destas viejas canas.
2025 PASTOR. Es hijo del Camarero
            mayor.
BATRICIO.   (Todo es mal agüero
            para mí, pues le han de dar
            junto a mi esposa lugar.
2030   Aún no gozo, y ya los cielos
            me están condenando a celos.
            Amor, sufrir y callar.)

Sale DON JUAN *y* CATALINÓN, *de camino.*

D. JUAN.   Pasando acaso he sabido
2035   que hay bodas en el lugar,
            y de ellas quise gozar,
            pues tan venturoso he sido.
GASENO.   Vueseñoría ha venido
            a honrallas y engrandecellas.
2040 BATRICIO. (Yo, que soy el dueño de ellas,
            digo entre mí que vengáis

en hora mala.)
GASENO.   ¿No dais
            lugar a este caballero?
D. JUAN.   Con vuestra licencia quiero   2045
            sentarme aquí.
                    Siéntase junto a la novia.
BATRICIO.   Si os sentáis
            delante de mí, señor,
            seréis de aquesa manera   2050
            el novio.
D. JUAN.   Cuando lo fuera,
            no escogiera lo peor.
GASENO.   ¡Que es el novio!
D. JUAN.   De mi error   2055
            y ignorancia perdón pido.
CATALINÓN. (¡Desventurado marido!)
D. JUAN. (A CATALINÓN.)
            ¡Corrido está!
CATALINÓN. (A DON JUAN.) No lo ignoro;   2060
            mas si tiene de ser toro,
            ¿qué mucho que esté corrido?
                (No daré por su mujer
            ni por su honor un cornado.
            ¡Desdichado tú, que has dado   2065
            en manos de Lucifer!)
D. JUAN.   ¿Posible es que vengo a ser,
            señora, tan venturoso?
            Envidia tengo al esposo.
AMINTA.   Parecéisme lisonjero.   2070
BATRICIO.   (¡Bien dije que es mal agüero
            en bodas un poderoso!)
D. JUAN.   Hermosas manos tenéis
            para esposa de un villano.
CATALINÓN. (Si al juego le dais la mano,   2075
            vos la mano perderéis.)
BATRICIO.   (¡Celos, muerte no me deis!)
GASENO.   ¡Ea! Vamos a almorzar,
            porque pueda descansar
            un rato su señoría.   2080

Tómale DON JUAN *la mano a la novia.*

D. JUAN.	¿Por qué la escondéis?	
AMINTA.	Es mía.	
GASENO.	Vamos.	
2085 BELISA.	Volved a cantar.	
D. JUAN. (A CATALINÓN.)		
	¿Qué dices tú?	
CATALINÓN.	¿Yo? Que temo	
	muerte vil de estos villanos.	
2090 D. JUAN. (A CATALINÓN.)		
	Buenos ojos, blancas manos;	
	en ellos me abraso y quemo.	

CATALINÓN. (A DON JUAN.)
    ¡Almagrar y echar a extremo!
    Con ésta cuatro serán.   2095
D. JUAN. (A CATALINÓN.)
    Ven, que mirándome están.
BATRICIO.   (¿En mis bodas caballero?
    ¡Mal agüero!)
GASENO.   Cantad.   2100
BATRICIO.   (Muero.)
CATALINÓN. Canten, que ellos llorarán.

Vanse todos, con que da fin la Segunda Jornada.

Don Juan, desterrado y rumbo a Lebrija, llega a Dos Hermanas, un pueblo de la provincia de Sevilla, donde tiene lugar la boda de dos campesinos, Batricio y Aminta. Nota el cambio de escenario, desde la corte a un escenario idílico y rural, lleno de campesinos y pastores.

Sugerencias para el análisis y la discusión de la Jornada Segunda Versos 1941 - Final de la Jornada Segunda

1. ¿Qué sentimientos expresa Batricio por Aminta? ¿Y Aminta por Batricio?
2. Cuando se conoce la llegada de don Juan, ¿cuáles son las reacciones de Batricio y Gaseno?
3. ¿Cómo trata Gaseno a don Juan? ¿Por qué?
4. ¿Cómo reacciona Aminta?
5. Describe la situación al final de la Jornada Segunda. ¿Qué crees que va a pasar?
6. ¿Cómo va don Juan a seducir a una novia el día de su boda con tantos testigos?
7. ¿Qué temas han aparecido en estas dos Jornadas?
8. Compara a las mujeres que han aparecido hasta ahora.
9. Elige a dos personajes y descríbelos, y describe de nuevo a don Juan con lo que ahora sabes de él.
10. Haz una lista de las transgresiones de don Juan hasta este punto de la obra..

JORNADA TERCERA

[Calle De Dos Hermanas]
Sale BATRICIO, pensativo.

BATRICIO. Celos, reloj de cuidados,
2105 que a todas las horas dais
tormentos con que matáis,
aunque dais desconcertados;
  celos, del vivir desprecios,
con que ignorancias hacéis,
2110 pues todo lo que tenéis
de ricos, tenéis de necios,
  dejadme de atormentar,
pues es cosa tan sabida
que, cuando amor me da vida,
2115 la muerte me queréis dar.
  ¿Qué me queréis, caballero,
que me atormentáis así?
Bien dije cuando le vi
en mis bodas, "¡mal agüero!"
2120   ¡No es bueno que se sentó
a cenar con mi mujer,
y a mí en el plato meter
la mano no me dejó!
  Pues cada vez que quería
2125 metella, la desviaba,
diciendo a cuanto tomaba:
"¡Grosería, grosería!"
  Pues llegándome a quejar
a algunos, me respondían
2130 y con risa me decían:
"No tenéis de qué os quejar;
  eso no es cosa que importe.
No tenéis de qué temer;
callad, que debe de ser
2135 uso de allá en la corte."
  ¡Buen uso, trato extremado!
¡Más no se usara en Sodoma!
¡Que otro con la novia coma,

y que ayune el desposado!
  Pues el otro bellacón   2140
a cuanto comer quería:
"¿Esto no come?" decía;
"No tenéis, señor, razón".
  Y de adelante al momento
me lo quitaba. Corrido   2145
estoy; bien sé yo que ha sido
culebra, y no casamiento.
  Ya no se puede sufrir
ni entre cristianos pasar,
y acabando de cenar   2150
con los dos, ¿mas que a dormir
  se ha de ir también, si porfía,
con nosotros, y ha de ser,
al llegar yo a mi mujer,
"grosería, grosería?"   2155
  Ya viene, no me resisto;
aquí me quiero esconder.
Pero ya no puede ser,
que imagino que me ha visto.

Sale DON JUAN TENORIO.   2160

D. JUAN. ¡Batricio!
BATRICIO.   Su señoría
¿qué manda?
D. JUAN.   Haceros saber…
BATRICIO. (¿Mas que ha de venir a ser   2165
alguna desdicha mía?)
D. JUAN.   Que ha muchos días, Batricio,
que a Aminta el alma le di,
y he gozado…
BATRICIO.   ¿Su honor?   2170
D. JUAN.   Sí.

BATRICIO.   (Manifiesto y claro indicio
               de lo que he llegado a ver;
               que si bien no la quisiera,
2175   nunca a su casa viniera.
               Al fin, al fin es mujer.)

D. JUAN.   Al fin, Aminta celosa,
               o quizá desesperada
               de verse de mí olvidada
2180   y de ajeno dueño esposa,
               esta carta me escribió

                     Le muestra un papel.

               enviándome a llamar,
               y yo prometí gozar
2185   lo que el alma prometió.

               Esto pasa de esta suerte.
               Dad a vuestra vida un medio,
               que le daré sin remedio
               a quien lo impida, la muerte.

2190 BATRICIO.   Si tú en mi elección lo pones,
               tu gusto pretendo hacer,
               que el honor y la mujer
               son malos en opiniones.

               La mujer en opinión
2195   siempre más pierde que gana,
               que son como la campana,
               que se estima por el son.

               Y así es cosa averiguada
               que opinión viene a perder
2200   cuando cualquier mujer
               suena a campana quebrada.

               No quiero, pues me reduces
               el bien que mi amor ordena,
               mujer entre mala y buena,
2205   que es moneda entre dos luces.

               Gózala, señor, mil años,
               que yo quiero resistir,
               desengañar y morir,
               y no vivir con engaños.

2210   *Vase.*

D. JUAN.   Con el honor le vencí,
               porque siempre los villanos
               tienen su honor en las manos,
               y siempre miran por sí.

               Que por tantas falsedades,   2215
               es bien que se entienda y crea
               que el honor se fue al aldea
               huyendo de las ciudades.

               Pero antes de hacer el daño
               le pretendo reparar;   2220
               a su padre voy a hablar
               para autorizar mi engaño.

               Bien lo supe negociar.
               Gozarla esta noche espero.
               La noche camina, y quiero   2225
               su viejo padre llamar.

               Estrellas que me alumbráis,
               dadme en este engaño suerte,
               si el galardón en la muerte
               tan largo me lo guardáis.   2230

               Vase.

               [LA CASA DE GASENO]
               Sale AMINTA *y* BELISA.

BELISA.   Mira que vendrá tu esposo;
               entra a desnudarte, Aminta.   2235
AMINTA.   De estas infelices bodas
               no sé qué siento, Belisa.
               Todo hoy mi Batricio ha estado
               bañado en melancolía;
               todo en confusión y celos   2240
               ¡Mirad qué grande desdicha!
               Di, ¿qué caballero es éste
               que de mi esposo me priva?
               La desvergüenza en España
               se ha hecho caballería.   2245
               Déjame, que estoy sin seso,
               déjame, que estoy perdida.

	¡Mal hubiese el caballero
	que mis contentos me priva!
2250 BELISA.	Calla, que pienso que viene,
	que nadie en la casa pisa
	de un desposado tan recio.
AMINTA.	Queda a Dios, Belisa mía.
BELISA.	Desenójale en los brazos.
2255 AMINTA.	¡Plega a los cielos que sirvan
	mis suspiros de requiebros,
	mis lágrimas de caricias!

Sale DON JUAN, CATALINÓN *y* GASENO.

D. JUAN.	Gaseno, quedad con Dios.
2260 GASENO.	Acompañaros querría,
	por darle de esta ventura
	el parabién a mi hija.
D. JUAN.	Tiempo mañana nos queda.
GASENO.	Bien decís. El alma mía
2265	en la muchacha os ofrezco.

Vase GASENO.

D. JUAN.	Mi esposa decid. Ensilla,
	Catalinón.
CATALINÓN.	¿Para cuándo?
2270 D. JUAN.	Para el alba, que de risa
	muerta, ha de salir mañana,
	de este engaño.
CATALINÓN.	Allá, en Lebrija,
	señor, nos está aguardando
2275	otra boda. Por tu vida
	que despaches presto en ésta.
D. JUAN.	La burla más escogida
	de todas ha de ser ésta.
CATALINÓN.	Que saliésemos querría
2280	de todas bien.
D. JUAN.	Si es mi padre
	el dueño de la justicia,
	y es la privanza del rey,
	¿qué temes?

CATALINÓN.	De los que privan	2285
	suele Dios tomar venganza,	
	si delitos no castigan;	
	y se suelen en el juego	
	perder también los que miran.	
	Yo he sido mirón del tuyo,	2290
	y por mirón no querría	
	que me cogiese algún rayo	
	y me trocase en ceniza.	
D. JUAN.	Vete, ensilla, que mañana	
	he de dormir en Sevilla.	2295
CATALINÓN.	¿En Sevilla?	
D. JUAN.	Sí.	
CATALINÓN.	¿Qué dices?	
	Mira lo que has hecho, y mira	
	que hasta la muerte, señor,	2300
	es corta la mayor vida,	
	y que hay tras la muerte infierno.	
D. JUAN.	Si tan largo me lo fías,	
	vengan engaños.	
CATALINÓN.	Señor...	2305
D. JUAN.	Vete, que ya me amohinas	
	con tus temores estraños.	
CATALINÓN.	Fuerza al turco, fuerza al scita,	
	al persa y al garamante,	
	al gallego, al troglodita,	2310
	al alemán y al Japón,	
	al sastre con la agujita	
	de oro en la mano, imitando	
	contino a la *Blanca niña*.	

Vase. 2315

D. JUAN.	La noche en negro silencio
	se extiende, y ya las Cabrillas
	entre racimos de estrellas
	el Polo más alto pisan.
	Yo quiero poner mi engaño	2320
	por obra. El amor me guía
	a mi inclinación, de quien

	no hay hombre que se resista.		AMINTA.	¿Que me olvida?
	Quiero llegar a la cama.		D. JUAN.	Sí, que yo te adoro.
2325	¡Aminta!		AMINTA.	¿Cómo?
			D. JUAN.	Con mis dos brazos.

Acércase a la puerta de la alcoba. Sale AMINTA,
como que está acostada.

Acércase a ella. 2365

AMINTA.   ¿Quién llama a Aminta?

¿Es mi Batricio?

2330   D. JUAN.   No soy

tu Batricio.

AMINTA.   Pues, ¿quién?

D. JUAN.   Mira

de espacio, Aminta, quién soy.

2335   AMINTA.   ¡Ay de mí! ¡Yo soy perdida!

¿En mi aposento a estas horas?

D. JUAN.   Estas son las horas mías.

AMINTA.   Volvéos, que daré voces.

No excedáis la cortesía

2340   que a mi Batricio se debe.

Ved que hay romanas Emilias

en Dos Hermanas también,

y hay Lucrecias vengativas.

D. JUAN.   Escúchame dos palabras

2345   y esconde de las mejillas

en el corazón la grana,

por ti más preciosa y rica.

AMINTA.   Vete, que vendrá mi esposo.

D. JUAN.   Yo lo soy; ¿de qué te admiras?

2350   AMINTA.   ¿Desde cuándo?

D. JUAN.   Desde ahora.

AMINTA.   ¿Quién lo ha tratado?

D. JUAN.   Mi dicha.

AMINTA.   ¿Y quién nos casó?

2355   D. JUAN.   tus ojos.

AMINTA.   ¿Con qué poder?

D. JUAN.   Con la vista.

AMINTA.   ¿Sábelo Batricio?

D. JUAN.   Sí,

2360   que te olvida.

AMINTA.   Desvía.

D. JUAN.   ¿Cómo puedo, si es verdad

que muero?

AMINTA.   ¡Qué gran mentira!

D. JUAN.   Aminta, escucha y sabrás,   2370

si quieres que te lo diga,

la verdad, que las mujeres

sois de verdades amigas.

Yo soy noble caballero

cabeza de la familia   2375

de los Tenorios, antiguos,

ganadores de Sevilla.

Mi padre, después del rey,

se reverencia y se estima,

y en la corte, de sus labios   2380

pende la muerte o la vida.

Corriendo el camino acaso,

llegué a verte, que amor guía

tal vez las cosas de suerte

que él mismo de ellas se admira.   2385

Víte, adoréte, abraséme

tanto, que tu amor me anima

a que contigo me case.

Mira qué acción tan precisa.

Y aunque lo murmure el reino,   2390

y aunque el rey lo contradiga,

y aunque mi padre enojado

con amenazas lo impida,

tu esposo tengo de ser.

¿Qué dices?   2395

AMINTA.   No sé qué diga,

que se encubren tus verdades

con retóricas mentiras.

2400		Porque si estoy desposada,			me dé muerte un hombre... (muerto,	
		como es cosa conocida,			que vivo, ¡Dios no permita!)	2425
		con Batricio, el matrimonio		AMINTA.	Pues con ese juramento	
		no se absuelve aunque él desista.			soy tu esposa.	
	D. JUAN.	En no siendo consumado,		D. JUAN.	El alma mía	

Porque si estoy desposada,
2400   como es cosa conocida,
        con Batricio, el matrimonio
        no se absuelve aunque él desista.
D. JUAN. En no siendo consumado,
        por engaño o por malicia,
2405   puede anularse.
AMINTA.   En Batricio
        todo fue verdad sencilla.
D. JUAN. Ahora bien: dame esa mano,
        y esta voluntad confirma
2410   con ella.
AMINTA.   ¿Que no me engañas?
D. JUAN. Mío el engaño sería.
AMINTA. Pues jura que cumplirás
        la palabra prometida.
2415 D. JUAN. Juro a esta mano, señora,
        infierno de nieve fría,
        de cumplirte la palabra.
AMINTA. Jura a Dios que te maldiga
        si no la cumples.
2420 D. JUAN.   Si acaso
        la palabra y la fe mía
        te faltare, ruego a Dios
        que a traición y a alevosía

me dé muerte un hombre... (muerto,
que vivo, ¡Dios no permita!)   2425
AMINTA. Pues con ese juramento
        soy tu esposa.
D. JUAN.   El alma mía
        entre los brazos te ofrezco.
AMINTA. Tuya es el alma y la vida.   2430
D. JUAN. ¡Ay, Aminta de mis ojos!
        Mañana sobre virillas
        de tersa plata estrellada
        con clavos de oro de Tíbar
        pondrás los hermosos pies,   2435
        y en prisión de gargantillas
        la alabastrina garganta,
        y los dedos en sortijas,
        en cuyo engaste parezcan
        transparentes perlas finas.   2440
AMINTA. A tu voluntad, esposo,
        la mía desde hoy se inclina.
        Tuya soy.
D. JUAN.   (¡Qué mal conoces
        al Burlador de Sevilla!)   2445

Vanse.

Batricio, en su monólogo, (vv. 2107-2162), se queja y se compadece de sí mismo ("No es bueno que se sentó / a cenar con mi mujer, / y a mí en el plato meter / la mano no me dejó").

Sugerencias para el análisis y la discusión de la Jornada Tercera Versos 2107-2446

1. ¿Cuál es la actitud de Batricio hacia don Juan? ¿Y la de Aminta? ¿Y la de Gaseno, el padre de la novia?

2. Se dice que "los tres enemigos del alma" (tema muy repetido en el Barroco) son: el demonio (el mal puro), la carne (el sexo) y el mundo (la gloria, el prestigio, el dinero, la ambición, el poder, etc.). ¿Cuál de los tres predomina en esta escena? Cita ejemplos concretos.

3. ¿Qué puntos débiles de cada persona manipula don Juan?

4. ¿Por qué Batricio acepta la situación tan rápidamente? ¿Qué le dice don Juan a Batricio? ¿Es verdad? ¿Cómo lo sabe el público?

5. ¿Por qué es ésta "la burla más escogida"?

[PLAYA DE TARRAGONA]

Salen ISABELA *y* FABIO, *de camino.*

ISABELA.	¡Que me robase el dueño
2450	la prenda que estimaba y más quería!
	¡Oh, riguroso empeño
	de la verdad! ¡Oh, máscara del día!
	¡Noche al fin tenebroso
	antípoda del sol, del sueño esposo!
2455 FABIO.	¿De qué sirve, Isabela,
	la tristeza en el alma y en los ojos,
	si amor todo es cautela
	y en campos de desdenes causa
	[enojos,
2460	y el que se ríe ahora,
	en breve espacio desventuras llora?
	El mar está alterado,
	y en grave temporal, tiempo se corre.
	El abrigo han tomado
2465	las galeras, duquesa, de la torre
	que esta playa corona.
ISABELA.	¿Dónde estamos, ahora?
FABIO.	En Tarragona.
	De aquí a poco espacio
2470	daremos en Valencia, ciudad bella,
	del mismo sol palacio.
	Divertiráste algunos días en ella,
	y después a Sevilla
	irás a ver la octava maravilla.
2475	Que si a Octavio perdiste,
	más galán es don Juan, y de Tenorio
	solar. ¿De qué estás triste?
	Conde dicen que es ya don Juan

	[Tenorio,
	el rey con él te casa, 2480
	y el padre es la privanza de su casa.
	[mundo
ISABELA.	No nace mi tristeza
	de ser esposa de don Juan, que el
	conoce su nobleza. 2485
	en la esparcida voz mi agravio fundo,
	que esta opinión perdida
	es de llorar mientras tuviere vida.
FABIO.	Allí una pescadora
	tiernamente suspira y se lamenta, 2490
	y dulcemente llora.
	Acá viene, sin duda, y verte intenta.
	Mientras llamo a tu gente,
	lamentaréis las dos más dulcemente.

Vase FABIO, *y sale* TISBEA. 2495

TISBEA.	Robusto mar de España,
	ondas del fuego en fugitivas olas,
	cuya costa el mar baña
	dándole por tributo conchas solas,
	aunque a veces preñadas 2500
	de traiciones en ti medio anegadas;
	pues conoces mis quejas
	y de ti mis tormentos han nacido,
	a tus sordas orejas
	quiero dar voces, pues la causa has 2505
	[sido
	de que el honor perdiera
	la que siempre cruel con hombres era.
ISABELA.	¿Por qué del mar te quejas?

2510		¿Estas del mar celosa, pescadora?	ISABELA.	¡Mal haya la mujer que en hombres fía!

2510   ¿Estas del mar celosa, pescadora?

TISBEA.   El mar parió mis quejas.

    ¡Dichosa vos, que sin cuidado

    ahora de él os estáis riendo!

ISABELA.   También furias del mar estoy

2515   sintiendo.

TISBEA.   ¿Sois vos la Europa hermosa?

    ¿Que esos toros os llevan?

ISABELA.   A Sevilla

    llévanme a ser esposa

2520   contra mi voluntad.

TISBEA.   Si mi mancilla

    a lástima os provoca,

    y si injurias del mar os tienen loca,

      en vuestra compañía

2525   para serviros como humilde esclava

    me llevad; que querría,

    si el dolor o la afrenta no me acaba,

    pedir al rey justicia

    de un engaño cruel, de una malicia.

2530   Del agua derrotado

    a esta tierra llegó un don Juan Tenorio,

    difunto y anegado.

    Amparéle, hospedéle en tan

    notorio peligro, y el vil huesped

2535   víbora fue a mi planta en tierno

    césped.

      Con palabra de esposo,

    la que de esta costa burla hacía

    se rindió al engañoso.

2540   ¡Mal haya la mujer que en hombres

    fía! Mira si es justo que venganza

    tome.

ISABELA.   ¡Calla, mujer maldita!

    Vete de mi presencia, que me has

2545   [muerto.

    Mas, si el dolor te incita,

    no tienes culpa tú. Prosigue, ¿es

              [cierto?

TISBEA.   Tan claro es como el día.

ISABELA.   ¡Mal haya la mujer que en hombres fía!   2550

      ¿Quién tiene de ir contigo?

TISBEA.   Un pescador, Anfriso, y un pobre

                [padre

    de mis males testigo.

ISABELA.   (No hay venganza   2555

    que a mi mal tanto cuadre.)

      Ven en mi compañia.

TISBEA.   ¡Mal haya la mujer que en hombres fía!

             Vanse.

[IGLESIA DE SEVILLA, CON EL SEPULCRO DE   2560
DON GONZALO DE ULLOA Y SU ESTATUA]
Salen DON JUAN *y* CATALINÓN.

CATALINÓN.   Todo en mal estado está.

D. JUAN.   ¿Cómo?

CATALINÓN.   Que Octavio ha sabido   2565

      la traición de Italia ya,

    y el de Mota ofendido

    de ti justas quejas da,

      y dice al fin que el recado

    que de su prima le diste   2570

    fue fingido y disimulado,

    y con su capa emprendiste

    la traición que la ha infamado.

      Dice que viene Isabela

    a que seas su marido,   2575

    y dicen...

D. JUAN.   ¡Calla!

         Le da un bofetón.

CATALINÓN.   Una muela

    en la boca me has rompido.   2580

D. JUAN.   Hablador, ¿quién te revela

      tanto disparate junto?

CATALINÓN.   ¡Disparate, disparate!

    Verdades son.

2585	D. JUAN.　　　　　　No pregunto
	si lo son. Cuando me mate
	Octavio, ¿estoy yo difunto?
	¿No tengo manos también?
	¿Dónde me tienes posada?
2590	CATALINÓN. En calle oculta.
	D. JUAN.　　　　　　Está bien.
	CATALINÓN. La iglesia es tierra sagrada.
	D. JUAN.　　　Di que de día me den
	en ella la muerte. ¿Viste
2595	al novio de Dos Hermanas?
	CATALINÓN. También le vi ansiado y triste.
	D. JUAN.　　　Aminta estas dos semanas
	no ha de caer en el chiste.
	CATALINÓN.　　　Tan bien engañada está
2600	que se llama doña Aminta.
	D. JUAN.　　　Graciosa burla será.
	CATALINÓN. Graciosa y sucinta,
	mas siempre la llorará.

Descúbrese el sepulcro de DON GONZALO.

2605	D. JUAN.　　　　¿Qué sepulcro es éste?
	CATALINÓN.　　　　　　Aquí
	don Gonzalo está enterrado.
	D. JUAN.　　　Este es al que muerte di.
	¡Gran sepulcro le han labrado!
2610	CATALINÓN. Ordenólo el rey ansí.
	¿Cómo dice este letrero?
	D. JUAN. lee: "Aquí aguarda del Señor
	el más leal caballero
	la venganza de un traidor."
2615	Del mote reírme quiero.
	¿Y habéisos vos de vengar,
	buen viejo, barbas de piedra?
	Asiendo la barba a la estatua.
	CATALINÓN. No se las podrás pelar,
2620	que en barbas muy fuertes medra.
	D. JUAN. (*A la estatua.*)
	Aquesta noche a cenar

os aguardo en mi posada.
Allí el desafío haremos,
si la venganza os agrada;　　　2625
aunque mal reñir podremos
si es de piedra vuestra espada.

CATALINÓN. (*Inquieto.*)

Ya, señor, ha anochecido;
vámonos a recoger.　　　　　2630

D. JUAN.　Larga esta venganza ha sido.
Si es que vos la habéis de hacer,
importa no estar dormido;
que si a la muerte aguardáis
la venganza, la esperanza　　　2635
ahora es bien que perdáis,
pues vuestro enojo y venganza
tan largo me lo fiáis.

Vanse.

[HABITACIÓN DE DON JUAN EN LA POSADA]　2640
Ponen la mesa DOS CRIADOS.

CRIADO 1°　　　Apercibamos la cena,
que vendrá a cenar don Juan.

CRIADO 2°　Las mesas puestas están;
mas ¿quién a don Juan ordena　　2645
venir temprano a cenar,
si a veces suele venir
cuando el sol quiere salir?

CRIADO 1°　Para tener más lugar
de rondar de noche, ordena　　2650
cenar temprano.

Sale DON JUAN *y* CATALINÓN.

D. JUAN.　　　　　　¿Cerraste?
CATALINÓN. Ya cerré como mandaste.
D. JUAN.　¡Hola! Tráiganme la cena.　2655
CRIADO.　　Ya está aquí.
D. JUAN.　　　　　Catalinón,

siéntate.

CATALINÓN.　　　　Yo soy amigo
2660　　　　de cenar de espacio.

D. JUAN.　　　　　　　　Digo
　　　　que te sientes.

CATALINÓN.　　　　La razón
　　　　haré.

2665 CRIADO 1°　　　(También es camino
　　　　éste, si come con él).

D. JUAN.　　　　Siéntate.

Un golpe dentro.

CATALINÓN.　　　　Golpe es aquél.

2670 D. JUAN.　　　Que llamaron imagino;
　　　　　　mira quién es. A un criado

CRIADO 1°　　　　　Voy volando.

CATALINÓN.¿Si es la justicia, señor?

D. JUAN.　　　　Sea, no tengas temor.

2675　　　　*Vuelve* EL CRIADO, *huyendo.*

D. JUAN.　　　¿Quién es? ¿De qué estás temblando?

CATALINÓN.　　　De algún mal da testimonio.

D. JUAN.　　　Mal mi cólera resisto.
　　　　Habla, responde, ¿qué has visto?

2680　　　　¿Asombróte algún demonio?

A CATALINÓN.　　Ve tú, y mira aquella puerta.
　　　　¡Presto, acaba!

CATALINÓN.　　　　¿Yo?

D. JUAN.　　　　　Tú, pues.

2685　　　　Acaba, menea los pies.

CATALINÓN.A mi abuela hallaron muerta
　　　　como racimo colgado,
　　　　y desde entonces se suena
　　　　que anda siempre en pena.

2690　　　　Tanto golpe no me agrada.

D. JUAN.　　　　Acaba.

CATALINÓN.　　　　Señor, si sabes
　　　　que soy un Catalinón...

D. JUAN.　　　Acaba.

CATALINÓN.　　　　¡Fuerte ocasión!　　2695

D. JUAN.　　　¿No vas?

CATALINÓN.　　　　¿Quién tiene las llaves
　　　　de la puerta?

CRIADO 2°　　　　Con la aldaba
　　　　está cerrada no más.　　2700

D. JUAN.　　　¿Qué tienes? ¿Por qué no vas?

CATALINÓN.(Hoy Catalinón acaba.
　　　　　¿Mas si las forzadas vienen
　　　　a vengarse de los dos?)

　　　Llega CATALINÓN *a la puerta, y viene corriendo,*　　2705
　　　　　cae y levántase.

D. JUAN.　　　¿Qué es eso?

CATALINÓN.　　　　¡Válgame Dios!
　　　　¡que me matan, que me tienen!

D. JUAN.　　　　¿Quién te tiene, quién te mata?　　2710
　　　　¿Qué has visto?

CATALINÓN.　　　　Señor, yo allí
　　　　vide cuando... luego fui...
　　　　¿quién me ase, quién me arrebata?
　　　　　Llegué, cuando después ciego...　　2715
　　　　cuando vile, ¡juro a Dios...
　　　　Habló y dijo, ¿quién sois vos?
　　　　respondió respondí luego...
　　　　　topé y vide...

D. JUAN.　　　　¿A quién?　　2720

CATALINÓN.　　　　No sé.

D. JUAN.　　　¡Cómo el vino desatina!
　　　　Dame la vela, gallina,
　　　　y yo a quien llama veré.

Toma DON JUAN *la vela y llega a la puerta. Sale*　　2725
al encuentro DON GONZALO, *en la forma que*
estaba en el sepulcro, y DON JUAN *se retira atrás*
turbado, empuñando la espada, y en la otra la vela,
y DON GONZALO *hacia él, con pasos menudos, y*
al compás DON JUAN, *retirándose hasta estar en*　　2730

medio del teatro.

D. JUAN.	¿Quién va?
D. GONZALO.	Yo soy.
D. JUAN.	¿Quién sois vos?

2735 D. GONZALO. Soy el caballero honrado
que a cenar has convidado.

D. JUAN. Cena habrá para los dos,
y si vienen más contigo,
para todos cena habrá.

2740 Ya puesta la mesa está.
Siéntate.

CATALINÓN. ¡Dios sea conmigo!
¡San Panuncio, San Antón!
Pues ¿los muertos comen? ¡Di!

2745 *La estatua baja la cabeza.*
Por señas dice que sí.

D. JUAN. Siéntate Catalinón.

CATALINÓN. No señor; yo lo recibo
por cenado.

2750 D. JUAN. Es desconcierto.
¿Qué temor tienes a un muerto!
¿Qué hicieras estando vivo?
¡Necio y villano temor!

CATALINÓN. Cena con tu convidado,
2755 que yo, señor, ya he cenado.

D. JUAN. ¿He de enojarme?

CATALINÓN. Señor,
¡vive Dios que huelo mal!

D. JUAN. Llega, que aguardando estoy.

2760 CATALINÓN. Yo pienso que muerto soy,
y está muerto mi arrabal.

Tiemblan LOS CRIADOS.

D. JUAN. Y vosotros, ¿qué decís?
¿Qué hacéis? ¡Necio temblar!

2765 CATALINÓN. Nunca quisiera cenar

con gente de otro país.
¿Yo, señor con convidado
de piedra?

D. JUAN. ¡Necio temer!
Si es piedra, ¿qué te ha de hacer? 2770

CATALINÓN. Dejarme descalabrado.

D. JUAN. Háblale con cortesía.

CATALINÓN. (A DON GONZALO.)
¿Está bueno? ¿Es buena tierra
la otra vida? ¿Es llano o sierra? 2775
¿Prémiase allá la poesía?

CRIADO 1° A todo dice que sí
con la cabeza.

CATALINÓN. ¿Hay allá
muchas tabernas? Sí habrá, 2780
si Noé reside allí.

D. JUAN. ¡Hola! Dadnos de cenar.

CATALINÓN. Señor muerto, ¿allá se bebe
con nieve?

La estatua baja la cabeza. 2785
Así que hay nieve;
¡Buen país!

D. JUAN. Si oír cantar
queréis, cantarán.

La estatua baja la cabeza. 2790

CRIADO 2° Sí, dijo.

D. JUAN. Cantad.

CATALINÓN. Tiene el señor muerto
buen gusto.

CRIADO 1° Es noble, por cierto, 2795
y amigo de regocijo.

(Cantan de dentro.) Si de mi amor aguardáis,
señora, de aquesta suerte,
el galardón a la muerte,
¡qué largo me lo fiáis! 2800

CATALINÓN. O es sin duda veraniego
el señor muerto, o debe ser
hombre de poco comer.

Temblando al plato me llego.
2805 Poco beben por allá;
Yo beberé por los dos.

Bebe.

Brindis de piedra, ¡por Dios!
Menos temor tengo ya.
2810 (*Cantan.*) *Si ese plazo me convida*
para que pagaros pueda,
pues larga vida me queda,
dejad que pase la vida.
Si de mi amor aguardáis,
2815 *señora, de aquesta suerte*
el galardón a la muerte,
¡qué largo me lo fiáis!
CATALINÓN. ¿Con cuál de tantas mujeres
como has burlado, señor,
2820 hablan?
D. JUAN. De todas me río,
amigo, en esta ocasión.
En Nápoles a Isabela...
CATALINÓN. Esa, señor, ya no es hoy
2825 burlada, porque se casa
contigo, como es razón.
Burlaste a la pescadora
que del mar te redimió,
pagándole el hospedaje
2830 en moneda de rigor.
Burlaste a doña Ana...
D. JUAN. Calla,
que hay parte aquí que lastó
por ella, y vengarse aguarda.
2835 CATALINÓN. Hombre es de mucho valor,
que él es piedra, tú eres carne.
No es buena resolución.

Hace señas la estatua que se quite la mesa y queden
solos.

D. JUAN. ¡Hola, quitad esa mesa,   2840
que hace señas que los dos
nos quedemos y se vayan
los demás.
CATALINÓN. (A DON JUAN.)
¡Malo, por Dios!   2845
No te quedes, porque hay muerto
que mata de un mojicón
a un gigante.
D. JUAN. Salíos todos.
¡A ser yo Catalinón...!   2850
Vete, ya viene.

Vanse y quedan los dos solos, y el muerto hace señas
que cierre la puerta.

D JUAN. La puerta
ya está cerrada. Ya estoy   2855
aguardando. Di, ¿qué quieres,
sombra o fantasma o visión?
Si andas en pena o si aguardas alguna
satisfación,
para tu remedio, dilo,   2860
que mi palabra te doy
de hacer lo que ordenares.
¿Estás gozando de Dios?
¿Díte la muerte en pecado?
Habla, que suspenso estoy.   2865

El muerto habla paso, como cosa del otro mundo.

D. GONZALO. ¿Cumplirásme una palabra,
como caballero?
D. JUAN. Honor
tengo, y las palabras cumplo,   2870
porque caballero soy.
D. GONZALO. Dame esa mano; no temas.
D. JUAN. ¿Eso dices? ¿Yo temor?
Si fueras el mismo infierno,
la mano te diera yo.   2875

Dale la mano.

D. GONZALO.　　　Bajo esta palabra y mano,
　　　　　mañana a las diez estoy
　　　　　para cenar aguardando.
2880　　　¿Irás?

D. JUAN.　　　　Empresa mayor
　　　　　entendí que me pedías.
　　　　　Mañana tu huesped soy.
　　　　　¿Dónde he de ir?

2885　D. GONZALO.　　　　A mi capilla.

D. JUAN.　　¿Iré solo?

D. GONZALO.　　　　No, id dos,
　　　　　y cúmpleme la palabra
　　　　　como la he cumplido yo.

2890　D. JUAN.　　Digo que la cumpliré,
　　　　　que soy Tenorio.

D. GONZALO.　　　　　Yo soy
　　　　　Ulloa.

D. JUAN.　　　　Yo iré sin falta.

2895　D. GONZALO. Yo lo creo. Adiós.

Va a la puerta.

D. JUAN.　　　　　Adiós.
　　　　　Aguarda, te alumbraré.

D. GONZALO. No alumbres, que en gracia estoy.

2900　*Vase el muerto muy poco a poco, mirando a* DON
　　JUAN, *y* DON JUAN *a él, hasta que desaparece, y*

queda DON JUAN *con pavor.*

D. JUAN.　　¡Válgame Dios! Todo el cuerpo
　　　　　se ha bañado de un sudor,
　　　　　y dentro de las entrañas　　　2905
　　　　　se me hiela el corazón.
　　　　　Cuando me tomó la mano,
　　　　　de suerte me la abrasó
　　　　　que un infierno parecía
　　　　　más que no vital calor.　　　2910
　　　　　Un aliento respiraba,
　　　　　organizando la voz,
　　　　　tan frío, que parecía
　　　　　infernal respiración.
　　　　　Pero todas son ideas　　　2915
　　　　　que da la imaginación;
　　　　　el temor y temer muertos
　　　　　es más villano temor;
　　　　　que si un cuerpo noble, vivo,
　　　　　con potencias y razón　　　2920
　　　　　y con alma, no se teme,
　　　　　¿quién cuerpos muertos temió?
　　　　　Mañana iré a la capilla
　　　　　donde convidado soy,
　　　　　porque se admire y espante　　2925
　　　　　Sevilla de mi valor.

Vase.

En la playa de Tarragona se encuentran Isabela que, en contra de su voluntad, va a Sevilla a casarse con don Juan y Tisbea que va a pedir justicia al rey. "¡Mal haya la mujer que en hombres fía!", dice Tisbea, contando dos veces (vv. 2527-2552) de nuevo su historia y nombrando a don Juan delante de Isabela. Ésta se une a Tisbea y grita también: "¡Mal haya la mujer que en hombres fía!"

Sugerencias para el análisis y la discusión de la Jornada Tercera Versos 2557-2919

1. (vv. 2559-2576) ¿Qué sucede cuando don Juan se ve acorralado?

2. (v. 2593) ¿Por qué se refiere Aminta a sí misma como doña Aminta? ¿Qué dice de su carácter?

3. ¿Siente remordimiento don Juan cuando ve el sepulcro? ¿Qué nuevo agravio causa don Juan a don Gonzalo?

[SALÓN DEL ALCÁZAR]

Sale EL REY *y* DON JUAN TENORIO, *el Viejo, y*
2930   ACOMPAÑAMIENTO.

REY.   ¿Llegó al fin Isabela?
TENORIO.   Y disgustada.
REY.   Pues ¿no ha tomado bien el
                    casamiento?
2935 TENORIO.   Siente, señor, el nombre de infamada.
REY.   De otra causa procede su tormento.
                    ¿Dónde está?
TENORIO.   En el convento está alojada
                    de las Descalzas.
2940 REY.   Salga del convento
                    luego al punto, que quiero que en
                                        [palacio
                    asista con la reina más de espacio.
TENORIO.   Si ha de ser con don Juan el
2945   [desposorio,
                    manda, señor, que tu presencia vea.
REY.   Véame, y galán salga, que notorio
                    quiero que este placer al mundo sea.
                    Conde será desde hoy don Juan
2950   [Tenorio,
                    de Lebrija; él la mande y posea; que
                    si Isabela a un duque corresponde,
                    ya que ha perdido un duque, gane un
                                        [conde.
2955 TENORIO.   Todos por la merced tus pies besamos.
REY.   Merecéis mi favor tan dignamente
                    que si aquí los servicios ponderamos,
                    me quedo atrás con el favor presente.

Paréceme, don Juan, que hoy hagamos
las bodas de doña Ana juntamente.   2960
TENORIO.   ¿Con Octavio?
REY.   No es bien que el duque Octavio
                    sea el restaurador de aqueste agravio.
                    Doña Ana con la reina me ha pedido
                    que perdone al marqués, porque doña   2965
                                        [Ana,
                    ya que el padre murió, quiere marido;
                    porque si le perdió, con él gana.
                    Iréis con poca gente y sin ruido
                    luego a hablarle a la fuerza de Triana;   2970
                    por su satisfación y por su abono
                    de su agraviada prima, le perdono.
TENORIO.   Ya he visto lo que tanto deseaba.
REY.   Que esta noche han de ser, podéis
                                        [decille,   2975
                    los desposorios.
TENORIO.   Todo en bien se acaba,
                    fácil será al marqués el persuadille,
                    que de su prima amartelado estaba.
REY.   También podéis a Octavio prevenille.   2980
                    Desdichado es el duque con mujeres;
                    son todas opinión y pareceres.
                    Hanme dicho que está muy
                    enojado con don Juan.
TENORIO.   No me espanta si ha sabido   2985
                    de don Juan el delito averiguado,
                    que la causa de tanto daño ha sido.
                    El duque viene.
REY.   No dejéis mi lado,
                    que en el delito sois comprehendido.   2990

Sale EL DUQUE OCTAVIO.

OCTAVIO.	Los pies, invicto rey, me dé tu alteza.
REY.	Alzad, duque, y cubrid vuestra cabeza.
	¿Qué pedís?
OCTAVIO.	Vengo a pediros,
2995

postrado ante vuestras plantas,
una merced, cosa justa,
digna de serme otorgada.

REY.	Duque, como justo sea,
3000

digo que os doy mi palabra
de otorgárosla. Pedid.

OCTAVIO.	Ya sabes, señor, por cartas

de tu embajador, y el mundo
por la lengua de la fama
3005
sabe que don Juan Tenorio,
con española arrogancia,
en Nápoles una noche,
para mí noche tan mala,
con mi nombre profanó
3010
el sagrado de una dama.

REY.	No paséis más adelante.

Ya supe vuestra desgracia.
En efecto. ¿qué pedís?

OCTAVIO.	Licencia que en la campaña
3015
defienda como es traidor.

TENORIO.	¡Eso no! Su sangre clara

es tan honrada...

REY.	¡Don Juan!
TENORIO.	¡Señor!
3020 | OCTAVIO. | ¿Quién eres que hablas |

en la presencia del rey
de esa suerte?

TENORIO.	Soy quien calla

porque me lo manda el rey;
3025
que si no, con esta espada
te respondiera.

OCTAVIO.	Eres viejo.
TENORIO.	Ya he sido mozo en Italia,

a vuestro pesar, un tiempo.

Ya conocieron mi espada 3030
en Nápoles y Milán.

OCTAVIO.	Tienes ya la sangre helada.

No vale fui, sino soy.

TENORIO.	Pues fui y soy.

Empuña. 3035

REY.	¡Tened, basta!

Bueno está. Callad, don Juan,
que a mi persona se guarda
poco respeto. Y vos, duque,
después que las bodas se hagan, 3040
más despacio me hablaréis.
Gentilhombre de mi cámara
es don Juan, y hechura mía;
y de aqueste tronco rama.
Mirad por él. 3045

OCTAVIO.	Yo lo haré,

gran señor, como lo mandas.

REY.	Venid conmigo, don Juan.
TENORIO.	(¡Ay hijo, qué mal me pagas

el amor que te he tenido!) 3050

REY.	Duque.
OCTAVIO.	Gran señor.
REY.	Mañana

vuestras bodas se han de hacer.

OCTAVIO.	Háganse, pues tú lo mandas. 3055

Vase el REY y DON JUAN, el Viejo, y sale GASENO y
AMINTA.

GASENO.	Este señor nos dirá

dónde está don Juan Tenorio.
Señor, ¿si está por acá 3060
un don Juan a quien notorio
ya su apellido será?

OCTAVIO.	Don Juan Tenorio diréis.
AMINTA.	Sí, señor, ese don Juan.
OCTAVIO.	Aquí está. ¿Qué le queréis? 3065

AMINTA. Es mi esposo ese galán.
OCTAVIO. ¿Cómo?
AMINTA. Pues, ¿no lo sabéis
siendo del alcázar vos?
OCTAVIO. No me ha dicho don Juan nada.
GASENO. ¿Es posible?
OCTAVIO. Sí, por Dios.
GASENO. Doña Aminta es muy honrada.
Cuando se casen los dos,
—que cristiana vieja es
hasta los huesos, y tiene
de la hacienda el interés
que en Dos Hermanas mantiene,
más bien que un conde o marqués...
Casóse don Juan con ella,
y quitósela a Batricio.
AMINTA. Decid cómo fui doncella
a su poder.
GASENO. No es juicio
esto, ni aquésta querella.
OCTAVIO. (Esta es burla de don Juan,
y para venganza mía
éstos diciéndola están.)
¿Qué pedís, al fin?
GASENO. Querría,
porque los días se van,
que se hiciese el casamiento,
o querellarme ante el rey.
OCTAVIO. Digo que es justo ese intento.
GASENO. Y razón y justa ley.
OCTAVIO. (Medida a mi pensamiento
ha venido la ocasión.)
En el alcázar tenemos
bodas.
AMINTA. ¿Si las mías son?
OCTAVIO. (Quiero, para que acertemos,
valerme de una invención.)
Venid donde os vestiréis,
señora, a lo cortesano,
y a un cuarto del rey saldréis conmigo.
AMINTA. ¿Vos de la mano
a don Juan me llevaréis?
OCTAVIO. (Que de esta suerte es cautela.)
GASENO. El arbitrio me consuela.
OCTAVIO. (Estos venganza me dan
de aqueste traidor don Juan
y el agravio de Isabela.)

Vanse.

[CALLE, CON VISTA DE LA IGLESIA DONDE ESTÁ SEPULTADO DON GONZALO]

Salen don JUAN *y* CATALINÓN.

CATALINÓN. ¿Cómo el rey te recibió?
D. JUAN. Con más amor que mi padre.
CATALINÓN. ¿Viste a Isabela?
D. JUAN. También.
CATALINÓN. ¿Cómo viene?
D. JUAN. Como un ángel.
CATALINÓN. ¿Recibióte bien?
D. JUAN. El rostro
bañado de leche y sangre,
como la rosa que al alba
revienta la verde cárcel.
CATALINÓN. ¿Al fin, esta noche son
las bodas?
D. JUAN. Sin falta.
CATALINÓN. Si antes
hubieran sido, no hubieras,
señor, engañado a tantas.
Pero tú tomas esposas,
señor, con cargas muy grandes.
D. JUAN. Di, ¿comienzas a ser necio?
CATALINÓN. Y podrás muy bien casarte
mañana, que hoy es mal día.
D. JUAN. Pues ¿qué día es hoy?
CATALINÓN. Es martes.
D. JUAN. Mil embusteros y locos
dan en esos disparates.

Sólo aquél llamo mal día,
aciago y detestable,
3145 en que no tengo dineros,
que lo demás es donaire.
CATALINÓN. Vamos, si te has de vestir,
que te aguardan, y ya es tarde.
D. JUAN. Otro negocio tenemos
3150 que hacer, aunque nos aguarden.
CATALINÓN. ¿Cuál es?
D. JUAN. Cenar con el muerto.
CATALINÓN. Necedad de necedades.
D. JUAN. ¿No ves que di mi palabra?
3155 CATALINÓN. Y cuando se la quebrantes,
¿qué importa? ¿Ha de pedirte
una figura de jaspe
la palabra?
D. JUAN. Podrá el muerto
3160 llamarme a voces infame.
CATALINÓN. Ya está cerrada la iglesia.
D. JUAN. Llama.
CATALINÓN. ¿Qué importa que llame?
¿Quién tiene de abrir, que están
3165 durmiendo los sacristanes?
D. JUAN. Llama a este postigo.
CATALINÓN. Abierto
está.
D. JUAN. Pues entra.
3170 CATALINÓN. Entre un fraile
con hisopo y con estola.
D. JUAN. Sígueme y calla.
CATALINÓN. ¿Que calle?
D. JUAN. Sí.
3175 CATALINÓN. Ya callo. (Dios en paz
destos convites me saque.)

*Entran por una puerta y salen por otra a la capilla
de la iglesia.*

CATALINÓN. ¡Qué oscura que está la iglesia,
3180 señor, para ser tan grande!

¡Ay de mí! ¡Tenme, señor,
porque de la capa me asen!

Sale DON GONZALO *como de antes, y encuéntrase
con ellos.*

D. JUAN. ¿Quién va? 3185
D. GONZALO. Yo soy.
CATALINÓN. ¡Muerto estoy!
D. GONZALO. El muerto soy; no te espantes.
No entendí que me cumplieras
la palabra, según haces 3190
de todos burla.
D. JUAN. ¿Me tienes
en opinión de cobarde?
D. GONZALO. Sí, que aquella noche huiste
de mí cuando me mataste. 3195
D. JUAN. Huí de ser conocido.
Mas ya me tienes delante.
Di presto lo que me quieres.
D. GONZALO. Quiero a cenar convidarte.
CATALINÓN. Aquí excusamos la cena, 3200
que toda ha de ser fiambre,
pues no parece cocina.
señor, por ninguna parte.
D. JUAN. Cenemos.
D. GONZALO. Para cenar 3205
es menester que levantes
esa tumba.
D. JUAN. Y si te importa,
levantaré esos pilares.
D. GONZALO. Valiente estás. 3210
D. JUAN. Tengo brío
y corazón en las carnes.

Alza el túmulo y deja descubierta una mesa negra.

CATALINÓN. Mesa de Guinea es ésta.
Pues ¿no hay por allá quien lave? 3215
D. GONZALO. Siéntate.

D. JUAN.   ¿Adónde?

CATALINÓN.   Con sillas

vienen ya dos negros pajes.

3220   *Salen dos enlutados con sillas.*

CATALINÓN.¿También acá se usan lutos

y bayeticas de Flandes?

D. GONZALO.   Siéntate tú.

CATALINÓN.   Yo, señor,

3225   he merendado esta tarde.

D. GONZALO.   No repliques.

CATALINÓN.   No replico.

(Dios en paz de esto me saque.)

¿Qué plato es éste, señor?

3230 D. GONZALO.   Este plato es de alacranes

y víboras.

CATALINÓN.   ¡Gentil plato!

D. GONZALO.   Estos son nuestros manjares.

¿No comes tú?

3235 D. JUAN.   Comeré

si me dieses áspid a áspid

cuantos el infierno tiene.

D. GONZALO.   También quiero que te canten.

CATALINÓN.¿Qué vino beben acá?

3240 D. GONZALO.   Pruébalo.

CATALINÓN.   Hiel y vinagre

es este vino.

D. GONZALO.   Este vino

exprimen nuestros lagares.

3245   (*Cantan dentro.*) *Adviertan los que de Dios*

juzgan los castigos tarde,

que no hay plazo que no llegue

ni deuda que no se pague.

CATALINÓN.(¡Malo es esto, vive Cristo!

3250   que he entendido este romance

y que con nosotros habla.)

D. JUAN.   (Un hielo el pecho me parte.)

(*Cantan dentro.*) *Mientras en el mundo viva,*

no es justo que diga nadie:

¡qué largo me lo fiáis!   3255

siendo tan breve el cobrarse.

CATALINÓN.¿De qué es este guisadillo?

D. GONZALO.   De uñas.

CATALINÓN.   De uñas de sastre

será, si es guisado de uñas.   3260

D. JUAN.   Ya he cenado; hay que levantar

la mesa.

D. GONZALO.   Dame esa mano.

No temas; la mano dame.

D. JUAN.   ¿Eso dices? ¿Yo temor?   3265

Le da la mano.

¡Que me abraso! ¡No me abrases

con tu fuego!

D. GONZALO.   Aquéste es poco

para el fuego que buscaste.   3270

Las maravillas de Dios

son, don Juan, investigables,

y así quiere que tus culpas

a mano de un muerto pagues,

y así pagas de esta suerte.   3275

las doncellas que burlaste

Esta es justicia de Dios:

¡Quien tal hace, que tal pague!

D. JUAN.   ¡Que me abraso! ¡No me aprietes!

Con la daga he de matarte.   3280

Trata de acuchillar al muerto.

Mas ¡ay! que me canso en vano

de tirar golpes al aire.

A tu hija no ofendí,

que vio mis engaños antes.   3285

D. GONZALO.   No importa, que ya pusiste

tu intento.

D. JUAN.   Deja que llame

quien me confiese y absuelva.

D. GONZALO.   No hay lugar; ya acuerdas tarde.   3290

D. JUAN.   ¡Que me quemo, que me abraso!

¡Muerto soy!

Cae muerto.

CATALINÓN. No hay quien escape,
3295   que aquí tengo de morir
      también por acompañarte.
D. GONZALO. Esta es justicia de Dios:
      ¡Quien tal hace que tal pague!

Húndese el sepulcro con DON JUAN, *y* DON
3300   GONZALO, *con mucho ruido, y sale*
      CATALINÓN *arrastrando.*

CATALINÓN. ¡Válgame Dios! ¿Qué es aquesto?
      Toda la capilla se arde,
      y con el muerto he quedado
3305   para que le vele y guarde.
      Arrastrando como pueda,
      iré a avisar a su padre.
      ¡San Jorge, San Agnus Dei,
      sacadme en paz a la calle!

3310   *Vase.*

[SALÓN DEL ACÁZAR]
Salen El REY, DON JUAN, *el Viejo, y*
ACOMPAÑAMIENTO.

TENORIO. Ya el marqués, señor, espera
3315   besar vuestros pies reales.
REY. Entre luego y avisad
      al conde, porque no aguarde.

Salen BATRICIO *y* GASENO.

BATRICIO. ¿Dónde, señor, se permite
3320   desenvolturas tan grandes,
      que tus criados afrenten
      a los hombres miserables?
REY. ¿Qué dices?
BATRICIO. Don Juan Tenorio,
3325   alevoso y detestable,

      la noche del casamiento,
      antes que le consumase,
      a mi mujer me quitó;
      testigos tengo delante.

Salen TISBEA *y* ISABELA *y acompañamiento.*   3330

TISBEA. Si vuestra alteza, señor,
      de don Juan Tenorio no hace
      justicia, a Dios y a los hombres,
      mientras viva, he de quejarme.
      Derrotado le echó el mar,   3335
      dile vida y hospedaje,
      y pagóme esta amistad
      con mentirme y engañarme
      con nombre de mi marido.
REY. ¿Qué dices?   3340
ISABELA. Dice verdades.

Salen AMINTA *y* EL DUQUE OCTAVIO.

AMINTA. ¿Adónde mi esposo está?
REY. ¿Quién es?
AMINTA. Pues, ¿aún no lo sabe?   3345
      El señor don Juan Tenorio,
      con quien vengo a desposarme,
      porque me debe el honor,
      y es noble y no ha de negarme.
      Manda que nos desposemos.   3350
REY. ¡Esto mis privados hacen!

Sale EL MARQUÉS DE LA MOTA.

MOTA. Pues es tiempo, gran señor,
      que a luz verdades se saquen,
      sabrás que don Juan Tenorio   3355
      la culpa que me imputaste
      tuvo él, pues como amigo
      pudo el cruel engañarme,
      de que tengo dos testigos.

3360	REY.	¡Hay desvergüenza tan grande!
	TENORIO.	En premio de mis servicios
		haz que le prendan y pague
		sus culpas, porque del cielo
		rayos contra mí no bajen,
3365		si es mi hijo tan malo.
	REY.	Prendedle y luego matadle.

Sale CATALINÓN.

	CATALINÓN.	Señores, todos oíd
		el suceso más notable
3370		que en el mundo ha sucedido;
		y en oyéndome, matadme.
		Don Juan, del Comendador
		haciendo burla, una tarde,
		después de haberle quitado
3375		las dos prendas que más valen,
		tirando al bulto de piedra
		la barba por ultrajarle,
		a cenar le convidó.
		¡Nunca fuera a convidarle!
3380		Fue el bulto, y convidóle;
		y ahora porque no os canse,
		acabando de cenar,
		entre mil presagios graves,
		de la mano le tomó,
3385		y le aprieta hasta quitalle

		la vida, diciendo: "Dios
		me manda que así te mate,
		castigando tus delitos.
		Quién tal hace que tal pague".
	REY.	¿Qué dices? 3390
	CATALINÓN.	Lo que es verdad,
		diciendo antes que acabase
		que a doña Ana no debía
		honor, que le oyeron antes
		del engaño. 3395
	MOTA.	Por las nuevas
		mil albricias pienso darte.
	REY.	¡Justo castigo del cielo!
		Y ahora es bien que se casen
		todos, pues la causa es muerta, 3400
		vida de tantos desastres.
	OCTAVIO.	Pues ha enviudado Isabela,
		quiero con ella casarme.
	MOTA.	Yo con mi prima.
	BATRICIO.	Y nosotros 3405
		con las nuestras, porque acabe
		El convidado de piedra.
	REY.	Y el sepulcro se traslade
		a San Francisco en Madrid
		para memoria más grande.
		3410

FIN

Sugerencias para el análisis y la discusión de la Jornada Tercera Versos 2920 - Final del drama

1. ¿Por qué al final cumple don Juan su promesa de ir a la cena con don Gonzalo?

2. ¿Cuál es la actitud de don Juan para con don Gonzalo?

3. Se oyen desde dentro cantos (mira las acotaciones). ¿Qué dicen? ¿Qué función desempeñan?

4. ¿Cuántas veces y en qué ocasiones ha "dado la mano" don Juan?

5. ¿Qué quiere hacer don Juan en última instancia?

6. De nuevo se menciona el fuego. ¿Qué es aquí?

7. Analiza con detalle el castigo de don Juan. ¿Es comparable a sus culpas?

8. ¿Cuál es la función de Catalinón en estas escenas?

9. Comenta la resolución donde se ultiman los planes matrimoniales. ¿Se ha restablecido el orden?

Temas para discusión y ensayos al terminar la obra

1. ¿Qué transgresiones han cometido los diferentes personajes? ¿Han recibido todos ellos su castigo?

2. ¿Qué tiene este drama de moralizador? ¿Por qué podemos decir que es una obra del Barroco?

3. ¿Qué aprendemos del orden social, de la institución de la nobleza y de la monarquía?

4. ¿Y qué aprendemos de la diferencia entre las mujeres y los hombres?

5. Mira con perspectiva el drama, sus tres jornadas y el contexto histórico-literario y haz una lista de los temas en orden de importancia.

Actividades para la Unidad 4

1. Dramatizar en grupos las escenas más interesantes, modernizándolas si quieren, pero siendo fiel a la obra y al carácter de don Juan.

2. Dramatizar en grupos algunas escenas interesantes de la obra, invirtiendo los papeles. Es decir, ¿cómo cambiaría la escena si don Juan fuera doña Juana, la burladora de Sevilla?

3. Preparar y presentar en grupos distintos donjuanes reales, literarios, de películas o televisión. ¿De qué modos ha sido don Juan representado en la cultura (música, etc.)?

4. Los estudiantes pueden ver en YouTube la escena de la muerte de don Juan de la ópera Don Giovanni de Mozart. Es una excelente ilustración del texto. Ver enlace vivo en la guía digital.

5. Leer la última escena de *Don Juan Tenorio* de José Zorrilla (escrita en pleno Romanticismo). ¿En qué se diferencia y en qué se parece al final de la obra de Tirso? Los alumnos pueden dramatizar las dos versiones y luego pedir comparaciones y contrastes a sus compañeros de clase.

6. Los actos escandalosos de don Juan encabezan el programa *Inside Edition*, *TMZ*, o *Entertainment Tonight*. Los estudiantes crean situaciones y diálogos en que actúan de presentadores del programa.

7. Don Juan visita los *talk shows* de noche. Representa una serie de distintas entrevistas: Jay Leno, David Letterman, Jimmy Fallon, Conan O'Brien, The Daily Show, The Colbert Report, etc.

8. Dando un salto a través del tiempo, don Juan se encuentra inesperadamente en Nueva York o en Hollywood como partícipe en un *reality show*. Sé fiel al carácter de don Juan. Los estudiantes crean situaciones y diálogos.

9. Don Juan se encuentra con Sor Juana, que como sabemos es tan independiente y atrevida intelectualmente como él. Tienen un diálogo con preguntas y respuestas, respetándose el carácter de cada uno.

✦ ✦ ✦ ✦ ✦ ✦ ✦ ✦ ✦ ✦ ✦

Cuestiones esenciales para la Unidad 4

1. ¿De qué manera influyen las circunstancias físicas de los teatros de la época (una plaza con sus balcones; un escenario temporal que se cambiaba; funciones en pleno día) en el desarrollo de la obra? Estudiando esta foto de José Luis Filpo Cabana (2010) de un corral de comedias construido en 1628, menciona ejemplos específicos del resultado de la falta de telón, imposibilidad de crear la oscuridad, ausencia de decorados de escena y otros detalles que observes.

2. Estudia donjuanes de la televisión, cine, literatura o de la vida real. ¿Es en la actualidad don Juan un transgresor de las normas o un seductor? ¿Qué supuestos y valores de cada época han influido en determinar las características de este arquetipo?

3. El *Burlador* fue escrito en el primer cuarto del siglo XVII en plena época del Barroco español. Identifica el sentido moral de la obra y explica cómo se relaciona con la cosmovisión de la época.

4. Siguiendo el mandamiento de la época, Tirso trata de enseñar deleitando. ¿Hacia dónde crees que se inclina, a deleitar o a enseñar?

5. Tirso rompe completamente con las tres unidades del lugar, tiempo y acción. Explica cuándo. ¿Por qué crees que lo hace? ¿Qué efecto busca? ¿Cómo revela la literatura las expectativas del público?

6. ¿Cómo revela el *Burlador* la percepción de los géneros masculino y femenino y las relaciones entre ambos? ¿De qué manera los factores culturales de la época influyen en esta percepción?

7. En esta obra, el concepto del honor cambia de hombre a mujer y de noble a pobre. Explica cómo influyen los supuestos de la época respecto a los géneros y clases sociales en la valorización de este concepto.

8. El tema del honor y de la honra está presente en numerosas obras literarias. Elige otra, además del *Burlador*, y compara cómo el contexto y los supuestos de la época cambian (o no) estas ideas.

9. ¿Se podría decir que los personajes del drama de Tirso se transforman? Analiza el desarrollo de los personajes del *Burlador* en comparación con los del *Quijote*?

10. Analiza la dicotomía entre la imagen pública y la verdad privada en el drama de Tirso. ¿Qué revela la división de los valores de la época?

1 ▷ La influencia de Francia y la moda del clasicismo

El siglo XVIII estrena una nueva dinastía en España. Al morir sin heredero el último Habsburgo, Carlos II, estalla una guerra por la sucesión del trono. A su término, se instaura en España la dinastía francesa de Borbón, con el rey Felipe V. El nuevo rey trae a una España en bancarrota ideas europeas y modos de hacer franceses, con intención de reactivar la industria, el comercio y la sociedad. Desaparecen definitivamente las ambiciones imperiales europeas y la acción política y militar se limita casi exclusivamente a las Américas. Los Borbones traen también estilos y modas del país vecino. El clasicismo francés cambia las directrices del barroco español, imponiendo el culto a la razón y las normas de lo correcto. La vida social, la moda en el vestir y los estilos literarios sufren estas influencias. La producción literaria de este siglo, consecuencia de una limitación de la imaginación y creación individual a favor de la corrección y de la intención didáctica, es considerablemente inferior a la anterior y posterior. Incluso las más destacadas obras de la época tienen una intención moralizante. Se crea la Real Academia de la Lengua, institución que todavía en la actualidad cuida del lenguaje español.

La vida colonial continúa siendo influida por España, tanto en costumbres como en estilos literarios. Las reformas de los Borbones, especialmente de Carlos III, se extienden a los territorios americanos. Con el propósito de mejorar la administración y el comercio, se divide el imperio americano en provincias, cada una bajo el mando de un intendente, y se les da libertad para comerciar entre ellas o con diferentes ciudades españolas. Pero ya es demasiado tarde para implantar soluciones desde la Corte madrileña. En vez de fortalecer el poder de Madrid, los cambios tienen como efecto principal fomentar el espíritu regional y el deseo de autogobierno. Al final del siglo XVIII, la revolución americana y las ideas revolucionarias de Francia empiezan a producir su correspondiente efecto independentista y numerosos escritores usan la pluma al servicio de la política.[1]

---

1 Así comienza una tradición de escritores que transforman la admiración de su público en fuerza política y que incluye a Rómulo Gallegos, autor de *Doña Bárbara* y presidente de Venezuela; José Martí, poeta y gran político cubano; Pablo Neruda, poeta y candidato a la presidencia de Chile; Ernesto Cardenal, poeta, revolucionario y político nicaragüense; Mario Vargas Llosa, novelista y candidato a la presidencia de Perú; Gabriel García Márquez, colombiano, cuyo activismo político se extiende a todo el continente; y otros.

CAPITULO 4: SIGLO XIX

1 ▷ Contexto histórico: La Guerra de Independencia y las Guerras de Emancipación

Otra guerra, ésta de carácter popular, inicia el siglo. Los españoles, con un profundo sentimiento nacional que recuerda a la Reconquista, se levantan en una guerra llamada de Independencia contra José Bonaparte, francés instaurado como rey por su hermano Napoleón.[1] Un pequeño grupo de liberales e intelectuales, interesados en las posibles reformas napoleónicas, apoyan a Bonaparte, que tiene en su contra a todo el país. Muchos de estos intelectuales acabarán en el exilio y, al volver, traerán ideas y corrientes europeas, como el Romanticismo. Cuando en 1813 la guerra termina en la derrota napoleónica, el inepto y tiránico Fernando VII encabeza la nación. Pero en un sorprendente momento modernizador, las Cortes de Cádiz elaboran en 1812 la primera Constitución española. Esta Constitución, de contenido reformista y liberal, otorga a todos los ciudadanos (de género masculino) los mismos derechos y obligaciones. Aunque este intento no consigue permanencia y el siglo es de gran inestabilidad política, con guerras entre liberales y tradicionalistas (*carlistas*), hay un considerable despliegue económico, se instala el ferrocarril, se mejora la higiene y gran parte de la población se urbaniza.

Los acontecimientos en Madrid tienen sus consecuencias en Hispanoamérica. Conocedores de la debilidad de la metrópoli, y aprovechando el momento de agotamiento provocado por la invasión napoleónica, la burguesía criolla organiza movimientos independentistas en todas las colonias. Como dirigidos por una mano invisible, los movimientos de emancipación empiezan prácticamente al mismo tiempo en diferentes lugares del imperio, sin un líder o un impulso común. Al contrario de la revolución francesa o americana, ni se originan ni son nutridos de las masas populares (con la excepción notable del Padre Miguel Hidalgo, en 1810, primer independentista mexicano que acaba fracasando), sino que surgen de la minoría criolla, educada en España y Europa. España es incapaz de ejercer una política de compromiso y responde con mano dura. Pero las colonias cuentan con dos líderes excepcionales, los generales Simón Bolívar y José de San Martín. Bolívar, que había leído a Rousseau y a los filósofos europeos, avanza desde su ciudad natal, Caracas en Venezuela, hacia Perú. San Martín por su lado, dirige su ejército desde las regiones de Argentina y Chile hacia el norte, también Perú. A ellos se unen en su camino otros revolucionarios coloniales y, aunque sufren derrotas y retrocesos, su avance es imparable y vencen repetidamente al ejército español. En diciembre de 1824, en Ayacucho, entre Lima y Cuzco, el ejército de Bolívar gana la batalla definitiva.

---

1   Goya va a inmortalizar esta guerra con sus dos cuadros, *2 de Mayo de 1808: La lucha contra los mamelucos* y *3 de Mayo de 1808: Los fusilamientos en la montaña del Príncipe Pío.*

Así pues, entre 1810 y 1825, después de 300 años de dominio español, la mayor parte de las colonias se hacen independientes. Echando al traste el sueño de Bolívar de formar un gran país, "la Gran Colombia", las colonias se fragmentan, surgiendo de ellas 17 repúblicas separadas, las mismas que existen ahora.[2] Sólo Cuba y Puerto Rico continúan bajo dominio español, al igual precisamente que poco más de 300 años antes, cuando Colón y España sólo conocían del Nuevo Mundo el Caribe. Las guerras independentistas no son, sin embargo, una revolución social y a la independencia no acompaña una reforma democrática. De hecho, las repúblicas no son muy diferentes en este aspecto de las colonias anteriores: el poder sigue en manos de una élite, ahora los criollos, que se perpetúa a sí misma y de quien desconfían mestizos e indígenas. En la segunda mitad del siglo, la inestabilidad política, la desigualdad social, los golpes de estado, la presencia de caudillos populares y de dictadores, y las represiones del ejército van a repetirse con triste frecuencia. Las soluciones económicas suceden a las políticas y si bien es verdad que las repúblicas se modernizan con la instalación de trenes, telégrafos y puertos y la llegada de masas de inmigrantes e inversiones extranjeras, la gran masa de gente vive en la pobreza e ignorancia.

2 Escenario cultural: del Romanticismo al Realismo

El Romanticismo

El Romanticismo es un movimiento cultural europeo de la primera mitad del siglo XIX que llega a España de la mano de los exiliados políticos durante el gobierno de Fernando VII. El Romanticismo ofrece toda una visión del mundo y una actitud ante la vida. Es también una moda que influye en todos los aspectos, desde las ropas al arte y las prácticas religiosas. En primer lugar, el Romanticismo, como reacción a la serenidad del clasicismo y respeto por las normas del XVIII, trae una glorificación del individuo y con ella una exaltación de la libertad individual frente a cualquier limitación. En la política como en la religión, la moral o la literatura, el espíritu romántico proclama la liberación frente a las leyes sociales, la pasión, el instinto y la expresión de las emociones como derechos individuales.

Los preceptos de la revolución francesa de libertad, igualdad y fraternidad se convierten en principios de la tarea creadora. Artistas y escritores escapan de las restricciones y reglas clasicistas en busca de una expresión personal y original. Se ensalza lo natural y espontáneo, lo popular y folclórico; se exalta la imaginación sobre la razón, lo fantástico sobre lo real. Muchos poetas, como el cubano **Heredia**, se inspiran en la naturaleza, especialmente en sus aspectos prodigiosos o sublimes, uniendo el espíritu con lo natural para encontrar una realidad más profunda. Otros autores escapan a un mundo exótico y lejano, con un telón de fondo de ruinas y grandes monumentos. Sur-

---

2 Panamá surge como país al separarse de Colombia en 1903, con ocasión de la construcción del canal.

ge una nostalgia hacia el pasado heroico representado en la Edad Media, con su arte gótico, sus Cantares de gesta y sus héroes míticos. Otros autores miran al mundo que les rodea para despreciarlo y criticarlo, exaltando figuras antisociales como el pirata, el mendigo o el don Juan. Estos personajes, en su actitud y en su estética, rompen con el orden establecido, los supuestos morales y las limitaciones burguesas. Junto con ellos están los amantes que persiguen un amor imposible o a quienes se opone una sociedad estrecha y llena de prejuicios. Los héroes literarios, al igual que los jóvenes de esta generación, viven una frustración que a veces lleva al suicidio, al no poder realizar sus deseos y tener que vivir una existencia en fuerte contraste con sus exaltados ideales.

Espronceda es uno de los primeros poetas románticos y su obra responde en estilo y temática al movimiento. Por otra parte, **Bécquer** que vivió en el último tercio del siglo en plena época de la novela realista, es un poeta intimista y subjetivo que no participa de los gestos grandilocuentes de los poetas románticos de principios de siglo. Su poesía, desnuda e intensamente lírica, que recoge muchos de los temas románticos, recibe el nombre de posromántica.

El Realismo y Naturalismo

En la segunda mitad del siglo XIX las ciencias experimentales, cuya base es la observación cuidadosa y la experimentación, dan un gran avance.[3] La física aplicada resulta en inventos como la electricidad, la radio y el teléfono. En filosofía domina el positivismo, que sostiene que sólo la experiencia sensible lleva al conocimiento. En España, el desarrollo de la burguesía lleva de la mano una orientación política más conservadora, como reacción contra los excesos y desorden románticos. La literatura de la época pretende también observar y recrear la realidad y comienza la época del llamado Realismo. Frente al Romanticismo en el que se ensalzaba, como hemos visto, lo imaginado, personal e intimista, al Realismo le interesa la vida real. En vez de una declaración individual y original, el Realismo busca la expresión objetiva. Se sustituye lo exótico, pasado y legendario por lo presente y cotidiano. No interesa que el escritor refleje su personalidad y exprese sus emociones, sino que represente la realidad externa y que lo haga por medio de datos observables.

El género que responde a estos dictados es la novela realista que se cultiva en toda Europa: Flaubert y Balzac en Francia; Dickens en Inglaterra; Gogol, Dostoyevsky y Tolstoi en Rusia; y Pérez Galdós, Clarín, **Pardo Bazán** en España publican obras que definen y ejemplifican este género. Al intentar representar fielmente la realidad, el novelista escribe con detalle y exactitud. Para ello, observa con minuciosidad y se expresa con precisión. En general, el narrador es omnisciente, lo sabe todo de sus personajes, incluso los sentimientos más secretos. Hay abundante diálogo, que permite el contacto directo con el lector y el uso de un lenguaje popular, común y coloquial que aumenta la sensación de autenticidad. La novela realista no se limita a retratar personajes.

---

3 En 1859 Charles Darwin publica *El origen de las especies por medio de la selección natural,* levantando apasionadas controversias.

Toda la sociedad contemporánea queda representada en detallada complejidad, desde las calles y las casas, hasta las ropas y las costumbres. Los personajes marginados y exóticos desaparecen a no ser que formen parte del ambiente que mejor conocen los escritores, la clase media y la vida corriente. El argumento, compuesto en apariencia de situaciones de poca transcendencia, sirve para poner en relieve la complejidad psicológica y desarrollo de los personajes. Al escritor realista le interesa también el lector y a él se dirige con el respeto de trasmitirle la verdad, esperando a veces conseguir un fin moralista o al menos pragmático. No trata de conmover al lector, como hacía el romántico, sino de convencerle de una determinada idea o actitud. El lector, por su parte, juzga el realismo de un texto por su capacidad de revivir, ver y sentir lo que el escritor ha expuesto.

Una derivación del Realismo en la que las ciencias experimentales tienen todavía más influencia es el **Naturalismo**, cuyo creador y mayor representante es el francés Émile Zola. El Naturalismo lleva la información minuciosa al extremo de darle valor documental, tiene una intención ideológica, la crítica de la sociedad, y añade a la visión realista una concepción determinista del hombre. Sostiene que la psicología humana está sujeta a leyes tan determinantes como las científicas, que la conducta está condicionada por la herencia, el ambiente y el aspecto físico. El escritor naturalista ya no sólo retrata la vida corriente, sino que busca los aspectos más sórdidos de la realidad –la miseria, las enfermedades, la degeneración, los vicios– ya que en ellos se comprueban mejor las teorías deterministas sobre los problemas sociales. La fuerza del instinto y los aspectos eróticos tienen amplio y detallado tratamiento. El lenguaje se hace eco de este enfoque y es a veces vulgar y grosero. Clarín y sobre todo Pardo Bazán son sus representantes más importantes en España, aunque a ambos se les puede considerar también escritores realistas que siguen la escuela naturalista en algunas de sus obras con gran independencia, tomando sólo algunas de sus técnicas.

En Latinoamérica se añade un nuevo cariz a los movimientos romántico y realista. Ya al final de la primera década tiene lugar el primer acto independentista, y libertad y progreso son los dos conceptos claves de la vida política e intelectual. Los escritores van a ser parte y hasta cierto punto líderes del movimiento emancipador. Es, pues, natural que junto con el deseo de independencia política de la metrópoli, surja la voluntad de independencia literaria. Latinoamérica mira ahora tanto o más a Francia como modelo artístico y al mismo tiempo añade sus propios giros autóctonos. Muchos de los escritores son a la par políticos y participantes activos en la lucha, como Heredia y **Martí** en Cuba. A partir de ahora existen las literaturas nacionales latinoamericanas y a la vuelta del siglo, el Modernismo, de mano de **Rubén Darío**, hace un camino contrario al habitual y pasa de la América hispana a la península para influir decisivamente en los escritores españoles. Este paso marca el principio de un largo periodo, que sigue en nuestros días, en el que la escritura latinoamericana se convierte en una de las más conocidas e influyentes a nivel mundial.

UNIDAD 1. ROMANTICISMO Y LO ROMÁNTICO

José María Heredia

(1803-1839)

Datos biográficos

Como si en el momento de su nacimiento se pudieran ver ya las grandes líneas de su romanticismo incipiente, José María Heredia nació en vísperas del Año Nuevo de 1803 en Cuba, adonde sus padres el año anterior tuvieron que desviarse rumbo a Puerto Rico, a causa de una tempestad, para finalmente establecerse en Santiago de Cuba. Bajo la influencia intelectual y formativa de su padre, Heredia pasó su infancia estudiando los autores clásicos y trasladándose de país en país con su familia. Autor de poemas desde la temprana edad de 14 años, empezó sus estudios de derecho en 1818, obteniendo el título de abogado en la Universidad de La Habana en 1821. Heredia deseaba profundamente la libertad de su país y luchó con la pluma toda su vida para conseguirla. En 1823 fue denunciado por conspirar a favor de la independencia de Cuba y tuvo que exiliarse en Boston, donde continuó escribiendo poesía y teatro neoclásico. Fue condenado al destierro perpetuo al año siguiente, pero en 1825 recibió una carta del presidente de México informándole que podía trasladarse a ese país.

En México trabajó de abogado, tradujo varias obras, escribió crítica literaria y continuó escribiendo poesías. En 1827 fue nombrado Juez de Primera Instancia de Cuernavaca. Ese mismo año se casó. Tuvo siete hijos, de los cuales dos murieron muy jóvenes. En 1836, al recibir autorización para volver brevemente a Cuba, finalmente se reunió con su madre después de trece años de exilio. Tuvo que regresar a México al año siguiente, agobiado por las injusticias, dificultades y falta de reconocimiento que tuvo que sufrir. Enfermo de tuberculosis, escribió a su madre su última carta y murió en la Ciudad de México. En su último poema, dirigiéndose a Dios, escribió: "Permite a lo menos que mi labio impuro / una su voz débil a los sacros cantos / con que te celebran ángeles y santos / y ellos, Dios piadoso, te alaben por mí". Murió muy joven después de una corta vida llena de intensidad religiosa y romántica.

La poesía de Heredia

La obra de Heredia es de una tremenda variedad, desde el neoclasicismo que le inculcó su padre hasta el romanticismo de algunos de sus poemas escritos para celebrar el espectáculo de la naturaleza. Además de su poesía, escribió, imitó y tradujo más de una docena de obras de teatro neoclásicas, crítica literaria, y obras y discursos políticos. Pero indudablemente sus temas poéticos más frecuentes y más logrados son la naturaleza y la patria. Sus cuatro poemas más conocidos celebran las fuerzas de la naturaleza: "En el Teocalli de Cholula" (1820), "En una tempestad" (1822), "Oda al Niágara" (1824), y "Al océano" (1836). Aquí encontramos la descripción del mundo físico que refleja el mundo interior, la armonía entre el alma del poeta y el paisaje exterior. Contemplando lo sublime del Niágara, siente nostalgia de la patria lejana, el "yo" del poeta se alza a las alturas y a la grandeza de las cataratas, y su alma aspira a la inmortalidad.

Entre sus poesías patrióticas se encuentran referencias a la insurrección de Grecia en 1820 protestando la opresión turca; reclamos por la independencia de Cuba; comentarios sobre las luchas políticas mexicanas; y poemas que relatan el dolor del destierro. En sus versos, la mayoría compuestos en decasílabos de tres acentos, Heredia muestra su pasión por la libertad, por la dignidad humana y por la necesidad de mejorar la condición social de la gente.

"Su lira", nota José Martí, otro gran poeta cubano, "es de las batallas, del amor tremendo, del horror grato, bello y augusto […] Los versos de Heredia le nacen del alma con manto y corona".

◆ ◆ ◆ ◆ ◆ ◆ ◆ ◆ ◆ ◆ ◆

En una tempestad

Huracán, huracán, venir te siento,
y en tu soplo[1] abrasado[2]
respiro entusiasmado
del señor de los aires el aliento.

5   En las alas del viento suspendido
vedle rodar por el espacio inmenso,
silencioso, tremendo, irresistible
en su curso veloz[3]. La tierra en calma
siniestra; misteriosa,
10   contempla con pavor su faz[4] terrible.
¿Al toro no miráis? El suelo escarban[5]
de insoportable ardor sus pies heridos:
La frente poderosa levantando,
y en la hinchada[6] nariz fuego aspirando,
15   llama la tempestad con sus bramidos[7].

¡Qué nubes! ¡Qué furor! El sol temblando
vela en triste vapor su faz gloriosa,

y su disco nublado sólo vierte
luz fúnebre y sombría,
que no es noche ni día...   20
¡Pavoroso calor, velo de muerte!
Los pajarillos tiemblan y se esconden
al acercarse el huracán bramando,
y en los lejanos montes retumbando[8]
le oyen los bosques, y a su voz responden.   25

Llega ya... ¿No le veis? ¡Cuál desenvuelve
su manto aterrador y majestuoso...!
¡Gigante de los aires, te saludo...!
En fiera confusión el viento agita
las orlas[9] de su parda[10] vestidura[11]...   30
¡Ved...! ¡En el horizonte
los brazos rapidísimos enarca[12],
y con ellos abarca[13]
cuanto alcanzó a mirar de monte a monte!

1	**soplo** blowing	6	**hinchada** swollen	11	**vestidura** clothing
2	**abrasado** burning	7	**bramidos** bellowing	12	**enarca** forms an arc
3	**veloz** swift	8	**retumbando** thundering	13	**abarca** embraces
4	**faz** face	9	**orlas** fringes		
5	**escarban** scratch	10	**parda** grey		

35　¡Oscuridad universal!... ¡Su soplo
levanta en torbellinos[14]
el polvo de los campos agitado...!
En las nubes retumba despeñado[15]
el carro del Señor, y de sus ruedas
40　brota[16] el rayo veloz, se precipita,
hiere[17] y aterra al suelo,
y su lívida luz inunda el cielo.

　　　¿Qué rumor? ¿Es la lluvia...? Desatada[18]
cae a torrentes, oscurece el mundo,
45　y todo es confusión, horror profundo.
Cielo, nubes, colinas, caro bosque,
¿Dó estáis...? Os busco en vano:
Desaparecisteis... La tormenta umbría[19]
en los aires revuelve un océano

que todo lo sepulta[20]...　　　　　　50
Al fin, mundo fatal, nos separamos:
El huracán y yo solos estamos.

　　　¡Sublime tempestad! ¡Cómo en tu seno[21]
de tu solemne inspiración henchido[22],
al mundo vil y miserable olvido,　　　55
y alzo la frente, de delicia lleno!
¿Dó[23] está el alma cobarde
que teme tu rugir[24]...? Yo en ti me elevo
al trono del Señor; oigo en las nubes
el eco de su voz; siento a la tierra　　60
escucharle y temblar. Ferviente lloro
desciende por mis pálidas mejillas,
y su alta majestad trémulo adoro.

✦ ✦ ✦ ✦ ✦ ✦ ✦ ✦ ✦ ✦ ✦

---

14 **torbellinos** whirlwinds　　19 **umbría** shady　　24 **rugir** roar

15 **despeñado** flung down　　20 **sepulta** buries

16 **brota** brings forth　　21 **seno** breast

17 **hiere** wounds　　22 **henchido** filled up

18 **desatada** untied　　23 **dó** donde

Sugerencias para el análisis del poema

1. ¿A quién se dirige el poeta? ¿Cómo se llama la figura retórica con la cual empieza el poema? ¿Qué efecto tiene en el lector?

2. ¿Cómo se siente la voz poética frente a la tempestad?

3. Cuando proclama, "Respiro entusiasmado / Del señor de los aires el aliento", ¿qué nos dice sobre una presencia sobrenatural en la naturaleza?

4. ¿Están las palabras de los versos 1, 2, 3 y 4 en el orden normal?

5. La frase que empieza en el verso 2 termina en el 4. Lo mismo ocurre con el 7 y el 8, 11 y 12, 16 y 17, y otros muchos. ¿Cómo se llama cuando la frase no termina al final del verso sino que continúa en el siguiente? ¿Qué efecto causa?

6. El poema comienza dirigiéndose al huracán, pero pronto aparecen verbos como "miráis" (v11), "veis" (V 26). ¿A quién se dirige ahora la voz poética?

7. ¿Qué sugiere la metáfora del toro?

8. En las estrofas 3 y 4, la voz poética se dirige a la tempestad, el huracán, el sol, los pajarillos, la tierra, como si fueran personas. ¿Cómo se llama esta figura? ¿Qué efecto tiene?

9. Explica la metáfora del "carro del Señor" en la quinta estrofa. ¿Cómo refuerza las otras referencias a Dios en el poema?

10. ¿Qué efecto tiene la descripción de la lluvia? ¿Por qué el poeta se coloca en medio de la tempestad al final de la sexta estrofa, "El huracán y yo solos estamos"?

11. ¿Cuál es el sentido de la última estrofa?

12. ¿Qué tipo de imágenes abundan en este poema? ¿Con qué resultado?

13. Específicamente, ¿puedes encontrar alguna onomatopeya o aliteración?

Temas de discusión y ensayos

1. ¿Se asocia un huracán normalmente con algo positivo o negativo? ¿Qué ocurre aquí? ¿Qué está diciendo el poeta? Establece el sentido central de este poema.

2. Estudia la rima irregular del poema. ¿Qué efecto tiene? Compárala con la rima y el verso más regular de un poema de tu elección.

3. ¿Cuál es el tono del poema? ¿Qué elementos del poema sirven para indicar el tono?

4. Vuelve a leer la descripción del Romanticismo en la introducción al siglo XIX. ¿Qué elementos románticos predominan en el poema?

5. Compara la poesía de Heredia con la de Bécquer. ¿Cuáles son las semejanzas y las diferencias que más se destacan?

6. Todo el poema es una sublimación de una tempestad, su transformación metafórica. Recopila los elementos naturales y la versión poética.

7. Heredia tuvo siempre grandes preocupaciones políticas. Considerando la época en que vivió, ¿qué interpretación puede tener un huracán tan impresionante y a la vez tan admirado y bienvenido por parte del poeta?

Gustavo Adolfo Bécquer

(1836-1870)

Datos biográficos

Nacido en Sevilla, Gustavo Adolfo Bécquer vivió una breve existencia marcada por la pérdida. Su padre, pintor de tipos y costumbres, murió cuando el joven tenía tan sólo cinco años. Su madre falleció al año siguiente. Bécquer quedó huérfano y sin dinero. Desde muy joven mostró grandes aficiones literarias. En el colegio y en casa de su madrina, era un gran lector de novelas, literatura clásica y textos de historia. A los diez años compuso con un compañero de clase su primera obra de teatro y, al poco tiempo, sus primeros versos. En 1854, a pesar de la oposición de algunos parientes, partió para Madrid con los bolsillos vacíos pero lleno de fe e ilusión. En la capital, con la que tanto había soñado, no logró éxito inmediato: padeció hambre, escaseces y enfermedades, pero también empezó a publicar sus Leyendas en una revista y a pintar esporádicamente. Sin embargo, no pudo vivir del arte y tuvo que trabajar de periodista y hasta de censor de novelas.

En 1861 conoció a Casta Esteban con quien se casaría un tiempo después. Los biógrafos de Bécquer han debatido extensamente la identidad de la amada de muchas *Rimas*. Se piensa que la inspiración para los poemas puede haber sido una mujer a quien había amado secreta y apasionadamente antes de conocer a Casta. Todos parecen estar de acuerdo con que la musa poética no fue su esposa. Pero la autenticidad histórica de la supuesta amada debe ponerse en tela de juicio, ya que ésta también puede haber sido una creación literaria. Lo que parece ser históricamente cierto es que alrededor de 1861 el joven escritor sufrió una crisis sentimental. El matrimonio no le trajo el alivio que tal vez buscaba. A los ocho años de casados, tras el nacimiento de su tercer hijo, se separó de su esposa. Siempre de carácter enfermizo, Bécquer murió de tuberculosis a la edad de treinta y cuatro años, sin haber conseguido éxito ni reconocimiento como poeta. La fama llegaría un año después de su muerte cuando sus amigos publicaron las *Rimas*.

Las *Rimas*

La obra de Bécquer no es posible sin la lírica romántica que la precedió, pero tampoco se acomoda nítidamente a los límites y definiciones del Romanticismo. Comparte con este movimiento la temática (las ruinas, lo macabro, las tinieblas, el fracaso, por ejemplo), la voz del "yo" poético y un tono a veces melancólico. Sin embargo, carece de la grandilocuencia de las baladas históricas de un Espronceda y de la exaltación de figuras de rebeldía que se encuentran en la poesía del mismo. La poesía intimista de

Bécquer, llamada *posromántica*, se arraiga no en aquella poesía romántica con el enfoque hacia el exterior, sino en la que dirige su mirada hacia un interior: una poesía que hace resaltar la visión única y subjetiva, sumamente personal, de un individuo.

Los poemas de *Rimas* no siguen el orden original que había fijado Bécquer en su colección originalmente titulada *Libro de los gorriones*. Fueron unos amigos quienes, después de la muerte del poeta, reorganizaron los poemas según su temática. Los cuatro temas, identificados por el escritor Gerardo Diego, según los cuales se dividen las *Rimas* son: el arte (la poesía misma), el amor afirmativo, el amor fracasado y el dolor.

Vista en conjunto, la colección se puede leer como un movimiento desde la celebración hasta el desengaño. Las cuatro partes, sin embargo, comparten semejanzas de léxico y de imágenes. La métrica de las rimas es sencilla, alternando versos de once sílabas con los de siete. La sintaxis tiende a ser simple y la rima es a menudo asonante en los versos pares, siguiendo el patrón de los romances. La aparente falta de artificio hace resaltar el lenguaje de las *Rimas*, un lenguaje que insistentemente recurre a imágenes de lo efímero, lo transitorio, lo invisible, lo indefinible (el rumor, el sueño, el suspiro, el vapor, el eco, el murmullo). El lenguaje de Bécquer revela una estrategia poética particular: más que expresar directamente, Bécquer sugiere, insinúa. Lo hace en un tono íntimo y confesional, como si hablara en voz baja y en confidencia.

❖ ❖ ❖ ❖ ❖ ❖ ❖ ❖ ❖ ❖ ❖

Rima LIII

Volverán las oscuras golondrinas[1]
en tu balcón sus nidos[2] a colgar[3],
y otra vez con el ala en sus cristales[4],
 jugando llamarán;

5 pero aquéllas que el vuelo refrenaban[5]
tu hermosura y mi dicha[6] al contemplar;
aquéllas que aprendieron nuestros nombres,
 ésas ... ¡no volverán!

Volverán las tupidas[7] madreselvas[8]
10 de tu jardín las tapias[9] a escalar,
y otra vez a la tarde, aún más hermosas,
 sus flores abrirán;

pero aquéllas cuajadas[10] de rocío[11],
cuyas gotas mirábamos temblar
15 y caer, como lágrimas del día ...,
 ésas ... ¡no volverán!

Volverán del amor en tus oídos
las palabras ardientes a sonar;
tu corazón, de su profundo sueño
20 tal vez despertará;

pero mudo y absorto y de rodillas[12]
como se adora a Dios ante su altar,
como yo te he querido ..., desengáñate[13],
 ¡así no te querrán!

❖ ❖ ❖ ❖ ❖ ❖ ❖ ❖ ❖

---

1 **golondrinas** swallows
2 **nidos** nests
3 **colgar** hang
4 **cristales** window panes

5 **refrenaban** slowed down
6 **dicha** joy
7 **tupidas** dense

8 **madreselvas** honeysuckles
9 **tapias** walls
10 **cuajadas** full of

11 **rocío** dew
12 **de rodillas** on my knees
13 **desengáñate** open your eyes

Sugerencias para el análisis del poema

1. ¿A quién se dirige la voz poética?

2. Casi sin leer el poema se puede observar una estructura que se caracteriza por formas que se repiten. ¿Cómo denominarías este tipo de estructura?

3. Analiza este paralelismo. Primero, observa los contrastes entre las estrofas pares e impares. Después, estudia las correlaciones entre las estrofas impares, por una parte, y las pares, por otra. ¿A qué conclusión te lleva este análisis?

4. ¿Cuál es la métrica de este poema?

5. Observa en los versos de la primera estrofa si se repite alguna consonante y con qué efecto. ¿Cómo se llama esta figura?

6. Lee en voz alta el verso 3. ¿Qué sonido oyes?

7. Estudia la cuestión de los tiempos verbales en este poema. ¿Qué sentido tiene la alternancia de tiempos?

8. Hay nueve futuros en este poema. Como sabemos, generalmente usamos "ir a + infinitivo" para acciones futuras. Esta abundancia del tiempo verbal futuro no es común. ¿Qué efecto causa?

9. Reorganiza la primera estrofa y explica el efecto del hipérbaton.

10. ¿A qué se refieren las palabras "tu corazón, de su profundo sueño tal vez despertará"?

11. ¿Qué efecto causa la repetición de la conjunción "y" en el verso 21? ¿Cómo se llama esta figura?

12. Vuelve a examinar el paralelismo. ¿Son la estrofas totalmente paralelas?

13. Contrasta lo perecedero y lo invariable en el poema. ¿Qué se define como fugaz y qué es constante?

14. ¿Cuál es el tono del poema? Menciona con evidencia textual cómo lo crea el poeta.

Temas de discusión y ensayos

1. ¿Cuál es el tema de este poema?¿Por qué pertenece este poema al grupo de "amor fracasado"?

2. Contrasta el tema del amor en la poesía de Bécquer y la del Siglo de Oro. Compara también a las mujeres como objeto de la contemplación del poeta.

3. Compara la sonoridad y el estilo de "En una tempestad" de Heredia y el de las *Rimas* de Bécquer. ¿Cómo se comparan el romanticismo del uno y el posromanticismo del otro?

4. ¿En esta Rima se trata el tema clásico del paso del tiempo? ¿De qué manera es este tratamiento diferente del de los poetas del Siglo de Oro?

5. Visto el poema en conjunto, ¿qué efecto causan el hipérbaton, el paralelismo, los signos de exclamación y otros elementos que tú encuentres?

Actividades para la Unidad 1

1. Muchos poetas han escrito sobre la naturaleza, especialmente sobre el tiempo meteorológico. Escribe una parodia de "En una tempestad", exagerando el aspecto "sublime" de un terremoto, de la lluvia, del calor intenso o de la niebla.

2. "En una tempestad" es muy rica en imágenes y metáforas para la representación del huracán. Basándote en una de las estrofas, dibuja o pinta un retrato de la fuerza de la tempestad.

3. Busca representaciones artísticas de la época romántica que de alguna manera sugieran la majestuosidad, grandeza de la naturaleza y su carácter "religioso" o sublime.

4. Varios estudiantes pueden presentar la situación política de distintos países latinoamericanos en este momento, para mejor comprender una posible lectura política del poema de Heredia. Las revoluciones y guerras, aparentemente destructivas, pueden ser la bienvenida llegada de algo positivo.

5. Los estudiantes pueden memorizar la conocida Rima XXI y debatir su significado:

    > ¿Qué es poesía?, dices mientras clavas
    > en mi pupila tu pupila azul.
    > ¿Qué es poesía? ¿Y tú me lo preguntas?
    > Poesía… eres tú.

6. Ya en el siglo XX una poeta mexicana, Rosario Castellanos, va a escribir un poemario titulado *Poesía no eres tú*. Aunque no conozcan los poemas, los estudiantes pueden discutir los cambios históricos. ¿Cómo se aborda con este título la cuestión de la mujer, antes objeto y ahora sujeto de la poesía? ¿Cómo revela la literatura los cambios en la percepción de los géneros masculino? ¿Cómo reescribe la norma esta poeta?

Cuestiones esenciales para la Unidad 1

1. En *"The Shipwreck of the Minotaur"* (1810), el pintor romántico J.M.W. Turner muestra la vulnerabilidad del hombre y de la construcción humana frente a la asombrosa naturaleza. Compara la siguiente obra con el poema de Heredia y discute cómo los dos artistas expresan temas similares en medios tan distintos. Pon atención especial en los aspectos técnicos de ambos.

   (Mirar la guía digital para ver en color.)

2. El Romanticismo surge en parte como reacción al racionalismo y orden de la época de la Ilustración que lo precede. Vuelve a las introducciones de *Azulejo* de los siglos XVIII y XIX para trazar el cambio de valores en los dos siglos. ¿Cómo se transmiten los valores nuevos en las obras de Heredia y Turner?

3. ¿De qué manera influye el periodo de "En una tempestad" en los siguientes aspectos formales: el lenguaje, la métrica, el tono de la voz poética?

4. ¿Por qué crees que los artistas románticos recurren con tanta frecuencia a escenas naturales para expresar sus ideas? ¿La naturaleza sirve de trasfondo o es el sujeto?

5. Los estudiantes pueden escuchar a algunos de los compositores destacados de la música romántica (por ejemplo, Wagner, Chopin, Tchaikovsky, Rimsky-Korsakov, Puccini), que se caracteriza por menor simetría y equilibrio que la música anterior y mayor riqueza de melodía. ¿Cómo logran expresar sus composiciones los sentimientos humanos? Compara la proclamación de sentimientos en una composición musical de tu elección con el poema de Heredia y el de Bécquer. ¿Cuál de ellos sería mejor acompañamiento para "En una tempestad" y cuál mejor para la Rima LIII?

6. Mira este cuadro llamado *Arrufos Spats* de 1887 del pintor brasileño Belmiro de Almeida y recuerda el poema "Volverán las oscuras golondrinas". Explica qué elementos romántico-intimistas tienen ambos.

   (Mirar la guía digital para ver en color.)

7. La voz poética de la Rima LIII se dirige a una mujer específica y expresa sentimientos auténticos. ¿En qué se diferencia de los sonetos de Góngora y Garcilaso que también hablan a una mujer? ¿Cómo influye la época en las convenciones poéticas?

8. Según la escritora Concha Zardoya, Bécquer da forma a una poesía que sabe "captar y revelar lo que va más lejos de la misma sensación: lo apenas visible, lo apenas audible, lo apenas tangible"[1]. Comenta esta cita en relación con la Rima de Bécquer.

9. Escucha la canción "Lo dudo" del conjunto mexicano Los Panchos y analiza la letra (por ejemplo, frases como "Lo dudo, lo dudo... que halles un amor más puro, como el que tienes en mí"). ¿Cómo se apropia este trío de cantantes del tema expresado en el poema de Bécquer? ¿Cómo ha cambiado el tema debido al tiempo y la forma artística? ¿En qué sentido no ha cambiado?

---

1 Ángeles Cardona de Gibert. Ed. *Poesía española contemporánea*. Madrid: Colección Guadarrama de Crítica y Ensayo. Madrid, 1961. 25.

UNIDAD 2. EL ARTE DEL REALISMO Y EL NATURALISMO: LA MIRADA MINUCIOSA

Emilia Pardo Bazán

(1851-1921)

Datos biográficos

Los éxitos literarios de Emilia Pardo Bazán son numerosos y sorprendentes, pero destacan todavía más cuando se considera que, como mujer escritora, se enfrentaba contra las costumbres y los prejuicios de toda una época. Es probable que la ventaja de la posición social y económica de su familia haya sido la clave sin la cual no hubiese podido viajar, estudiar ni escribir tal como hizo. Aun con estos privilegios, sobresale Pardo Bazán como una figura que ha abierto caminos al quebrar moldes aceptados, tanto en términos de género sexual como de técnica literaria.

Pardo Bazán nació en La Coruña, ciudad de Galicia, en una familia aristocrática y adinerada. A pesar de vivir durante un periodo cuando la educación de la mujer era habitualmente restringida, fue ávida lectora y pudo desarrollar su gran talento literario desde muy joven. A los 16 años, se casó con José Quiroga, estudiante de Derecho a cuyo lado continuó sus lecturas y empezó a escribir. Tuvo también la oportunidad de viajar por Francia, Inglaterra e Italia y, en el proceso, estudiar los idiomas y las respectivas literaturas de otros países europeos. Algunas de ellas, como la francesa y la rusa, tuvieron gran influencia en su obra.

Ya casada y con hijos, se instaló definitivamente en Madrid, donde participó de forma activa en la vida social literaria. Su inteligencia y desenvoltura le ganaron el respeto de muchos escritores del siglo XIX, entre los que se encuentran Clarín, Galdós y Blasco Ibáñez. Aun así, sus opiniones, publicadas o no, causaron también gran polémica. Su libro *La cuestión palpitante*, en el que exponía y criticaba la nueva corriente del Naturalismo del escritor francés Émile Zola, causó escándalo, no por su opinión negativa, sino por la mera asociación con Zola. Además, Pardo Bazán fue ardiente defensora, tanto con palabras como con obras, de los derechos de la mujer. Luchó infatigablemente para que recibiera la misma educación que los hombres y pudiera ejercer las mismas profesiones que éstos y creó la Biblioteca de Mujeres. Sus comentarios sobre la posición problemática de la mujer española, a través de los temas de su ficción como en sus ensayos, fueron muy discutidos. Cuando su mismo esposo llegó a oponerse a su carrera literaria, en vez de abandonarla, Pardo Bazán eligió dejarle a él. Se separó de su marido y permaneció en Madrid con sus tres hijos, continuando su trabajo intelectual.

A pesar de su reconocida importancia como intelectual y escritora, de haber llegado a ser presidente de la Sección de Literatura del Ateneo de Madrid y de haber sido nombrada la primera mujer catedrática de España (fue profesora de literatura francesa en la Universidad Central), Pardo Bazán nunca sería aceptada como miembro de la

Real Academia de la Lengua. Murió a los 69 años después de una prolífica vida literaria, a la que se atribuyen cada vez más tanto la introducción de innovaciones técnicas en la literatura como la aportación del feminismo a los círculos intelectuales.

La narrativa de Pardo Bazán

Es difícil clasificar a Pardo Bazán como representante de un género literario y mucho menos de un estilo. Entre otros géneros, destacan las novelas (su obra maestra se considera *Los pazos de Ulloa*), cientos de cuentos breves, ensayos de crítica literaria, múltiples tratados sobre cuestiones sociales en España y un libro de poemas dedicado a su hijo Jaime. Algunos de los temas que trata en sus obras son la explotación social, la violencia doméstica, la desigualdad económica y la situación de la mujer tanto en el ambiente rural como en el urbano.

El estilo de su narrativa de ficción también varía, aunque siempre dentro de los marcos del realismo. Pardo Bazán es sobre todo conocida como una de los principales representantes en España del Naturalismo. También minuciosamente detallado, el Naturalismo de la escritora se separa del de Zola al ser menos determinista. Pardo Bazán como católica se opuso a la teoría que negaba al hombre el libre albedrío. Sus personajes, aunque frecuentemente limitados por su ambiente, no parecen estar tan severamente apresados como los del escritor francés. En su crítica de Zola, Pardo Bazán también alude a su preferencia personal por una literatura que enaltezca la realidad. Sin embargo, al estilo naturalista, tiende también a representar escenas sórdidas y desagradables con una precisión exacta. La violencia, frecuentemente sufrida por mujeres, surge a menudo de estos contextos. En todos sus escritos, la novelista muestra una gran capacidad de observación, unida a una penetrante visión de la realidad social que describe con vigor y atrevimiento. Éste es el caso del cuento "Las medias rojas".

❖ ❖ ❖ ❖ ❖ ❖ ❖ ❖ ❖ ❖ ❖

Las medias rojas

Cuando la rapaza[1] entró, cargada con el haz de leña[2] que acababa de merodear[3] en el monte del señor amo, el tío[4] Clodio no levantó la cabeza, entregado a la ocupación de picar un cigarro, sirviéndose, en vez de navaja[5], de una uña córnea, color de ámbar oscuro, porque la había tostado el fuego de las apuradas colillas[6].

5   Ildara soltó el peso en tierra y se atusó el cabello, peinado a la moda "de las señoritas" y revuelto por los enganchones de las ramillas[7] que se agarraban a él. Después, con la lentitud de las faenas aldeanas, preparó el fuego, lo prendió, desgarró[8] las berzas[9], las echó

---

1 **rapaza** girl

2 **haz de leña** bundle of wood

3 **merodear** prowl

4 **tío** (coll.) way to address older men in villages

5 **navaja** knife

6 **colillas** cigarette butts

7 **ramillas** small tree branches

8 **desgarró** tore

9 **berzas** cabbages

en el pote negro, en compañía de unas patatas mal troceadas[10] y de unas judías[11] asaz
secas, de la cosecha anterior, sin remojar[12]. Al cabo de estas operaciones, tenía el tío Clodio
10   liado su cigarrillo, y lo chupaba desgarbadamente, haciendo en los carrillos dos hoyos
como sumideros, grises, entre el azuloso de la descuidada barba.

Sin duda la leña estaba húmeda de tanto llover la semana entera, y ardía mal, soltando
una humareda acre; pero el labriego[13] no reparaba: al humo ¡bah!, estaba él bien hecho
desde niño. Como Ildara se inclinase para soplar[14] y activar la llama, observó el viejo cosa
15   más insólita: algo de color vivo, que emergía de las remendadas y encharcadas sayas[15] de la
moza... Una pierna robusta, aprisionada en una media roja, de algodón...

–¡Ey! ¡Ildara!

–¡Señor padre!

–¿Qué novidá[16] es esa?

20   –¿Cuál novidá?

–¿Ahora me gastas medias, como la hirmán[17] del abade?

Incorporóse la muchacha, y la llama[18], que empezaba a alzarse, dorada, lamedora de
la negra panza del pote, alumbró su cara redonda, bonita, de facciones pequeñas, de boca
apetecible, de pupilas claras, golosas de vivir.

25   –Gasto medias, gasto medias –repitió sin amilanarse–. Y si las gasto, no se las debo a
ninguén[19].

–Luego nacen los cuartos[20] en el monte –insistió el tío Clodio con amenazadora sorna.

–¡No nacen!... Vendí al abade unos huevos, que no dirá menos él... Y con eso merqué[21]
las medias.

30   Una luz de ira cruzó por los ojos pequeños, engarzados en duros párpados[22], bajo
cejas hirsutas, del labrador... Saltó del banco[23] donde estaba escarrancado, y agarrando a
su hija por los hombros, la zarandeó[24] brutalmente, arrojándola contra la pared, mientras
barbotaba:

–¡Engañosa! ¡engañosa! ¡Cluecas[25] andan las gallinas que no ponen!

35   Ildara, apretando los dientes por no gritar de dolor, se defendía la cara con las manos.
Era siempre su temor de mociña[26] guapa y requebrada, que el padre la mancase[27], como
le había sucedido a la Mariola, su prima, señalada por su propia madre en la frente con
el aro de la criba[28], que le desgarró los tejidos. Y tanto más defendía su belleza, hoy que
se acercaba el momento de fundar en ella un sueño de porvenir. Cumplida la mayor

10 **troceadas** cut in pieces	15 **sayas** skirt	20 **cuartos** money	25 **cluecas** brood (hen)
11 **judías** green beans	16 **novidá** (regionalism) novelty	21 **merqué** (reg.) bought	26 **mociña** young girl
12 **remojar** soak in water	17 **hirmán** (reg.) sister	22 **párpados** eye lids	27 **mancase** (reg.) would wound
13 **labriego** farmer	18 **llama** flame	23 **banco** bench	28 **aro de la criba** frame of sieve
14 **soplar** blow	19 **ninguén** (reg.) no one	24 **zarandeó** shook up	

40   edad, libre de la autoridad paterna, la esperaba el barco, en cuyas entrañas tanto de
su parroquia[29] y de las parroquias circunvecinas se habían ido hacia la suerte, hacia lo
desconocido de los lejanos países donde el oro rueda por las calles y no hay sino bajarse
para cogerlo. El padre no quería emigrar, cansado de una vida de labor, indiferente de la
esperanza tardía: pues que se quedase él... Ella iría sin falta; ya estaba de acuerdo con el
45   gancho[30], que le adelantaba los pesos para el viaje, y hasta le había dado cinco de señal[31],
de los cuales habían salido las famosas medias... Y el tío Clodio, ladino, sagaz, adivinador o
sabedor, sin dejar de tener acorralada y acosada[32] a la moza, repetía:

     –Ya te cansaste de andar descalza de pie y pierna, como las mujeres de bien, ¿eh,
condenada? ¿Llevó medias alguna vez tu madre? ¿Peinóse como tú, que siempre estás dale
50   que tienes con el cacho de espejo? Toma, para que te acuerdes...

     Y con el cerrado puño[33] hirió primero la cabeza, luego, el rostro, apartando las
medrosas manecitas, de forma no alterada aún por el trabajo, con que se escudaba Ildara,
trémula[34]. El cachete[35] más violento cayó sobre un ojo, y la rapaza vio como un cielo
estrellado, miles de puntos brillantes envueltos en una radiación de intensos coloridos
55   sobre un negro terciopeloso. Luego, el labrador aporreó[36] la nariz, los carrillos[37]. Fue
un instante de furor, en que sin escrúpulo la hubiese matado, antes que verla marchar,
dejándole a él solo, viudo, casi imposibilitado de cultivar la tierra que llevaba en arriendo[38],
que fecundó con sudores tantos años, a la cual profesaba un cariño maquinal, absurdo.
Cesó al fin de pegar; Ildara, aturdida de espanto, ya no chillaba[39] siquiera.

60   Salió fuera, silenciosa, y en el regato[40] próximo se lavó la sangre. Un diente bonito,
juvenil, le quedó en la mano. Del ojo lastimado, no veía.

     Como que el médico, consultado tarde y de mala gana, según es uso de labriegos,
habló de un desprendimiento de la retina[41], cosa que no entendió la muchacha, pero que
consistía... en quedarse tuerta[42].

65   Y nunca más el barco la recibió en sus concavidades para llevarla hacia nuevos
horizontes de holganza[43] y lujo. Los que allá vayan, han de ir sanos, válidos, y las mujeres,
con sus ojos alumbrando[44] y su dentadura completa.

❖ ❖ ❖ ❖ ❖ ❖ ❖ ❖ ❖ ❖ ❖

29 **parroquia** village

30 **gancho** (coll.) accomplice

31 **de señal** advance (money)

32 **acosada** harassed

33 **puño** fist

34 **trémula** scared

35 **cachete** blow with the hand

36 **aporreó** hit

37 **carrillos** cheeks

38 **en arriendo** leased

39 **chillaba** screamed

40 **regato** small river

41 **desprendimiento de retina** detached retina

42 **tuerta** blind in one eye

43 **holganza** idleness

44 **alumbrando** shining

Sugerencias para el análisis del cuento

1. ¿Cómo es el narrador de este relato?

2. Haz una lista de los trabajos que realiza Ildara en el cuento. ¿Qué demuestran las labores sobre su situación socioeconómica y su carácter?

3. ¿Cómo presenta el narrador a Ildara con respecto a su belleza y a su estilo de vestir y peinarse? Compara su apariencia, aludiendo a los términos específicos que emplea el narrador, con la descripción que hace el tío Clodio de su esposa.

4. Comenta el uso del cromatismo en el cuento.

5. ¿Te parece apropiado el título del cuento? ¿Por qué se les da tanta importancia a las medias rojas? ¿Qué significan para los diferentes personajes del cuento? ¿Cómo pueden ser algo positivo y a la vez tan negativo? Menciona en tu respuesta al tío Clodio, Ildara y "el gancho".

6. Compara la aldea con los "lejanos países" de los sueños de Ildara. ¿Con qué se asocian los distintos espacios en la imaginación de Ildara?

7. Analiza el castigo que recibe Ildara al final del cuento. ¿Por qué había temido Ildara la violencia física? ¿Qué significa para ella la pérdida de su belleza? ¿Qué significa para su padre?

8. Compara el lenguaje del narrador con el de Ildara y su padre. ¿Cuál es el efecto de la selección de palabras? ¿Qué nos indica sobre los personajes?

9. ¿Por qué usa Pardo Bazán tantos regionalismos y coloquialismos? ¿Qué efecto logra?

10. Describe la realidad social que presenta la autora. Menciona algunos aspectos importantes de este grupo social.

Temas de discusión y ensayos

1. De los temas que surgen en este relato, ¿cuál es en tu opinión el más importante?

2. Discute la economía verbal de Pardo Bazán. Busca ejemplos de frases en las que con pocas palabras se expresan algunos de los temas del cuento.

3. Examina las diferencias entre las figuras masculinas y femeninas en el cuento. ¿Se dividen nítidamente en tipos?

4. ¿Piensas que la violencia representada en el cuento es una ocurrencia rara en el contexto de la aldea? Razona tu respuesta.

5. Escribe un retrato de Ildara: ¿es una muchacha débil, victimizada por su padre?

6. ¿Quién es el verdadero culpable de esta violenta situación? ¿Los hombres? ¿El destino? ¿La situación social?

7. Contrasta la situación de Ildara con la de las hijas de *La casa de Bernarda Alba*. Observa los diferentes deseos y las posibilidades de escape en las dos narrativas.

8. Analiza los elementos realistas y naturalistas de este relato.

9. ¿Cuál es el efecto de la manera de presentar los hechos? ¿Es simplemente el narrador un fotógrafo de la realidad?

10. Compara las consecuencias de la pérdida de la belleza en "Las medias rojas" y en los sonetos de Garcilaso y Góngora. ¿Cómo influyen las ideas de cada época en las representaciones literarias?

11. Toda la clase junta (después de prepararlo de tarea) puede elaborar en dos columnas las diferencias entre el Romanticismo y el Realismo. Por ejemplo,

Romanticismo	Realismo
subjetividad, imaginación	objetividad
yo	realidad externa
exceso	retrato documental, fotográfico
sentimiento, emociones	observación y recreación
pasado, lo exótico	presente, lo cotidiano
marginados, individuo	clase media, sociedad

Datos biográficos

La vida de Horacio Quiroga desde su infancia hasta su fallecimiento por suicidio fue marcada por una serie casi increíble de desgracias, violencia y muerte. La enfermedad, el sufrimiento, el peligro y la muerte repentina e inesperada son temas recurrentes en los cuentos de Quiroga. Por lo tanto, conocer detalles de su vida –a veces difíciles de separar de su obra– tal vez sea más iluminador para el estudio de su producción literaria de lo que ocurre con otros autores.

Quiroga nació el 31 de diciembre del 1878 en Salto, Uruguay. Tenía solo dos meses cuando su padre, vicecónsul de Argentina en Uruguay, murió de un disparo accidental de escopeta durante una excursión familiar. En su adolescencia fue testigo del suicidio de su padrastro, que sufría de una enfermedad incurable y a quien quería como a un padre. En 1902, el joven Quiroga mató a uno de sus mejores amigos, Federico Ferrando, con una bala que escapó de la pistola que examinaba. Fue acusado y encarcelado hasta que se reconoció que fue un accidente. En 1915 su mujer, incapaz de soportar la vida dura de la provincia rural donde Quiroga eligió vivir, se envenenó mortalmente. El autor quedó viudo con dos hijos aún pequeños. Quiroga volvió a casarse en 1927 y tuvo otra hija. Sin embargo, el matrimonio fue turbulento y terminó en separación. Como cúmulo final de esta serie de desgracias, el autor, que sufría de males físicos y psicológicos, descubrió que padecía de cáncer gástrico incurable. El día después de saberlo, el 19 de febrero de 1937, se suicidó ingiriendo cianuro. La muerte trágica fue una herencia que dejó a sus hijos, dos de los cuales también acabarían suicidándose.

El autor pertenecía a una familia burguesa que le permitió dedicarse al estudio y la escritura desde muy joven. De adolescente conoció personalmente y fue admirador de Rubén Darío y Leopoldo Lugones, grandes autores del estilo modernista que estaba entonces en su apogeo. A su regreso de una estancia en París, fundó con dos amigos una sociedad literaria dedicada a la experimentación modernista. En 1901 ya había publicado su primer libro. En 1902, tras la muerte trágica ya mencionada de uno de estos amigos, se instaló con su hermana en Buenos Aires, Argentina, abandonando Uruguay para siempre.

En 1903 Quiroga viajó como fotógrafo junto a su ídolo Lugones, que también se suicidó posteriormente, en una expedición a unas ruinas jesuitas en Misiones, región fronteriza, semi-tropical y salvaje de Argentina. La vida en esta región, su dureza primitiva y el sentido de aventura cautivaron a Quiroga. Tras un experimento fracasado de cultivar algodón en el Chaco, otra región argentina poco explotada, su fascinación por un estilo de vida elemental le llevó a comprar terrenos en Misiones en 1906. Desde este tiempo dividió su vida entre la gran urbe de Buenos Aires, con trabajos como el de profesor o funcionario del consulado de Uruguay, y Misiones, donde fue juez y oficial de registro civil. Emprendió también otras aventuras industriales, como la destilación de licor de naranja, que servirá de fondo de un cuento, y que casi siempre fracasaron. Finalmente, se asentó en Misiones y permaneció allí hasta poco antes de su muerte.

Los cuentos de Quiroga

Quiroga emprendió su trabajo literario desde muy joven, experimentando con el lirismo elaborado del Modernismo. La primera colección de Quiroga, *Los arrecifes de coral* (1901) muestra gran influencia de este movimiento.

Más tarde, el autor leyó a fondo a los grandes maestros del cuento, el norteamericano Edgar Allan Poe y el francés Guy de Maupassant, adoptando su estilo realista, junto con el gusto de Poe por lo morboso y extraño. Aunque su segunda colección de cuentos, *El crimen del otro,* no rompe por completo con el Modernismo, Quiroga acabaría por abandonar esta estética a favor del realismo de los dos cuentistas mencionados. Más tarde, sus fuentes de inspiración pasan a ser Fyodor Dostoyevsky, Anton Chejov y Rudyard Kipling, quienes le influyen notablemente en el desarrollo del cuento, el estilo y la temática. Su prosa se vuelve tersa; la narración pulsa adelante la acción; las descripciones y los adjetivos son escasos.

Colaboró en varias revistas y escribió novelas cortas hasta que en 1917 publicó su gran colección *Cuentos de amor, de locura y de muerte*. Quizá esta obra muestra más que ninguna otra la influencia de Poe, de quien había dicho "Este maldito loco llegó a iluminarme del todo". Los temas son la enfermedad, el sufrimiento humano, la muerte repentina. Las narraciones son cortas y usan una economía de palabras ajustadísima. Cada acción e imagen sirve para aumentar lo que Poe llamó "el efecto singular". En esta colección y en las posteriores, las imágenes no sirven sólo para crear un efecto estético, sino para explicar a los personajes y sus acciones, para fortalecerlos y darles eco. La puesta de sol que entusiasma a una familia de niños "idiotas" anticipa la sangre que se derramará. Una gallina degollada recuerda a la crueldad de los padres en su desamor hacia sus hijos. Sus cuentos de horror se distinguen de los de Poe sólo en que cada acción tiene una explicación racional, nunca llega al plano supernatural. El lenguaje y acción son tan directos como los del escritor norteamericano. La muerte ocurre de manera inesperada, sin causa, absurda, como en la vida propia de Quiroga. Y los peligros y aventuras en la mayoría de los cuentos son los del mundo del autor, de la salvaje naturaleza de Misiones.

Seguirán unos cuentos que describen una jungla más benévola, con animales que hablan, escritos a modo de fábula y en tono más suave y fantasioso, que le merecieron la denominación de "el Kipling americano". Pero volverá a su anterior estilo y lo perfeccionará en colecciones como *La gallina degollada* (1925) y *Más allá* (1935), su última obra, en la que está incluido "El hijo".

El hijo

Es un poderoso día de verano en Misiones, con todo el sol, el calor y la calma que puede deparar la estación. La naturaleza, plenamente abierta, se siente satisfecha de sí.

Como el sol, el calor y la calma ambiente, el padre abre también su corazón a la naturaleza.

5 —Ten cuidado, chiquito[1] —dice a su hijo, abreviando en esa frase todas las observaciones del caso y que su hijo comprende perfectamente.

—Sí, papá —responde la criatura mientras coge la escopeta[2] y carga de cartuchos[3] los bolsillos de su camisa, que cierra con cuidado.

—Vuelve a la hora de almorzar —observa aún el padre.

10 —Sí, papá —repite el chico.

Equilibra la escopeta en la mano, sonríe a su padre, lo besa en la cabeza y parte. Su padre lo sigue un rato con los ojos y vuelve a su quehacer[4] de ese día, feliz con la alegría de su pequeño.

Sabe que su hijo es educado desde su más tierna infancia en el hábito y la precaución
15 del peligro, puede manejar un fusil[5] y cazar[6] no importa qué. Aunque es muy alto para su edad, no tiene sino trece años. Y parecería tener menos, a juzgar por la pureza de sus ojos azules, frescos aún de sorpresa infantil. No necesita el padre levantar los ojos de su quehacer para seguir con la mente la marcha de su hijo.

Ha cruzado la picada roja y se encamina rectamente al monte a través del abra[7] de
20 espartillo.

Para cazar en el monte —caza de pelo— se requiere más paciencia de la que su cachorro[8] puede rendir. Después de atravesar esa isla de monte, su hijo costeará la linde de cactus hasta el bañado, en procura de palomas[9], tucanes o tal cual casal de garzas[10], como las que su amigo Juan ha descubierto días anteriores. Sólo ahora, el padre esboza una sonrisa al
25 recuerdo de la pasión cinegética[11] de las dos criaturas. Cazan sólo a veces un yacútoro[12], un surucuá[13] —menos aún— y regresan triunfales, Juan a su rancho con el fusil de nueve milímetros que él le ha regalado, y su hijo a la meseta con la gran escopeta Saint-Étienne, calibre 1, cuádruple cierre y pólvora blanca.

Él fue lo mismo. A los trece años hubiera dado la vida por poseer una escopeta. Su hijo,
30 de aquella edad, la posee ahora y el padre sonríe...

No es fácil, sin embargo, para un padre viudo[14], sin otra fe ni esperanza que la vida de su hijo, educarlo como lo ha hecho él, libre en su corto radio de acción, seguro de sus

---

1	**chiquito** young boy	5	**fusil** rifle	9	**palomas** pigeons		American bird
2	**escopeta** shotgun	6	**cazar** hunt	10	**garzas** herons	13	**surucuá** South American bird
3	**cartuchos** cartridge	7	**abra** clearing in the wood	11	**cinegética** related to hunting		
4	**quehacer** work	8	**cachorro** cub	12	**yacútoro** South	14	**viudo** widower

pequeños pies y manos desde que tenía cuatro años, consciente de la inmensidad de ciertos peligros y de la escasez de sus propias fuerzas.

35   Ese padre ha debido luchar fuertemente contra lo que él considera su egoísmo. ¡Tan fácilmente una criatura calcula mal, sienta un pie en el vacío[15] y se pierde un hijo!

      El peligro subsiste siempre para el hombre en cualquier edad; pero su amenaza amengua[16] si desde pequeño se acostumbra a no contar sino con sus propias fuerzas.

      De este modo ha educado el padre a su hijo. Y para conseguirlo ha debido resistir no
40 sólo a su corazón, sino a sus tormentos morales; porque ese padre, de estómago y vista débiles, sufre desde hace un tiempo de alucinaciones.

      Ha visto, concretados en dolorosísima ilusión, recuerdos de una felicidad que no debía surgir más de la nada en que se recluyó. La imagen de su propio hijo no ha escapado a este tormento. Lo ha visto una vez rodar envuelto en sangre cuando el chico percutía en la
45 morsa del taller una bala de parabellum, siendo así que lo que hacía era limar la hebilla de su cinturón de caza.

      Horrible caso... Pero hoy, con el ardiente y vital día de verano, cuyo amor a su hijo parece haber heredado[17], el padre se siente feliz, tranquilo y seguro del porvenir.

      En ese instante, no muy lejos, suena un estampido[18].

50   -La Saint-Étienne... -piensa el padre al reconocer la detonación. Dos palomas de menos en el monte...

      Sin prestar más atención al nimio acontecimiento, el hombre se abstrae de nuevo en su tarea.

      El sol, ya muy alto, continúa ascendiendo. Adónde quiera que se mire -piedras, tierra,
55 árboles-, el aire enrarecido como en un horno, vibra con el calor. Un profundo zumbido que llena el ser entero e impregna el ámbito hasta donde la vista alcanza, concentra a esa hora toda la vida tropical.

      El padre echa una ojeada[19] a su muñeca[20]: las doce. Y levanta los ojos al monte. Su hijo debía estar ya de vuelta. En la mutua confianza que depositan el uno en el otro -el
60 padre de sienes plateadas y la criatura de trece años-, no se engañan jamás. Cuando su hijo responde: "Sí, papá", hará lo que dice. Dijo que volvería antes de las doce, y el padre ha sonreído al verlo partir. Y no ha vuelto.

      El hombre torna a su quehacer, esforzándose en concentrar la atención en su tarea. ¡Es tan fácil, tan fácil perder la noción de la hora dentro del monte, y sentarse un rato en el
65 suelo mientras se descansa inmóvil!

      Bruscamente, la luz meridiana, el zumbido tropical y el corazón del padre se detienen a compás de lo que acaba de pensar: su hijo descansa inmóvil...

---

15 **el vacío** the void	17 **heredado** inherited	19 **ojeada** glance
16 **amengua** diminishes	18 **estampido** explosion	20 **muñeca** wrist

El tiempo ha pasado; son las doce y media. El padre sale de su taller[21], y al apoyar la mano en el banco de mecánica sube del fondo de su memoria el estallido de una bala[22] de parabellum, e instantáneamente, por primera vez en las tres transcurridas, piensa que tras el estampido de la Saint-Étienne no ha oído nada más. No ha oído rodar el pedregullo[23] bajo un paso conocido. Su hijo no ha vuelto y la naturaleza se halla detenida a la vera del bosque, esperándolo.

¡Oh! no son suficientes un carácter templado y una ciega confianza en la educación de un hijo para ahuyentar el espectro de la fatalidad que un padre de vista enferma ve alzarse desde la línea del monte. Distracción, olvido, demora fortuita: ninguno de estos nimios motivos que pueden retardar la llegada de su hijo halla cabida en aquel corazón.

Un tiro[24], un solo tiro ha sonado, y hace mucho. Tras él, el padre no ha oído un ruido, no ha visto un pájaro, no ha cruzado el abra una sola persona a anunciarle que al cruzar un alambrado, una gran desgracia...

La cabeza al aire y sin machete, el padre va. Corta el abra de espartillo, entra en el monte, costea la línea de cactus sin hallar el menor rastro de su hijo.

Pero la naturaleza prosigue detenida. Y cuando el padre ha recorrido las sendas de caza conocidas y ha explorado el bañado en vano, adquiere la seguridad de que cada paso que da en adelante lo lleva, fatal e inexorablemente, al cadáver de su hijo.

Ni un reproche que hacerse, es lamentable. Sólo la realidad fría, terrible y consumada: ha muerto su hijo al cruzar un... ¡Pero dónde, en qué parte! ¡Hay tantos alambrados[25] allí, y es tan, tan sucio el monte! ¡Oh, muy sucio! Por poco que no se tenga cuidado al cruzar los hilos con la escopeta en la mano...

El padre sofoca[26] un grito. Ha visto levantarse en el aire... ¡Oh, no es su hijo, no! Y vuelve a otro lado, y a otro y a otro...

Nada se ganaría con ver el color de su tez y la angustia de sus ojos. Ese hombre aún no ha llamado a su hijo. Aunque su corazón clama por él a gritos, su boca continúa muda. Sabe bien que el solo acto de pronunciar su nombre, de llamarlo en voz alta, será la confesión de su muerte.

-¡Chiquito! -se le escapa de pronto. Y si la voz de un hombre de carácter es capaz de llorar, tapémonos de misericordia los oídos ante la angustia que clama en aquella voz.

Nadie ni nada ha respondido. Por las picadas rojas de sol, envejecido en diez años, va el padre buscando a su hijo que acaba de morir.

-¡Hijito mío..! ¡Chiquito mío..! -clama en un diminutivo que se alza del fondo de sus entrañas.

Ya antes, en plena dicha y paz, ese padre ha sufrido la alucinación de su hijo rodando con la frente abierta por una bala al cromo níquel. Ahora, en cada rincón sombrío del

---

| 21 **taller** workshop | 23 **pedregullo** pebbles, gravel | 25 **alambrados** wire fences |
| 22 **bala** bullet | 24 **tiro** shot | 26 **sofoca** suppresses |

bosque, ve centellos[27] de alambre; y al pie de un poste, con la escopeta descargada al lado,
ve a su...

-¡Chiquito...! ¡Mi hijo!

Las fuerzas que permiten entregar un pobre padre alucinado a la más atroz pesadilla[28] tienen también un límite. Y el nuestro siente que las suyas se le escapan, cuando ve bruscamente desembocar de un pique lateral a su hijo.

A un chico de trece años bástale ver desde cincuenta metros la expresión de su padre sin machete dentro del monte para apresurar el paso con los ojos húmedos.

-Chiquito... -murmura el hombre. Y, exhausto, se deja caer sentado en la arena albeante, rodeando con los brazos las piernas de su hijo.

La criatura, así ceñida, queda de pie; y como comprende el dolor de su padre, le acaricia despacio la cabeza:

-Pobre papá...

En fin, el tiempo ha pasado. Ya van a ser las tres...

Juntos ahora, padre e hijo emprenden el regreso a la casa.

-¿Cómo no te fijaste[29] en el sol para saber la hora...? -murmura aún el primero.

-Me fijé, papá... Pero cuando iba a volver vi las garzas de Juan y las seguí...

-¡Lo que me has hecho pasar, chiquito!

-Piapiá... -murmura también el chico.

Después de un largo silencio:

-Y las garzas, ¿las mataste? -pregunta el padre.

-No.

Nimio detalle, después de todo. Bajo el cielo y el aire candentes, a la descubierta por el abra de espartillo, el hombre vuelve a casa con su hijo, sobre cuyos hombros, casi del alto de los suyos, lleva pasado su feliz brazo de padre. Regresa empapado de sudor, y aunque quebrantado de cuerpo y alma, sonríe de felicidad.

Sonríe de alucinada felicidad... Pues ese padre va solo.

A nadie ha encontrado, y su brazo se apoya en el vacío. Porque tras él, al pie de un poste y con las piernas en alto, enredadas en el alambre de púa, su hijo bien amado yace al sol, muerto desde las diez de la mañana.

❖ ❖ ❖ ❖ ❖ ❖ ❖ ❖ ❖ ❖ ❖ ❖

---

27 **centellos** sparks   28 **pesadilla** nightmare   29 **fijaste** paid attention

Sugerencias para el análisis del cuento

1. Quiroga describe varias veces la atmósfera del día: el tiempo, el sol, la luz, el ruido, la naturaleza. ¿Cómo es esta atmósfera? ¿Cómo contribuye al tono y argumento del cuento?

2. Describe la relación del padre con el hijo y sus sentimientos hacia él. ¿Cómo ha enseñado el padre al hijo a protegerse del peligro?

3. Contrasta la obsesión del padre hacia el hijo con la escasez de interacción entre los dos.

4. ¿Cómo evoluciona el estado psicológico del padre? ¿Cuál es la situación final?

5. ¿Por qué el lector, a pesar de la descripción detallada de los miedos lógicos del padre, acepta que el hijo está vivo?

6. ¿Qué domina en este cuento, la acción o la descripción? Analiza este aspecto, comentando el efecto buscado por el autor.

7. ¿Qué convierte al padre en un héroe trágico?

8. Con frecuencia Quiroga inserta sus propios rasgos en los protagonistas de sus relatos. ¿Qué parecidos existen entre el autor y el protagonista de este cuento?

Temas de discusión y ensayos

1. Según Poe, gran influencia sobre Quiroga, un cuento tiene que dirigirse hacia un "efecto único y singular", la impresión completa que la lectura de una narrativa breve trae, a diferencia de la novela larga. ¿Cuál es el efecto singular de este cuento y cómo lo consigue el autor?

2. Describe la naturaleza y su presencia en el cuento. ¿Es un simple trasfondo o tiene relación directa con lo que ocurre en la historia?

3. ¿Cómo es la muerte en este relato? ¿Es consecuencia de las acciones de los personajes? Comenta cómo la presenta el narrador. ¿Hay anticipos de la muerte para el lector o es el final una sorpresa total?

4. El protagonista del cuento sufre alucinaciones. De hecho, la locura es junto con la muerte uno de los temas subyacentes. ¿Cómo se relacionan?

5. Julio Cortázar escribió que un cuento, si fuese un boxeador, por su brevedad tendría que ganar una victoria por "K.O." y no por puntos. ¿Consigue este cuento el "K.O."?

6. Compara y contrasta este relato con "Mi caballo mago" de Sabine Ulibarrí, específicamente respecto a la educación que los padres imparten a sus hijos, la libertad que les permiten y los resultados. Incluye en la comparación la soledad en "El hijo" frente al ambiente comunitario de "Mi caballo mago".

7. Discute el amor paterno en "El hijo" y en "No oyes ladrar los perros" de Rulfo.

Actividades para la Unidad 2

1. ¿Quién podría ser comparable a Pardo Bazán en los Estados Unidos? Los estudiantes nombran mujeres americanas pioneras de la pluma y de la cultura que rompieron moldes.

2. Se puede estudiar la situación y características geográficas y económicas de Galicia (escena de "Las medias rojas"). Observar también su relativo aislamiento del resto de España para entender el porqué del habla regional distinta del castellano.

3. La emigración de españoles pobres a las Américas ha sido una constante de los siglos. Diferentes grupos de estudiantes pueden presentar distintos aspectos: la emigración en los siglos XIX, XX, XXI; núcleos en Norte, Centro y Sudamérica a donde han ido mayor número de españoles; regiones de España de donde han salido más emigrantes; posiciones y trabajos de los emigrantes en las Américas; la reciente inmigración a España de latinoamericanos; dificultades y problemas de los emigrantes.

4. Es la segunda mitad del siglo XIX: ¿cuál es la situación de la mujer en España en cuanto al trabajo, la educación, el sufragio y la posición social?

5. Después de discutir las diferencias entre el Romanticismo y el Realismo, un grupo puede desplegar representaciones de pintura romántica y realista en las que se revelen, en el arte visual, estas mismas características.

6. En grupos, la clase puede estudiar los cambios culturales del siglo XIX. Por ejemplo: los grandes descubrimientos científicos; la situación política de la segunda mitad del siglo; las transformaciones que ha producido la Revolución Industrial.

7. En 1925 Quiroga escribió un "Decálogo del perfecto cuentista", ensayo que recuerda a las teorías literarias de Edgar Allan Poe. Lee el ensayo de Quiroga. Los mandamientos incluyen: "Cree en un maestro—Poe, Maupassant, Kipling, Chejov—como en Dios mismo"; "No empieces a escribir sin saber desde la primera palabra adónde vas. En un cuento bien logrado, las tres primeras tienen casi la misma importancia que las tres últimas"; "No adjetives sin necesidad. Inútiles serán cuantas colas adhieras a un sustantivo débil". Analiza "El hijo" describiendo cómo cumple Quiroga estos mandamientos.

8. Es revelador estudiar en un mapa el itinerario de la vida de Quiroga, localizar la zona de Misiones e investigar su clima, población y desarrollo.

9. Haz una búsqueda en YouTube de "alberto laiseca - la gallina degollada" para ver y escuchar una narración de otro cuento de Quiroga con la que se perciben bien el ambiente y estilo del autor. Dura unos 8 minutos.

10. Mirar la guía digital para encontrar enlaces vivos.

Cuestiones esenciales para la Unidad 2

1. *Le wagon de troisième classe (Vagón de tercera clase),* 1864, de Honoré Daumier y "Las medias rojas" son ambos del periodo del realismo. Explica sus características y en qué son similares.

   (Mirar la guía digital para ver en color.)

2. ¿Cómo delinea "Las medias rojas" las actitudes sobre los géneros de esta sociedad? ¿Es Ildara una mujer oprimida por la sociedad o independiente y liberada? ¿Y las otras mujeres mencionadas en el relato? Busca detalles específicos para discutir el tema.

3. En el siglo XIX, sobre todo en la segunda mitad, se ven múltiples rupturas de tradiciones y formas de vida en España. ¿Los factores socioculturales (la emigración, la revolución industrial, etc.) han servido de instrumento de cambio en "Las medias rojas" o sigue dominando la sociedad tradicional?

4. Comenta la importancia del espacio en "Las medias rojas". ¿Influye en la situación de Ildara que viva en un pueblito en el campo? ¿Sería diferente si viviera en Madrid o en otra gran ciudad?

5. ¿Cuál es la causa principal de la situación de Ildara: la pobreza, la falta de educación, el hecho de ser mujer, el que viva en un ambiente rural, su propia familia?

6. Discute la representación de la pérdida de la belleza en "Las medias rojas" y los sonetos de Garcilaso y Góngora. ¿Cuáles son las semejanzas? ¿Qué elementos nuevos introduce Pardo Bazán? ¿Cómo revela la literatura los cambios en la percepción de la figura femenina?

7. En varias obras que se han estudiado ("Las medias rojas", "De lo que aconteció a un mozo que casó con una mujer muy fuerte y muy brava" y *La Casa de Bernarda Alba* entre otras) predomina una figura de poder. ¿De qué manera controlan estos individuos el bienestar de la familia? ¿Es su poder absoluto?

8. Analiza el motivo del viaje deseado de Ildara: ¿trata de escapar de su padre, de la sociedad rural, de la tradición, de las limitaciones de su época? ¿Es la emigración una solución apropiada para situaciones como la de Ildara? Discute las posibilidades pensando en lo que deja y en el país al que va.

9. ¿Por qué era tan diferente en el siglo XIX para un hombre o para una mujer emigrar a las Américas en busca de una vida mejor? ¿Que le esperaría a Ildara si hubiera conseguido emigrar? Incluye tu propia experiencia sobre la inmigración, observada o vivida.

10. Analiza el papel del padre en el cuento de Quiroga. ¿Cómo contribuye o perjudica el desarrollo? ¿Es el padre egoísta al aislar a su hijo con él en la selva o es un buen padre? ¿Piensas que la educación del padre hacia el hijo es adecuada?

11. ¿Qué o quién es culpable de la situación del final del cuento "El hijo"?

12. Compara las relaciones familiares en "El hijo", "Mi caballo mago" y "No oyes ladrar los perros".

13. "El hijo" y "Las medias rojas" son retratos realistas. ¿Quiere esto decir que los autores simplemente reflejan la realidad o escriben con un propósito deliberado?

14. En el *Lazarillo* la madre deja a Lázaro que haga su vida. En "El hijo" el padre se dedica a educar y prepararlo. ¿Cómo han influido las ideas de la época en la producción de dos modelos tan diferentes? ¿Qué y cómo ha cambiado en tres siglos?

UNIDAD 3. HISTORIAS TRANSATLÁNTICAS, UN NUEVO AVANCE

José Martí

(1853 – 1895)

Datos biográficos

José Martí es una de las figuras más destacadas de la historia y literaturas cubanas. En la vida de Martí, la actividad política es inseparable de la labor intelectual, ambas son expresiones de resistencia. Por eso Martí se ha convertido en el símbolo mayor de la lucha por la libertad de Cuba.

Martí nació en La Habana en 1853, hijo de padres españoles de pocos recursos económicos. De joven mostró talento artístico y se matriculó en la escuela secundaria y también en un instituto de arte. Pronto eligió la escritura como expresión artística preferida y como arma de batalla. A los dieciséis años, una carta suya dirigida a un compañero de colegio provocó su detención. Debido al carácter revolucionario del contenido de la carta, Martí fue acusado de traición y condenado a trabajos forzados. No llegó a cumplir la sentencia ya que la intervención de su familia llevó a su deportación a España. Allí publicó *El presidio político en Cuba* (1871) sobre las brutalidades que presenció durante su encarcelamiento en Cuba, y cursó estudios universitarios en derecho y filosofía y letras.

La estancia en España comenzó una vida de viajes y exilio. Eventualmente se estableció en México, donde practicó el periodismo y conoció a su futura esposa Carmen Zayas Bazán. En Nueva York, renovó actividad revolucionaria en contra del colonialismo español, y comenzó a publicar su creación literaria, con libros como *Ismaelillo* (1882) y *Versos libres* (1891). La poesía de Martí se considera precursora del Modernismo, un movimiento de renovación en la poesía hispánica. Sus innumerables artículos y crónicas en prosa, que analizan incluso la política norteamericana, tienen un valor perdurable. En 1891, el bello y complejo ensayo "Nuestra América" sobre la identidad nacional fue publicado en Nueva York y en México.

Su actividad periodística y diplomática fue amplia, a través de muchos países de América. En 1895 viajó a Cuba en una expedición libertadora, y murió en combate. Ha sido identificado como el mayor prócer de la independencia cubana, que nunca llegó a ver, y uno de los mayores ensayistas y poetas de Hispanoamérica.

Notas para facilitar la lectura

En "Nuestra América" José Martí expone una serie de ideas sumamente radicales dentro de su contexto histórico. Tiene el propósito de forjar una identidad nueva hispanoamericana, una identidad inclusiva y abarcadora, diferente de los modelos colonizadores. Su ensayo es más prescriptivo que descriptivo, un intento de inspirar y unir a muchas comunidades diversas.

Su estudio de la raza es, por tanto, complejo. Escribe: "No hay odio de razas, porque no hay razas". A la vez que acepta y celebra una identidad híbrida, sin divisiones raciales, subraya la distancia entre "nuestra América" y el peligroso vecino del norte, que ignora los matices y la riqueza vital de América del Sur. Para gobernar bien, Martí insiste en el conocimiento no del sistema europeo, sino de lo propio, lo autóctono.

El ensayo incluye conceptos sociales también. Desde la época del Imperio español, se impuso en Hispanoamérica una sociedad estratificada y jerarquizada, en la que el origen europeo era superior al hispanoamericano. Aquellos residentes nacidos en la Península Ibérica, llamados **peninsulares**, eran un grupo privilegiado. **Los letrados**, preparados por universidades europeas, eran de particular importancia en la formación de los gobiernos. La palabra **criollo** denominaba al nacido en Hispanoamérica de ascendencia española. Se consideraba al **mestizo**, de origen mixto, de una casta inferior. En "Nuestra América", Martí aboga por los **indios**, los pueblos indígenas desdeñados. Afirma que los líderes de Hispanoamérica necesitan integrar a los pueblos indios y basar sus principios de gobierno no en el modelo europeo, sino en el conocimiento de la historia y el pueblo hispanoamericanos, empezando por los indígenas. Declara: "Los gobernadores, en las repúblicas de indios, aprenden indio".

❖ ❖ ❖ ❖ ❖ ❖ ❖ ❖ ❖ ❖

Nuestra América

México, 30 de enero de 1891

Cree el aldeano[1] vanidoso que el mundo entero es su aldea, y con tal que él quede de alcalde, o le mortifique al rival que le quitó la novia, o le crezcan en la alcancía[2] los ahorros, ya da por bueno el orden universal, sin saber de los gigantes que llevan siete leguas[3] en las botas y le pueden poner la bota encima, ni de la pelea de los cometas en el cielo, que
5 van por el aire dormidos engullendo[4] mundos. Lo que quede de aldea en América ha de despertar. Estos tiempos no son para acostarse con el pañuelo a la cabeza, sino con las armas de almohada, como los varones de Juan de Castellanos: las armas del juicio, que vencen[5] a las otras. Trincheras[6] de ideas valen más que trincheras de piedra.

No hay proa[7] que taje[8] una nube de ideas. Una idea enérgica, flameada a tiempo ante el mundo, para, como la bandera[9] mística del juicio final, a un escuadrón de acorazados[10].
10 Los pueblos que no se conocen han de darse prisa para conocerse, como quienes van a pelear juntos. Los que se enseñan los puños[11], como hermanos celosos, que quieren los dos la misma tierra, o el de casa chica, que le tiene envidia al de casa mejor, han de encajar[12], de modo que sean una, las dos manos. Los que, al amparo[13] de una tradición criminal, cercenaron[14], con el sable tinto[15] en la sangre de sus mismas venas, la tierra del hermano
15 vencido, del hermano castigado más allá de sus culpas, si no quieren que les llame el pueblo ladrones, devuélvanle sus tierras al hermano. Las deudas[16] del honor no las cobra el honrado en dinero, a tanto por la bofetada[17]. Ya no podemos ser el pueblo de hojas, que vive en el aire, con la copa cargada de flor, restallando[18] o zumbando[19], según la acaricie el capricho de la luz, o la tundan[20] y talen[21] las tempestades: ¡los árboles se han de poner en
20 fila, para que no pase el gigante de las siete leguas! Es la hora del recuento[22], y de la marcha unida, y hemos de andar en cuadro apretado, como la plata en las raíces de los Andes.

A los sietemesinos[23] sólo les faltará el valor. Los que no tienen fe en su tierra son hombres de siete meses. Porque les falta el valor a ellos, se lo niegan a los demás. No les
25 alcanza al árbol difícil el brazo canijo[24], el brazo de uñas pintadas y pulsera, el brazo de Madrid o de París, y dicen que no se puede alcanzar el árbol. Hay que cargar los barcos de esos insectos dañinos, que le roen[25] el hueso a la patria que los nutre. Si son parisienses o madrileños, vayan al Prado, de faroles[26], o vayan a Tortoni, de sorbetes. ¡Estos hijos de carpintero, que se avergüenzan de que su padre sea carpintero! ¡Estos nacidos en América,

---

1 **aldeano** villager	8 **taje** slice through	15 **tinto** dyed	22 **recuento** reckoning
2 **alcancía** money box	9 **bandera** flag	16 **deudas** debt	23 **sietemesinos** premature baby
3 **leguas** leagues	10 **escuadrón de acorazados** squadron of battleships	17 **bofetada** slap	24 **canijo** tiny
4 **engullendo** wolfing down	11 **puños** fists	18 **restallando** cracking (a whip)	25 **roen** gnaw
5 **vencen** conquer	12 **encajar** put together	19 **zumbando** whirring	26 **faroles** lamps
6 **trincheras** trenches	13 **amparo** protection	20 **tundan** beat	
7 **proa** prow	14 **cercenaron** cut back	21 **talen** cut down	

que se avergüenzan, porque llevan delantal indio, de la madre que los crió, y reniegan,
¡bribones![27], de la madre enferma, y la dejan sola en el lecho[28] de las enfermedades! Pues,
¿quién es el hombre? ¿el que se queda con la madre, a curarle la enfermedad, o el que la
pone a trabajar donde no la vean, y vive de su sustento en las tierras podridas[29], con el
gusano[30] de corbata, maldiciendo del seno[31] que lo cargó, paseando el letrero[32] de traidor
en la espalda de la casaca[33] de papel? ¡Estos hijos de nuestra América, que ha de salvarse
con sus indios, y va de menos a más; estos desertores que piden fusil[34] en los ejércitos de la
América del Norte, que ahoga en sangre a sus indios, y va de más a menos! ¡Estos delicados,
que son hombres y no quieren hacer el trabajo de hombres! Pues el Washington que les
hizo esta tierra ¿se fue a vivir con los ingleses, a vivir con los ingleses en los años en que
los veía venir contra su tierra propia? ¡Estos "increíbles" del honor, que lo arrastran[35] por el
suelo extranjero, como los increíbles de la Revolución francesa, danzando y relamiéndose,
arrastraban las erres[36]!

Ni ¿en qué patria puede tener un hombre más orgullo que en nuestras repúblicas
dolorosas de América, levantadas entre las masas mudas de indios, al ruido de pelea
del libro con el cirial[37], sobre los brazos sangrientos de un centenar de apóstoles? De
factores tan descompuestos, jamás, en menos tiempo histórico, se han creado naciones
tan adelantadas y compactas. Cree el soberbio[38] que la tierra fue hecha para servirle
de pedestal, porque tiene la pluma fácil o la palabra de colores, y acusa de incapaz e
irremediable a su república nativa, porque no le dan sus selvas nuevas modo continuo de
ir por el mundo de gamonal[39] famoso, guiando jacas[40] de Persia y derramando[41] champaña.
La incapacidad no está en el país naciente, que pide formas que se le acomoden y grandeza
útil, sino en los que quieren regir[42] pueblos originales, de composición singular y violenta,
con leyes heredadas de cuatro siglos de práctica libre en los Estados Unidos, de diecinueve
siglos de monarquía en Francia. Con un decreto de Hamilton no se le para la pechada[43]
al potro[44] del llanero Con una frase de Sieyés no se desestanca[45] la sangre cuajada[46] de la
raza india. A lo que es, allí donde se gobierna, hay que atender para gobernar bien; y el
buen gobernante en América no es el que sabe cómo se gobierna el alemán o el francés,
sino el que sabe con qué elementos está hecho su país, y cómo puede ir guiándolos en
junto, para llegar, por métodos e instituciones nacidas del país mismo, a aquel estado
apetecible[47] donde cada hombre se conoce y ejerce, y disfrutan todos de la abundancia que
la naturaleza puso para todos en el pueblo que fecundan con su trabajo y defienden con
sus vidas. El gobierno ha de nacer del país. El espíritu del gobierno ha de ser el del país. La
forma del gobierno ha de avenirse[48] a la constitución propia del país. El gobierno no es más

27 **bribones** scoundrels	33 **casaca** jacket	38 **soberbio** arrogant	44 **potro** filly
28 **lecho** bed	34 **fusil** rifle	39 **gamonal** village chief	45 **desestanca** let run
29 **podridas** rotten	35 **arrastran** drag	40 **jacas** mares	46 **cuajada** thick
30 **gusano** worm	36 **arrastraban las erres** dragging out their Rs	41 **derramando** spilling	47 **apetecible** desirable
31 **seno** breast		42 **regir** rule	48 **avenirse** fit
32 **letrero** sign	37 **cirial** church candlestick	43 **pechada** jump of a horse	

que el equilibrio de los elementos naturales del país.

65   Por eso el libro importado ha sido vencido en América por el hombre natural. Los hombres naturales han vencido a los letrados artificiales. El mestizo autóctono ha vencido al criollo exótico. No hay batalla entre la civilización y la barbarie, sino entre la falsa erudición y la naturaleza. El hombre natural es bueno, y acata y premia[49] la inteligencia superior, mientras esta no se vale de su sumisión para dañarle, o le ofende prescindiendo[50]

70 de él, que es cosa que no perdona el hombre natural, dispuesto a recobrar por la fuerza el respeto de quien le hiere[51] la susceptibilidad o le perjudica el interés. Por esta conformidad con los elementos naturales desdeñados[52] han subido los tiranos de América al poder: y han caído, en cuanto les hicieron traición. Las repúblicas han purgado en las tiranías su incapacidad para conocer los elementos verdaderos del país, derivar de ellos la forma de

75 gobierno y gobernar con ellos. Gobernante, en un pueblo nuevo, quiere decir creador.

      En pueblos compuestos de elementos cultos e incultos[53], los incultos gobernarán, por su hábito de agredir[54] y resolver las dudas con su mano, allí donde los cultos no aprendan el arte del gobierno. La masa inculta es perezosa, y tímida en las cosas de la inteligencia, y quiere que la gobiernen bien; pero si el gobierno le lastima, se lo sacude[55] y gobierna

80 ella. ¿Cómo han de salir de las universidades los gobernantes, si no hay universidad en América donde se enseñe lo rudimentario del arte del gobierno, que es el análisis de los elementos peculiares de los pueblos de América? A adivinar[56] salen los jóvenes al mundo, con antiparras[57] yanquis o francesas, y aspiran a dirigir un pueblo que no conocen. En la carrera de la política habría de negarse la entrada a los que desconocen los rudimentos

85 de la política. El premio de los certámenes[58] no ha de ser para la mejor oda, sino para el mejor estudio de los factores del país en que se vive. En el periódico, en la cátedra, en la academia, debe llevarse adelante el estudio de los factores reales del país. Conocerlos basta, sin vendas ni ambages[59]; porque el que pone de lado, por voluntad u olvido, una parte de la verdad, cae a la larga por la verdad que le faltó, que crece en la negligencia, y

90 derriba[60] lo que se levanta sin ella. Resolver el problema después de conocer sus elementos, es más fácil que resolver el problema sin conocerlos. Viene el hombre natural, indignado y fuerte, y derriba la justicia acumulada de los libros, porque no se la administra en acuerdo con las necesidades patentes del país. Conocer es resolver. Conocer el país, y gobernarlo conforme al conocimiento, es el único modo de librarlo de tiranías. La universidad europea

95 ha de ceder[61] a la universidad americana. La historia de América, de los incas a acá, ha de enseñarse al dedillo, aunque no se enseñe la de los arcontes de Grecia. Nuestra Grecia es preferible a la Grecia que no es nuestra. Nos es más necesaria. Los políticos nacionales han

---

49 **acata y premia** follows and rewards

50 **prescindiendo** doing without

51 **hiere** wounds

52 **desdeñados** spurned

53 **(in)cultos** (un)educated

54 **agredir** assault

55 **sacude** shakes off

56 **adivinar** guess

57 **antiparras** glasses

58 **certámenes** competitions

59 **(sin) ambages** without hesitation

60 **derriba** demolishes

61 **ceder** yield

de remplazar a los políticos exóticos. Injértese[62] en nuestras repúblicas el mundo; pero el tronco ha de ser el de nuestras repúblicas. Y calle el pedante vencido; que no hay patria en

100 que pueda tener el hombre más orgullo que en nuestras dolorosas repúblicas americanas.

Con los pies en el rosario, la cabeza blanca y el cuerpo pinto[63] de indio y criollo, vinimos, denodados[64], al mundo de las naciones. Con el estandarte de la Virgen salimos a la conquista de la libertad. Un cura, unos cuantos tenientes y una mujer alzan[65] en México la república, en hombros de los indios. Un canónigo español, a la sombra de su capa,

105 instruye en la libertad francesa a unos cuantos bachilleres[66] magníficos, que ponen de jefe de Centro América contra España al general de España. Con los hábitos monárquicos, y el Sol por pecho, se echaron a levantar pueblos los venezolanos por el Norte y los argentinos por el Sur. Cuando los dos héroes chocaron, y el continente iba a temblar, uno, que no fue el menos grande, volvió riendas[67]. Y como el heroísmo en la paz es más escaso[68], porque

110 es menos glorioso, que el de la guerra; como al hombre le es más fácil morir con honra que pensar con orden; como gobernar con los sentimientos exaltados y unánimes es más hacedero[69] que dirigir, después de la pelea, los pensamientos diversos, arrogantes, exóticos o ambiciosos; como los poderes arrollados[70] en la arremetida[71] épica zapaban[72], con la cautela felina[73] de la especie y el peso de lo real, el edificio que había izado[74], en

115 las comarcas burdas[75] y singulares de nuestra América mestiza, en los pueblos de pierna desnuda y casaca de París, la bandera de los pueblos nutridos de savia[76] gobernante en la práctica continua de la razón y de la libertad; como la constitución jerárquica de las colonias resistía la organización democrática de la República, o las capitales de corbatín[77] dejaban en el zaguán[78] al campo de bota de potro[79], o los redentores bibliógenos[80] no

120 entendieron que la revolución que triunfó con el alma de la tierra, desatada[81] a la voz del salvador, con el alma de la tierra había de gobernar, y no contra ella ni sin ella, entró a padecer[82] América, y padece, de la fatiga de acomodación entre los elementos discordantes y hostiles que heredó de un colonizador despótico y avieso[83], y las ideas y formas importadas que han venido retardando, por su falta de realidad local, el gobierno lógico.

125 El continente descoyuntado[84] durante tres siglos por un mando que negaba el derecho del hombre al ejercicio de su razón, entró, desatendiendo[85] o desoyendo a los ignorantes que lo habían ayudado a redimirse, en un gobierno que tenía por base la razón; la razón de todos en las cosas de todos, y no la razón universitaria de unos sobre la razón campestre[86] de otros. El problema de la independencia no era el cambio de formas, sino el cambio de

---

62 **injértese** let the world graft	69 **hacedero** *fácil de hacer*	76 **savia** sap	82 **padecer** suffer
63 **pinto** various colors	70 **arrollados** run over	77 **capitales de corbatín** well dressed capital cities	83 **avieso** evil
64 **denodados** tireless	71 **arremetida** attack	78 **zaguán** puerta	84 **descoyuntado** divided
65 **alzan** raise	72 **zapaban** undermined	79 **bota de potro** horsehide boots	85 **desatendiendo** not paying attention
66 **bachilleres** personas instruidas	73 **cautela felina** sly caution	80 **redentores bibliógenos** bookish redeemers	86 **campestre** rustic
67 **volvió riendas** turned back	74 **izado** raised	81 **desatada** unleashed	
68 **escaso** scarce	75 **comarcas burdas** rustic regions		

130 espíritu.

Con los oprimidos había que hacer causa común, para afianzar[87] el sistema opuesto a los intereses y hábitos de mando de los opresores. El tigre, espantado del fogonazo[88], vuelve de noche al lugar de la presa[89]. Muere echando llamas por los ojos y con las zarpas[90] al aire. No se le oye venir, sino que viene con zarpas de terciopelo[91]. Cuando la presa despierta, 135 tiene al tigre encima. La colonia continuó viviendo en la república; y nuestra América se está salvando de sus grandes yerros[92]–de la soberbia de las ciudades capitales, del triunfo ciego de los campesinos desdeñados, de la importación excesiva de las ideas y fórmulas ajenas, del desdén inicuo[93] e impolítico de la raza aborigen, –por la virtud superior, abonada[94] con sangre necesaria, de la república que lucha contra la colonia. El tigre espera, 140 detrás de cada árbol, acurrucado en cada esquina[95]. Morirá, con las zarpas al aire, echando llamas[96] por los ojos.

Pero "estos países se salvarán", como anunció Rivadavia el argentino, el que pecó de finura[97] en tiempos crudos: al machete no le va vaina de seda[98], ni en el país que se ganó con lanzón[99], se puede echar el lanzón atrás, porque se enoja y se pone en la puerta del 145 Congreso de Iturbide "a que le hagan emperador[100] al rubio". Estos países se salvarán porque, con el genio de la moderación que parece imperar, por la armonía serena de la Naturaleza, en el continente de la luz, y por el influjo de la lectura crítica que ha sucedido en Europa a la lectura de tanteo y falansterio[101] en que se empapó[102] la generación anterior, le está naciendo a América, en estos tiempos reales, el hombre real.

150 Éramos una visión, con el pecho de atleta, las manos de petimetre[103] y la frente de niño. Éramos una máscara[104], con los calzones[105] de Inglaterra, el chaleco[106] parisiense, el chaquetón[107] de Norteamérica y la montera[108] de España. El indio, mudo, nos daba vueltas alrededor, y se iba al monte, a la cumbre del monte, a bautizar[109] sus hijos. El negro, oteado, cantaba en la noche la música de su corazón, solo y desconocido, entre las olas[110] y las 155 fieras[111]. El campesino, el creador, se revolvía[112], ciego de indignación, contra la ciudad desdeñosa[113], contra su criatura. Éramos charreteras y togas[114], en países que venían al mundo con la alpargata[115] en los pies y la vincha[116] en la cabeza. El genio hubiera estado en hermanar, con la caridad del corazón y con el atrevimiento de los fundadores, la vincha

---

87 **afianzar** strengthen	98 **vaina de seda** silk sheath	107 **chaquetón** overcoat
88 **fogonazo** explosión of gunfire	99 **lanzón** spear	108 **montera** bullfighter's hat
89 **presa** prey	100 **a que le hagan emperador al rubio** the fair haired man be made emperor	109 **bautizar** baptize
90 **zarpas** paws		110 **olas** waves
91 **terciopelo** velvet	101 **tanteo y falansterio** communitary trial and error	111 **fieras** beasts
92 **yerros** mistakes		112 **se revolvía** turned against
93 **inicuo** wicked	102 **empapó** soaked	113 **desdeñosa** disdainful
94 **abonada** fertilized	103 **petimetre** dandy	114 **Éramos charreteras y togas** We wore epaulets and gowns
95 **acurrucado en cada esquina** hiding in the corners	104 **máscara** mask	
	105 **calzones** pants	115 **alpargata** espadrille
96 **llamas** flames	106 **chaleco** vest	116 **vincha** Indian headband
97 **pecó de finura** was too mild		

160 y la toga, en desestancar[117] al indio; en ir haciendo lado al negro suficiente; en ajustar la libertad al cuerpo de los que se alzaron[118] y vencieron por ella. Nos quedó el oidor[119], y el general, y el letrado, y el prebendado[120]. La juventud angélica, como de los brazos de un pulpo[121], echaba al Cielo, para caer con gloria estéril, la cabeza, coronada[122] de nubes. El pueblo natural, con el empuje del instinto, arrollaba[123], ciego del triunfo, los bastones de oro[124]. Ni el libro europeo, ni el libro yanqui, daban la clave del enigma hispanoamericano.

165 Se probó el odio, y los países venían cada año a menos. Cansados del odio inútil, de la resistencia del libro contra la lanza, de la razón contra el cirial, de la ciudad contra el campo, del imperio imposible de las castas urbanas divididas sobre la nación natural, tempestuosa o inerte, se empieza, como sin saberlo, a probar el amor. Se ponen en pie los pueblos, y se saludan. "¿Cómo somos?" se preguntan; y unos a otros se van diciendo cómo

170 son. Cuando aparece en Cojímar un problema, no van a buscar la solución a Dantzig. Las levitas[125] son todavía de Francia, pero el pensamiento empieza a ser de América. Los jóvenes de América se ponen la camisa al codo, hunden las manos en la masa[126], y la levantan con la levadura[127] de su sudor[128]. Entienden que se imita demasiado, y que la salvación está en crear. Crear es la palabra de pase[129] de esta generación. El vino, de

175 plátano; y si sale agrio, ¡es nuestro vino! Se entiende que las formas de gobierno de un país han de acomodarse a sus elementos naturales; que las ideas absolutas, para no caer por un yerro de forma, han de ponerse en formas relativas; que la libertad, para ser viable, tiene que ser sincera y plena; que si la república no abre los brazos a todos y adelanta con todos, muere la república. El tigre de adentro se entra por la hendija[130], y el tigre de afuera.

180 El general sujeta en la marcha la caballería[131] al paso de los infantes[132]. O si deja a la zaga[133] a los infantes, le envuelve el enemigo la caballería. Estrategia es política. Los pueblos han de vivir criticándose, porque la crítica es la salud; pero con un solo pecho y una sola mente. ¡Bajarse hasta los infelices, y alzarlos en los brazos! ¡Con el fuego del corazón deshelar[134] la América coagulada! ¡Echar, bullendo y rebotando[135], por las venas, la sangre natural

185 del país! En pie, con los ojos alegres de los trabajadores, se saludan, de un pueblo a otro, los hombres nuevos americanos. Surgen los estadistas naturales del estudio directo de la naturaleza. Leen para aplicar, pero no para copiar. Los economistas estudian la dificultad en sus orígenes. Los oradores empiezan a ser sobrios. Los dramaturgos traen los caracteres nativos a la escena. Las academias discuten temas viables. La poesía se corta la melena

190 zorrillesca[136] y cuelga del árbol glorioso el chaleco colorado. La prosa, centelleante[137] y

117	**desestancar** let free	125	**levitas** frock coats	132	**infantes** infantry
118	**se alzaron** raised	126	**hundir las manos en la masa** throw themselves into the task	133	**dejar a la zaga** leave behind
119	**oidor** judge			134	**deshelar** unfreeze
120	**prebendado** cleric	127	**levadura** yeast	135	**bullendo y rebotando** bubbling and bouncing
121	**pulpo** octopus	128	**sudor** sweat		
122	**coronada** crowned	129	**palabra de pase** password	136	**melena zorrillesca** poet's long mane
123	**arrollaba** run over	130	**hendija** gap		
124	**bastones de oro** rich rulers	131	**caballería** cavalry	137	**centelleante** shining

cernida[138], va cargada de ideas. Los gobernadores, en las repúblicas de indios, aprenden indio.

De todos sus peligros se va salvando América. Sobre algunas repúblicas está durmiendo el pulpo. Otras, por la ley del equilibrio, se echan a pie a la mar, a recobrar, con
195 prisa loca y sublime, los siglos perdidos. Otras, olvidando que Juárez paseaba en un coche de mulas, ponen coche de viento y de cochero a una pompa de jabón; el lujo venenoso[139], enemigo de la libertad, pudre[140] al hombre liviano[141] y abre la puerta al extranjero. Otras acendran, con el espíritu épico de la independencia amenazada[142], el carácter viril. Otras crían, en la guerra rapaz contra el vecino, la soldadesca que puede devorarlas. Pero
200 otro peligro corre, acaso, nuestra América, que no le viene de sí, sino de la diferencia de orígenes, métodos e intereses entre los dos factores continentales, y es la hora próxima en que se le acerque, demandando relaciones íntimas, un pueblo emprendedor y pujante[143] que la desconoce y la desdeña. Y como los pueblos viriles, que se han hecho de sí propios, con la escopeta[144] y la ley, aman, y sólo aman, a los pueblos viriles; como la hora del
205 desenfreno[145] y la ambición, de que acaso se libre, por el predominio de lo más puro de su sangre, la América del Norte, o en que pudieran lanzarla sus masas vengativas y sórdidas, la tradición de conquista, y el interés de un caudillo[146] hábil, no está tan cercana aún a los ojos del más espantadizo, que no dé tiempo a la prueba de altivez[147], continua y discreta, con que se la pudiera encarar y desviarla; como su decoro de república pone
210 a la América del Norte, ante los pueblos atentos del Universo, un freno que no le ha de quitar la provocación pueril o la arrogancia ostentosa, o la discordia parricida de nuestra América, el deber urgente de nuestra América es enseñarse como es, una en alma e intento, vencedora veloz de un pasado sofocante, manchada sólo con sangre de abono[148] que arranca a las manos la pelea con las ruinas, y la de las venas que nos dejaron picadas
215 nuestros dueños. El desdén[149] del vecino formidable, que no la conoce, es el peligro mayor de nuestra América; y urge, porque el día de la visita está próximo, que el vecino la conozca, la conozca pronto, para que no la desdeñe. Por ignorancia llegaría, tal vez, a poner en ella la codicia[150]. Por el respeto, luego que la conociese, sacaría de ella las manos. Se ha de tener fe en lo mejor del hombre, y desconfiar de lo peor de él. Hay que dar ocasión
220 a lo mejor para que se revele y prevalezca[151] sobre lo peor. Si no, lo peor prevalece. Los pueblos han de tener una picota[152] para quien les azuza[153] a odios inútiles; y otra para quien no les dice a tiempo la verdad.

No hay odio de razas, porque no hay razas. Los pensadores canijos, los pensadores de

---

138	**cernida** polished	144	**escopeta** rifle	150	**codicia** greed
139	**venenoso** poisonous	145	**desenfreno** lack of control	151	**prevalezca** prevails
140	**pudre** rots	146	**caudillo** leader	152	**picota** pillory
141	**liviano** frivolous	147	**altivez** haughtiness	153	**azuza** instigates
142	**amenazada** threatened	148	**abono** fertilizer		
143	**emprendedor y pujante** enterprising and powerful	149	**desdén** disdain		

225 lámparas, enhebran[154] y recalientan las razas de librería, que el viajero justo y el observador cordial buscan en vano en la justicia de la Naturaleza, donde resalta en el amor victorioso y el apetito turbulento, la identidad universal del hombre. El alma emana, igual y eterna, de los cuerpos diversos en forma y en color. Peca[155] contra la Humanidad el que fomente y propague la oposición y el odio de las razas. Pero en el amasijo[156] de los pueblos se condensan, en la cercanía de otros pueblos diversos, caracteres peculiares y activos, de

230 ideas y de hábitos, de ensanche y adquisición, de vanidad y de avaricia, que del estado latente de preocupaciones nacionales pudieran, en un período de desorden interno o de precipitación del carácter acumulado del país, trocarse[157] en amenaza grave para las tierras vecinas, aisladas y débiles, que el país fuerte declara perecederas[158] e inferiores. Pensar es servir. Ni ha de suponerse, por antipatía de aldea, una maldad ingénita y fatal al

235 pueblo rubio del continente, porque no habla nuestro idioma, ni ve la casa como nosotros la vemos, ni se nos parece en sus lacras[159] políticas, que son diferentes de las nuestras, ni tiene en mucho a los hombres biliosos y trigueños[160], ni mira caritativo, desde su eminencia aún mal segura, a los que, con menos favor de la Historia, suben a tramos heroicos la vía de las repúblicas: ni se han de esconder los datos patentes del problema que puede

240 resolverse, para la paz de los siglos, con el estudio oportuno, y la unión tácita y urgente del alma continental. ¡Porque ya suena el himno unánime; la generación actual lleva a cuestas[161], por el camino abonado por los padres sublimes, la América trabajadora; del Bravo a Magallanes, sentado en el lomo[162] del cóndor, regó el Gran Semí, por las naciones románticas del continente y por las islas dolorosas del mar, la semilla[163] de la América

245 nueva!

❖ ❖ ❖ ❖ ❖ ❖ ❖ ❖ ❖ ❖ ❖ ❖

---

154 **enhebran** string together

155 **peca** sins

156 **amasijo** jumble

157 **trocarse** turn into

158 **perecederas** perishable

159 **lacras** faults

160 **trigueños** fair skinned

161 **llevar a cuestas** to carry on one´s back

162 **lomo** back

163 **semilla** seed

Sugerencias para el análisis del texto

1. El primer párrafo de "Nuestra América" contiene varias metáforas. ¿Qué representa el "aldeano vanidoso"? ¿Y el "gigante" con botas de siete leguas?

2. Explica la complejidad y el significado de la imagen "trincheras de ideas".

3. ¿Qué tipo de lucha recomienda Martí?

4. Analiza la metáfora de los "sietemesinos" del tercer párrafo. ¿Cuál es la carga negativa?

5. Explica la metáfora del "brazo de uñas pintadas y pulsera". ¿A qué tipo de personas se refiere?

6. ¿Qué quiere decir Martí al hablar de los "elementos naturales" de un país? ¿Qué importancia tienen para él?

7. ¿Qué significa la frase "con un decreto de Hamilton no se le para la pechada al potro del llanero"?

8. Martí menciona en más de una ocasión la universidad o la academia. ¿Qué espera de ella? ¿Qué es lo que se debe enseñar en las repúblicas americanas?

9. Hacia el final del ensayo, Martí nota que sobre algunas repúblicas "está durmiendo el pulpo". ¿A qué se refiere esta imagen? ¿Qué sugiere un pulpo?

10. ¿Cuáles son los "dos factores continentales"? ¿Cómo describe a América del Norte?

11. ¿Cuál es "el peligro mayor de nuestra América"?

Temas de discusión y ensayos

1. En este texto abundan las metáforas, y algunas se extienden, convirtiéndose en alegorías. Identifica algunas metáforas específicas y analízalas.

2. Martí presenta un contraste entre el "libro importado" y el "hombre natural". ¿Qué otras formas toma esta oposición? ¿Qué postura prefiere Martí?

3. ¿Qué importancia tiene el "conocimiento" de los pueblos? (Trata de encontrar varios usos del verbo "conocer".)

4. ¿Qué visión ofrece Martí de la historia de América Latina? ¿Por qué "comenzó a padecer América"?

5. Martí cree que a pesar de toda la carga histórica que llevan, las repúblicas de Hispanoamérica "se salvarán". ¿Por qué? ¿Qué elementos de esperanza reconoce?

6. ¿Por qué dice Martí que en las naciones de América se puede tener más orgullo?

7. ¿Qué propone Martí sobre el gobierno ideal?

Rubén Darío

(1867-1916)

Datos biográficos

En la aldea de Metapa, Nicaragua, nació el 18 de enero de 1867 Félix Rubén García Sarmiento, hoy conocido como Rubén Darío, el poeta más influyente de Latinoamérica. Desde muy niño era precoz; leía ya a los tres años. Su pasión era la poesía y a los trece años empezó a publicar sus poemas en periódicos. En pocos años ya era conocido en Centroamérica. Un viaje a Chile en 1886 fue decisivo para el desarrollo de su voz poética: la vida cosmopolita que encontró allí, tan diferente de la vida provincial que conocía de joven, revolucionó su visión. Sus amigos chilenos lo introdujeron a los poetas franceses simbolistas y parnasianos y conoció a los poetas norteamericanos Poe y Whitman, que lo influyeron profundamente. El resultado de estas revoluciones del espíritu poético fue *Azul* (1888), su primer volumen poético de importancia.

Después de la publicación de *Azul*, Darío fue nombrado corresponsal de *La Nación* de Buenos Aires, uno de los periódicos más importantes de Hispanoamérica, puesto que ocupó hasta su muerte y que le permitió continuar su carrera poética. Entre 1892 y 1893 extendió su fama y sus conocimientos de los poetas contemporáneos más importantes con visitas a España, Nueva York, París y Buenos Aires, donde su crítica literaria, publicada primero en *La Nación* y después en *Los raros* estableció su reputación como crítico y maestro de la prosa. La publicación en 1896 de *Prosas profanas*, cuyo prefacio se considera un manifiesto del Modernismo, estableció a Darío como líder de los modernistas, tanto en Latinoamérica como en España. Su periodismo llegó a su cumbre después de 1898 con la derrota de España por los Estados Unidos en la Guerra de Cuba, y los artículos con que Darío contribuyó a *La Nación* se consideran entre las mejores páginas escritas sobre España. Tras su éxito en España fue enviado a Francia para cubrir la Exposición de 1900. En esa época, a pesar de haber llevado una vida de bohemio sin preocuparse por su salud, los abusos alcohólicos o su situación económica, llegó a la cumbre de su fama con *Cantos de vida y esperanza*, del cual se extrae el poema a continuación.

Después de 1910, comenzó el declive de la carrera de Darío. Una revista que había fundado en París en 1911 cesó cuando estalló la Primera Guerra Mundial. Enfermo de una pulmonía doble, volvió a su país natal, donde murió en febrero de 1916.

La poesía de Darío

La evolución de la voz poética de Darío se registra a través de sus tres volúmenes principales de poesía: *Azul* (1888), libro de versos parnasianos y simbolistas que anuncian el Modernismo; *Prosas profanas* (1896), manifiesto de la poesía modernista; y *Cantos de vida y esperanza* (1905). En *Azul* Darío introdujo novedades no sólo en la poesía española, sino también en la prosa. Su estilo refinado y preciosista, de frases cortas y rítmicas, se aparta de la retórica y del estilo oratorio de los escritores españoles del siglo anterior. En esta poesía se encuentran versos parnasianos, es decir, del arte por el arte, enfocados en la belleza de la estrofa y no en una significación moral, filosófica o didáctica. Son versos de espíritu cosmopolita y universal, cuyos temas son la naturaleza y el amor, como lo indica el título que evoca un ideal inalcanzable y misterioso.

Ocho años más tarde, Darío revoluciona la poesía nuevamente con *Prosas profanas*, cuyo prefacio consolida los principios literarios del Modernismo. Es una poesía inútil, exótica, que se evade de las realidades crudas de la vida diaria. Algunos poemas resultan herméticos por sus múltiples alusiones literarias y mitológicas. Desde el punto de vista técnico, estos versos rechazan las reglas de la versificación que derivaban su autoridad sólo de la tradición; Darío perfecciona las novedades expresivas y léxicas para mejor expresar la música de la frase y para sugerir, no nombrar, la idea poética.

Al publicar en Madrid su siguiente libro, *Cantos de vida y esperanza*, Darío ya es uno de los poetas más célebres del mundo occidental, y hoy muchos críticos consideran éste su mejor volumen de poesía. En su *Autobiografía*, nota: "Si *Azul*...simboliza el comienzo de mi primavera, y *Prosas profanas* mi primavera plena, *Cantos de vida y esperanza* encierra las esencias y savias de mi otoño". Aunque no se rompe aquí con la poética anterior, ya que todavía se ve todavía la poesía elegante y refinada de los libros anteriores, Darío, ya enfermo, la desarrolla y complementa con un elemento oscuro y más profundo. En el prefacio señala "Yo no soy un poeta para las muchedumbres. Pero sé que, indefectiblemente, tengo que ir a ellas", e incorpora su orgullo de la raza, poemas más políticos y un deseo de fraternidad hispánica, según se manifiesta en "A Roosevelt".

Jorge Luis Borges resumía bien en 1967 el papel de la obra de Darío como punto de partida absoluto para toda la poesía hispana subsiguiente: "Todo lo renovó Darío: la materia, el vocabulario, la métrica, la magia peculiar de ciertas palabras, la sensibilidad del poeta y de sus lectores. Su labor no ha cesado ni cesará. Quienes alguna vez lo combatimos comprendemos hoy que lo continuamos. Lo podemos llamar libertador".

Notas para facilitar la lectura de "A Roosevelt"

Las siguientes notas pueden ayudar con la comprensión. Los números corresponden a los versos.

Theodore Roosevelt (1858-1919): Presidente número 26 de los EE.UU. desde 1901 a 1909

1. Walt Whitman (1819-1892): Poeta estadounidense autor de *Hojas de hierba* (*Leaves of Grass*)

4. Nimrod: En la Biblia, hijo de Cush, considerado un gran cazador

9. Leo Tolstoy (1828-1910): Novelista ruso y teórico social, que vivió austera y humildemente al final de su vida

11. Alejandro el Grande (356-323 B.C.): Rey de Macedonia y conquistador militar

11. Nabucodonosor (605?-562): Rey de Babilonia que conquistó Jerusalén y deportó a muchos judíos

23. Ulysses S. Grant (1822-1885): Presidente de los EE.UU. desde 1869 a 1877

26. Hércules: Héroe mitológico griego, famoso por la demostración de fuerza en sus trabajos

26. Mammón: Dios mítico del dinero y el término en arameo para designar la riqueza. "No se puede servir a Dios y a mammón", dice una conocida admonición de la Biblia

30. Nezahualcóyotl (1403?-1472?): Soberano de los aztecas de México, filósofo, poeta y hombre de leyes

31. Baco: Dios romano del vino y del jolgorio

32. Pánico: Referencia a Pan, dios griego protector de pastores y cazadores

33. Atlantis: Isla legendaria que se supone existía en el Atlántico hasta que se hundió en el mar

34. Platón (427?-347?): Filósofo griego que en *La República*, la primera utopía, arrojó a los poetas del estado

37. Moctezuma (1479?-1520): Soberano azteca de México

37. Atahualpa (?-1533): Soberano inca de Perú

40. Cuauhtémoc (?-1525): Líder azteca que sucedió a Moctezuma y que fue hecho prisionero, torturado y colgado por los españoles

46. Cachorros [hispanoamericanos] sueltos del León Español: Referencia al imperio español, representado por un león. Es posible que sea también una alusión a los cachorros de la Loba, Rómulo y Remo, fundadores de Roma

❖ ❖ ❖ ❖ ❖ ❖ ❖ ❖ ❖ ❖ ❖ ❖

A Roosevelt

¡Es con voz de la Biblia, o verso de Walt Whitman,
que habría que llegar hasta ti, Cazador[1],
primitivo y moderno, sencillo y complicado,
con un algo de Washington y cuatro de Nemrod!
5   Eres los Estados Unidos, eres el futuro invasor
de la América ingenua que tiene sangre indígena,
que aún reza a Jesucristo y aún habla en español.

Eres soberbio y fuerte ejemplar de tu raza;
eres culto, eres hábil; te opones a Tolstoy.
10   Y domando caballos, o asesinando tigres,
eres un Alejandro - Nabucodonosor.
(Eres un profesor de Energía,
como dicen los locos de hoy.)

Crees que la vida es incendio,
15   que el progreso es erupción,
que en donde pones la bala[2]
el porvenir pones.
                    No.

Los Estados Unidos son potentes y grandes.
20   Cuando ellos se estremecen hay un hondo temblor
que pasa por las vértebras enormes de los Andes.
Si clamáis[3], se oye como el rugir del león.
Ya Hugo a Grant lo dijo: "Las estrellas son vuestras".
(Apenas brilla, alzándose[4], el argentino sol
25   y la estrella chilena se levanta...) Sois ricos.
Juntáis al culto de Hércules el culto de Mammón;
y alumbrando el camino de la fácil conquista,
la Libertad levanta su antorcha[5] en Nueva-York.

Mas la América nuestra, que tenía poetas
30   desde los viejos tiempos de Netzahualcoyotl,
que ha guardado las huellas de los pies del gran Baco,
que el alfabeto pánico en un tiempo aprendió;

---

1 **Cazador** hunter	3 **clamáis** cry out	5 **antorcha** torch
2 **bala** bullet	4 **alzándose** rising up	

que consultó los astros, que conoció la Atlántida,
cuyo nombre nos llega resonando en Platón,
35   que desde los remotos momentos de su vida
vive de luz, de fuego, de perfume, de amor,
la América del grande Moctezuma, del Inca,
la América fragante de Cristóbal Colón,
la América católica, la América española,
40   la América en que dijo el noble Guatemoc:
"Yo no estoy en un lecho de rosas"; esa América
que tiembla de huracanes y que vive de amor;
hombres de ojos sajones[6] y alma bárbara, vive.
Y sueña. Y ama. Y vibra; y es la hija del Sol.
45   Tened cuidado. ¡Vive la América española!
Hay mil cachorros sueltos del León Español.
Se necesitaría, Roosevelt, ser, por Dios mismo,
el Riflero[7] terrible y el fuerte Cazador,
para poder tenernos en vuestras férreas garras.[8]

50   Y, pues contáis con todo, falta una cosa: ¡Dios!

✦ ✦ ✦ ✦ ✦ ✦ ✦ ✦ ✦ ✦ ✦ ✦

---

6 **sajones** Saxon   7 **Riflero** rifleman   8 **garras** iron claws

Sugerencias para el análisis del poema

1. ¿A quién se dirige la voz poética?

2. ¿Cómo se llama la figura retórica empleada por el poeta para dirigirse a Roosevelt?

3. ¿Cuál es la métrica del poema?

4. ¿Por qué se describe a Roosevelt con adjetivos contradictorios (primitivo y moderno, sencillo y complicado)? ¿Con qué razón?

5. ¿Qué aspectos específicos critica el poeta en el presidente?

6. ¿Es simplemente una crítica personal a Roosevelt?

7. ¿Es la actitud del poeta completamente negativa?

8. La estrofa tercera se podría leer como si tuviera cuatro versos de ocho sílabas, con el último verso cortado resultando en un quinto verso compuesto de una palabra monosilábica: "No". ¿Qué efecto se busca?

9. ¿Qué rechaza el poeta al decir "No"?

10. ¿Cómo contribuyen las alusiones bíblicas, históricas y mitológicas al significado del poema?

11. ¿Cómo cambia el poema en tono y tema en la quinta estrofa con la palabra "Mas" (pero)? ¿Cómo califica el poeta a su continente?

12. ¿Puedes observar alguna personificación?

13. ¿Qué observas en el verso 44? ¿Cómo se llama este recurso poético? ¿Qué efecto causa?

14. ¿Has encontrado metonimias en este poema?

15. ¿Hay algún ejemplo de anáfora?

16. Según el poeta, ¿cuál es el rasgo distintivo que tienen los hispanos pero les falta a los norteamericanos?

Temas de discusión y ensayos

1. Discute por qué Darío emplea referencias universales en vez de referencias limitadas a los dos continentes americanos.

2. Este poema contiene dura crítica, pero también admiración hacia los Estados Unidos. Estudia la intención del poeta y el efecto que causa en el lector esta mezcla.

3. Darío comenzó escribiendo poemas que buscaban la belleza formal, "el arte por el arte". Es fácil imaginar que Darío joven hubiera rechazado este poema como propaganda política. Respetando los dos puntos de vista, presenta tu posición sobre la poesía "pura" (la que busca la belleza) y la poesía comprometida (al servicio de una causa). ¿Es este poema propaganda o arte?

4. Relaciona la estructura formal del poema con su tema, comentando estrofas, rima, número de sílabas, etc.

5. Este poema fue escrito en 1905, siete años después de la Guerra de Cuba, acontecimiento muy presente en la mente de Darío. ¿En qué sentido este evento pudo influir en la perspectiva del poeta?

6. En 1891 Martí había escrito "Nuestra América". ¿Puedes comparar la posición de ambos escritores hacia los Estados Unidos?

7. Hace sólo unos años España era el gran enemigo. En 1898, el imperio perdió sus últimas colonias, Cuba y Puerto Rico, con ayuda norteamericana y ante la alegría independentista de toda Latinoamérica. Explica el cambio de actitud que supone este poema hacia España y Estados Unidos.

Actividades para la Unidad 3

1. En internet, busca estatuas de Martí en Cuba y en otros lugares como Central Park de Nueva York.

2. Investiga la visión que se tiene de Martí en la Cuba socialista y entre los exiliados cubanos. ¿Qué valores reconocen en José Martí? ¿Cómo difieren?

3. Después de la muerte de Martí, uno de los poemas de la colección *Versos Sencillos* fue adaptado para componer la letra de la canción "Guantanamera". Busca el poema de Martí y escucha la canción. Haz una investigación de lo que significa la canción y de qué manera es apreciada en Cuba.

4. En grupos, escriban un diálogo entre Martí y Darío.

5. Los estudiantes pueden hacer *presentaciones en PowerPoint* de eventos históricos:

   a) Un grupo hace una presentación del concepto *Manifest Destiny*, de la Doctrina de Monroe, y del corolario y la política *"Big Stick"* de Roosevelt.

   b) Otro grupo describe las relaciones entre los Estados Unidos y los países latinoamericanos durante los años de Roosevelt y la expansión norteamericana en la época en que fue escrito el poema. (Es importante mencionar la creación de Panamá y la construcción del canal.)

   c) Finalmente otro grupo presenta otras intervenciones de EE.UU. a lo largo del siglo XX.

6. Se puede comparar "A Roosevelt" con "United Fruit Company" de Neruda, en tono, estilo y mensaje.

7. Los estudiantes pueden crear la respuesta de Roosevelt a Rubén Darío.

8. Los estudiantes pueden investigar películas que retratan el intervencionismo americano en Latinoamérica, oculto o abierto.

9. Un grupo de estudiantes puede presentar a la clase otros escritores combatientes que han luchado con la pluma o con las armas o que se han involucrado en la política de su país.

Cuestiones esenciales para la Unidad 3

1. En este dibujo de 1904, el dibujante político William Allen Rogers alude a *Los viajes de Gulliver* (*Gulliver's Travels*) para retratar a Roosevelt. ¿Qué imagen propone Rogers del presidente estadounidense? Compara las características del dibujo con las del poema de Darío.

THE BIG STICK IN THE CARIBBEAN SEA

2. Analiza el poema de Darío desde el punto de vista de las relaciones de poder. ¿Con qué palabras o imágenes se crean? ¿Hay una sola figura de poder o múltiples? ¿Hay sujetos sometidos o ejemplos de resistencia?

3. "A Roosevelt" es un alegato anti intervencionista y antiimperialista. ¿Qué importantes eventos históricos preceden la escritura de "A Roosevelt"? ¿Está justificado el sentimiento acusatorio en ese momento (1905)?

4. ¿Cómo reflexiona el poema sobre la historia, no sólo la reciente sino también la lejana? ¿Cuál es el efecto de las referencias históricas?

5. De tu conocimiento de Estados Unidos y Latinoamérica, ¿te parece apropiada la descripción que de ambos hace Darío?

6. Ambos Martí y Darío se adelantan a futuras acusaciones de imperialismo y fuerza por parte de Estados Unidos sobre Latinoamérica. ¿Se ve en los siglos XX y XXI huellas de la actitud que denuncian?

7. Desde Bolívar ha existido el ideal panamericano (un Estados Unidos de Latinoamérica) nunca realizado. Martí y Darío también hablan de esta común identidad para toda Latinoamérica. Esta idea vuelve a surgir bajo la influencia de políticos como Evo Morales, el ya fallecido Hugo Chávez y otros. ¿Existe en tu opinión un espíritu de comunidad entre los países hispanoamericanos? ¿En qué–o contra qué–se basa la posición? ¿Es posible este ideal?

8. "Ni el libro europeo, ni el libro yanqui, daban la clave del enigma hispanoamericano", escribe Martí. ¿Cuál será la clave, según la argumentación que presenta en "Nuestra América"? ¿Qué papel tiene la diversidad social y cultural de América Latina en este esquema?

9. En "Nuestra América" Martí expone sus reflexiones sobre una serie de sociedades en contacto. Escribe: "Éramos una visión... El indio, mudo, nos daba vueltas alrededor. . . El negro, oteado, cantaba en la noche... El campesino" y así continúa. ¿Quién es el sujeto aquí? ¿Quién es "nosotros"? ¿Toma Martí una posición entre estos grupos? ¿Se identifica de algún modo a sí mismo?

10. En este ensayo, Martí dice que no hay odios de razas porque no hay razas. ¿A qué tipo de grupos se refiere? ¿Hay una diferencia racial entre América del Norte e Hispanoamérica?

11. Martí murió en 1895, lo que significa que no llegó a ver la guerra de Cuba, con la invasión de Cuba y Puerto Rico por tropas norteamericanas, en 1898. Dadas las ideas que expone en "Nuestra América", ¿qué hubiera pensado Martí de esa guerra y esa invasión? ¿Qué noción tiene de un posible imperialismo norteamericano?

12. Después de leer a Martí y Darío, ¿cuál es tu opinión sobre la literatura militante con una causa política? ¿Pertenece al género literario o periodístico? ¿Te gustaría leer este tipo de poesía o ensayo?

1 ▷ Contexto histórico: Violencia e inestabilidad política

Con la llegada del siglo, en la mayor parte de los países hispanos el poder está concentrado en un caudillo o dictador. Sólo Colombia, Uruguay y Chile tienen regímenes que se pudieran considerar democráticos. Sin embargo, hay cierta estabilidad política en varias repúblicas.

México vive "el porfiriato", la larga dictadura de Porfirio Díaz que dura desde 1876 hasta 1911. Porfirio Díaz favorece hasta el extremo la llegada de capital e industria del exterior, facilitando así una situación en la que compañías extranjeras, especialmente de Estados Unidos, dominan la industria del país[1]. El precio de esta estabilidad y prosperidad para algunos es una dura represión de toda opinión o actividad contraria al gobierno, a la par que la continuada pobreza de la mayoría. El final del porfiriato lo provoca una auténtica rebelión popular que clama por recobrar las tierras usurpadas a los indios –el mismo grito de guerra del padre Hidalgo un siglo antes–, en la que Emiliano Zapata es el primer líder popular de una guerra civil que dura muchos años. La llamada Revolución Mexicana trae reformas en la distribución de la tierra, educación e incluso arte (Orozco, Diego Rivera y Siqueiros reviven el antiguo arte azteca de los murales para representar su interpretación de la historia y vida mexicana), y sus consecuencias siguen todavía vigentes.

Venezuela tiene su régimen paralelo al porfiriato: la larga y represiva regla de Juan Vicente Gómez desde 1908 hasta 1935. De nuevo, la política de favorecer la inversión extranjera y la irrupción de dineros debida a la exportación de petróleo no traen mejoras para la población en general. El gobierno utiliza su poder para mantener el orden y mantenerse a sí mismo. A su muerte se suceden una serie de regímenes en los que las fuerzas armadas van a ser el factor decisivo.

El ejército va a tener también una influencia crucial en los países del Sur, Argentina y Chile. Argentina, un país de grandes recursos naturales y culturales, había gozado de un largo periodo de crecimiento económico el último tercio del XIX y a principios del XX. Juan Domingo Perón, elegido presidente desde 1946 a 1955 y también de 1973 a 1974, va a ser una de las figuras más destacadas y debatidas de su historia. Criticado a veces por sus tácticas y por su asociación con las fuerzas armadas, Perón propone reformas sociales que favorecen al trabajador y es ayudado por la enorme popularidad de su esposa Evita. Al peronismo le siguen múltiples golpes de estado militares y una dictadura militar que ejerció con la Guerra Sucia –un periodo de terrorismo del estado cuando miles de personas disidentes "desapa-

---

1   Porfirio Díaz debió él mismo pensar en los riesgos de su política cuando dijo la famosa frase: "¡Pobre México! ¡Tan lejos de Dios y tan cerca de los Estados Unidos!"

recen"–, el restablecimiento de la democracia en 1984 y la consiguiente ruina económica. Chile, paralelamente, ve terminada su experimentación democrática cuando en 1973 el presidente Salvador Allende es derrocado por un golpe militar encabezado por el general Augusto Pinochet, quien a continuación asume el poder. Durante su régimen (1973-1989) Pinochet cambia radicalmente la estructura económica del país, pero su dominio se sostiene a base de represión y violaciones de los derechos humanos. En consecuencia, en este país también "desaparecen" numerosos disidentes durante los años ochenta.

Perú, Colombia y Bolivia comparten con el resto del continente una difícil búsqueda de soluciones democráticas, el intervencionismo económico y político de los Estados Unidos, la rápida actuación de unas fuerzas armadas represivas y la devastación de guerrillas endémicas. Después de la fragmentación de la Gran Colombia imaginada por Bolívar, Colombia se ve sumida en dos guerras civiles: la primera, de 1899 a 1902, cobra 100,000 vidas; la segunda, conocida como "La violencia", abarca desde 1949 hasta 1957 y es todavía más devastadora. En las últimas décadas del siglo XX, los problemas de este país han aumentado tomando la forma de una lucha constante entre militares, guerrilleros y paramilitares, un tráfico de drogas creciente, además de violencia callejera. En Perú, el siglo XX inicia un periodo de poder que oscila siempre entre unos oligarcas y otros. Sin embargo, a pesar de la creciente distancia entre ricos y pobres, surgen voces importantes (Manuel González Prada, José Carlos Maritegui) que critican la opresión del pueblo que es mayoritariamente de descendencia indígena. Los años 80 son testigos de un fuerte deterioro del país que padece una crisis económica, la expansión del narcotráfico y el terrorismo fomentado sobre todo por los movimientos revolucionarios Tupac Amaru y Sendero Luminoso. Bajo el gobierno del presidente Alberto Fujimori (1990-2000), creció la economía de Perú y fueron capturados notables terroristas. Pero en el año 2000 Fujimori –actualmente encarcelado por crímenes contra la humanidad y delitos de corrupción– dimitió de su cargo tras múltiples acusaciones de corrupción.

Centroamérica tiene una historia especialmente turbulenta en el siglo XX. Inestables geográfica y políticamente, los pequeños países de Honduras, El Salvador, Guatemala, Panamá y Nicaragua han sufrido innumerables represiones a sus intentos de reforma y una guerra civil interminable entre el ejército y las guerrillas. Tomando como ejemplo a Guatemala, los sucesivos gobiernos desde su independencia hasta mediados del siglo XX se caracterizan por su tiranía, violencia y discriminación contra intelectuales unos, contra jesuitas otros y contra los indígenas casi todos. El tirano tal vez más temido es Manuel Estrada Cabrera que además permite durante su gobierno (1898-1920) que varias empresas alemanas y la United Fruit Company se apropien de una enorme cantidad de tierra agrícola. El poder de los gobiernos que siguen está ligado a los intereses de la UFC y así se crea en el país una situación inestable que eventualmente cede a la aparición de guerrillas y más violencia. Sólo Costa Rica, único país latinoamericano sin ejército, ha mantenido una paz y desarrollo constantes. Cuba, que junto con la República Dominicana, tiene la distinción de un régimen dictatorial extraordinariamente corrupto (Batista en Cuba, de 1933 a 1944 y de 1952 a 1958; Trujillo en la República Dominicana, de 1930 a 1961), busca su solución en la revolución que lidera Fidel Castro. Castro, un "caudillo" del tradicional corte latinoamericano que con mano dura y represiva busca soluciones a los males endémicos de pobreza y desigualdad social, está al frente de la isla desde 1959 hasta 2006, cuando pasa el poder a su hermano Raúl.

También para España, el siglo XX trae cambios substanciales. Cuba y Puerto Rico habían seguido bajo dominio español hasta 1898. Ese año pierde ambas colonias, junto con Filipinas. La independencia de estos países es notablemente dolorosa. Marca el final incontestable del imperio español. Pone de relieve también la existencia de un nuevo imperio, el de los Estados Unidos de América. Cuando los norteamericanos toman el papel de líderes ayudando a Cuba, el carácter de anteriores guerras de independencia cambia. Como lo indica el nombre por el que se conoce a la Guerra de la Independencia cubana en EE.UU, *Spanish American War*, el enemigo de España es el país "bárbaro" que la prensa española desdeña como incapaz de vencer al viejo imperio español. Al terminar la guerra con la derrota española –llamada "el Desastre" en España–, un tono de pesimismo y desilusión sucede al triunfalismo anterior. Hay una reevaluación del ideario español, y numerosos escritores y políticos ponen en cuestión los preceptos y principios de la vida y alma de un país y un imperio que quizá nunca habían sido como se pretendía.

El siglo XX se inicia, así, en España con un profundo malestar y división. A la par que muchos españoles herederos del liberalismo de las Cortes de Cádiz quieren traer soluciones democráticas, apertura a Europa y rechazo de los valores religiosos y tradicionales, otros luchan apasionadamente por mantenerlos. Una España dividida[2] sobrevive durante varias décadas de conflicto, desorden social y búsqueda vana de soluciones políticas que culminan con el estallido de la Guerra Civil de 1936. El levantamiento del general Franco contra el gobierno legítimo de la Segunda república, con el objetivo de restablecer el orden y los valores tradicionales, inicia una sangrienta contienda que dura tres años. Sus consecuencias, además de cuantiosas pérdidas humanas y la ruina del país, suponen una división más profunda que nunca y la muerte o exilio de gran parte de la élite intelectual. A la guerra suceden 36 años del régimen de Franco. Ya antes de su muerte, ocurrida en 1975, hay signos de la inevitable transformación y

---

2   El poeta **Antonio Machado** se hace eco de esta división en un poema de *Proverbios y Cantares*:
       Hay un español que quiere
       vivir y a vivir empieza,
       entre una España que muere
       y otra España que bosteza.
       Españolito que vienes
       al mundo, te guarde Dios.
       Una de las dos Españas
       ha de helarte el corazón.

modernización del país, en economía, educación y perspectiva social. Tras su muerte, y de manera totalmente pacífica, se instala finalmente en España una democracia que es sólida, estable y reconocedora de la pluralidad de sus regiones y de sus gentes.

2 ▶ Escenario cultural: Individualismo y riqueza literaria

El siglo XX se distingue por una gran diversidad ideológica y artística de grupos e individuos. Es difícil encontrar en él, tal vez debido en parte a nuestra proximidad, las tendencias unificadoras que hallamos en previos siglos. Por ello hablaremos de generaciones y de preferencias, pero la mayor parte de los escritores escapan una fácil clasificación.

El movimiento poético llamado **Modernismo** es una de las excepciones, por ser un fenómeno con el que se identifican un número de poetas. Introducido en España por la pluma del poeta nicaragüense Rubén Darío, cambia totalmente la poesía española de su tiempo. En el breve tiempo que dura, influye también en la prosa y el teatro y continuará siendo un elemento fundamental en la evolución posterior de la poesía. El Modernismo es, en su origen, una reacción al espíritu y estilo realistas de la segunda mitad del siglo XIX. Como a su vez el Realismo era una reacción al Romanticismo, la poesía modernista tiene puntos en común con la romántica: el espíritu de rebeldía, la búsqueda de originalidad, la evocación del pasado legendario, ambientes refinados y decadentes. Además, el Modernismo recupera la exaltación de los valores estéticos y da comienzo a un proyecto de experimentaciones y renovación. La poética modernista explora el valor sugestivo de las imágenes, el color, la musicalidad de los sonidos, introduce el verso libre y otros poco usados. La belleza, el arte por el arte, son su credo. Al poeta cubano José Martí se le puede considerar miembro de la primera generación americana modernista, pero el más conocido es Rubén Darío.

Contemporáneos de los modernistas son los miembros de la "Generación del 98" llamada así en recuerdo del "Desastre". El grupo del 98, entre los que se encuentra **Miguel de Unamuno,** también tiene unos rasgos comunes, fundamentalmente su inquietud por España, sus reflexiones periodísticas en forma de ensayos y su exaltación del paisaje castellano. Puesto en términos generales: si en los modernistas predomina la preocupación y renovación estética, en la Generación del 98 sobresale el estudio filosófico y autorreflexivo; y si los modernistas miran hacia tradiciones y movimientos franceses y latinoamericanos, la preocupación repetida, casi obsesiva, de los del 98 es el problema de España. Es muy discutido si al poeta **Antonio Machado**, a quien Darío había influido al principio de su carrera, se le puede considerar miembro del grupo. Su visión crítica, y la inquietud por la situación de España algunos poemas le acercan a él, pero en conjunto, su trayectoria y temática son totalmente individuales.

El grupo del 27 abarca a unos jóvenes poetas amigos que celebran ese año el tercer centenario de la muerte de Góngora. No forman escuela estética y lo que más les une es su amistad y la circunstancia de colaborar en las mismas revistas y vivir en Madrid. Sí tienen en común el hecho de que desean una renovación poética –dentro cada uno de su estilo individual– que se inspira a veces en la poesía popular y otras, en la altamente estilística de Góngora. Así, **Federico García Lorca**, autor del *Romancero gitano*, busca a través del surrealismo de *Poeta en Nueva York* una innovación atrevida, libre asociación de imágenes y metáforas sorprendentes.

En 1936, la Guerra Civil española rompe con las actividades artísticas de una generación sobresaliente de escritores y músicos. Algunos de ellos mueren, otros muchos van al exilio, nutriendo las universidades americanas. En la posguerra y hasta nuestros días no faltan notables prosistas, poetas o escritores de teatro, y en torno a los años cincuenta surge de nuevo una brillante generación de novelistas. Entre ellos, hay varias mujeres, Ana María Matute y Carmen Martín Gaite, Mercé Rodoreda, por ejemplo. Ya en el último cuarto del XX y principios del XXI, otra generación más joven, más libre y más renovadora ha capturado, desde las páginas de los periódicos y de los libros, premios, lectores y curiosidad universal. Son hombres y mujeres, y algunos de ellos escriben en las lenguas periféricas, vasco, catalán y gallego; incluso alguno lanza su voz desde Guinea Ecuatorial en África, que mantiene al español como lengua oficial. De manera muy efectiva han sabido conectar con las nuevas preocupaciones españolas, que ya quedan muy lejos de las cuestiones políticas permanentes en el país. Nombres como Bernardo Atxaga, Manuel Rivas, Antonio Muñoz Molina, Arturo Pérez Reverte, Javier Marías, Carmen Riera, **Rosa Montero** son tan conocidos entre los jóvenes como los de actores de cine.

La explosión de la literatura latinoamericana : *El Boom*

Es cuestionable seguir hablando de literatura latinoamericana, en vez de usar el adjetivo de cada país, con la actual riqueza nacional de producción literaria. El hecho, sin embargo, de que haya una literatura en un idioma común y de que sea profundamente original y distinta de la española, justifica este término. Existe además el fenómeno de un estallido literario, conocido por el nombre de *Boom*, que ha lanzado a Latinoamérica a la primera fila y vanguardia narrativas, con una originalidad y fuerza poderosas: Horacio Quiroga, con sus cuentos realistas y dramáticos, va a ser brillante exponente y precursor del género emblemático latinoamericano, la narrativa breve. **Jorge Luis Borges**, el argentino universal, lleva a sus lectores a disquisiciones intelectuales insospechadas. **Juan Rulfo** en México, Alejo Carpentier en Cuba, **Julio Cortázar** en Argentina, **Carlos Fuentes** en México, Mario Vargas Llosa en Perú, **Gabriel García Márquez** en Colombia, por citar algunos nombres, crean sus propios mundos, a la vez intensamente locales y universales, fantásticos y reales, líricos y dramáticos. Y también modos sorprendentes de ver la realidad y de representarla. El llamado *realismo mágico* y lo *real maravilloso*[3], que mezclan con naturalidad y minuciosidad lo fantástico y lo cotidiano, son tanto una actitud vital como técnicas narrativas. La oposición y crítica a la sociedad contemporánea está también en la raíz de esta narrativa singular[4]. Entre los escritores más recientes destaca Roberto Bolaño que ha alcanzado gran fama.

La poesía tiene asimismo abundantes representantes en este siglo. Entre ellos hay que destacar al poeta chileno **Pablo Neruda**, al peruano César Vallejo, al cubano **Nicolás Guillén**. Las mujeres escritoras han encontrado finalmente su propia voz y amplia audiencia: herederas de pioneras como Gabriela Mistral, Dulce María Loynaz, **Alfonsina Storni** y **Julia de Burgos**, que encontraron dificultades en sus vidas y en el oficio de escribir, hoy día Rosario Castellanos y Elena Poniatowska en México, Rosario Ferré y Ana Lydia Vega en Puerto Rico, Luisa Valenzuela en Argentina o la chilena **Isabel Allende**, son unos pocos nombres de las muchas voces femeninas que se expresan con valentía, humor o dolor.

Finalmente, en EE.UU., donde el español es la segunda lengua del país y donde la presencia hispana es cada día más patente, numerosos escritores latinos escriben en español, en inglés –o en una mezcla de ambos– para una audiencia que crece a diario. **Tomás Rivera**, chicano nacido en Texas, escribe en español la novela …*y no se lo tragó la tierra*, un conjunto de narraciones que cuentan la vida de los trabajadores migrantes. **Sabine Ulibarrí**, nacido en Estados Unidos, donde ha realizado toda su labor profesional, ha escrito siempre en español sobre temas de la vida y cultura hispanas de su tierra natal, New Mexico.

---

3   La expresión real maravilloso fue creada por Alejo Carpentier quien afirmaba que la representación realista no refleja la asombrosa realidad del mundo americano y que lo real maravilloso se acerca mucho más a un retrato fiel.

4   Cortázar dijo que el primer deber del escritor revolucionario es ser revolucionario como escritor, es decir, crear un modo de narrar nuevo que refleje mejor la complejidad de nuestro tiempo.

UNIDAD 1. LA NOVELA: DUDAS INMANENTES

Miguel de Unamuno

(1864-1936)

Datos biográficos

Miguel de Unamuno nació en 1864 en la ciudad vasca de Bilbao, donde transcurrió su infancia y cursó los estudios de bachillerato. En 1880 se trasladó a Madrid para proseguir una carrera universitaria en filología clásica. Fue durante este periodo cuando sufrió una crisis religiosa en la que empezó a dudar de las creencias que habían sido tan importantes durante su infancia. En 1891 se casó con Concepción Lizarraga, con la que tuvo varios hijos. La familia fue enormemente importante en su vida, el refugio y consuelo constantes. Ese mismo año ganó la cátedra de Griego de la Universidad de Salamanca, ciudad en la que viviría, con algunas interrupciones, hasta su muerte.

Entre 1895 y l897 Unamuno sufrió una nueva crisis religiosa, provocada en parte por la muerte de un hijo, que dejó honda huella en su obra. En 1900 fue nombrado Rector de la universidad, cargo que perdió, y volvió a ocupar, por razones políticas tres veces. Unamuno, filólogo, filósofo, destacado intelectual de su época, fue también un continuo comentarista y crítico de la política, ideología o literatura de su país. Nunca dispuesto a ser parte de ningún grupo ("Yo soy un todo, no una parte", llegó a decir, cuando alguien le preguntó a qué partido pertenecía), repartió sus críticas en todas las direcciones, ganando de este modo la admiración y enemistad de muchos en partes iguales. En 1924 durante la dictadura de Miguel Primo de Rivera, a consecuencia de sus abiertas censuras, fue desterrado primero a las islas Canarias y luego a Francia, que dejó al caer la Dictadura en 1930. El 12 de octubre de 1936, ya estallada la Guerra Civil, un Unamuno enfermo y envejecido, pero con su habitual actitud de desafío, se enfrentó con el general franquista Millán Astray en la universidad de la que era rector. A consecuencia de ello fue recluido en su casa en arresto domiciliario. Le llegó la muerte allí el día 31 de diciembre.

Le tocó vivir un periodo lleno de acontecimientos históricos de gran magnitud, como la alternancia entre la monarquía y República, una dictadura y el comienzo de la Guerra Civil. Mención especial merece la Guerra de Cuba en 1898, cuyas consecuencias habrían de afectar profundamente a Unamuno y a otros escritores de la que se ha llamado la "Generación del 98". Entre los temas de este grupo, que de manera directa o indirecta aparecen en los escritos unamunianos, se encuentran: las raíces de la decadencia del país, la cuestión de cuál es la esencia española y de qué constituye el progreso.

La novela de Unamuno

Llegó a ser un escritor prolífico que cultivó muchos géneros, aunque siempre lo hizo a su manera. De él se ha dicho que no fue nada y al mismo tiempo, todo, porque no fue estrictamente ni filósofo, ni dramaturgo, ni novelista, ni periodista, ni ensayista, ni poeta, sino todo esto a la vez. Unamuno escribía para dar a conocer sus ideas, enseñar y convencer, y en cada momento usó el medio que le pareció más conveniente, sin preocuparse excesivamente por aspectos formales. A pesar de sus deseos de ser recordado como poeta, es en la novela donde desplegó mayor originalidad y alcanzó fama de escritor universal. Desde su primera, *Paz en la guerra*, hasta la última, *San Manuel Bueno, mártir*, Unamuno escribió, entre otras, novelas de ideas como *Amor y pedagogía* y experimentales, como *Niebla*, a la que llamó "nivola" término inventado por él.

En sus novelas Unamuno no sólo recrea el drama de la existencia humana, sino que trata de contestar preguntas que todos nos planteamos. El tema central de su pensamiento y de su obra es la serie de contradicciones con las que el ser humano se enfrenta al considerar la naturaleza de su existencia y el hecho de que ésta acabará sin que pueda hacer nada. El tema de la muerte, el ansia de inmortalidad y el conflicto entre la fe que da esperanza y la razón que la niega, serán las constantes de su obra. Al plantear continuamente antítesis y contradicciones –vida y muerte, fe y razón, realidad e irrealidad– no sólo consigue una tensión dramática, sino que también refleja su visión de la existencia humana: una lucha constante. "Afirmo, creo, como poeta, como creador, mirando al pasado, al recuerdo; niego, decreo, como razonador, como ciudadano, mirando al presente; y dudo, lucho, agonizo como hombre, como cristiano, mirando al porvenir irrealizable, a la eternidad", son palabras de Unamuno en *La agonía del cristianismo*.

Sus novelas son generalmente breves, escritas con gran vehemencia, intensidad emocional y predominio de acción dramática. En ellas nos describe los dramas íntimos de unos personajes, muchos de ellos atormentados, que son, sobre todo, la encarnación de sentimientos e ideas unamunianos. Hay en estos relatos ausencia de descripciones, tanto de personajes como de paisaje y costumbres, y generalmente carecen de lugar o tiempo concreto, lo que añade a la universalidad de sus temas y situaciones. En su vertiente experimentadora, Unamuno mezcla la realidad y la ficción, y en sus intentos más atrevidos, como en *Niebla*, el protagonista va en busca del "autor", un tal "Miguel de Unamuno", en un intento de cambiar el curso de la novela.

El vocabulario necesario para comprender la obra está en la sección de Vocabulario General.

✦ ✦ ✦ ✦ ✦ ✦ ✦ ✦ ✦ ✦ ✦

San Manuel Bueno, mártir

"Si sólo en esta vida esperamos en Cristo, somos los más miserables de los hombres todos."

(San Pablo, I Corintios XV, 19)

Ahora que el obispo de la diócesis de Renada, a la que pertenece esta mi querida aldea de Valverde de Lucerna, anda, a lo que se dice, promoviendo el proceso para la beatificación de nuestro don Manuel, o, mejor, san Manuel Bueno, que fue en esta párroco, quiero dejar aquí consignado, a modo de confesión y sólo Dios sabe, que no yo, con qué destino, todo
5 lo que sé y recuerdo de aquel varón matriarcal que llenó toda la más entrañada vida de mi alma, que fue mi verdadero padre espiritual, el padre de mi espíritu, del mío, el de Ángela Carballino.

Al otro, a mi padre carnal y temporal, apenas si le conocí, pues se me murió siendo yo muy niña. Sé que había llegado de forastero a nuestra Valverde de Lucerna, que aquí arraigó
10 al casarse aquí con mi madre. Trajo consigo unos cuantos libros, el Quijote, obras de teatro clásico, algunas novelas, historias, el Bertoldo, todo revuelto, y de esos libros, los únicos casi que había en toda la aldea, devoré yo ensueños siendo niña. Mi buena madre apenas si me contaba hechos o dichos de mi padre. Los de don Manuel, a quien, como todo el mundo, adoraba, de quien estaba enamorada -claro que castísimamente-, le habían borrado el
15 recuerdo de los de su marido. A quien encomendaba a Dios, y fervorosamente, cada día al rezar el rosario.

De nuestro don Manuel me acuerdo como si fuese de cosa de ayer, siendo yo niña, a mis diez años, antes de que me llevaran al Colegio de Religiosas de la ciudad catedralicia de Renada. Tendría él, nuestro santo, entonces unos treinta y siete años. Era alto, delgado,
20 erguido, llevaba la cabeza como nuestra Peña del Buitre lleva su cresta y había en sus ojos toda la hondura azul de nuestro lago. Se llevaba las miradas de todos, y tras ellas, los corazones, y él al mirarnos parecía, traspasando la carne como un cristal, mirarnos al corazón. Todos le queríamos, pero sobre todo los niños. ¡Qué cosas nos decía! Eran cosas, no palabras. Empezaba el pueblo a olerle la santidad; se sentía lleno y embriagado de su aroma.

25 Entonces fue cuando mi hermano Lázaro, que estaba en América, de donde nos mandaba regularmente dinero con que vivíamos en decorosa holgura, hizo que mi madre me mandase al Colegio de Religiosas, a que se completara fuera de la aldea mi educación, y esto aunque a él, a Lázaro, no le hiciesen mucha gracia las monjas. "Pero como ahí -nos escribía- no hay hasta ahora, que yo sepa, colegios laicos y progresivos, y menos para
30 señoritas, hay que atenerse a lo que haya. Lo importante es que Angelita se pula y que no siga entre esas zafias aldeanas." Y entré en el colegio, pensando en un principio hacerme en él maestra, pero luego se me atragantó la pedagogía.

En el colegio conocí a niñas de la ciudad e intimé con algunas de ellas. Pero seguía atenta a las cosas y a las gentes de nuestra aldea, de la que recibía frecuentes noticias y tal
35 vez alguna visita. Y hasta al colegio llegaba la fama de nuestro párroco, de quien empezaba a

hablarse en la ciudad episcopal. Las monjas no hacían sino interrogarme respecto a él.

Desde muy niña alimenté, no sé bien cómo, curiosidades, preocupaciones e inquietudes, debidas, en parte al me nos, a aquel revoltijo de libros de mi padre, y todo ello se me medró en el colegio, en el trato, sobre todo con una compañera que se me
40 aficionó desmedidamente y que unas veces me proponía que entrásemos juntas a la vez en un mismo convento, jurándonos, y hasta firmando el juramento con nuestra sangre, hermandad perpetua, y otras veces me hablaba, con los ojos semicerrados, de novios y de aventuras matrimoniales. Por cierto que no he vuelto a saber de ella ni de su suerte. Y eso que cuando se hablaba de nuestro don Manuel, o cuando mi madre me decía algo de él en
45 sus cartas -y era en casi todas -, que yo leía a mi amiga, esta exclamaba como en arrobo: "¡Qué suerte, chica, la de poder vivir cerca de un santo así, de un santo vivo, de carne y hueso, y poder besarle la mano! Cuando vuelvas a tu pueblo, escríbeme mucho, mucho y cuéntame de él".

Pasé en el colegio unos cinco años, que ahora se me pierden como un sueño de
50 madrugada en la lejanía del recuerdo, y a los quince volvía a mi Valverde de Lucerna. Ya toda ella era don Manuel; don Manuel con el lago y con la montaña. Llegué ansiosa de conocerle, de ponerme bajo su protección, de que él me marcara el sendero de mi vida.

Decíase que había entrado en el Seminario para hacerse cura, con el fin de atender a los hijos de una su hermana recién viuda, de servirles de padre; que en el Seminario se había
55 distinguido por su agudeza mental y su talento y que había rechazado ofertas de brillante carrera eclesiástica porque él no quería ser sino de su Valverde de Lucerna, de su aldea perdida como un broche entre el lago y la montaña que se mira en él.

¡Y cómo quería a los suyos! Su vida era arreglar matrimonios desavenidos, reducir a sus padres hijos indómitos o reducir los padres a sus hijos, y sobre todo consolar a los
60 amargados y atediados, y ayudar a todos a bien morir.

Me acuerdo, entre otras cosas, de que al volver de la ciudad la desgraciada hija de la tía Rabona, que se había perdido y volvió, soltera y desahuciada, trayendo un hijito consigo, don Manuel no paró hasta que hizo que se casase con ella su antiguo novio, Perote, y reconociese como suya a la criaturita, diciéndole:

65 -Mira, da padre a este pobre crío que no le tiene más que en el cielo.

-¡Pero, don Manuel, si no es mía la culpa...!

-¡Quién lo sabe, hijo, quién lo sabe...!, y, sobre todo, no se trata de culpa.

Y hoy el pobre Perote, inválido, paralítico, tiene como báculo y consuelo de su vida al hijo aquel que, contagiado de la santidad de don Manuel, reconoció por suyo no siéndolo.

70 En la noche de san Juan, la más breve del año, solían y suelen acudir a nuestro lago todas las pobres mujerucas, y no pocos hombrecillos, que se creen poseídos, endemoniados, y que parece no son sino histéricos y a veces epilépticos, y don Manuel emprendió la tarea de hacer él de lago, de piscina probática, y tratar de aliviarles y si era posible de curarles. Y era tal la acción de su presencia, de sus miradas, y tal sobre todo la dulcísima autoridad

75   de sus palabras y sobre todo de su voz -¡qué milagro de voz!-, que consiguió curaciones
sorprendentes. Con lo que creció su fama, que atraía a nuestro lago y a él a todos los
enfermos del contorno. Y alguna vez llegó una madre pidiéndole que hiciese un milagro en
su hijo, a lo que contestó sonriendo tristemente:

     -No tengo licencia del señor obispo para hacer milagros.

80   Le preocupaba, sobre todo, que anduviesen todos limpios. Si alguno llevaba un roto en
su vestidura, le decía: "Anda a ver al sacristán, y que te remiende eso". El sacristán era sastre.
Y cuando el día primero de año iban a felicitarle por ser el de su santo -su santo patrono era
el mismo Jesús Nuestro Señor -, quería don Manuel que todos se le presentasen con camisa
nueva, y al que no la tenía se la regalaba él mismo.

85   Por todos mostraba el mismo afecto, y si a algunos distinguía más con él era a los más
desgraciados y a los que aparecían como más díscolos. Y como hubiera en el pueblo un
pobre idiota de nacimiento, Blasillo el bobo, a este es a quien más acariciaba y hasta llegó a
enseñarle cosas que parecía milagro que las hubiese podido aprender. Y es que el pequeño
rescoldo de inteligencia que aún que daba en el bobo se le encendía en imitar, como un
90   pobre mono, a su don Manuel.

     Su maravilla era la voz, una voz divina, que hacía llorar. Cuando al oficiar en misa mayor
o solemne entonaba el prefacio, estremecíase la iglesia y todos los que le oían sentíanse
conmovidos en sus entrañas. Su canto, saliendo del templo, iba a quedarse dormido sobre
el lago y al pie de la montaña. Y cuando en el sermón de Viernes Santo clamaba aquello de:
95   "¡Dios mío, Dios mío!, ¿por qué me has abandonado?", pasaba por el pueblo todo un temblor
hondo como por sobre las aguas del lago en días de cierzo de hostigo. Y era como si oyesen a
Nuestro Señor Jesucristo mismo, como si la voz brotara de aquel viejo crucifijo a cu yos pies
tantas generaciones de madres habían depositado sus congojas. Como que una vez, al oírlo
su madre, la de don Manuel, no pudo contenerse, y desde el suelo del templo, en que se
100   sentaba, gritó: "¡Hijo mío!". Y fue un chaparrón de lágrimas entre todos. Creeríase que el grito
maternal había brotado de la boca entreabierta de aquella Dolorosa -el corazón traspasado
por siete espadas - que había en una de las capillas del templo. Luego Blasillo el tonto iba
repitiendo en tono patético por las callejas, y como en eco, el "¡Dios mío, Dios mío!, ¿por qué
me has abandonado?", y de tal manera que al oírselo se les saltaban a todos las lágrimas,
105   con gran regocijo del bobo por su triunfo imitativo.

     Su acción sobre las gentes era tal que nadie se atrevía a mentir ante él, y todos, sin tener
que ir al confesonario, se le confesaban. A tal punto que como hubiese una vez ocurrido
un repugnante crimen en una aldea próxima, el juez, un insensato que conocía mal a don
Manuel, le llamó y le dijo:

110   -A ver si usted, don Manuel, consigue que este bandido declare la verdad.

     -¿Para que luego pueda castigársele? -replicó el santo varón -. No, señor juez, no; yo
no saco a nadie una verdad que le lleve acaso a la muerte. Allá entre él y Dios... La justicia
humana no me concierne. "No juzguéis para no ser juzgados", dijo Nuestro Señor.

-Pero es que yo, señor cura...

115 -Comprendido; dé usted, señor juez, al César lo que es del César, que yo daré a Dios lo que es de Dios.

Y al salir, mirando fijamente al presunto reo, le dijo:

-Mira bien si Dios te ha perdonado, que es lo único que importa.

En el pueblo todos acudían a misa, aunque sólo fuese por oírle y por verle en el altar,
120 donde parecía transfigurarse, encendiéndosele el rostro. Había un santo ejercicio que introdujo en el culto popular, y es que, reuniendo en el templo a todo el pueblo, hombres y mujeres, viejos y niños, unas mil personas, recitábamos al unísono, en una sola voz, el Credo: "Creo en Dios Padre Todopoderoso, Creador del Cielo y de la Tierra..." y lo que sigue. Y no era un coro, sino una sola voz, una voz simple y unida,fundidas todas en una y haciendo como
125 una montaña, cuya cumbre, perdida a las veces en nubes, era don Manuel. Y al llegar a lo de "creo en la resurrección de la carne y la vida perdurable" la voz de don Manuel se zambullía, como en un lago, en la del pueblo todo, y era que él se callaba. Y yo oía las campanadas de la villa que se dice aquí que está sumergida en el lecho del lago -campanadas que se dice también se oyen la noche de San Juan- y eran las de la villa sumergida en el lago espiritual de
130 nuestro pueblo; oía la voz de nuestros muertos que en nosotros resucitaban en la comunión de los santos. Después, al llegar a conocer el secreto de nuestro santo, he comprendido que era como si una caravana en marcha por el desierto, desfallecido el caudillo al acercarse al término de su carrera, le tomaran en hombros los suyos para meter su cuerpo sin vida en la tierra de promisión.

135 Los más no querían morirse sino cogidos de su mano como de un ancla.

Jamás en sus sermones se ponía a declamar contra impíos, masones, liberales o herejes. ¿Para qué, si no los había en la aldea? Ni menos contra la mala prensa. En cambio, uno de los más frecuentes temas de sus sermones era contra la mala lengua. Porque él lo disculpaba todo y a todos disculpaba. No quería creer en la mala intención de nadie.

140 -La envidia -gustaba repetir- la mantienen los que se empeñan en creerse envidiados, y las más de las persecuciones son efecto más de la manía persecutoria que no de la perseguidora.

-Pero fíjese, don Manuel, en lo que me ha querido decir... Y él:

-No debe importarnos tanto lo que uno quiera decir como lo que diga sin querer...

145 Su vida era activa y no contemplativa, huyendo cuanto podía de no tener nada que hacer. Cuando oía eso de que la ociosidad es la madre de todos los vicios, contestaba: "Y del peor de todos, que es el pensar ocioso". Y como yo le preguntara una vez qué es lo que con eso quería decir, me contestó: "Pensar ocioso es pensar para no hacer nada o pensar demasiado en lo que se ha hecho y no en lo que hay que hacer. A lo hecho pecho, y a otra
150 cosa, que no hay peor que remordimiento sin enmienda". ¡Hacer!, ¡hacer! Bien comprendí yo ya desde entonces que don Manuel huía de pensar ocioso y a solas, que algún pensamiento le perseguía.

Así es que estaba siempre ocupado, y no pocas veces en inventar ocupaciones. Escribía muy poco para sí, de tal modo que apenas nos ha dejado escritos o notas; mas, en cambio,
155 hacía de memorialista para los demás, y a las madres, sobre todo, les redactaba las cartas para sus hijos ausentes.

Trabajaba también manualmente, ayudando con sus brazos a ciertas labores del pueblo. En la temporada de trilla íbase a la era a trillar y aventar, y en tanto, les aleccionaba o les distraía. Sustituía a las veces a algún enfermo en su tarea. Un día del más crudo invierno se
160 encontró con un niño, muertecito de frío, a quien su padre le enviaba a recoger una res a larga distancia, en el monte.

-Mira -le dijo al niño-, vuélvete a casa, a calentarte, y dile a tu padre que yo voy a hacer el encargo.

Y al volver con la res se encontró con el padre, todo confuso, que iba a su encuentro.
165 En invierno partía leña para los pobres. Cuando se secó aquel magnífico nogal -"un nogal matriarcal" le llamaba -, a cuya sombra había jugado de niño y con cuyas nueces se había durante tantos años regalado, pidió el tronco, se lo llevó a su casa y después de labrar en él seis tablas, que guardaba al pie de su lecho, hizo del resto leña para calentar a los pobres. Solía hacer también las pelotas para que jugaran los mozos y no pocos juguetes para los
170 niños.

Solía acompañar al médico en su visita y recalcaba las prescripciones de éste. Se interesaba sobre todo en los embarazos y en la crianza de los niños, y estimaba como una de las mayores blasfemias aquello de: "¡Teta y gloria!", y lo otro de: "Angelitos al cielo". Le conmovía profundamente la muerte de los niños.
175 -Un niño que nace muerto o que se muere recién nacido y un suicidio -me dijo una vez- son para mí de los más terribles misterios: ¡un niño en cruz!

Y como una vez, por haberse quitado uno la vida, le preguntara el padre del suicida, un forastero, si le daría tierra sagrada, le contestó:

-Seguramente, pues en el último momento, en el segundo de la agonía, se arrepintió sin
180 duda alguna.

Iba también a menudo a la escuela a ayudar al maestro, a enseñar con él, y no sólo el catecismo. Y es que huía de la ociosidad y de la soledad. De tal modo que por estar con el pueblo, y sobre todo con el mocerío y la chiquillería, solía ir al baile. Y más de una vez se puso en él a tocar el tamboril para que los mozos y las mozas bailasen, y esto, que en otro
185 hubiera parecido grotesca profanación del sacerdocio, en él tomaba un sagrado carácter y como de rito religioso. Sonaba el Ángelus, dejaba el tamboril y el palillo, se descubría y todos con él, y rezaba: "El ángel del Señor anunció a María: Ave María...". Y luego:

"Y ahora, a descansar para mañana".

-Lo primero -decía- es que el pueblo esté contento, que estén todos contentos de vivir.
190 El contentamiento de vivir es lo primero de todo. Nadie debe querer morirse hasta que Dios quiera.

-Pues yo sí -le dijo una vez una recién viuda-, yo quiero seguir a mi marido...

-¿Y para qué? -le respondió-. Quédate aquí para encomendar su alma a Dios.

En una boda dijo una vez: "¡Ay, si pudiese cambiar el agua toda de nuestro lago en vino,
195 en un vinillo que por mucho que de él se bebiera alegrara siempre sin emborrachar nunca...
o por lo menos con una borrachera alegre!".

Una vez pasó por el pueblo una banda de pobres titiriteros. El jefe de ella, que llegó
con la mujer grave- mente enferma y embarazada, y con tres hijos que le ayudaban, hacía
de payaso. Mientras él estaba en la plaza del pueblo haciendo reír a los niños y aun a los
200 grandes, ella, sintiéndose de pronto gravemente indispuesta, se tuvo que retirar, y se retiró
escoltada por una mirada de congoja del payaso y una risotada de los niños. Y escoltada
por don Manuel, que luego, en un rincón de la cuadra de la posada, la ayudó a bien morir.
Y cuando, acabada la fiesta, supo el pueblo y supo el payaso la tragedia, fuéronse todos a la
posada y el pobre hombre, diciendo con llanto en la voz: "Bien se dice, señor cura, que es
205 usted todo un santo", se acercó a éste queriendo tomarle la mano para besársela, pero don
Manuel se adelantó, y tomándosela al payaso, pronunció ante todos:

-El santo eres tú, honrado payaso; te vi trabajar y comprendí que no sólo lo haces para
dar pan a tus hijos, sino también para dar alegría a los de los otros, y yo te digo que tu mujer,
la madre de tus hijos, a quien he despedido a Dios mientras trabajabas y alegrabas, descansa
210 en el Señor, y que tú irás a juntarte con ella y a que te paguen riendo los ángeles a los que
haces reír en el cielo de contento.

Y todos, niños y grandes, lloraban, y lloraban tanto de pena como de un misterioso
contento en que la pena se ahogaba. Y más tarde, recordando aquel solemne rato, he
comprendido que la alegría imperturbable de don Manuel era la forma temporal y terrena
215 de una infinita y eterna tristeza que con heroica santidad recataba a los ojos y los oídos de
los demás.

Con aquella su constante actividad, con aquel mezclarse en las tareas y las diversiones
de todos, parecía querer huir de sí mismo, querer huir de su soledad. "Le temo a la soledad",
repetía. Mas, aun así, de vez en cuando se iba solo, orilla del lago, a las ruinas de aquella
220 vieja abadía donde aún parecen reposar las almas de los piadosos cistercienses a quienes
ha sepultado en el olvido la Historia. Allí está la celda del llamado Padre Capitán, y en
sus paredes se dice que aún quedan señales de la gota de sangre con que las salpicó al
mortificarse. ¿Que pensaría allí nuestro don Manuel? Lo que sí recuerdo es que como una
vez, hablando de la abadía, le preguntase yo cómo era que no se le había ocurrido ir al
225 claustro, me contestó:

-No es sobre todo porque tenga, como tengo, ni hermana viuda y mis sobrinos a
quienes sostener, que Dios ayuda a sus pobres, sino porque yo no nací para ermitaño, para
anacoreta; la soledad me mataría el alma, y en cuanto a un monasterio, mi monasterio es
Valverde de Lucerna. Yo no debo vivir solo; yo no debo morir solo. Debo vivir para mi pueblo,
230 morir para mi pueblo. ¿Cómo voy a salvar mi alma si no salvo la de mi pueblo?

-Pero es que ha habido santos ermitaños, solitarios... -le dije.

-Sí, a ellos les dio el Señor la gracia de soledad que a mí me ha negado, y tengo que resignarme. Yo no puedo perder a mi pueblo para ganarme el alma. Así me ha hecho Dios. Yo no podría soportar las tentaciones del desierto. Yo no podría llevar solo la cruz del nacimiento.

He querido con estos recuerdos, de los que vive mi fe, retratar a nuestro don Manuel tal como era cuando yo, mocita de cerca de dieciséis años, volví del Colegio de Religiosas de Renada a nuestro monasterio de Valverde de Lucerna. Y volví a ponerme a los pies de su abad.

-¡Hola, la hija de la Simona -me dijo en cuanto me vio-, y hecha ya toda una moza, y sabiendo francés, y bordar y tocar el piano y qué sé yo qué más! Ahora a prepararte para darnos otra familia. Y tu hermano Lázaro, ¿cuándo vuelve? Sigue en el Nuevo Mundo, ¿no es así?

-Sí, señor, sigue en América...

-¡El Nuevo Mundo! Y nosotros en el Viejo. Pues bueno, cuando le escribas, dile de mi parte, de parte del cura, que estoy deseando saber cuándo vuelve del Nuevo Mundo a este Viejo, trayéndonos las novedades de por allá. Y dile que encontrará al lago y a la montaña como les dejó.

Cuando me fui a confesar con él mi turbación era tanta que no acertaba a articular palabra. Recé el "yo pecadora" balbuciendo, casi sollozando. Y él, que lo observó, me dijo:

-Pero ¿qué te pasa, corderilla? ¿De qué o de quién tienes miedo? Porque tú no tiemblas ahora al peso de tus pecados ni por temor de Dios, no; tú tiemblas de mí, ¿no es eso?

Me eché a llorar.

-Pero ¿qué es lo que te han dicho de mí? ¿Qué leyendas son esas? ¿Acaso tu madre? Vamos, vamos, cálmate y haz cuenta que estás hablando con tu hermano...

Me animé y empecé a confiarle mis inquietudes, mis dudas, mis tristezas.

-¡Bah, bah, bah! ¿Y dónde has leído eso, marisabidilla? Todo eso es literatura. No te des demasiado a ella, ni siquiera a santa Teresa. Y si quieres distraerte, lee el Bertoldo, que leía tu padre.

Salí de aquella mi primera confesión con el santo hombre profundamente consolada. Y aquel mi temor primero, aquel más que respeto miedo, con que me acerqué a él, trocóse en una lástima profunda. Era yo entonces una mocita, una niña casi; pero empezaba a ser mujer, sentía en mis entrañas el jugo de la maternidad, y al encontrarme en el confesonario junto al santo varón, sentí como una callada confesión suya en el susurro sumiso de su voz y recordé cómo cuando al clamar él en la iglesia las palabras de Jesucristo: "¡Dios mío, Dios mío!, ¿por qué me has abandonado?", su madre, la de don Manuel, respondió desde el suelo: "¡Hijo mío!", y oí este grito que desgarraba la quietud del templo. Y volví a confesarme con él para consolarle.

Una vez que en el confesonario le expuse una de aquellas dudas, me contestó:

270   -A eso, ya sabes, lo del catecismo: "Eso no me lo preguntéis a mí, que soy ignorante; doctores tiene la Santa Madre Iglesia que os sabrán responder".

    -¡Pero si el doctor aquí es usted, don Manuel...!

    -¿Yo, yo doctor?, ¿doctor yo? ¡Ni por pienso! Yo, doctorcilla, no soy más que un pobre cura de aldea. Y esas preguntas, ¿sabes quién te las insinúa, quién te las dirige? Pues... ¡el

275 Demonio!

    Y entonces, envalentonándome, le espeté a boca de jarro:

    -¿Y si se las dirigiese a usted, don Manuel?

    -¿A quién?, ¿a mí? ¿Y el Demonio? No nos conocemos, hija, no nos conocemos.

    -¿Y si se las dirigiera?

280   -No le haría caso. Y basta, ¿eh?, despachemos, que me están esperando unos enfermos de verdad.

    Me retiré, pensando, no sé por qué, que nuestro don Manuel, tan afamado curandero de endemoniados, no creía en el Demonio. Y al irme hacia mi casa topé con Blasillo el bobo, que acaso rondaba el templo, y que al verme, para agasajarme con sus habilidades, repitió

285 -¡y de qué modo! - lo de "¡Dios mío, Dios mío!, ¿por qué me has abandonado?". Llegué a casa acongojadísima y me encerré en mi cuarto para llorar, hasta que llegó mi madre.

    -Me parece, Angelita, con tantas confesiones, que tú te me vas a ir monja.

    -No lo tema, madre -le contesté -, pues tengo harto que hacer aquí, en el pueblo, que es mi convento.

290   -Hasta que te cases.

    -No pienso en ello -le repliqué.

    Y otra vez que me encontré con don Manuel, le pregunté, mirándole derechamente a los ojos:

    -¿Es que hay infierno, don Manuel?

295   Y él, sin inmutarse:

    -¿Para ti, hija? No.

    -¿Para los otros, le hay?

    -¿Y a ti qué te importa, si no has de ir a él?

    -Me importa por los otros. ¿Le hay?

300   -Cree en el cielo, en el cielo que vemos. Míralo -y me lo mostraba sobre la montaña y abajo, reflejado en el lago.

    -Pero hay que creer en el infierno, como en el cielo -le repliqué.

    -Sí, hay que creer todo lo que cree y enseña a creer la Santa Madre Iglesia Católica, Apostólica, Romana. ¡Y basta!

305   Leí no sé qué honda tristeza en sus ojos, azules como las aguas del lago.

      Aquellos años pasaron como un sueño. La imagen de don Manuel iba creciendo en mí sin que yo de ello me diese cuenta, pues era un varón tan cotidiano, tan de cada día como el pan que a diario pedimos en el Padrenuestro. Yo le ayudaba cuanto podía en sus menesteres, visitaba a sus enfermos, a nuestros enfermos, a las niñas de la escuela, arreglaba el ropero

310 de la iglesia, le hacía, como me llamaba él, de diaconisa. Fui unos días invitada por una compañera de colegio, a la ciudad, y tuve que volverme, pues en la ciudad me ahogaba, me faltaba algo, sentía sed de la vista de las aguas del lago, hambre de la vista de las peñas de la montaña; sentía, sobre todo, la falta de mi don Manuel y como si su ausencia me llamara, como si corriese un peligro lejos de mí, como si me necesitara. Empezaba yo a sentir una

315 especie de afecto maternal hacia mi padre espiritual; quería aliviarle del peso de su cruz del nacimiento.

      Así fui llegando a mis veinticuatro años, que es cuando volvió de América, con un caudalillo ahorrado, mi hermano Lázaro. Llegó acá, a Valverde de Lucerna, con el propósito de llevarnos a mí y a nuestra madre a vivir a la ciudad, acaso a Madrid.

320   -En la aldea -decía - se entontece, se embrutece y se empobrece uno.

      Y añadía:

      -Civilización es lo contrario de ruralización; ¡aldeanerías no!, que no hice que fueras al colegio para que te pudras luego aquí, entre estos zafios patanes.

      Yo callaba, aún dispuesta a resistir la emigración; pero nuestra madre, que pasaba ya de

325 la sesentena, se opuso desde un principio. "¡A mi edad, cambiar de aguas!", dijo primero; mas luego dio a conocer claramente que ella no podría vivir fuera de la vista de su lago, de su montaña, y sobre todo de su don Manuel.

      -¡Sois como las gatas, que os apegáis a la casa! -repetía mi hermano.

      Cuando se percató de todo el imperio que sobre el pueblo todo y en especial sobre

330 nosotras, sobre mi madre y sobre mí, ejercía el santo varón evangélico, se irritó contra este. Le pareció un ejemplo de la oscura teocracia en que él suponía hundida a España. Y empezó a barbotar sin descanso todos los viejos lugares comunes anticlericales y hasta antirreligiosos y progresistas que había traído renovados del Nuevo Mundo.

      -En esta España de calzonazos -decía- los curas manejan a las mujeres y las mujeres a

335 los hombres... ¡y luego el campo!, ¡el campo!, este campo feudal...

      Para él, feudal era un término pavoroso; feudal y medieval eran los dos calificativos que prodigaba cuando quería condenar algo.

      Le desconcertaba el ningún efecto que sobre nosotras hacían sus diatribas y el casi ningún efecto que hacían en el pueblo, donde se le oía con respetuosa indiferencia. "A estos

340 patanes no hay quien les conmueva". Pero como era bueno por ser inteligente, pronto se dio cuenta de la clase de imperio que don Manuel ejercía sobre el pueblo, pronto se enteró de la obra del cura de su aldea.

-¡No, no es como los otros -decía-, es un santo!

-Pero ¿tú sabes cómo son los otros curas? -le decía yo, y él:

345   -Me lo figuro.

Mas aun así ni entraba en la iglesia ni dejaba de hacer alarde en todas partes de su incredulidad, aunque procurando siempre dejar a salvo a don Manuel. Y ya en el pueblo se fue formando, no sé cómo, una expectativa, la de una especie de duelo entre mi hermano Lázaro y don Manuel, o más bien se esperaba la conversión de aquel por este. Nadie dudaba

350   de que al cabo el párroco le llevaría a su parroquia. Lázaro, por su parte, ardía en deseos -me lo dijo luego- de ir a oír a don Manuel, de verle y oírle en la iglesia, de acercarse a él y con él conversar, de conocer el secreto de aquel su imperio espiritual sobre las almas. Y se hacía de rogar para ello, hasta que al fin, por curiosidad -decía-, fue a oírle.

-Sí, esto es otra cosa -me dijo luego de haberle oído-; no es como los otros, pero a mí no

355   me la da; es demasiado inteligente para creer todo lo que tiene que enseñar.

-Pero ¿es que le crees un hipócrita? -le dije.

-¡Hipócrita... no!, pero es el oficio del que tiene que vivir.

En cuanto a mí, mi hermano se empeñaba en que yo leyese de libros que él trajo y de otros que me incitaba a comprar.

360   -¿Conque tu hermano Lázaro -me decía don Manuel- se empeña en que leas? Pues lee, hija mía, lee y dale así gusto. Sé que no has de leer sino cosa buena; lee aunque sea novelas. No son mejores las historias que llaman verdaderas. Vale más que leas que no el que te alimentes de chismes y comadrerías del pueblo. Pero lee sobre todo libros de piedad que te den contento de vivir, un contento apacible y silencioso.

365   ¿Le tenía él?

Por entonces enfermó de muerte y se nos murió nuestra madre, y en sus últimos días todo su hipo era que don Manuel convirtiese a Lázaro, a quien esperaba volver a ver un día en el cielo, en un rincón de las estrellas desde donde se viese el lago y la montaña de Valverde de Lucerna. Ella se iba ya, a ver a Dios.

370   -Usted no se va -le decía don Manuel-, usted se queda. Su cuerpo aquí, en esta tierra, y su alma también aquí en esta casa, viendo y oyendo a sus hijos, aunque éstos ni le vean ni le oigan.

-Pero yo, padre -dijo-, voy a ver a Dios.

-Dios, hija mía, está aquí como en todas partes, y le verá usted desde aquí, desde aquí. Y

375   a todos nosotros en Él, y a Él en nosotros.

-Dios se lo pague -le dije.

-El contento con que tu madre se muera -me dijo será su eterna vida.

Y volviéndose a mi hermano Lázaro:

-Su cielo es seguir viéndote, y ahora es cuando hay que salvarla. Dile que rezarás por

380 ella.

  -Pero...

  -¿Pero...? Dile que rezarás por ella, a quien debes la vida, y sé que una vez que se lo prometas rezarás y sé que luego que reces...

  Mi hermano, acercándose, arrasados sus ojos en lágrimas, a nuestra madre,
385 agonizante, le prometió solemnemente rezar por ella.

  -Y yo en el cielo por ti, por vosotros -respondió mi madre, y besando el crucifijo y puestos sus ojos en los de don Manuel, entregó su alma a Dios.

  -"¡En tus manos encomiendo mi espíritu!" -rezó el santo varón.

  Quedamos mi hermano y yo solos en la casa. Lo que pasó en la muerte de nuestra
390 madre puso a Lázaro en relación con don Manuel, que pareció descuidar algo a sus demás pacientes, a sus demás menesterosos, para atender a mi hermano. Íbanse por las tardes de paseo, orilla del lago, o hacia las ruinas, vestidas de hiedra, de la vieja abadía de cistercienses.

  -Es un hombre maravilloso -me decía Lázaro -. Ya sabes que dicen que en el fondo
395 de este lago hay una villa sumergida y que en la noche de san Juan, a las doce, se oyen las campanadas de su iglesia.

  -Sí -le contestaba yo-, una villa feudal y medieval...

  -Y creo -añadía él- que en el fondo del alma de nuestro don Manuel hay también sumergida, ahogada, una villa y que alguna vez se oyen sus campanadas.

400 -Sí -le dije-, esa villa sumergida en el alma de don Manuel, ¿y por qué no también en la tuya?, es el cementerio de las almas de nuestros abuelos, los de esta nuestra Valverde de Lucerna... ¡feudal y medieval!

  Acabó mi hermano por ir a misa siempre, a oír a don Manuel, y cuando se dijo que cumpliría con la parroquia, que comulgaría cuando los demás comulgasen, recorrió un
405 íntimo regocijo al pueblo todo, que creyó haberle recobrado. Pero fue un regocijo tal, tan limpio, que Lázaro no se sintió ni vencido ni disminuido.

  Y llegó el día de su comunión, ante el pueblo todo, con el pueblo todo. Cuando llegó la vez a mi hermano pude ver que don Manuel, tan blanco como la nieve de enero en la montaña y temblando como tiembla el lago cuando le hostiga el cierzo, se le acercó con
410 la sagrada forma en la mano, y de tal modo le temblaba ésta al arrimarla a la boca de Lázaro que se le cayó la forma a tiempo que le daba un vahído. Y fue mi hermano mismo quien recogió la hostia y se la llevó a la boca. Y el pueblo al ver llorar a don Manuel, lloró diciéndose: "¡Cómo le quiere!". Y entonces, pues era la madrugada, cantó un gallo.

  Al volver a casa y encerrarme en ella con mi hermano, le eché los brazos al cuello y
415 besándole le dije:

  -¡Ay Lázaro, Lázaro, qué alegría nos has dado a todos, a todos, a todo el pueblo, a todos, a los vivos y a los muertos, y sobre todo a mamá, a nuestra madre! ¿Viste? El pobre don

Manuel lloraba de alegría. ¡Qué alegría nos has dado a todos!

-Por eso lo he hecho -me contestó.

420 -¿Por eso? ¿Por darnos alegría? Lo habrás hecho ante todo por ti mismo, por conversión.

Y entonces Lázaro, mi hermano, tan pálido y tan tembloroso como don Manuel cuando le dio la comunión, me hizo sentarme en el sillón mismo donde solía sentarse nuestra madre, tomó huelgo, y luego, como en íntima confesión doméstica y familiar, me dijo:

-Mira, Angelita, ha llegado la hora de decirte la verdad, toda la verdad, y te la voy a decir, 425 porque debo decírtela, porque a ti no puedo, no debo callártela y porque además habrías de adivinarla y a medias, que es lo peor, más tarde o más temprano.

Y entonces, serena y tranquilamente, a media voz, me contó una historia que me sumergió en un lago de tristeza. Cómo don Manuel le había venido trabajando, sobre todo en aquellos paseos a las ruinas de la vieja abadía cisterciense, para que no escandalizase, 430 para que diese buen ejemplo, para que se incorporase a la vida religiosa del pueblo, para que fingiese creer si no creía, para que ocultase sus ideas al respecto, mas sin intentar siquiera catequizarle, convertirle de otra manera.

-Pero ¿es eso posible? -exclamé consternada.

-¡Y tan posible, hermana, y tan posible! Y cuando yo le decía: "¿Pero es usted, usted, el 435 sacerdote, el que me aconseja que finja?", él, balbuciente: "¿Fingir?, ¡fingir no!, ¡eso no es fingir! Toma agua bendita, que dijo alguien, y acabarás creyendo". Y como yo, mirándole a los ojos, le dijese: "¿Y usted celebrando misa ha acabado por creer?", él bajó la mirada al lago y se le llenaron los ojos de lágrimas. Y así es como le arranqué su secreto.

-¡Lázaro! -gemí.

440 Y en aquel momento pasó por la calle Blasillo el bobo, clamando su: "¡Dios mío, Dios mío!, ¿por qué me has abandonado?". Y Lázaro se estremeció creyendo oír la voz de don Manuel, acaso la de Nuestro Señor Jesucristo.

-Entonces -prosiguió mi hermano- comprendí sus móviles, y con esto comprendí su santidad; porque es un santo, hermana, todo un santo. No trataba al emprender ganarme 445 para su santa causa -porque es una causa santa, santísima-, arrogarse un triunfo, sino que lo hacía por la paz, por la felicidad, por la ilusión si quieres, de los que le están encomendados; comprendí que si les engaña así -si es que esto es engaño- no es por medrar. Me rendí a sus razones, y he aquí mi conversión. Y no me olvidaré jamás del día en que diciéndole yo: "Pero, don Manuel, la verdad, la verdad ante todo", él, temblando, me susurró al oído -y 450 eso que estábamos solos en medio del campo-: "¿La verdad? La verdad, Lázaro, es acaso algo terrible, algo intolerable, algo mortal; la gente sencilla no podría vivir con ella". "¿Y por qué me la deja entrever ahora aquí, como en confesión?", le dije. Y él: "Porque si no, me atormentaría tanto, tanto, que acabaría gritándola en medio de la plaza, y eso jamás, jamás, jamás. Yo estoy para hacer vivir a las almas de mis feligreses, para hacerles felices, para 455 hacerles que se sueñen inmortales y no para matarles. Lo que aquí hace falta es que vivan sanamente, que vivan en unanimidad de sentido, y con la verdad, con mi verdad, no vivirían.

Que vivan. Y esto hace la Iglesia, hacerles vivir. ¿Religión verdadera? Todas las religiones son verdaderas en cuanto hacen vivir espiritualmente a los pueblos que las profesan, en cuanto les consuelan de haber tenido que nacer para morir, y para cada pueblo la religión más verdadera es la suya, la que le ha hecho. ¿Y la mía? La mía es consolarme en consolar a los demás, aunque el consuelo que les doy no sea el mío". Jamás olvidaré estas sus palabras.

460

-¡Pero esa comunión tuya ha sido un sacrilegio! -me atreví a insinuar, arrepintiéndome al punto de haberlo insinuado.

-¿Sacrilegio? ¿Y él que me la dio? ¿Y sus misas?

465

-¡Qué martirio! -exclamé.

-Y ahora -añadió mi hermano- hay otro más para consolar al pueblo.

-¿Para engañarle? -le dije.

-Para engañarle no -me replicó-, sino para corroborarle en su fe.

-Y él, el pueblo -dije-, ¿cree de veras?

470

-¡Qué sé yo ...! Cree sin querer, por hábito, por tradición. Y lo que hace falta es no despertarle. Y que viva en su pobreza de sentimientos para que no adquiera torturas de lujo. ¡Bienaventurados los pobres de espíritu!

-Eso, hermano, lo has aprendido de don Manuel. Y ahora, dime, ¿has cumplido aquello que le prometiste a nuestra madre cuando ella se nos iba a morir, aquello de que rezarías

475

por ella?

-¡Pues no se lo había de cumplir! Pero ¿por quién me has tomado, hermana? ¿Me crees capaz de faltar a mi palabra, a una promesa solemne, y a una promesa hecha, y en el lecho de muerte, a una madre?

-¡Qué sé yo...! Pudiste querer engañarla para que muriese consolada.

480

-Es que si yo no hubiese cumplido la promesa viviría sin consuelo.

-¿Entonces?

-Cumplí la promesa y no he dejado de rezar ni un solo día por ella.

-¿Sólo por ella?

-Pues, ¿por quién más?

485

-¡Por ti mismo! Y de ahora en adelante, por don Manuel.

Nos separamos para irnos cada uno a su cuarto, yo a llorar toda la noche, a pedir por la conversión de mi hermano y de don Manuel, y él, Lázaro, no sé bien a qué.

Después de aquel día temblaba yo de encontrarme a solas con don Manuel, a quien seguía asistiendo en sus piadosos menesteres. Y él pareció percatarse de mi estado íntimo y

490

adivinar la causa. Y cuando al fin me acerqué a él en el tribunal de la penitencia -¿quién era el juez y quién el reo?-, los dos, él y yo, doblamos en silencio la cabeza y nos pusimos a llorar. Y fue él, don Manuel, quien rompió el tremendo silencio para decirme con voz que parecía salir de una huesa:

-Pero tú, Angelina, tú crees como a los diez años, ¿no es así? ¿Tú crees?

495   -Sí creo, padre.

-Pues sigue creyendo. Y si se te ocurren dudas, cállatelas a ti misma. Hay que vivir...

Me atreví, y toda temblorosa le dije:

-Pero usted, padre, ¿cree usted?

Vaciló un momento y, reponiéndose, me dijo:

500   -¡Creo!

-¿Pero en qué, padre, en qué? ¿Cree usted en la otra vida?, ¿cree usted que al morir no nos morimos del todo?, ¿cree que volveremos a vernos, a querernos en otro mundo venidero?, ¿cree en la otra vida?

El pobre santo sollozaba.

505   -¡Mira, hija, dejemos eso!

Y ahora, al escribir esta memoria, me digo: ¿Por qué no me engañó?, ¿por qué no me engañó entonces como engañaba a los demás? ¿Por qué se acongojó? ¿Porque no podía engañarse a sí mismo, o porque no podía engañarme? Y quiero creer que se acongojaba porque no podía engañarse para engañarme.

510   -Y ahora -añadió -, reza por mí, por tu hermano, por ti misma, por todos. Hay que vivir. Y hay que dar vida.

Y después de una pausa:

-¿Y por qué no te casas, Angelina?

-Ya sabe usted, padre mío, por qué.

515   -Pero no, no; tienes que casarte. Entre Lázaro y yo te buscaremos un novio. Porque a ti te conviene casarte para que se te curen esas preocupaciones.

-¿Preocupaciones, don Manuel?

-Yo sé bien lo que me digo. Y no te acongojes demasiado por los demás, que harto tiene cada cual con tener que responder de sí mismo.

520   -¡Y que sea usted, don Manuel, el que me diga eso!, ¡que sea usted el que me aconseje que me case para responder de mí y no acuitarme por los demás!, ¡que sea usted!

-Tienes razón, Angelina, no sé ya lo que me digo; no sé ya lo que me digo desde que estoy confesándome contigo. Y sí, sí, hay que vivir, hay que vivir.

Y cuando yo iba a levantarme para salir del templo, me dijo:

525   -Y ahora, Angelina, en nombre del pueblo, ¿me absuelves?

Me sentí como penetrada de un misterioso sacerdocio, y le dije:

-En nombre de Dios Padre, Hijo y Espíritu Santo, le absuelvo, padre.

Y salimos de la iglesia, y al salir se me estremecían las entrañas maternales.

Mi hermano, puesto ya del todo al servicio de la obra de don Manuel, era su más asiduo

530 colaborador y compañero. Les anudaba, además, el común secreto. Le acompañaba en sus
visitas a los enfermos, a las escuelas, y ponía su dinero a disposición del santo varón. Y poco
faltó para que no aprendiera a ayudarle a misa. E iba entrando cada vez más en el alma
insondable de don Manuel.

-¡Qué hombre! -me decía-. Mira, ayer, paseando a orillas del lago, me dijo: "He aquí
535 mi tentación mayor". Y como yo le interrogase con la mirada, añadió: "Mi pobre padre, que
murió de cerca de noventa años, se pasó la vida, según me lo confesó él mismo, torturado
por la tentación del suicidio, que le venía no recordaba desde cuándo, de nación, decía,
y defendiéndose de ella. Y esa defensa fue su vida. Para no sucumbir a tal tentación
extremaba los cuidados por conservar la vida. Me contó escenas terribles. Me parecía como
540 una locura. Y yo la he heredado. ¡Y cómo me llama esa agua que con su aparente quietud
-la corriente va por dentro - espeja al cielo! ¡Mi vida, Lázaro, es una especie de suicidio
continuo, un combate contra el suicidio, que es igual; pero que vivan ellos, que vivan los
nuestros!". Y luego añadió: "Aquí se remansa el río en lago, para luego, bajando a la meseta,
precipitarse en cascadas, saltos y torrenteras por las hoces y encañadas, junto a la ciudad,
545 y así se remansa la vida, aquí, en la aldea. Pero la tentación del suicidio es mayor aquí,
junto al remanso que espeja de noche las estrellas, que no junto a las cascadas que dan
miedo. Mira, Lázaro, he asistido a bien morir a pobres aldeanos, ignorantes, analfabetos que
apenas si habían salido de la aldea, y he podido saber de sus labios, y cuando no adivinarlo,
la verdadera causa de su enfermedad de muerte, y he podido mirar, allí, a la cabecera de su
550 lecho de muerte, toda la negrura de la sima del tedio de vivir. ¡Mil veces peor que el hambre!
Sigamos, pues, Lázaro, suicidándonos en nuestra obra y en nuestro pueblo, y que sueñe éste
su vida como el lago sueña el cielo".

-Otra vez -me decía también mi hermano-, cuando volvíamos acá, vimos una zagala,
una cabrera, que enhiesta sobre un picacho de la falda de la montaña, a la vista del lago,
555 estaba cantando con una voz más fresca que las aguas de este. Don Manuel me detuvo
y señalándomela dijo: "Mira, parece como si se hubiera acabado el tiempo, como si esa
zagala hubiese estado ahí siempre, y como está, y cantando como está, y como si hubiera
de seguir estando así siempre, como estuvo cuando empezó mi conciencia, como estará
cuando se me acabe. Esa zagala forma parte, con las rocas, las nubes, los árboles, las aguas,
560 de la naturaleza y no de la historia". ¡Cómo siente, cómo anima don Manuel a la naturaleza!
Nunca olvidaré el día de la nevada en que me dijo: "¿Has visto, Lázaro, misterio mayor que el
de la nieve cayendo en el lago y muriendo en él mientras cubre con su toca a la montaña?".

Don Manuel tenía que contener a mi hermano en su celo y en su inexperiencia
de neófito. Y como supiese que este andaba predicando contra ciertas supersticiones
565 populares, hubo de decirle:

-¡Déjalos! ¡Es tan difícil hacerles comprender dónde acaba la creencia ortodoxa y
dónde empieza la superstición! Y más para nosotros. Déjalos, pues, mientras se consuelen.
Vale más que lo crean todo, aun cosas contradictorias entre sí, a no que no crean nada.
Eso de que el que cree demasiado acaba por no creer nada, es cosa de protestantes. No

570   protestemos. La protesta mata el contento.

Una noche de plenilunio -me contaba también mi hermano- volvían a la aldea por la orilla del lago, a cuya sobrehaz rizaba entonces la brisa montañesa y en el rizo cabrilleaban las razas de la luna llena, y don Manuel le dijo a Lázaro:

-¡Mira, el agua está rezando la letanía y ahora dice: janua coeli, ora pro nobis, puerta del
575   cielo, ruega por nosotros!

Y cayeron temblando de sus pestañas a la yerba del suelo dos huideras lágrimas en que también, como en rocío, se bañó temblorosa la lumbre de la luna llena.

E iba corriendo el tiempo y observábamos mi hermano y yo que las fuerzas de don Manuel empezaban a decaer, que ya no lograba contener del todo la insondable tristeza
580   que le consumía, que acaso una enfermedad traidora le iba minando el cuerpo y el alma. Y Lázaro, acaso para distraerle más, le propuso si no estaría bien que fundasen en la iglesia algo así como un sindicato católico agrario.

-¿Sindicato? -respondió tristemente don Manuel -. ¿Sindicato? ¿Y qué es eso? Yo no conozco más sindicato que la Iglesia, y ya sabes aquello de "mi reino no es de este mundo".
585   Nuestro reino, Lázaro, no es de este mundo...

-¿Y del otro?

Don Manuel bajó la cabeza:

-El otro, Lázaro, está aquí también, porque hay dos reinos en este mundo. O mejor, el otro mundo... Vamos, que no sé lo que me digo. Y en cuanto a eso del sindicato, es en ti
590   un resabio de tu época de progresismo. No, Lázaro, no; la religión no es para resolver los conflictos económicos o políticos de este mundo que Dios entregó a las disputas de los hombres. Piensen los hombres y obren los hombres como pensaren y como obraren, que se consuelen de haber nacido, que vivan lo más contentos que puedan en la ilusión de que todo esto tiene una finalidad. Yo no he venido a someter los pobres a los ricos, ni a predicar
595   a éstos que se sometan a aquéllos. Resignación y caridad en todos y para todos. Porque también el rico tiene que resignarse a su riqueza, y a la vida, y también el pobre tiene que tener caridad para con el rico. ¿Cuestión social? Deja eso, eso no nos concierne. Que traen una nueva sociedad, en que no haya ya ricos ni pobres, en que esté justamente repartida la riqueza, en que todo sea de todos, ¿y qué? ¿Y no crees que del bienestar general surgirá más
600   fuerte el tedio a la vida? Sí, ya sé que uno de esos caudillos de la que llaman la revolución social ha dicho que la religión es el opio del pueblo. Opio... Opio... Opio, sí. Démosle opio, y que duerma y que sueñe. Yo mismo con esta mi loca actividad me estoy administrando opio. Y no logro dormir bien y menos soñar bien... ¡Esta terrible pesadilla! Y yo también puedo decir con el Divino Maestro: "Mi alma está triste hasta la muerte". No, Lázaro; nada de
605   sindicatos por nuestra parte. Si lo forman ellos me parecerá bien, pues que así se distraen. Que jueguen al sindicato, si eso les contenta.

El pueblo todo observó que a don Manuel le menguaban las fuerzas, que se fatigaba. Su voz misma, aquella voz que era un milagro, adquirió un cierto temblor íntimo. Se le asomaban las lágrimas con cualquier motivo. Y sobre todo cuando hablaba al pueblo del otro mundo, de la otra vida, tenía que detenerse a ratos cerrando los ojos. "Es que lo está viendo", decían. Y en aquellos momentos era Blasillo el bobo el que con más cuajo lloraba. Porque ya Blasillo lloraba más que reía, y hasta sus risas sonaban a lloros.

Al llegar la última Semana de Pasión que con nosotros, en nuestro mundo, en nuestra aldea celebró don Manuel, el pueblo todo presintió el fin de la tragedia. ¡Y cómo sonó entonces aquel: "¡Dios mío, Dios mío!, ¿por qué me has abandonado?", el último que en público sollozó don Manuel! Y cuando dijo lo del Divino Maestro al buen bandolero -"todos los bandoleros son buenos", solía decir nuestro don Manuel-, aquello de: "Mañana estarás conmigo en el paraíso". ¡Y la última comunión general que repartió nuestro santo! Cuando llegó a dársela a mi hermano, esta vez con mano segura, después del litúrgico *"...in vitam aeternam"* se le inclinó al oído y le dijo: "No hay más vida eterna que esta... que la sueñen eterna... eterna de unos pocos años...". Y cuando me la dio a mí me dijo: "Reza, hija mía, reza por nosotros". Y luego, algo tan extraordinario que lo llevo en el corazón como el más grande misterio, y fue que me dijo con voz que parecía de otro mundo: "... y reza también por Nuestro Señor Jesucristo...".

Me levanté sin fuerzas y como sonámbula. Y todo en torno me pareció un sueño. Y pensé: "Habré de rezar también por el lago y por la montaña". Y luego: "¿Es que estaré endemoniada?". Y en casa ya, cogí el crucifijo con el cual en las manos había entregado a Dios su alma mi madre, y mirándolo a través de mis lágrimas y recordando el "¡Dios mío, Dios mío!, ¿por qué me has abandonado?" de nuestros dos Cristos, el de esta tierra y el de esta aldea, recé: "hágase tu voluntad, así en la tierra como en el cielo", primero, y después: "Y no nos dejes caer en la tentación, amén". Luego me volví a aquella imagen de la Dolorosa, con su corazón traspasado por siete espadas, que había sido el más doloroso consuelo de mi pobre madre, y recé: "Santa María, madre de Dios, ruega por nosotros, pecadores, ahora y en la hora de nuestra muerte, amén". Y apenas lo había rezado cuando me dije: "¿pecadores?, ¿nosotros pecadores?, ¿y cuál es nuestro pecado, cuál?". Y anduve todo el día acongojada por esta pregunta.

Al día siguiente acudí a don Manuel, que iba adquiriendo una solemnidad de religioso ocaso, y le dije:

-¿Recuerda, padre mío, cuando hace ya años, al dirigirle yo una pregunta me contestó: "Eso no me lo preguntéis a mí, que soy ignorante; doctores tiene la Santa Madre Iglesia que os sabrán responder"?

-¡Que si me acuerdo!... y me acuerdo que te dije que esas eran preguntas que te dictaba el Demonio.

-Pues bien, padre, hoy vuelvo yo, la endemoniada, a dirigirle otra pregunta que me dicta mi demonio de la guarda.

-Pregunta.

-Ayer, al darme de comulgar, me pidió que rezara por todos nosotros y hasta por...

-Bien, cállalo y sigue.

-Llegué a casa y me puse a rezar, y al llegar a aquello de "ruega por nosotros, pecadores, ahora y en la hora de nuestra muerte", una voz íntima me dijo: "¿pecadores?, ¿pecadores nosotros?, ¿y cuál es nuestro pecado?". ¿Cuál es nuestro pecado, padre?

-¿Cuál? -me respondió -. Ya lo dijo un gran doctor de la Iglesia Católica Apostólica Española, ya lo dijo el gran doctor de La vida es sueño, ya dijo que "el delito mayor del hombre es haber nacido". Ese es, hija, nuestro pecado: el de haber nacido.

-¿Y se cura, padre?

-¡Vete y vuelve a rezar! Vuelve a rezar por nosotros, pecadores, ahora y en la hora de nuestra muerte... Sí, al fin se cura el sueño..., al fin se cura la vida..., al fin se acaba la cruz del nacimiento... Y como dijo Calderón, el hacer bien, y el engañar bien, ni aun en sueños se pierde...

Y la hora de su muerte llegó por fin. Todo el pueblo la veía llegar. Y fue su más grande lección. No quiso morirse ni solo ni ocioso. Se murió predicando al pueblo, en el templo. Primero, antes de mandar que le llevasen a él, pues no podía ya moverse por la perlesía, nos llamó a su casa a Lázaro y a mí. Y allí, los tres a solas, nos dijo:

-Oíd: cuidad de estas pobres ovejas, que se consuelen de vivir, que crean lo que yo no he podido creer. Y tú, Lázaro, cuando hayas de morir, muere como yo, como morirá nuestra Ángela, en el seno de la Santa Madre Católica Apostólica Romana, de la Santa Madre Iglesia de Valverde de Lucerna, bien entendido. Y hasta nunca más ver, pues se acaba este sueño de la vida...

-¡Padre, padre! -gemí yo.

-No te aflijas, Ángela, y sigue rezando por todos los pecadores, por todos los nacidos. Y que sueñen, que sueñen. ¡Qué ganas tengo de dormir, dormir, dormir sin fin, dormir por toda una eternidad y sin soñar!, ¡olvidando el sueño! Cuando me entierren, que sea en una caja hecha con aquellas seis tablas que tallé del viejo nogal, ¡pobrecito!, a cuya sombra jugué de niño, cuando empezaba a soñar... ¡Y entonces sí que creía en la vida perdurable! Es decir, me figuro ahora que creía entonces. Para un niño creer no es más que soñar. Y para un pueblo. Esas seis tablas que tallé con mis propias manos, las encontraréis al pie de mi cama.

Le dio un ahogo y, repuesto de él, prosiguió:

-Recordaréis que cuando rezábamos todos en uno, en unanimidad de sentido, hechos pueblo, el Credo, al llegar al final yo me callaba. Cuando los israelitas iban llegando al fin de su peregrinación por el desierto, el Señor les dijo a Aarón y a Moisés que por no haberle creído no meterían a su pueblo en la tierra prometida, y les hizo subir al monte de Hor, donde Moisés hizo desnudar a Aarón, que allí murió, y luego subió Moisés desde las llanuras de Moab al monte Nebo, a la cumbre de Fasga, enfrente de Jericó, y el Señor le mostró toda la tierra prometida a su pueblo, pero diciéndole a él: "¡No pasarás allá!", y allí murió Moisés y nadie supo su sepultura. Y dejó por caudillo a Josué. Sé tú, Lázaro, mi Josué, y si puedes detener el Sol, detenle, y no te importe del progreso. Como Moisés, he conocido al Señor, nuestro supremo ensueño, cara a cara, y ya sabes que dice la Escritura que el que le ve la cara a Dios, que el que le ve al sueño los ojos de la cara con que nos mira, se muere sin remedio y para siempre. Que no le vea, pues, la cara a Dios este nuestro pueblo mientras

690   viva, que después de muerto ya no hay cuidado, pues no verá nada...

     -¡Padre, padre, padre! -volví a gemir.

     Y él:

     -Tú, Ángela, reza siempre, sigue rezando para que los pecadores todos sueñen hasta morir la resurrección de la carne y la vida perdurable...

695   Yo esperaba un "¿y quién sabe...?", cuando le dio otro ahogo a don Manuel.

     -Y ahora -añadió -, ahora, en la hora de mi muerte, es hora de que hagáis que se me lleve, en este mismo sillón, a la iglesia para despedirme allí de mi pueblo, que me espera.

     Se le llevó a la iglesia y se le puso, en el sillón, en el presbiterio, al pie del altar. Tenía entre sus manos un crucifijo. Mi hermano y yo nos pusimos junto a él, pero fue Blasillo

700   el bobo quien más se arrimó. Quería coger de la mano a don Manuel, besársela. Y como algunos trataran de impedírselo, don Manuel les reprendió diciéndoles:

     -Dejadle que se me acerque. Ven, Blasillo, dame la mano.

     El bobo lloraba de alegría. Y luego don Manuel dijo:

     -Muy pocas palabras, hijos míos, pues apenas me siento con fuerzas sino para morir.

705   Y nada nuevo tengo que deciros. Ya os lo dije todo. Vivid en paz y contentos y esperando que todos nos veamos un día en la Valverde de Lucerna que hay allí, entre las estrellas de la noche que se reflejan en el lago, sobre la montaña. Y rezad, rezad a María Santísima, rezad a Nuestro Señor. Sed buenos, que esto basta. Perdonadme el mal que haya podido haceros sin quererlo y sin saberlo. Y ahora, después de que os dé mi bendición, rezad todos a una el

710   Padrenuestro, el Ave María, la Salve, y por último el Credo.

     Luego, con el crucifijo que tenía en la mano dio la bendición al pueblo, llorando las mujeres y los niños y no pocos hombres, y en seguida empezaron las oraciones, que don Manuel oía en silencio y cogido de la mano por Blasillo, que al son del ruego se iba durmiendo. Primero el Padrenuestro con su "hágase tu voluntad así en la tierra como en

715   el cielo", luego el Santa María con su "ruega por nosotros, pecadores, ahora y en la hora de nuestra muerte", a seguida la Salve con su "gimiendo y llorando en este valle de lágrimas", y por último el Credo. Y al llegar a la "resurrección de la carne y la vida perdurable", todo el pueblo sintió que su santo había entregado su alma a Dios. Y no hubo que cerrarle los ojos, porque se murió con ellos cerrados. Y al ir a despertar a Blasillo nos encontramos con que se

720   había dormido en el Señor para siempre. Así que hubo luego que enterrar dos cuerpos.

     El pueblo todo se fue en seguida a la casa del santo a recoger reliquias, a repartirse retazos de sus vestiduras, a llevarse lo que pudieran como reliquia y recuerdo del bendito mártir. Mi hermano guardó su breviario, entre cuyas hojas encontró, desecada y como en un herbario, una clavellina pegada a un papel y en este una cruz con una fecha.

725   Nadie en el pueblo quiso creer en la muerte de don Manuel; todos esperaban verle a diario, y acaso le veían, pasar a lo largo del lago y espejado en él o teniendo por fondo las montañas; todos seguían oyendo su voz, y todos acudían a su sepultura, en torno a la cual surgió todo un culto. Las endemoniadas venían ahora a tocar la cruz de nogal, hecha también por sus manos y sacada del mismo árbol de donde sacó las seis tablas en que fue

730 enterrado. Y los que menos queríamos creer que se hubiese muerto éramos mi hermano y yo.

     Él, Lázaro, continuaba la tradición del santo y empezó a redactar lo que le había oído, notas de que me he servido para esta mi memoria.

     -Él me hizo un hombre nuevo, un verdadero Lázaro, un resucitado -me decía-. Él me dio

735 fe.

     -¿Fe? -le interrumpía yo.

     -Sí, fe, fe en el consuelo de la vida, fe en el contento de la vida. Él me curó de mi progresismo. Porque hay, Ángela, dos clases de hombres peligrosos y nocivos: los que convencidos de la vida de ultratumba, de la resurrección de la carne, atormentan, como

740 inquisidores que son, a los demás para que, despreciando esta vida como transitoria, se ganen la otra, y los que no creyendo más que en este...

     -Como acaso tú... -le decía yo.

     -Y sí, y como don Manuel. Pero no creyendo más que en este mundo, esperan no sé qué sociedad futura, y se esfuerzan en negarle al pueblo el consuelo de creer en otro...

745   -De modo que...

     -De modo que hay que hacer que vivan de la ilusión.

     El pobre cura que llegó a sustituir a don Manuel en el curato entró en Valverde de Lucerna abrumado por el recuerdo del santo y se entregó a mi hermano y a mí para que le guiásemos. No quería sino seguir las huellas del santo. Y mi hermano le decía: "Poca

750 teología, ¿eh?, poca teología; religión, religión". Y yo al oírselo me sonreía pensando si es que no era también teología lo nuestro.

     Yo empecé entonces a temer por mi pobre hermano. Desde que se nos murió don Manuel no cabía decir que viviese. Visitaba a diario su tumba y se pasaba horas muertas contemplando el lago. Sentía morriña de la paz verdadera.

755   -No mires tanto al lago -le decía yo.

     -No, hermana, no temas. Es otro el lago que me llama; es otra la montaña. No puedo vivir sin él.

     -¿Y el contento de vivir, Lázaro, el contento de vivir?

     -Eso para otros pecadores, no para nosotros, que le hemos visto la cara a Dios, a quienes

760 nos ha mirado con sus ojos el sueño de la vida.

     -¿Qué, te preparas a ir a ver a don Manuel?

-No, hermana, no; ahora y aquí en casa, entre nosotros solos, toda la verdad por amarga que sea, amarga como el mar a que van a parar las aguas de este dulce lago, toda la verdad para ti, que estás abroquelada contra ella...

765   -¡No, no, Lázaro; ésa no es la verdad!

-La mía, sí.

-La tuya, ¿pero y la de...?

-También la de él.

-¡Ahora no, Lázaro; ahora no! Ahora cree otra cosa, ahora cree...

770   -Mira, Ángela, una de las veces en que al decirme don Manuel que hay cosas que aunque se las diga uno a sí mismo debe callárselas a los demás, le repliqué que me decía eso por decírselas a él, esas mismas, a sí mismo, y acabó confesándome que creía que más de uno de los más grandes santos, acaso el mayor, había muerto sin creer en la otra vida.

-¿Es posible?

775   -¡Y tan posible! Y ahora, hermana, cuida que no sospechen siquiera aquí, en el pueblo, nuestro secreto...

-¿Sospecharlo? -le dije-. Si intentase, por locura, explicárselo, no lo entenderían. El pueblo no entiende de palabras; el pueblo no ha entendido más que vuestras obras. Querer exponerles eso sería como leer a unos niños de ocho años unas páginas de santo Tomás de

780   Aquino... en latín.

-Bueno, pues cuando yo me vaya, reza por mí y por él y por todos.

Y por fin le llegó también su hora. Una enfermedad que iba minando su robusta naturaleza pareció exacerbársele con la muerte de don Manuel.

-No siento tanto tener que morir -me decía en sus últimos días -, como que conmigo se

785   muere otro pedazo del alma de don Manuel. Pero lo demás de él vivirá contigo. Hasta que un día hasta los muertos nos moriremos del todo.

Cuando se hallaba agonizando entraron, como se acostumbra en nuestras aldeas, los del pueblo a verle agonizar, y encomendaban su alma a don Manuel, a san Manuel Bueno, el mártir. Mi hermano no les dijo nada, no tenía ya nada que decirles; les dejaba dicho

790   todo, todo lo que queda dicho. Era otra laña más entre las dos Valverdes de Lucerna, la del fondo del lago y la que en su sobrehaz se mira; era ya uno de nuestros muertos de vida, uno también, a su modo, de nuestros santos.

Quedé más que desolada, pero en mi pueblo y con mi pueblo. Y ahora, al haber perdido a mi san Manuel, al padre de mi alma, y a mi Lázaro, mi hermano aún más que carnal,

795   espiritual, ahora es cuando me doy cuenta de que he envejecido y de cómo he envejecido. Pero ¿es que los he perdido?, ¿es que he envejecido?, ¿es que me acerco a mi muerte?

¡Hay que vivir! Y él me enseñó a vivir, él nos enseñó a vivir, a sentir la vida, a sentir el sentido de la vida, a sumergirnos en el alma de la montaña, en el alma del lago, en el alma del pueblo de la aldea, a perdernos en ellas para quedar en ellas. Él me enseñó con su vida

800 a perderme en la vida del pueblo de mi aldea, y no sentía yo más pasar las horas, y los días y los años, que no sentía pasar el agua del lago. Me parecía como si mi vida hubiese de ser siempre igual. No me sentía envejecer. No vivía yo ya en mí, sino que vivía en mi pueblo y mi pueblo vivía en mí. Yo quería decir lo que ellos, los míos, decían sin querer. Salía a la calle, que era la carretera, y como conocía a todos, vivía en ellos y me olvidaba de mí, mientras
805 que en Madrid, donde estuve alguna vez con mi hermano, como a nadie conocía, sentíame en terrible soledad y torturada por tantos desconocidos.

Y ahora, al escribir esta memoria, esta confesión íntima de mi experiencia de la santidad ajena, creo que don Manuel Bueno, que mi san Manuel y que mi hermano Lázaro se murieron creyendo no creer lo que más nos interesa, pero sin creer creerlo, creyéndolo en
810 una desolación activa y resignada.

Pero ¿por qué -me he preguntado muchas veces - no trató don Manuel de convertir a mi hermano también con un engaño, con una mentira, fingiéndose creyente sin serlo? Y he comprendido que fue porque comprendió que no le engañaría, que para con él no le serviría el engaño, que sólo con la verdad, con su verdad, le convertiría; que no habría
815 conseguido nada si hubiese pretendido representar para con él una comedia -tragedia más bien-, la que representaba para salvar al pueblo. Y así le ganó, en efecto, para su piadoso fraude; así le ganó con la verdad de muerte a la razón de vida. Y así me ganó a mí, que nunca dejé transparentar a los otros su divino, su santísimo juego. Y es que creía y creo que Dios Nuestro Señor, por no sé qué sagrados y no escrudiñaderos designios, les hizo creerse
820 incrédulos. Y que acaso en el acabamiento de su tránsito se les cayó la venda. ¿Y yo, creo?

Y al escribir esto ahora, aquí, en mi vieja casa materna, a mis más que cincuenta años, cuando empiezan a blanquear con mi cabeza mis recuerdos, está nevando, nevando sobre el lago, nevando sobre la montaña, nevando sobre las memorias de mi padre, el forastero; de mi madre, de mi hermano Lázaro, de mi pueblo, de mi san Manuel, y también sobre la
825 memoria del pobre Blasillo, de mi san Blasillo, y que él me ampare desde el cielo. Y esta nieve borra esquinas y borra sombras, pues hasta de noche la nieve alumbra. Y yo no sé lo que es verdad y lo que es mentira, ni lo que vi y lo que soñé -o mejor lo que soñé y lo que sólo vi-, ni lo que supe ni lo que creí. No sé si estoy traspasando a este papel, tan blanco como la nieve, mi conciencia que en él se ha de quedar, quedándome yo sin ella. ¿Para qué
830 tenerla ya...?

¿Es que sé algo?, ¿es que creo algo? ¿Es que esto que estoy aquí contando ha pasado y ha pasado tal y como lo cuento? ¿Es que pueden pasar estas cosas? ¿Es que todo esto es más que un sueño soñado dentro de otro sueño? ¿Seré yo, Ángela Carballino, hoy cincuentona, la única persona que en esta aldea se ve acometida de estos pensamientos extraños para los
835 demás? ¿Y estos, los otros, los que me rodean, creen? ¿Qué es eso de creer? Por lo menos, viven. Y ahora creen en san Manuel Bueno, mártir, que sin esperar inmortalidad les mantuvo en la esperanza de ella.

Parece que el ilustrísimo señor obispo, el que ha promovido el proceso de beatificación de nuestro santo de Valverde de Lucerna, se propone escribir su vida, una especie de

840 manual del perfecto párroco, y recoge para ello toda clase de noticias. A mí me las ha pedido con insistencia, ha tenido entrevistas conmigo, le he dado toda clase de datos, pero me he callado siempre el secreto trágico de don Manuel y de mi hermano. Y es curioso que él no lo haya sospechado. Y confío en que no llegue a su conocimiento todo lo que en esta memoria dejo consignado. Les temo a las autoridades de la tierra, a las autoridades temporales,

845 aunque sean las de la Iglesia.

Pero aquí queda esto, y sea de su suerte lo que fuere.

¿Cómo vino a parar a mis manos este documento, esta memoria de Ángela Carballino? He aquí algo, lector, algo que debo guardar en secreto. Te la doy tal y como a mí ha llegado, sin más que corregir pocas, muy pocas particularidades de redacción. ¿Que se

850 parece mucho a otras cosas que yo he escrito? Esto nada prueba contra su objetividad, su originalidad. ¿Y sé yo, además, si no he creado fuera de mí seres reales y efectivos, de alma inmortal? ¿Sé yo si aquel Augusto Pérez, el de mi novela Niebla, no tenía razón al pretender ser más real, más objetivo que yo mismo, que creía haberle inventado? De la realidad de este san Manuel Bueno, mártir, tal como me la ha revelado su discípula e hija espiritual Ángela

855 Carballino, de esta realidad no se me ocurre dudar. Creo en ella más que creía el mismo santo; creo en ella más que creo en mi propia realidad.

Y ahora, antes de cerrar este epílogo, quiero recordarte, lector paciente, el versillo noveno de la Epístola del olvidado apóstol San Judas -¡lo que hace un nombre!-, donde se nos dice cómo mi celestial patrono, san Miguel Arcángel -Miguel quiere decir "¿Quién como

860 Dios?", y arcángel, archimensajero -, disputó con el diablo -diablo quiere decir acusador, fiscal- por el cuerpo de Moisés y no toleró que se lo llevase en juicio de maldición, sino que le dijo al diablo: "El Señor te reprenda". Y el que quiera entender que entienda.

Quiero también, ya que Ángela Carballino mezcló a su relato sus propios sentimientos, ni sé que otra cosa quepa, comentar yo aquí lo que ella dejó dicho de que si don Manuel y

865 su discípulo Lázaro hubiesen confesado al pueblo su estado de creencia, este, el pueblo, no les habría entendido. Ni les habría creído, añado yo. Habrían creído a sus obras y no a sus palabras, porque las palabras no sirven para apoyar las obras, sino que las obras se bastan. Y para un pueblo como el de Valverde de Lucerna no hay más confesión que la conducta. Ni sabe el pueblo qué cosa es fe, ni acaso le importa mucho.

870 Bien sé que en lo que se cuenta en este relato, si se quiere novelesco -y la novela es la más íntima historia, la más verdadera, por lo que no me explico que haya quien se indigne de que se llame novela al Evangelio, lo que es elevarle, en realidad, sobre un cronicón cualquiera-, bien sé que en lo que se cuenta en este relato no pasa nada; mas espero que sea porque en ello todo se queda, como se quedan los lagos y las montañas y las santas almas

875 sencillas asentadas más allá de la fe y de la desesperación, que en ellos, en los lagos y las montañas, fuera de la historia, en divina novela, se cobijaron.

Salamanca, noviembre de 1930.

❖ ❖ ❖ ❖ ❖ ❖ ❖ ❖ ❖ ❖ ❖ ❖

Sugerencias para el análisis de la novela

1. Describe la personalidad de don Manuel. Comenta detalles específicos que muestran rasgos de su carácter.

2. Cada uno de los personajes de la novela representa una postura respecto de la fe. Describe esas posiciones en detalle, incluyendo a Lázaro y Blasillo.

3. ¿Con cuál de estas actitudes crees que se identifica más el autor? ¿En qué basas tu respuesta? ¿Cuál piensas tú sería la postura ideal según Unamuno?

4. El tema del progreso está mencionado en boca de varios personajes. Reflexionando sobre sus palabras, ¿qué crees tú que piensa Unamuno sobre la tradición y el progreso? En este sentido, ¿qué significa la supuesta conversión de Lázaro?

5. ¿Qué representa el "nogal matriarcal" bajo el que se sienta don Manuel? ¿Por qué usa la palabra matriarcal? ¿Qué significado tiene el uso que hace don Manuel del árbol cuando se seca?

6. ¿Por qué insiste tanto la narradora en la voz de don Manuel?

7. Interpreta las imágenes de la montaña, el lago y la villa sumergida.

8. ¿Qué pasajes definen más claramente la posición de don Manuel?

9. ¿Dónde y en qué sentido se compara a don Manuel con Cristo y con Moisés?

10. Don Manuel está de acuerdo con las palabras de Karl Marx, "la religión es el opio del pueblo", pero dándoles una interpretación muy distinta. Contrasta ambas perspectivas.

11. Ángela termina siendo la "confesora" de don Manuel. Comenta esta paradoja.

Temas de discusión y ensayos

1. ¿Estás de acuerdo o en desacuerdo con la postura de don Manuel? ¿Crees que es justo engañar a otros para que sean felices? ¿Es necesario hacerlo en algunas ocasiones? Básate en la lectura del texto para justificar tu respuesta.

2. Desarrolla el tema de la verdad y la mentira en *San Manuel Bueno, mártir*. ¿Es don Manuel hipócrita? ¿Es tan compasivo como Ángela y los demás piensan? ¿Es mártir? ¿Es santo?

3. ¿Cuál es la postura político-social de don Manuel?

4. La niñez y la maternidad tienen un significado muy especial para Unamuno. Discute lo que representan, basándote en pasajes de la novela.

5. Analiza el recurso del manuscrito encontrado en un cajón. Incluye en tu comentario el efecto en el lector de la narración en primera persona.

6. Comenta el estilo y lenguaje de la novela. ¿Es fácil de comprender? ¿Va dirigida a un público culto? ¿Por qué crees que hay tanto diálogo en la historia? ¿Qué relación puede tener el estilo de la novela con el propósito de Unamuno al escribirla?

7. Observa que hay más de un narrador. ¿Con qué objeto? Habla de la estructura de la obra.

8. ¿Cuál es en tu opinión el tema central de la novela? ¿Cuáles son subtemas importantes?

◆ ◆ ◆ ◆ ◆ ◆ ◆ ◆ ◆ ◆ ◆

Actividades para la Unidad 1

1. Los estudiantes debaten: ¿Es legítimo engañar al público pretendiendo que no necesita saber la verdad? ¿Es preferible saber la verdad y ser desgraciado o vivir felizmente en la ignorancia?

2. En el papel de periodista un estudiante entrevista a otro que representa a Unamuno. Le pregunta sobre sus preocupaciones, sus problemas personales o políticos y sus miedos.

3. En grupos, los estudiantes seleccionan y presentan el vocabulario unamuniano, los términos que son especialmente significativos para el autor, las frases más relevantes de la novela, las escenas claves, los símbolos empleados con mayor frecuencia.

4. Un grupo voluntario de estudiantes, de diferentes religiones, y si es posible que incluya también a algún agnóstico, puede presentar en forma de panel qué es importante para cada uno de su religión, qué papel supone en su vida personal y comunitaria y qué encuentra difícil de aceptar. No se trataría de una discusión entre ellos del valor comparativo de cada religión, sino una reflexión personal de la religión en su vida. Pueden hacer alusión también al papel de la religión en la vida de sus antepasados.

5. Entre todos, los alumnos tratan de imaginar la versión contemporánea y estadounidense de don Manuel. ¿Qué haría un líder religioso para ayudar a un pequeño pueblo americano?

6. Los estudiantes preparan un debate entre dos grupos: "¿San Manuel Bueno, mártir o don Manuel Malo, mentiroso?". (Mirar la guía digital para encontrar más detalles.)

7. Los estudiantes presentan en forma de PowerPoint una comparación de los niveles narrativos ("manuscrito encontrado") entre el *Quijote y San Manuel Bueno, mártir*.

8. Los estudiantes realizan una representación visual en color de la aldea de Valverde de Lucerna. ¿Qué elementos destacan? La representación/dibujo puede ser una interpretación creativa de la obra que pudiese servir de carátula de un DVD o portada de una versión del libro.

9. Lee el poema de Unamuno "La oración del ateo" y compáralo con la novela. También lee otras obras suyas, incluyendo el poema de "Blas el bobo" en http://es.wikisource.org/wiki/Categor%C3%ADa:Obras_literarias_de_Miguel_de_Unamuno. (Mirar la guía digital para encontrar enlaces vivos.)

Cuestiones esenciales para la Unidad 1

1. Esta fotografía está situada en el norte de España en un lugar parecido al de Valverde de Lucerna, donde tiene lugar *San Manuel*. Interpreta el simbolismo de la montaña, el lago y el reflejo en el agua. Menciona qué significado tiene el entorno físico para don Manuel y la gente del pueblo. Añade tu propia interpretación. (Mirar la guía digital para ver en color.)

2. ¿De qué forma la religión influye en las relaciones entre las personas del pueblo y su vida en general?

3. La película *Matrix* ha popularizado la imagen de la pastilla azul y la pastilla roja, que juntas representan una decisión vital: quedarse con la felicidad de la ignorancia (pastilla azul) o elegir la dura realidad del conocimiento (pastilla roja). ¿Cuáles son las consecuencias de esta decisión en *Matrix*? Compáralas con *San Manuel*.

4. ¿La buena relación entre don Manuel y los habitantes de Lucerna sugiere quizá que un líder debe planear y actuar por el bien de sus seguidores, pero sin su conocimiento y consentimiento? ¿Hay ejemplos en la vida religiosa de Estados Unidos de esta postura? ¿Cuál es tu opinión al respecto?

5. En otros órdenes, aparte del religioso, ¿es conveniente y adecuado un sistema de generosa protección a los inferiores? ¿En qué circunstancias? ¿En qué ámbitos?

6. Analiza la ética de la mentira. ¿Se podría decir que en este caso el fin justifica los medios? ¿De qué manera don Manuel contribuye o perjudica al bienestar de su comunidad?

7. El tema de la tradición y el progreso aparece repetidamente en *San Manuel*. ¿Cuál es la conclusión de la obra al respecto? ¿Es mejor mantener a un grupo en sus estructuras tradicionales sólo porque ello les aporta seguridad y comodidad? ¿Cuáles son los riegos y ventajas de romper con la tradición?

8. ¿El hecho de que la novela transcurra en un pequeño pueblo está relacionado con lo que ocurre? ¿Podría tener lugar esta novela en un ambiente urbano? ¿Podría ocurrir en los Estados Unidos? Discute de qué manera el ambiente y el espacio influyen en la vida y creencias de los habitantes de Lucerna.

9. ¿Qué significa que la gente del pueblo crea que hay una villa antigua sumergida en el lago? ¿Qué reflexión aporta sobre el tema del tiempo?

10. ¿Qué convierte a don Manuel en líder del pueblo? ¿Es el hecho de que sea el cura? ¿Sus obras de caridad? ¿Sus prédicas? ¿Su bondad y amistad hacia todos? ¿Su cultura, superior a la del resto de la gente? Discute.

11. Hemos visto el tema de la dualidad en otras obras. Compara y contrasta la dualidad de don Manuel con la de "Borges y yo" y con el poema de Julia de Burgos.

12. ¿Cómo se transforman algunos individuos por su relación con don Manuel? Y, ¿de qué modo influye la comunidad en él?

13. ¿Cuántos textos aparecen en *San Manuel*? ¿Cuáles son y cómo se relacionan? Analiza la intertextualidad.

14. Discute la representación de los géneros en la novela. ¿Hay alguna ruptura de estereotipos?

UNIDAD 2. LA POESÍA: LA PALABRA Y SU MENSAJE

Antonio Machado

(1875-1939)

Datos biográficos

Antonio Machado nació en Sevilla el 26 de julio de 1875. Pasó su adolescencia en Madrid, ciudad a la que se trasladaron sus padres cuando tenía ocho años. Después de terminar sus estudios en la Universidad de Madrid, fue a París donde se puso en contacto con muchas de las figuras más conocidas del mundo literario, como Rubén Darío y Oscar Wilde. Durante esta época escribió los poemas que más tarde recopiló en su primer libro, *Soledades,* publicado en 1903. En Soria, donde era profesor, Machado se casó con Leonor Izquierdo, joven de dieciséis años. Sin embargo, su mundo se derrumbó en 1912 con la muerte, por tuberculosis, de Leonor. En 1919 fue nombrado catedrático del Instituto de Segovia y enseñó literatura francesa y española, viviendo la mitad de su tiempo en Segovia y la otra mitad en Madrid. En 1931 pasó a formar parte del grupo de profesores del Instituto Calderón de la Barca de Madrid cuando se proclamó la Segunda República. Estalló la Guerra Civil en 1936 y, en 1939, ante el avance de las fuerzas franquistas, Machado huyó al sur de Francia, donde murió el 22 de febrero.

La poesía de Machado

El romanticismo de Bécquer, el modernismo de Darío y el parnasianismo y simbolismo de Verlaine influyeron en el joven poeta y, aunque más tarde reaccionó contra estas influencias, todas ellas dejaron huella en su obra. Dijo Machado en un prólogo a *Soledades, galerías y otros poemas* (1899-1907): "El elemento poético no [es] la palabra por su valor fónico, ni el color, ni la línea, ni un complejo de sensaciones, sino una honda palpitación del espíritu". Los dos temas que predominan en la época en que escribe *Soledades,* en el que él explora su "yo" íntimo, son el tiempo y los sueños. Más tarde, en común con los miembros de la Generación del 98, Machado se interesó por la cuestión española, especialmente la decadencia nacional. Los poemas de *Campos de Castilla* (1907-1917), escribe Machado, expresan cómo sus cinco años en Soria "orientaron [sus] ojos y [su] corazón hacia lo esencial castellano". En ese momento también le preocupaban cuestiones existenciales como el significado de la existencia humana: "Pensé que la misión del poeta era inventar nuevos poemas de lo eterno humano, historias animadas que, siendo suyas, viviesen, no obstante, por sí mismas". Otros poemas de este periodo son los elogios de importantes figuras culturales, los poemas de amor a Leonor y las coplas, que son imitaciones de formas populares. Al final de su vida su poesía se hace más filosófica, pero la mayoría de sus versos son siempre sencillos y directos, revelando la vida interior del ser humano. En sus poemas utiliza mayoritariamente el octosílabo y el endecasílabo, las dos formas métricas básicas de la tradición española. Los símbolos que dominan en su poesía son el mar, el camino, la noche, la luz, la noria y el agua. Machado siempre busca la palabra precisa, esencial para comunicar la espontaneidad del lenguaje hablado. Como dice Rubén Darío en su elogio "Oración por Antonio Machado": "Era luminoso y profundo /como era hombre de buena fe".

❖ ❖ ❖ ❖ ❖ ❖ ❖ ❖ ❖ ❖ ❖ ❖

He andado muchos caminos

He andado muchos caminos,
he abierto muchas veredas[1];
he navegado en cien mares,
y atracado[2] en cien riberas[3].

5   En todas partes he visto
caravanas de tristeza,
soberbios y melancólicos
borrachos de sombra negra,

y pedantones al paño[4]
10   que miran, callan, y piensan
que saben, porque no beben
el vino de las tabernas.

Mala gente que camina
y va apestando[5] la tierra...

Y en todas partes he visto   15
gentes que danzan o juegan,
cuando pueden, y laboran
sus cuatro palmos[6] de tierra.

Nunca, si llegan a un sitio,
preguntan adónde llegan.   20
Cuando caminan, cabalgan[7]
a lomos de[8] mula vieja,

y no conocen la prisa
ni aun en los días de fiesta.
Donde hay vino, beben vino;   25
donde no hay vino, agua fresca.

Son buenas gentes que viven,
laboran, pasan y sueñan,
y en un día como tantos,
descansan bajo la tierra.   30

❖ ❖ ❖ ❖ ❖ ❖ ❖ ❖ ❖ ❖ ❖ ❖

---

1   **veredas** paths

2   **atracado** docked

3   **riberas** riverbanks

4   **pedantones al paño** pedantic clergyman

5   **apestando** infecting (as with the plague)

6   **cuatro palmos** four hands (a unit of measure used in the past, the length of a hand)

7   **cabalgan** ride

8   **a lomos de** on the back of

Sugerencias para el análisis del poema

1. Caracteriza al poeta. Cuando dice, "he andado [...] he abierto [...] he navegado [...] En todas partes he visto", ¿qué actitud expresa sobre sus viajes? ¿Cómo contribuye la repetición del tiempo verbal al significado de la estrofa?

2. ¿Cuál es el tono del poeta?

3. Los caminos, las veredas, los cien mares y las cien riberas, ¿cómo sugieren juntos una metáfora para la vida?

4. Las estrofas dos y tres, y los dos versos en el centro del poema, que forman un tipo de gozne que conecta las dos partes del poema, ¿expresan una actitud positiva o negativa de la vida? ¿A qué tipo de gente señala el poeta?

5. ¿Cómo cambia la actitud de la voz poética en las estrofas cinco, seis y siete? ¿Cuáles son las características predominantes de la gente que señala?

6. En el poema aparecen dos referencias al vino, en las estrofas tres y seis. ¿Cómo contrasta el significado de las dos?

7. En la última estrofa, ¿qué comentario hace la voz poética sobre las "buenas gentes"? Aunque sean buenas personas durante su existencia, ¿qué les pasará al final?

8. Comparar los versos 10-11 y 27-28 en cuanto a la manera en que logran un efecto poético.

9. ¿Cómo complementa la forma del poema su significado?

Temas de discusión y ensayos

1. Desarrolla una discusión sobre el elemento de crítica social en este poema.

2. ¿En qué sentido es este poema una meditación sobre el paso del tiempo?

3. Un tema muy común en la obra de Machado es el concepto de la vida como camino. Compara esta idea en "He andado muchos caminos" y en este otro poema de los "Proverbios y cantares" de Machado:

> Caminante, son tus huellas
> el camino, y nada más;
> Caminante, no hay camino:
> se hace camino al andar.
> Al andar se hace camino,
> Y al volver la vista atrás
> se ve la senda que nunca
> se ha de volver a pisar.
> Caminante, no hay camino,
> sino estelas en la mar.

4. La muerte es otro de los temas centrales de la poesía de Machado. ¿Cómo se presenta en "He andado muchos caminos" en comparación con "Miré los muros de la patria mía" de Quevedo?

Nicolás Guillén

(1902-1989)

Datos biográficos

Nicolás Guillén nació en Camagüey, Cuba, en 1902 y murió en La Habana en 1989. A través de su larga vida y de su extensa producción literaria, Guillén sobresale como una figura fascinante: la de poeta auténticamente cubano a la vez que decididamente internacional, producto y apasionado representante de su contexto a la par que culto innovador. Su amistad con Federico García Lorca, surgida con la ocasión de la visita de éste a Cuba, tras su viaje a Nueva York en 1929, le influyó notablemente. Los dos hacen uso de elementos tradicionales e innovadores y en la poesía de ambos, la musicalidad, ritmo y sonido de las palabras son elementos importantes. No es sorprendente que se haya llamado a Guillén "el Lorca antillano". Comunista desde joven, sufrió durante el régimen de Batista el exilio de su país, al que volvió después de la revolución de Castro en 1959. Ya en Cuba, ocupó puestos diplomáticos de relieve. Cosmopolita y gran viajero, Guillén, poeta afrocubano, ha dado a conocer al mundo un aspecto diferente de las letras hispanas.

La poesía de Guillén

Guillén es el más alto representante de la "poesía negra" o afroantillana, surgida alrededor de los años 30, cuya temática y estilo se inspiran en la realidad étnica y cultural de la zona del Caribe: el mestizaje racial y espiritual entre europeos y africanos. Siguiendo esta corriente, Guillén incorpora mitos, costumbres y tradiciones populares como temas de su poesía. El ritmo de sus poemas, por medio del uso de onomatopeyas, aliteraciones, paralelismos y repetición de palabras, imita al son cubano (música de baile y canto, con ritmo africano y letra de romance.) Introduce también términos africanos o palabras inventadas de gran efecto sonoro ("jitanjáforas"), que efectivamente suenan como si fueran reales vocablos del habla negra.

Guillén, sin embargo, va más allá del uso de palabras exóticas y ritmos africanos. El poeta busca el significado profundo del mestizaje cultural de su tierra y da voz a lo que él percibe como lo auténtico cubano: el alma popular, mulata, fruto de la mezcla de lo africano y español. Como Lorca, funde lo popular y lo culto, la tradición y la innovación, reflejando desde distintos prismas una armónica simbiosis de elementos distantes.

Sus primeras colecciones de poemas, *Motivos del son* (1930) *y Sóngoro cosongo: poemas mulatos* (1931), contienen además de los elementos africanos un enfoque de preocupación social. Todos sus poemas siguientes van a alternar entre la tendencia de reivindicación social y la africanista, o en la incorporación de ambas. En sus últimas décadas, su producción se inclina más hacia la lucha política y denuncia de discriminaciones e injusticias: *La paloma de vuelo popular* (1958), *La rueda dentada* (1972), *El diario que a diario* (1972). Guillén ha escrito también poemas de corte clásico, como sonetos, o vanguardistas, estilizando en ambas vertientes el elemento popular.

"Balada de los dos abuelos" pertenece al poemario *West Indies, Ltd,* escrito en 1934, y es un ejemplo del uso que hace Guillén del lenguaje popular, vocablos y referencias a la cultura africana, del ritmo como instrumento poético fundamental y de su intento de definir la identidad cubana.

❖ ❖ ❖ ❖ ❖ ❖ ❖ ❖ ❖ ❖ ❖

Balada de los dos abuelos

Sombras que sólo yo veo,
me escoltan[1] mis dos abuelos.

Lanza con punta de hueso,
tambor de cuero y madera
5   mi abuelo negro.
Gorguera[2] en el cuello ancho,
gris armadura[3] guerrera
mi abuelo blanco.

Pie desnudo, torso pétreo[4]
10   los de mi negro;
pupilas de vidrio antártico
las de mi blanco!

Africa de selvas húmedas
y de gordos gongos[5] sordos...
15   --¡Me muero!
(Dice mi abuelo negro.)
Aguaprieta[6] de caimanes,
verdes mañanas de cocos...
--¡Me canso!
20   (Dice mi abuelo blanco.)

Oh velas de amargo viento,
galeón[7] ardiendo[8] en oro...
--¡Me muero!
(Dice mi abuelo negro.)
¡Oh costas de cuello virgen   25
engañadas[9] de abalorios[10]...!
--¡Me canso!
(Dice mi abuelo blanco.)
¡Oh puro sol repujado[11],
preso[12] en el aro[13] del trópico;   30
oh luna redonda y limpia
sobre el sueño de los monos!

¡Qué de barcos, qué de barcos!
¡Qué de negros, qué de negros!
¡Qué largo fulgor[14] de cañas[15]!   35
¡Qué látigo[16] el del negrero!
Piedra de llanto[17] y de sangre,
venas y ojos entreabiertos,
y madrugadas[18] vacías,
y atardeceres de ingenio,   40
y una gran voz, fuerte voz,
despedazando[19] el silencio.

1 **escoltan** escort	11 **repujado** embossed
2 **gorguera** a piece of armor used to protect the neck	12 **preso** prisoner
3 **armadura** coat of armor	13 **aro** hoop, ring
4 **pétreo** made out of stone	14 **fulgor** shining
5 **gongo** a percussion instrument	15 **cañas** reeds, canes
6 **aguaprieta** very dark water	16 **látigo** whip
7 **galeón** ship used by Spaniards in colonial times	17 **llanto** weeping, crying
8 **ardiendo** burning	18 **madrugadas** dawns
9 **engañadas** tricked	19 **despedazando** tearing to pieces
10 **abalorios** glass bead	20 **suspiran** sigh
	21 **alzan** hold high

¡Qué de barcos, qué de barcos,
qué de negros!

45   Sombras que sólo yo veo,
me escoltan mis dos abuelos.

Don Federico me grita
y Taita Facundo calla;
los dos en la noche sueñan
50   y andan, andan.
Yo los junto.

--¡Federico!
¡Facundo! Los dos se abrazan.
Los dos suspiran[20]. Los dos
las fuertes cabezas alzan[21];   55
los dos del mismo tamaño,
bajo las estrellas altas;
los dos del mismo tamaño,
ansia negra y ansia blanca,
los dos del mismo tamaño,   60
gritan, sueñan, lloran, cantan.
Sueñan, lloran, cantan.
Lloran, cantan.
¡Cantan!

❖ ❖ ❖ ❖ ❖ ❖ ❖ ❖ ❖ ❖ ❖ ❖

Sugerencias para el análisis del poema

1. ¿Quién es la voz poética? ¿A quién se dirige?

2. ¿Cuántas partes tiene este poema? Señálalas.

3. ¿Qué sugieren los dos primeros versos? ¿Por qué usa el poeta la palabra "escoltar"? ¿Por qué son sombras los dos abuelos?

4. La voz poética introduce a los dos abuelos. Describe cómo son ellos y su mundo. Observa las palabras específicas.

5. Compara los versos "¡Me muero!" y "¡Me canso!";

6. Explica las metáforas "pupilas de vidrio antártico", "¡Oh velas de amargo viento!", "galeón ardiendo en oro", "¡Oh costas de cuello virgen, engañadas de abalorios!". ¿Puedes sentir hacia cuál de los dos abuelos se inclina la simpatía del lector?

7. Estudia la métrica del poema y coméntala.

8. ¿Qué efecto causa la rima no organizada del poema?

9. ¿Cuántas voces oímos en el poema? ¿Cuál domina?

10. Estudia el verso "Gordos gongos sordos". Comenta el sonido y elección de vocablos, y su efecto.

11. Señala y explica las repeticiones y antítesis en el poema.

12. Observa especialmente las repeticiones en los últimos versos y su efecto.

13. Comenta las formas verbales de los últimos cuatro versos. ¿Qué nos dice la voz poética por medio de esa conclusión?

Temas de discusión y ensayos

1. ¿Cuál es en tu opinión el sentido central del poema?

2. Los dos abuelos pueden ser contemplados como el pasado de la cultura cubana. ¿Cómo es la identidad cubana según la voz poética?

3. ¿Son totalmente distintos los dos abuelos? ¿Tienen algo en común?

4. Según el poema, ¿qué separa y qué une a los hombres? ¿Es transferible esta experiencia a otras culturas y países?

5. ¿Qué relación hay entre aspectos formales y el tema del poema?

6. La voz poética se declara heredero de los dos abuelos. ¿Hay de alguna manera una preferencia hacia uno de los dos?

7. ¿Puedes hacer una comparación entre dos de los poetas de esta unidad: Guillén, Machado, Neruda, Lorca? Elige como término de comparación el contenido de los poemas o cualquier aspecto formal, uso de lenguaje popular, ritmo, musicalidad, etc.

Pablo Neruda

(1904-1973)

Datos biográficos

Isabel Allende, en su novela *La casa de los espíritus*, alude a Pablo Neruda simplemente como "el Poeta", y no hay duda de a quién se refiere. Según muchos, Neruda es el Poeta latinoamericano del siglo XX. Neruda fue un hombre de diversas y grandes pasiones, tanto en su poesía como en su vida.

Nació en Chile el 12 de julio de 1904, con el nombre Neftalí Ricardo Reyes Basoalto. De joven adoptó el seudónimo Pablo Neruda (inspirándose en Jan Neruda, escritor checoslovaco del siglo XIX) para ocultar su identidad de poeta. En sus memorias, comenta: "Mi padre [...] no estaba de acuerdo con tener un hijo poeta. Para encubrir la publicación de mis primeros versos me busqué un apellido que lo despistara totalmente. Encontré en una revista ese nombre checo, sin saber siquiera que se trataba de un gran escritor".[1]

La vida inquieta y tumultuosa de Neruda incluyó puestos diplomáticos en Asia y varios países latinoamericanos, viajes por todo el mundo, actividades políticas (llegó a ser candidato a la presidencia de Chile, pero se retiró a favor de Salvador Allende), unos años de exilio y tres matrimonios. Entre otros muchos premios, Neruda recibió el Nobel de Literatura en 1971. Murió en Chile en septiembre de 1973, doce días después del golpe militar que acabó con el gobierno y la vida de Salvador Allende, gran amigo suyo.

La poesía de Neruda

La vida tan variada que llevó se refleja en su obra. Escribió poemas de amor, de historia latinoamericana (*Canto general*), políticos ("La United Fruit Company") y otros que glorifican las cosas sencillas ("Oda a las cosas rotas", "Oda a la cebolla"). Sus primeros libros de poemas tienen un tono romántico y su tema es el amor, muchas veces fracasado. Se pueden clasificar de modernistas. *Veinte poemas de amor y una canción desesperada* es de esta primera época y es el poemario mas leído de la literatura universal. Tras ella, Neruda atraviesa una etapa surrealista, que se refleja en *Residencia en la tierra*, en la que se halla una intranquilidad espiritual, expresada en imágenes extrañas, como de sueños. El poeta mismo ha calificado a esta colección de pesimista y llena de angustia. Se puede apreciar el ambiente oscuro en "Walking Around", que pertenece a *Residencia en la tierra II*.

En sus obras tardías, Neruda utiliza un estilo más claro y sencillo para llegar al lector de una manera muy directa. Durante esta época, Neruda escribe *Los versos del capitán*. Su tercera mujer, Matilde Urrutia, es la inspiración de estos poemas que

---

1   Neruda, Pablo: *Confieso que he vivido: Memorias.* Seix Barral, Barcelona, 1974: 223.

son tiernos y apasionados a la vez, celebrando cada aspecto y detalle de la mujer: las manos, los pies, la risa. *Odas elementales*, también de esta etapa, nos invita a participar en una celebración de las cosas más sencillas de la vida: la sal, los calcetines, el tomate, la alcachofa. Al revelar el encanto de objetos que normalmente pasan inadvertidos, Neruda traslada al lector a un mundo casi infantil, gracias a la capacidad del poeta de maravillarse como un niño que lo ve todo por primera vez. Sin embargo, es sutil y refinado en su apreciación de la riqueza de la vida cotidiana y en su manejo de la palabra lírica.

Neruda es un poeta visceral, de emociones intensas y directas con las que podemos fácilmente relacionarnos. En su ensayo "Sobre una poesía sin pureza", Neruda habla en favor de "una poesía impura como un traje, como un cuerpo, con manchas de nutrición, y actitudes vergonzosas, con arrugas, observaciones, sueños, vigilia, profecías, declaraciones de amor y de odio, bestias, sacudidas, idilios, creencias políticas, negaciones, dudas, afirmaciones, impuestos".

✦ ✦ ✦ ✦ ✦ ✦ ✦ ✦ ✦ ✦ ✦

Walking Around

Sucede que[1] me canso de ser hombre.
Sucede que entro en las sastrerías[2] y en los cines
marchito[3], impenetrable, como un cisne de fieltro[4]
navegando en un agua de origen y ceniza[5].

5   El olor de las peluquerías[6] me hace llorar a gritos.
Sólo quiero un descanso de piedras o de lana[7],
sólo quiero no ver establecimientos ni jardines,
ni mercaderías, ni anteojos, ni ascensores.

Sucede que me canso de mis pies y mis uñas
10   y mi pelo y mi sombra.
Sucede que me canso de ser hombre.

Sin embargo sería delicioso
asustar a un notario con un lirio[8] cortado
o dar muerte a una monja con un golpe de oreja.
15   Sería bello
ir por las calles con un cuchillo verde

---

1 **Sucede que** It happens that	4 **cisne de fieltro** felt swan	7 **lana** wool
2 **sastrerías** tailor shops	5 **ceniza** ash	8 **lirio** lily
3 **marchito** shriveled	6 **peluquerías** barber shops	

y dando gritos hasta morir de frío.

No quiero seguir siendo raíz en las tinieblas,
vacilante, extendido, tiritando[9] de sueño,
20   hacia abajo, en las tripas[10] mojadas de la tierra,
absorbiendo y pensando, comiendo cada día.

No quiero para mí tantas desgracias.
No quiero continuar de raíz y de tumba,
de subterráneo solo, de bodega[11] con muertos,
25   ateridos[12], muriéndome de pena.

Por eso el día lunes arde como el petróleo
cuando me ve llegar con mi cara de cárcel,
y aúlla[13] en su transcurso[14] como una rueda herida,
y da pasos de sangre caliente hacia la noche.

30   Y me empuja a ciertos rincones, a ciertas casas húmedas,
a hospitales donde los huesos salen por la ventana,
a ciertas zapaterías con olor a vinagre,
a calles espantosas como grietas[15].

Hay pájaros de color de azufre[16] y horribles intestinos
35   colgando de las puertas de las casas que odio,
hay dentaduras olvidadas en una cafetera,
hay espejos
que debieran haber llorado de vergüenza y espanto,
hay paraguas en todas partes, y venenos[17], y ombligos[18].

40   Yo paseo con calma, con ojos, con zapatos,
con furia, con olvido,
paso, cruzo oficinas y tiendas de ortopedia,
y patios donde hay ropas colgadas de un alambre[19]:
calzoncillos, toallas y camisas que lloran
45   lentas lágrimas sucias.

❖ ❖ ❖ ❖ ❖ ❖ ❖ ❖ ❖ ❖ ❖

---

9 **tiritando** shivering	13 **aúlla** howls	17 **venenos** poisons
10 **tripas** guts	14 **transcurso** course	18 **ombligos** belly buttons
11 **bodega** cellar	15 **grietas** crevices	19 **alambre** wire
12 **aterido** freezing	16 **azufre** sulfur	

Sugerencias para el análisis del poema

1. ¿Qué estado de ánimo se expresa en "me canso de ser hombre"? ¿Cuál es el efecto de yuxtaponer "Sucede que" con "me canso de ser hombre"?

2. El poeta expresa un disgusto dirigido a sí mismo. ¿Cómo se presenta este aspecto de su repugnancia?

3. ¿Qué aspectos de la vida que le rodea le causan también repugnancia?

4. El estado de ánimo negativo del poeta también toma la forma de fantasías que se parecen a la locura. ¿Qué estrofa comunica estas fantasías? Analízala.

5. ¿Cuál es la imagen que se refiere a estar bajo la tierra? ¿Qué significado tiene?

6. ¿Cuál es el tono de la última estrofa? ¿Qué emoción evoca? ¿Por qué?

7. ¿De qué tipo son las imágenes que más abundan en el poema?

Temas de discusión y ensayos

1. ¿Cuál es el efecto de mezclar elementos sumamente ordinarios, de la vida cotidiana, con imágenes grotescas? Explica y da ejemplos.

2. Comenta el uso de imágenes surrealistas. ¿Por qué sirve el surrealismo para expresar las emociones del poema?

3. ¿Cuál es el efecto del título en inglés? ¿Qué sugiere?

4. ¿Cuál es el tema de "Walking Around"? ¿Cómo se percibe en en las estrofas quinta y sexta?

Federico García Lorca

(1898-1936)

Datos biográficos

Federico García Lorca nació el 5 de junio de 1898 en el pueblo de Fuente Vaqueros, a diez millas de Granada, hijo de una familia acomodada. De su padre, el joven Federico aprendió a tocar la guitarra y a amar la música. Se puede apreciar la influencia de las canciones del pueblo y del flamenco en sus poemas y en la calidad musical y poética de su obra. La madre del poeta había sido la maestra del pueblo y desde muy joven Federico compartió su pasión por la literatura. Toda la familia iba con frecuencia al teatro y a Federico le encantaba disfrazar a sus hermanos y representar dramas y comedias ante sus padres y amigos. Le gustaba también dibujar y sus dibujos acompañan a varias de sus obras.

Además de la pasión por la literatura y la música, recibe otras influencias en la niñez que se aprecian en sus dramas y poemas. Por las noches, junto con sus familiares, Lorca escuchaba relatos sobre la Guardia Civil e historias de violencia y asesinatos.[1] Años

---

1   Stainton, Leslie: *Lorca: A Dream of Life*. New York: Farrar, Straus, Giroux, 1999: 14.

después, en el poema "Romance de la Guardia Civil española", Lorca la retrata como hombres con "almas de charol" y "de plomo las calaveras". La muerte y la violencia son temas frecuentes en sus obras. Siendo niño acomodado, pasaba el día con criadas que le contaban cuentos infantiles y cantaban canciones populares. Lorca ha dicho, "¿Qué sería de los niños ricos si no fuera por las sirvientas que les ponen en contacto con la verdad del pueblo?". El espíritu popular se percibe claramente en sus poemas y dramas, cuyos elementos musicales y folclóricos también reflejan la tradición de su región, Andalucía.

Aunque tenía muchos amigos, era un niño tímido que a veces sufría las burlas de otros chicos que lo juzgaban de afeminado. Años después, la experiencia de ser homosexual en una sociedad adversa aumentó su sensibilidad hacia las víctimas de prejuicio y estereotipo. En el *Romancero gitano* (1928), presenta al gitano como una figura romántica, libre, unida a la naturaleza, muy diferente de la imagen negativa generalizada por la sociedad. En 1929, Lorca pasó unos meses en Nueva York, estudiando en la Universidad de Columbia. La falta de calor humano y la mecanización de la ciudad, radicalmente opuesta a su mundo andaluz, le impresionaron enormemente. La proximidad de Harlem abrió los ojos del poeta a la situación de los negros, a quienes comparó con los gitanos. También observó la independencia de la mujer neoyorquina comparada con la española. De este modo, aumentó su preocupación por los problemas de opresión e injusticia. La crítica social y la soledad del individuo se encontrarían entre los temas del poemario póstumo *Poeta en Nueva York*. En los tres dramas más importantes que escribió a continuación, *Bodas de sangre, Yerma* y *La casa de Bernarda Alba*, mostró una gran comprensión y solidaridad con las limitaciones que sufrían las mujeres.

En julio de 1936, en un ambiente de intensa intranquilidad política, Lorca fue a casa de sus padres para celebrar el día de su santo y el de su padre. Durante la visita a Granada, estalló la Guerra Civil y se intensificó la violencia. El ejército, bajo el mando del General Franco, ejecutó a muchas personas leales al gobierno republicano. El 16 de agosto, tres soldados le sacaron de la casa de un amigo, en la que se había ocultado. Lo mataron el 19 de agosto. La muerte le llegó inesperada y violenta, como siempre había temido.

El romancero gitano de García Lorca

Como se puede concluir por su nombre, este poemario es una colección de romances, forma poética que comenzó en la Edad Media y cuya popularidad ha continuado hasta nuestros días.

Lorca escribió *el Romancero gitano* antes de cumplir los treinta años. Sigue la tradición del romance como forma poética dirigida a todos los públicos. Pero además de mantener el estilo popular con romances en muchos aspectos tradicionales, la colección es culta e innovadora en sus atrevidas metáforas y efectos sensoriales. Lorca mezcla en los poemas escenas habituales, cotidianas, contemporáneas con un mundo intemporal, primitivo. La hibridez produce una poesía sorprendente y atractiva sin dejar de ser asequible para el lector. En estos poemas, el gitano se presenta como un individuo de gran pasión y fuerza vital, unido a la naturaleza, en contraste con el mundo que los rodea. También se ha dicho que para Lorca el verdadero protagonista del *Romancero gitano* es su querida ciudad de Granada. El gitano sirve como símbolo del espíritu de Granada, personificando su gran belleza, su pasión y también su dolor.

◆ ◆ ◆ ◆ ◆ ◆ ◆ ◆ ◆ ◆ ◆

Prendimiento[55] de Antoñito el Camborio en el camino de Sevilla

Antonio Torres Heredia,
hijo y nieto de Camborios,
con una vara de mimbre[1]
va a Sevilla a ver los toros.

5   Moreno de verde luna,
anda despacio y garboso[2].
Sus empavonados bucles[3]
le brillan entre los ojos.
A la mitad del camino
10   cortó limones redondos,
y los fue tirando al agua
hasta que la puso de oro.
Y a la mitad del camino,
bajo las ramas de un olmo[4],
15   guardia civil caminera
lo llevó codo con codo[5].

El día se va despacio,
la tarde colgada a un hombro,
dando una larga torera[6]
20   sobre el mar y los arroyos.

---

1   **vara de mimbre** wicker walking stick

2   **garboso** elegant

3   **empavonados bucles** shiny black curls

4   **olmo** elm tree

5   **codo con codo** with his elbows tied behind him

6   **torera** short, fancy jacket worn by bullfighters, often sparkling with sequins

Las aceitunas aguardan[7]
la noche de Capricornio,
y una corta brisa, ecuestre[8],
salta los montes de plomo[9].
25   Antonio Torres Heredia,
hijo y nieto de Camborios,
viene sin vara de mimbre
entre los cinco tricornios.

-Antonio, ¿quién eres tú?
30   Si te llamaras Camborio,
hubieras hecho una fuente
de sangre con cinco chorros[10].
Ni tú eres hijo de nadie,
ni legítimo Camborio.
35   ¡Se acabaron los gitanos
que iban por el monte solos!
Están los viejos cuchillos
tiritando[11] bajo el polvo.

A las nueve de la noche
40   lo llevan al calabozo[12],
mientras los guardias civiles
beben limonada todos.
Y a las nueve de la noche
le cierran el calabozo,
45   mientras el cielo reluce[13]
como la grupa[14] de un potro[15].

❖ ❖ ❖ ❖ ❖ ❖ ❖ ❖ ❖ ❖ ❖

---

7 **aguardan** wait for	10 **chorros** streams	14 **grupa** rear end
8 **equestre** equestrian, having to do with horses	11 **tiritando** trembling	15 **potro** young horse
9 **plomo** heavy, grey metal; lead	12 **calabozo** jail	
	13 **reluce** shines	

Sugerencias para el análisis del poema

1. ¿Cuál es la impresión que tenemos de Antoñito en la primera estrofa del poema? ¿Qué imágenes utiliza Lorca para crear esta impresión?

2. ¿Puedes observar un ejemplo de sinécdoque en los versos 25-28? ¿Qué efecto tiene?

3. Comenta el efecto de la personificación en los versos 17-20.

4. Como ocurre frecuentemente en los romances, hay varias voces. En la cuarta estrofa, ¿quién es la voz poética y qué expresa? ¿A quiénes representan "los viejos cuchillos"?

5. ¿Qué tipo de imágenes abundan en el poema?

6. ¿Cómo se encuentra Antoñito al final del poema?

7. Los limones crean una imagen que reaparece en el poema con distinto sentido. Analízala.

Temas de discusión y ensayos

1. Comenta la relación entre Antoñito y la naturaleza. ¿Qué primera impresión produce la relación entre el gitano y el río? ¿Qué contraste hay entre esta primera impresión y la personificación del día en la segunda estrofa, cuando en la parte final Antoñito se encuentra en la cárcel?

2. Comenta las nuevas voces en el poema, su diferencia de tono, de palabras e incluso del nombre con el que se refieren al gitano.

3. ¿Por qué menciona el poeta que es la noche de Capricornio? ¿Qué efecto causa?

4. La cuarta estrofa expresa una condenación severa de Antoñito. ¿Te parece que el poeta comparte esta opinión? Explica. ¿Qué actitudes y emociones parece tener hacia su protagonista? Apoya tus ideas con referencias al texto.

Actividades para la Unidad 2

1. Se puede escuchar en YouTube una versión musical de "He andado muchos caminos". Hay muchas. (Mirar la guía digital para encontrar enlace a la canción de Joan Manuel Serrat.)

2. Busca obras literarias o composiciones musicales que, como hace Machado, hablen de los caminos de la vida. Se pueden incluir *En el camino (On the Road)* de Jack Kerouac, "El camino no elegido" ("The Road Not Taken") de Robert Frost, "Goin' Down the Road Feeling Bad" de Woody Guthrie y "El blues del autobús" de Miguel Ríos, entre muchos más. ¿Por qué es un tema tan discutido?

3. Los estudiantes escriben un poema sobre su propio pasado usando la forma de "He andado muchos caminos".

4. Se puede ver en clase el documental, *Antonio Machado: A lomos de la Quimera*, fácil de adquirir a través del Instituto Cervantes o de Films for the Humanities.

5. Inspirándote en el poema de Guillén, elabora la historia detallada de los dos abuelos del poema: origen, niñez y madurez, utilizando la imaginación y datos que ofrece el poema.

6. Escuchen en clase el disco *Buena Vista Social Club*. O compilen una selección de música cubana que de algún modo reúna las características africanas y europeas. Discutan las herencias culturales de las canciones.

7. Un grupo estudia la composición étnica de la población actual de Cuba. Otro grupo presenta un sumario de la historia de Cuba desde la perspectiva de la llegada a la isla de diferentes grupos étnicos. Otro hace una presentación de la Guerra de Independencia, desde su origen hasta el final, para ver cómo la intervención norteamericana cambia su carácter. (Se puede incluir la participación en la guerra de Theodore Roosevelt, antes de ser presidente, y recordar el poema de Darío.)

8. Los estudiantes pueden examinar los países donde hay mezcla de razas y aquellos que son más homogéneos, con atención especial a Latinoamérica.

9. Escuchen en clase la versión flamenca de "Balada de los dos abuelos" cantada por Enrique Morente y juzguen si mantiene el espíritu del poema.

10. ¿En qué sentido se relaciona el arte surrealista con "Walking Around"? Los estudiantes pueden hacer una investigación en internet de surrealistas como, por ejemplo, Roberto Matta y Salvador Dalí.

11. Después de leer el poema "Walking Around", ¿piensas que la ciudad particular que rodea a Neruda es como la describe o que ésa es la visión del poeta? Menciona ejemplos.

12. Haz un ejercicio imaginativo. Describe un paseo por tu ciudad en términos parecidos a los de Neruda.

13. Se puede enseñar a la clase dibujos de Lorca.

14. Los estudiantes pueden estudiar la presencia de los gitanos en España e investigar en grupos su llegada, el número de su población actual, sus ocupaciones, su arte, música y cultura. También pueden leer páginas web realizadas por los gitanos para mantener contacto, explicar sus aspiraciones o defender su etnia. (Mira la guía digital para ver enlaces vivos.)

15. Se puede escuchar en clase música flamenca, canciones pop de los Gypsy Kings o clásica de Falla, Albéniz y Granados. (Ver la guía digital para encontrar más detalles.)

16. "La mayoría de los gitanos no son ni marginales ni famosos", dice un representante de los gitanos españoles. (Mirar la guía digital, donde encontrarás entrevistas, artículos y páginas web de gitanos acerca de gitanos.)

17. Lee "Muerte de Antoñito el Camborio", continuación de "Prendimiento" y evidencia del cariño del poeta hacia el personaje.

18. En grupos, se pueden preparar diálogos leales al texto para interpretar en clase:

    Antoñito y su padre

    Antoñito y otro preso payo en el calabozo

    Antoñito y el poeta el día antes de su juicio

✦ ✦ ✦ ✦ ✦ ✦ ✦ ✦ ✦ ✦ ✦

Cuestiones esenciales para la Unidad 2

1. ¿En qué sentido el poema y la fotografía expresan el anonimato de la vida en la ciudad? ¿A qué se debe la alienación?

2. Compara el individuo en su entorno en las siguientes obras: "He andado muchos caminos", "Walking Around" y "Salmo XVII" de Quevedo. ¿En qué sentido se relacionan las reacciones de los poetas con la sociedad, o el contexto, en que viven?

3. Antoñito tiene que recorrer un largo camino para llegar a la ciudad de Sevilla. ¿Qué aprendemos a través de éste y otros detalles del poema sobre el espacio donde viven los gitanos? ¿Cuáles son los factores sociales y culturales que influyen?

4. El breve poema de la obra *Poeta en Nueva York* "Vuelta de paseo" (buscar en la guía digital) es un intento surrealista por parte de Lorca de expresar su alienación ante una ciudad fría y emocionalmente lejana a él. Compáralo con "Walking Around": discute cómo expresan sentimientos parecidos y examina los elementos surrealistas.

5. ¿Es el entorno responsable de la actitud de la voz poética en "Walking Around" o es la persona? ¿De qué manera le influye el ambiente? ¿De qué manera te influye, a ti, lo que te rodea?

6. ¿Cuál es la relación entre el individuo y su comunidad en "He andado muchos caminos", "Walking Around" y "El camino no elegido" ("The Road Not Taken") de Robert Frost?

7. Analiza los recursos literarios y el significado del proverbio español "Con pan y vino se anda el camino". ¿Cómo se relaciona con el poema de Machado?

8. Tanto "Prendimiento de Antoñito el Camborio" como "Balada de los dos abuelos" presentan dos sociedades en contacto. Descríbelas y discute cuál es el efecto de este contacto sobre el individuo.

9. En su poema, una especie de canto al mestizaje, Guillén celebra el hecho de que ha unido dos herencias. En tu opinión y experiencia, ¿es ésta la postura común de los descendientes de dos culturas? Razona tu respuesta.

10. "Balada de los dos abuelos" aborda el tema de la mezcla cultural. ¿Cómo difiere este concepto de la asimilación? ¿Crees que es posible la integración entre gitanos y payos, y que el grupo minoritario lo desea? ¿Cuál es la responsabilidad de un grupo mayoritario?

11. ¿Piensas que las divisiones socioeconómicas de "He andado muchos caminos" reflejan la realidad? ¿Hay diferencias de carácter y comportamiento entre los diferentes grupos? Si las hay, ¿cuáles son los factores económicos, culturales y sociales que las deciden?

12. Considera la abundancia de grupos étnicos de los Estados Unidos. Pensando en el poema de Guillén, discute algunas de las ventajas de ese multiculturalismo. ¿Cuáles fueron algunos retos que se tuvieron que superar?

UNIDAD 3. LA NARRATIVA BREVE: DEL REALISMO A LO FANTÁSTICO

Juan Rulfo

(1918–1986)

Datos biográficos

Juan Rulfo nació en Apulco, un pequeño pueblo del estado de Jalisco, México, en 1918 y murió en la Ciudad de México en 1986, después de ganar el Premio Nacional de Letras en México y el Príncipe de Asturias en España con sólo dos obras a su nombre: una novela breve, *Pedro Páramo,* y una colección de relatos, *El llano en llamas.*

Rulfo tuvo una niñez marcada por la pérdida y la violencia. Su padre murió asesinado y su madre también falleció cuando era niño. Una de las secuelas de la Revolución Mexicana iniciada en 1910, la insurrección de los "cristeros", tuvo lugar en su región. Este grupo contrarrevolucionario, que en nombre de Cristo defendía las tradiciones, fue un elemento más en la época impresionable de sus primeros años, y a él hace referencia en su obra. Con escasos estudios y tras una adolescencia solitaria en casas de parientes, un orfelinato y colegios, se estableció en la Ciudad de México. En la capital tuvo una serie de trabajos administrativos y entró en contacto con los círculos literarios. Aparte de algunos guiones para la televisión y el cine no volvió a publicar nada más allá de las obras mencionadas antes de su muerte. Esta vida solitaria y no muy feliz de Rulfo se va a reflejar en sus escritos, situados también en un ambiente oprimente y desgarrado.

La narrativa de Rulfo

Aunque breve, la obra de Rulfo está, sin embargo, cuidadosamente elaborada y contrasta con la narrativa realista de los escritores que lo preceden. Como harán Faulkner con Yoknapatawpha y García Márquez con Macondo, Rulfo crea Comala, donde tienen lugar su *Pedro Páramo* y varios de sus cuentos. Comala es en parte reflejo de su lugar natal y en parte creación literaria, una tierra dura donde sus habitantes viven vidas solitarias y desesperanzadas, y la violencia y la muerte son una realidad cotidiana. Describe este lugar y a sus personajes con intenso lirismo, produciendo, sin embargo, un retrato realista profundamente evocador y conmovedor. Sus temas, la soledad, el dolor, la desesperanza, el arrepentimiento, son universales y trascienden el lenguaje popular que hablan los personajes y el desolado paisaje mexicano que habitan. Su inclusión de elementos fantásticos en una narrativa realista, como ocurre en la novela *Pedro Páramo*, convierte a Rulfo en un precursor del llamado realismo mágico.

En "No oyes ladrar los perros", uno de los relatos de *El llano en llamas*, un campesino y su hijo tratan de llegar a un pueblito que no pueden ver en la oscuridad de la noche, para buscar ayuda médica. Las manos del hijo, que el padre lleva a hombros, tapan las orejas del padre que así no puede oír la señal de que están cerca de un pueblo, el ladrido de los perros.

No oyes ladrar los perros

– Tú que vas allá arriba, Ignacio, dime si no oyes alguna señal de algo o si ves alguna luz en alguna parte.

–No se ve nada.

–Ya debemos estar cerca.

5 –Sí, pero no se oye nada.

–Mira bien.

–No se ve nada.

–Pobre de ti, Ignacio.

La sombra[1] larga y negra de los hombres siguió moviéndose de arriba abajo,
10 trepándose[2] a las piedras, disminuyendo y creciendo según avanzaba por la orilla del arroyo[3]. Era una sola sombra, tambaleante[4].

La luna venía saliendo de la tierra, como una llamarada[5] redonda.

–Ya debemos estar llegando a ese pueblo, Ignacio. Tú que llevas las orejas de fuera, fíjate a ver si no oyes ladrar[6] los perros. Acuérdate que nos dijeron que Tonaya estaba
15 detrasito del monte. Y desde qué horas que hemos dejado el monte. Acuérdate, Ignacio.

–Sí, pero no veo rastro de nada.

–Me estoy cansando.

–Bájame.

El viejo se fue reculando[7] hasta encontrarse con el paredón y se recargó allí, sin soltar[8]
20 la carga de sus hombros. Aunque se le doblaban[9] las piernas, no quería sentarse, porque después no hubiera podido levantar el cuerpo de su hijo, al que allá atrás, horas antes, le habían ayudado a echárselo a la espalda. Y así lo había traído desde entonces.

– ¿Cómo te sientes?

–Mal.

25 Hablaba poco. Cada vez menos. En ratos parecía dormir. En ratos parecía tener frío. Temblaba[10]. Sabía cuando le agarraba a su hijo el temblor por las sacudidas que le daba, y porque los pies se le encajaban en los ijares[11] como espuelas[12]. Luego las manos del hijo, que traía trabadas en su pescuezo[13], le zarandeaban[14] la cabeza como si fuera una sonaja.

Él apretaba[15] los dientes para no morderse la lengua y cuando acababa aquello le

1	**sombra** shadow	6	**ladrar** bark	11	**ijares** jaws
2	**trepándose** climbing	7	**reculando** backing up	12	**espuelas** spurs
3	**arroyo** stream	8	**soltar** release	13	**pescuezo** nape of the neck
4	**tambaleante** staggering	9	**doblaban** buckled	14	**zarandeaban** shook
5	**llamarada** flame	10	**temblaba** trembled	15	**apretaba** clenched

30   preguntaba:

                –¿Te duele mucho?

                –Algo –contestaba él.

        Primero le había dicho: "Apéame[16] aquí… Déjame aquí… Vete tú solo. Yo te alcanzaré
        mañana o en cuanto me reponga un poco." Se lo había dicho como cincuenta veces. Ahora
35   ni siquiera eso decía.

                Allí estaba la luna. Enfrente de ellos. Una luna grande y colorada que les llenaba de luz
        los ojos y que estiraba[17] y oscurecía más su sombra sobre la tierra.

                –No veo ya por dónde voy –decía él.

                Pero nadie le contestaba.

40   El otro iba allá arriba, todo iluminado por la luna, con su cara descolorida, sin sangre,
        reflejando una luz opaca. Y él acá abajo.

                –¿Me oíste, Ignacio? Te digo que no veo bien.

                Y el otro se quedaba callado.

        Siguió caminando, a tropezones[18]. Encogía el cuerpo y luego se enderezaba para volver
45   a tropezar de nuevo.

                –Éste no es ningún camino. Nos dijeron que detrás del cerro[19] estaba Tonaya. Ya
        hemos pasado el cerro. Y Tonaya no se ve, ni se oye ningún ruido que nos diga que está
        cerca. ¿Por qué no quieres decirme qué ves, tú que vas allá arriba, Ignacio?

                –Bájame, padre.

50   –¿Te sientes mal?

                –Sí.

                –Te llevaré a Tonaya a como dé lugar. Allí encontraré quien te cuide. Dicen que allí hay
        un doctor. Yo te llevaré con él. Te he traído cargando desde hace horas y no te dejaré tirado
        aquí para que acaben contigo quienes sean.

55   Se tambaleó un poco. Dio dos o tres pasos de lado y volvió a enderezarse.

                –Te llevaré a Tonaya.

                –Bájame.

                Su voz se hizo quedita, apenas murmurada:

                –Quiero acostarme un rato.

60   – Duérmete allí arriba. Al cabo te llevo bien agarrado.

        La luna iba subiendo, casi azul, sobre un cielo claro. La cara del viejo, mojada en
        sudor[20], se llenó de luz. Escondió los ojos para no mirar de frente, ya que no podía agachar
        la cabeza agarrotada entre las manos de su hijo.

---

16 **apéame** let me down   18 **a tropezones** stumbling   20 **sudor** sweat
17 **estiraba** stretched   19 **cerro** hill

–Todo esto que hago, no lo hago por usted. Lo hago por su difunta madre. Porque usted fue su hijo. Por eso lo hago. Ella me reconvendría si yo lo hubiera dejado tirado allí, donde lo encontré, y no lo hubiera recogido para llevarlo a que lo curen, como estoy haciéndolo. Es ella la que me da ánimos[21], no usted. Comenzando porque a usted no le debo más que puras dificultades, puras mortificaciones, puras vergüenzas.

Sudaba al hablar. Pero el viento de la noche le secaba el sudor. Y sobre el sudor seco, volvía a sudar.

–Me derrengaré, pero llegaré con usted a Tonaya, para que le alivien esas heridas[22] que le han hecho. Y estoy seguro de que, en cuanto se sienta usted bien, volverá a sus malos pasos. Eso ya no me importa. Con tal que se vaya lejos, donde yo no vuelva a saber de usted. Con tal de eso... Porque para mí usted ya no es mi hijo. He maldecido[23] la sangre que usted tiene de mí. La parte que a mí me toca la he maldecido. He dicho: "¡Que se le pudra[24] en los riñones[25] la sangre que le di!" Lo dije desde que supe que usted andaba trajinando por los caminos, viviendo del robo y matando gente... Y gente buena. Y si no, allí está mi compadre Tranquilino. El que lo bautizó a usted. El que le dio su nombre. A él también le tocó la mala suerte de encontrarse con usted. Desde entonces dije: "Ése no puede ser mi hijo".

–Mira a ver si ya ves algo. O si oyes algo. Tú que puedes hacerlo desde allá arriba, porque yo me siento sordo.

–No veo nada.

–Peor para ti, Ignacio.

–Tengo sed.

– ¡Aguántate![26] Ya debemos estar cerca. Lo que pasa es que ya es muy noche y han de haber apagado la luz en el pueblo. Pero al menos debías de oír si ladran los perros. Haz por oír.

–Dame agua.

–Aquí no hay agua. No hay más que piedras. Aguántate. Y aunque la hubiera, no te bajaría a tomar agua. Nadie me ayudaría a subirte otra vez y yo solo no puedo.

–Tengo mucha sed y mucho sueño.

–Me acuerdo cuando naciste. Así eras entonces. Despertabas con hambre y comías para volver a dormirte. Y tu madre te daba agua, porque ya te habías acabado la leche de ella. No tenías llenadero. Y eras muy rabioso[27]. Nunca pensé que con el tiempo se te fuera a subir aquella rabia a la cabeza... Pero así fue. Tu madre, que descanse en paz, quería que te criaras fuerte. Creía que cuando te crecieras irías a ser su sostén[28]. No te tuvo más que a ti. El otro hijo que iba a tener la mató. Y tú la hubieras matado otra vez si ella estuviera viva a

---

21 **da ánimos** encourages

22 **heridas** wounds

23 **maldecido** cursed

24 **pudra** rots

25 **riñones** kidneys

26 **aguántate** hold on

27 **rabioso** furious

28 **sostén** support

estas alturas.

100   Sintió que el hombre aquel que llevaba sobre sus hombros dejó de apretar las rodillas y comenzó a soltar los pies, balanceándolos de un lado para otro. Y le pareció que la cabeza, allá arriba, se sacudía como si sollozara[29].

     Sobre su cabello sintió que caían gruesas gotas[30], como de lágrimas.

     –¿Lloras, Ignacio? Lo hace llorar a usted el recuerdo de su madre, ¿verdad? Pero
105 nunca hizo usted nada por ella. Nos pagó siempre mal. Parece que, en lugar de cariño, le hubiéramos retacado[31] el cuerpo de maldad. ¿Y ya ve? Ahora lo han herido. ¿Qué pasó con sus amigos? Los mataron a todos. Pero ellos no tenían a nadie. Ellos bien hubieran podido decir: "No tenemos a quien darle nuestra lástima". ¿Pero usted, Ignacio?

     Allí estaba ya el pueblo. Vio brillar los tejados[32] bajo la luz de la luna. Tuvo la impresión
110 de que lo aplastaba[33] el peso de su hijo al sentir que las corvas[34] se le doblaban en el último esfuerzo. Al llegar al primer tejaván, se recostó sobre el pretil[35] de la acera y soltó el cuerpo, flojo[36], como si lo hubieran descoyuntado.

     Destrabó[37] difícilmente los dedos con que su hijo había venido sosteniéndose de su cuello y, al quedar libre, oyó cómo por todas partes ladraban los perros.

115   –¿Y tú no los oías, Ignacio? –dijo–. No me ayudaste ni siquiera con esta esperanza.

❖ ❖ ❖ ❖ ❖ ❖ ❖ ❖ ❖ ❖ ❖ ❖

---

29 **sollozara** sobbed	32 **tejados** roofs	35 **pretil** curbstone
30 **gotas** drops	33 **aplastaba** crushed	36 **flojo** loose
31 **retacado** filled	34 **corvas** back of the knees	37 **destrabó** loosened

Sugerencias para el análisis del cuento

1. ¿Cuál es la situación de Ignacio y su padre? ¿Dónde están? ¿Qué ha ocurrido?

2. ¿Por qué no puede descansar el padre de vez en cuando?

3. ¿Qué sabemos de la vida del padre? ¿Y de la del hijo?

4. Cuando el narrador presenta la imagen "era una sola sombra tambaleante", nos ofrece más que una descripción física. Analiza lo que sugiere.

5. ¿Por qué el padre le llama al hijo "tú" unas veces y otras "usted"?

6. El padre afirma que sólo ayuda a su hijo en memoria de la madre, y habla y describe al joven con dureza. ¿Cuál es, sin embargo, el sentimiento dominante del padre? ¿Cómo lo sabemos?

7. ¿Cuáles son los sentimientos del hijo hacia el padre? (Observa detalles como las palabras de Ignacio "Bájame", "Déjame aquí", o las gotas que caen a la cabeza del padre al final del cuento.)

8. ¿Qué acción del hijo le duele especialmente al padre, cuando nombra a Tranquilino? ¿Qué trascendencia tiene este crimen en el mundo hispano? ¿Por qué no mencionan este hecho directamente ni el padre ni el narrador?

9. ¿Cómo sabe el lector al final que el hijo ha muerto?

10. Comenta las palabras del padre con las que termina el cuento. ¿Por qué nombra el padre la palabra "esperanza"?

Temas de discusión y ensayos

1. Más que describir a dos personajes, Rulfo presenta al lector un mundo. ¿Cómo es ese mundo? ¿Qué o quién es en definitiva culpable en este relato?

2. Describe la atmósfera del cuento, señalando elementos específicos que contribuyen a su creación. ¿Qué nos sugiere sobre la vida de sus gentes?

3. ¿Qué tipo de lenguaje abunda en el cuento? Comenta su efecto.

4. La sobriedad de este relato contiene gran fuerza sugeridora y evocadora. Explica cómo Rulfo presenta al lector ideas y sentimientos profundos con pocas palabras y sin explicaciones.

5. El lector conoce datos del padre y del hijo a través del monólogo del padre, en vez de la voz de un narrador. ¿Qué efecto busca el autor?

6. Rulfo es un maestro de la ambigüedad: las palabras del padre parecen un rechazo, las acciones del hijo parecen ser las de un criminal endurecido. A veces trata al hijo de "tú", otras de "usted". Comenta la riqueza y el efecto de esta vacilación y ambigüedad.

7. Describe el paisaje de este relato. ¿De qué manera el paisaje acentúa el sentido de soledad?

Jorge Luis Borges

(1899–1986)

Datos biográficos

Leer a Borges es no volver a estar seguros de la realidad que siempre habíamos aceptado. Según las palabras de la escritora Luisa Valenzuela, Borges "nos trastornaba (desordenaba) la arrogante seguridad, transformándonos".[1] ¿Cuándo y cómo se formó este gran mago y transformista?

Jorge Luis Borges nació en Buenos Aires, el 24 de agosto de 1899. Desde una edad muy temprana se sintió fascinado por la biblioteca de su padre, abogado, filósofo y muy interesado en la literatura. Al igual que García Márquez, Borges debe mucho a la influencia de sus abuelos. La abuela paterna, Fanny Haslam, inglesa, le enseñó al joven Georgie a leer en inglés antes que en español. Tanto el bisabuelo materno, Isidoro Suárez, como el abuelo paterno, el coronel Francisco Borges, lucharon por la independencia de la Argentina. La "muerte romántica" de Francisco Flores, el abuelo del protagonista de "El Sur" parece ser una referencia a la muerte heroica del coronel Borges.

La pasión literaria de Borges se reveló muy temprano. A la edad de seis años declaró su deseo de ser escritor. A los siete escribió un ensayo en inglés sobre la mitología griega, y a los ocho, un cuento inspirado en un episodio del *Quijote*.[2] Como su padre y su abuelo, Borges sufrió de un defecto genético que lo dejó, poco a poco, ciego. El año 1938 fue terrible para los Borges: su padre murió, su vista empeoró progresivamente y sufrió un accidente que casi le cuesta la vida. Este accidente se verá reflejado en el cuento "El Sur". Al ir perdiendo la vista, se volvió más y más dependiente de la ayuda de su madre y de varios amigos con su obra literaria. Borges estuvo siempre muy unido a su familia, especialmente a su hermana Norah y a su madre.

En 1967 Borges se casó con Elsa Millán con quien viajó a Estados Unidos para dar una serie de conferencias en la Universidad de Harvard. La pareja se divorció en 1970. Borges volvió a casarse en 1985, con María Kodama, su gran amiga, compañera y secretaria, a quien dictó muchos de sus cuentos. Murió en Ginebra en 1986.

Los cuentos de Borges

Aunque Borges escribió ensayos, crítica literaria y poemas, es más conocido por sus cuentos. Sus colecciones más famosas son *Ficciones* (1944), *El aleph* (1949) y *El libro de arena* (1975).

La mezcla de ficción y realidad

"La singularidad de Borges consiste en haber visto que la literatura es siempre ficción y que la realidad misma es ficticia".[3]

---

1   Valenzuela, Luisa. "La primera palabra". *Américas*. 38.6 (1986): 3.

2   Rodríguez Monegal, Emir. *Borges por él mismo*. Caracas: Monte Avila Editores, 1976. 229.

3   Anderson Imbert, Enrique. "El éxito de Borges". *Américas*. 38.6 (1986): 9.

Se puede decir que vivimos hoy en día en una edad borgiana. Nuestra cultura popular está obsesionada con la idea de mezclar la ficción y la realidad hasta borrar la línea entre las dos. Las películas y programas de televisión que exploran el tema son innumerables, entre ellos: *Matrix*, en la que el protagonista no puede distinguir entre su realidad y la realidad virtual; *Inception*, cuyos niveles de realidad son reconocidos por unos personajes y no por otros; *Avatar*, en la que los personajes experimentan dos realidades simultáneas, una del cuerpo biológico y la otra del "avatar"; *El show de Truman (una vida en directo)* que sigue a un personaje televisivo se cree real, o sus opuestos, los programas como *Survivor*, *Big Brother* y *Jersey Shore*. En el cuento *Alicia en el país de las maravillas* y en *El mago de Oz*, lo que parece una aventura se revela como un sueño.

Esta invención no es reciente –Cervantes ya la utilizó en el *Quijote*– , pero Borges lleva la confusión entre realidad y ficción a terrenos insospechados. En "El otro", Borges viejo se encuentra con Borges joven y consideran la posibilidad de que uno de ellos esté soñando. En "El Sur", "Las ruinas circulares" y muchos otros cuentos, sueño, fantasía y realidad se mezclan para confundir y complacer al lector. Con frecuencia, Borges, como Cervantes, usa la técnica del cuento dentro del cuento con el efecto de desdibujar los límites de la realidad.

El doble

Como ya se ha mencionado, en "El otro" Borges se enfrenta a sí mismo, el uno joven y el otro viejo. En "El Sur", Dahlmann siente "como si a un tiempo fuera dos hombres: el que avanzaba por el día otoñal y por la geografía de la patria, y el otro, encarcelado en un sanatorio". En "Borges y yo" el doble se presenta en la dualidad entre Borges el escritor y Borges el hombre.

El tema del doble, de formas enormemente diversas, aparece en muchos de sus cuentos. Ya de niño, Borges estaba fascinado con la infinita repetición de dos espejos y es posible que esta fascinación impregne sus obras. También, el tema del doble se relaciona con la idea de que hay una cantidad limitada de personas, posibilidades, ideas y acciones, y por eso todo se repite indefinidamente.

La barbarie y la civilización

Parece a la vez irónico y lógico que un hombre tan cerebral y cultivado como Borges se sienta fascinado con lo primitivo y la barbarie. En "El Sur" vemos que Dahlmann, que tiene mucho en común con Borges, se siente sumamente atraído por su antepasado militar y por la imagen del gaucho del Sur, el equivalente del *cowboy* norteamericano. La muerte violenta le parece a Dahlmann más romántica y atractiva que la muerte en un ambiente urbano y conocido.

◆ ◆ ◆ ◆ ◆ ◆ ◆ ◆ ◆ ◆ ◆

El Sur

El hombre que desembarcó en Buenos Aires en 1871 se llamaba Johannes Dahlmann y era pastor de la Iglesia evangélica; en 1939, uno de sus nietos, Juan Dahlmann, era secretario de una biblioteca municipal en la calle Córdoba y se sentía hondamente argentino. Su abuelo materno había sido aquel Francisco Flores, del 2 de infantería de
5 línea, que murió en la frontera de Buenos Aires, lanceado[1] por indios de Catriel: en la discordia de sus dos linajes, Juan Dahlmann (tal vez a impulso de la sangre germánica) eligió el de ese antepasado romántico, o de muerte romántica. Un estuche[2] con el daguerrotipo[3] de un hombre inexpresivo y barbado, una vieja espada, la dicha y el coraje de ciertas músicas, el hábito de estrofas del *Martín Fierro*[4], los años, el desgano[5] y la
10 soledad, fomentaron ese criollismo[6] algo voluntario, pero nunca ostentoso. A costa de algunas privaciones, Dahlmann había logrado salvar el casco[7] de una estancia[8] en el Sur, que fue de los Flores: una de las costumbres de su memoria era la imagen de los eucaliptos balsámicos y de la larga casa rosada que alguna vez fue carmesí[9]. Las tareas y acaso la indolencia lo retenían en la ciudad. Verano tras verano se contentaba con la idea abstracta
15 de posesión y con la certidumbre de que su casa estaba esperándolo, en un sitio preciso de la llanura[10]. En los últimos días de febrero de 1939, algo le aconteció.

Ciego a las culpas, el destino puede ser despiadado[11] con las mínimas distracciones. Dahlmann había conseguido, esa tarde, un ejemplar descabalado[12] de *Las mil y una noches* de Weil; ávido de examinar ese hallazgo, no esperó que bajara el ascensor[13] y subió con
20 apuro las escaleras; algo en la oscuridad le rozó la frente, ¿un murciélago[14], un pájaro? En la cara de la mujer que le abrió la puerta vio grabado el horror, y la mano que se pasó por la frente salió roja de sangre. La arista de un batiente[15] recién pintado que alguien se olvidó de cerrar le habría hecho esa herida. Dahlmann logró dormir, pero a la madrugada estaba despierto y desde aquella hora el sabor de todas las cosas fue atroz. La fiebre lo gastó[16]
25 y las ilustraciones de *Las mil y una noches* sirvieron para decorar pesadillas[17]. Amigos y parientes lo visitaban y con exagerada sonrisa le repetían que lo hallaban muy bien. Dahlmann los oía con una especie de débil estupor y le maravillaba que no supieran que estaba en el infierno. Ocho días pasaron, como ocho siglos. Una tarde, el médico habitual se presentó con un médico nuevo y lo condujeron a un sanatorio[18] de la calle Ecuador,
30 porque era indispensable sacarle una radiografía. Dahlmann, en el coche de plaza que los llevó, pensó que en una habitación que no fuera la suya podría, al fin, dormir. Se sintió

---

1 **lanceado** wounded with a lance

2 **estuche** case

3 **daguerrotipo** old fashioned photograph

4 **Martín Fierro** famous poem about a gaucho

5 **desgano** disinterest

6 **criollismo** pride in the culture of the criollos (born in the Américas but of Spanish descent)

7 **casco** remains

8 **estancia** country estate

9 **carmesí** bright red

10 **llanura** plain

11 **despiadado** without pity

12 **descabalado** incomplete

13 **ascensor** elevator

14 **murciélago** bat

15 **arista de un batiente** shutter's edge

16 **gastó** weakened

17 **pesadillas** nightmares

18 **sanatorio** hospital

feliz y conversador; en cuanto llegó, lo desvistieron; le raparon[19] la cabeza, lo sujetaron con metales a una camilla, lo iluminaron hasta la ceguera y el vértigo, lo auscultaron[20] y un hombre enmascarado le clavó una aguja en el brazo. Se despertó con náuseas,

35   vendado[21], en una celda que tenía algo de pozo[22] y, en los días y noches que siguieron a la operación pudo entender que apenas había estado, hasta entonces, en un arrabal[23] del infierno. El hielo no dejaba en su boca el menor rastro de frescura. En esos días, Dahlmann minuciosamente se odió; odió su identidad, sus necesidades corporales, su humillación, la barba que le erizaba[24] la cara. Sufrió con estoicismo las curaciones, que eran muy

40   dolorosas, pero cuando el cirujano[25] le dijo que había estado a punto de morir de una septicemia[26], Dahlmann se echó a llorar, condolido de su destino. Las miserias físicas y la incesante previsión de las malas noches no le habían dejado pensar en algo tan abstracto como la muerte. Otro día, el cirujano le dijo que estaba reponiéndose[27] y que, muy pronto, podría ir a convalecer a la estancia. Increíblemente, el día prometido llegó.

45   A la realidad le gustan las simetrías y los leves anacronismos; Dahlmann había llegado al sanatorio en un coche de plaza y ahora un coche de plaza lo llevaba a Constitución. La primera frescura del otoño, después de la opresión del verano, era como un símbolo natural de su destino rescatado de la muerte y la fiebre. La ciudad, a las siete de la mañana, no había perdido ese aire de casa vieja que le infunde la noche; las calles eran como largos

50   zaguanes, las plazas como patios. Dahlmann la reconocía con felicidad y con un principio de vértigo; unos segundos antes de que las registraran sus ojos, recordaba las esquinas, las carteleras, las modestas diferencias de Buenos Aires. En la luz amarilla del nuevo día, todas las cosas regresaban a él.

        Nadie ignora que el Sur empieza del otro lado de Rivadavia. Dahlmann solía repetir

55   que ello no es una convención y que quien atraviesa esa calle entra en un mundo más antiguo y más firme. Desde el coche buscaba entre la nueva edificación, la ventana de rejas[28], el llamador, el arco de la puerta, el zaguán, el íntimo patio.

        En el *hall* de la estación advirtió que faltaban treinta minutos. Recordó bruscamente que en un café de la calle Brasil (a pocos metros de la casa de Yrigoyen) había un enorme

60   gato que se dejaba acariciar por la gente, como una divinidad desdeñosa[29]. Entró. Ahí estaba el gato, dormido. Pidió una taza de café, la endulzó lentamente, la probó (ese placer le había sido vedado[30] en la clínica) y pensó, mientras alisaba el negro pelaje[31], que aquel contacto era ilusorio y que estaban como separados por un cristal, porque el hombre vive en el tiempo, en la sucesión, y el mágico animal, en la actualidad, en la eternidad del

65   instante.

        A lo largo del penúltimo andén[32] el tren esperaba. Dahlmann recorrió los vagones y dio

---

19 **raparon** shaved

20 **auscultaron** listened to his heart

21 **vendado** bandaged

22 **pozo** well

23 **arrabal** suburb

24 **erizaba** bristled

25 **cirujano** surgeon

26 **septicemia** blood infection

27 **reponiéndose** getting better

28 **rejas** wrought iron bars

29 **desdeñosa** scornful

30 **vedado** forbidden

31 **alisaba el negro pelaje** petted the black fur

con uno casi vacío. Acomodó en la red la valija[33]; cuando los coches arrancaron[34], la abrió y sacó, tras alguna vacilación, el primer tomo de *Las mil y una noches*. Viajar con este libro, tan vinculado[35] a la historia de su desdicha[36], era una afirmación de que esa desdicha había
70 sido anulada y un desafío[37] alegre y secreto a las frustradas fuerzas del mal.

A los lados del tren, la ciudad se desgarraba en suburbios; esta visión y luego la de jardines y quintas demoraron el principio de la lectura. La verdad es que Dahlmann leyó poco; la montaña de piedra imán[38] y el genio que ha jurado matar a su bienhechor eran, quién lo niega, maravillosos, pero no mucho más que la mañana y que el hecho de ser. La
75 felicidad lo distraía de Shahrazad y de sus milagros superfluos; Dahlmann cerraba el libro y se dejaba simplemente vivir.

El almuerzo (con el caldo[39] servido en boles de metal reluciente, como en los ya remotos veraneos de la niñez) fue otro goce tranquilo y agradecido.

Mañana me despertaré en la estancia, pensaba, y era como si a un tiempo fuera
80 dos hombres: el que avanzaba por el día otoñal y por la geografía de la patria, y el otro, encarcelado en un sanatorio y sujeto a metódicas servidumbres[40]. Vio casas de ladrillo sin revocar, esquinadas y largas, infinitamente mirando pasar los trenes; vio jinetes[41] en los terrosos caminos; vio zanjas[42] y lagunas y haciendas; vio largas nubes luminosas que parecían de mármol[43], y todas estas cosas eran casuales, como sueños de la llanura.
85 También creyó reconocer árboles y sembrados[44] que no hubiera podido nombrar, porque su directo conocimiento de la campaña[45] era harto inferior a su conocimiento nostálgico y literario.

Alguna vez durmió y en sus sueños estaba el ímpetu del tren. Ya el blanco sol intolerable de las doce del día era el sol amarillo que precede al anochecer y no tardaría
90 en ser rojo. También el coche era distinto; no era el que fue en Constitución, al dejar el andén: la llanura y las horas lo habían atravesado y transfigurado. Afuera la móvil sombra del vagón se alargaba hacia el horizonte. No turbaban la tierra elemental ni poblaciones ni otros signos humanos. Todo era vasto, pero al mismo tiempo era íntimo y, de alguna manera, secreto. En el campo desaforado[46], a veces no había otra cosa que un toro. La
95 soledad era perfecta y tal vez hostil, y Dahlmann pudo sospechar que viajaba al pasado y no sólo al Sur. De esa conjetura fantástica lo distrajo el inspector, que al ver su boleto, le advirtió que el tren no lo dejaría en la estación de siempre sino en otra, un poco anterior y apenas conocida por Dahlmann. (El hombre añadió una explicación que Dahlmann no trató de entender ni siquiera de oír, porque el mecanismo de los hechos no le importaba.)
100 El tren laboriosamente se detuvo, casi en medio del campo. Del otro lado de las vías

---

32 **andén** platform	37 **desafío** challenge	41 **jinetes** men on horseback
33 **valija** suitcase	38 **imán** magnet	42 **zanjas** ditches
34 **arrancaron** started off	39 **caldo** broth	43 **mármol** marble
35 **vinculado** connected	40 **servidumbres** oppressive obligations	44 **sembrados** fields of crops
36 **desdicha** unhappiness		45 **campaña** plain, flatland

quedaba la estación, que era poco más que un andén con un cobertizo. Ningún vehículo tenían, pero el jefe opinó que tal vez pudiera conseguir uno en un comercio que le indicó a unas diez, doce, cuadras.

     Dahlmann aceptó la caminata como una pequeña aventura. Ya se había hundido el
105 sol, pero un esplendor final exaltaba la viva y silenciosa llanura, antes de que la borrara la noche. Menos para no fatigarse que para hacer durar esas cosas, Dahlmann caminaba despacio, aspirando con grave felicidad el olor del trébol[47].

     El almacén, alguna vez, había sido punzó[48], pero los años habían mitigado para su bien ese color violento. Algo en su pobre arquitectura le recordó un grabado[49] en acero, acaso de
110 una vieja edición de *Pablo y Virginia*. Atados al palenque había unos caballos. Dahlmam, adentro, creyó reconocer al patrón; luego comprendió que lo había engañado su parecido con uno de los empleados del sanatorio. El hombre, oído el caso, dijo que le haría atar la jardinera[50]; para agregar[51] otro hecho a aquel día y para llenar ese tiempo, Dahlmann resolvió comer en el almacén.

115   En una mesa comían y bebían ruidosamente unos muchachos, en los que Dahlmann, al principio, no se fijó. En el suelo, apoyado en el mostrador, se acurrucaba[52], inmóvil como una cosa, un hombre muy viejo. Los muchos años lo habían reducido y pulido[53] como las aguas a una piedra o las generaciones de los hombres a una sentencia. Era oscuro, chico y reseco, y estaba como fuera del tiempo, en una eternidad. Dahlmann
120 registró con satisfacción la vincha[54], el poncho de bayeta[55], el largo chiripá[56] y la bota de potro y se dijo, rememorando inútiles discusiones con gente de los partidos del Norte o con entrerrianos, que gauchos de ésos ya no quedan más que en el Sur.

     Dahlmann se acomodó junto a la ventana. La oscuridad fue quedándose con el campo, pero su olor y sus rumores aún le llegaban entre los barrotes de hierro. El patrón le trajo
125 sardinas y después carne asada; Dahlmann las empujó con unos vasos de vino tinto. Ocioso[57], paladeaba[58] el áspero sabor y dejaba errar[59] la mirada por el local, ya un poco soñolienta[60]. La lámpara de kerosén pendía de uno de los tirantes; los parroquianos[51] de la otra mesa eran tres: dos parecían peones de chacra[62]: otro, de rasgos achinados y torpes, bebía con el chambergo[63] puesto. Dahlmann, de pronto, sintió un leve roce en la cara. Junto
130 al vaso ordinario de vidrio turbio, sobre una de las rayas del mantel, había una bolita de miga[64]. Eso era todo, pero alguien se la había tirado.

     Los de la otra mesa parecían ajenos a él. Dahlmann, perplejo, decidió que nada había ocurrido y abrió el volumen de *Las mil y una noches*, como para tapar la realidad. Otra bolita lo alcanzó a los pocos minutos, y esta vez los peones se rieron. Dahlmann se dijo

---

46 **desaforado** vast, large

47 **trébol** clover

48 **punzó** bright red

49 **grabado** engraving

50 **jardinera** carriage

51 **agregar** to add

52 **acurrucaba** was huddled

53 **pulido** worn away

54 **vincha** head band

55 **bayeta** wool

56 **chiripá** garment worn by
     the gauchos

which covers the thighs

57 **Ocioso** Idle, at leisure

58 **paladeaba** he savored

59 **errar** to wander

60 **soñolienta** sleepy, drowsy

61 **parroquianos** other

customers

62 **peones de chacra** farm
     workers

63 **chambergo** wide–
     brimmed hat

64 **miga** bread

135 que no estaba asustado, pero que sería un disparate[65] que él, un convaleciente, se dejara arrastrar por desconocidos a una pelea confusa. Resolvió salir; ya estaba de pie cuando el patrón se le acercó y lo exhortó con voz alarmada:

–Señor Dahlmann, no les haga caso a esos mozos, que están medio alegres[66].

Dahlmann no se extrañó de que el otro, ahora, lo conociera, pero sintió que estas 140 palabras conciliadoras agravaban, de hecho, la situación. Antes, la provocación de los peones era a una cara accidental, casi a nadie; ahora iba contra él y contra su nombre y lo sabrían los vecinos. Dahlmann hizo a un lado al patrón, se enfrentó con los peones y les preguntó qué andaban buscando.

El compadrito[67] de la cara achinada se paró, tambaleándose[68]. A un paso de Juan 145 Dahlmann, lo injurió a gritos, como si estuviera muy lejos. Jugaba a exagerar su borrachera y esa exageración era una ferocidad y una burla. Entre malas palabras y obscenidades, tiró al aire un largo cuchillo, lo siguió con los ojos, lo barajó[69] e invitó a Dahlmann a pelear. El patrón objetó con trémula voz que Dahlmann estaba desarmado. En ese punto, algo imprevisible[70] ocurrió.

150 Desde un rincón, el viejo gaucho extático, en el que Dahlmann vio una cifra[71] del Sur (del Sur que era suyo), le tiró una daga desnuda que vino a caer a sus pies. Era como si el Sur hubiera resuelto que Dahlmann aceptara el duelo. Dahlmann se inclinó a recoger la daga y sintió dos cosas. La primera, que ese acto casi instintivo lo comprometía[72] a pelear. La segunda, que el arma, en su mano torpe, no serviría para defenderlo, sino para justificar 155 que lo mataran. Alguna vez había jugado con un puñal[73], como todos los hombres, pero su esgrima[74] no pasaba de una noción de que los golpes deben ir hacia arriba y con el filo para adentro. *No hubieran permitido en el sanatorio que me pasaran estas cosas*, pensó.

–Vamos saliendo –dijo el otro.

Salieron, y si en Dahlmann no había esperanza, tampoco había temor. Sintió, al 160 atravesar el umbral[75], que morir en una pelea a cuchillo, a cielo abierto y acometiendo[76], hubiera sido una liberación para él, una felicidad y una fiesta, en la primera noche del sanatorio, cuando le clavaron la aguja. Sintió que si él, entonces, hubiera podido elegir o soñar su muerte, ésta es la muerte que hubiera elegido o soñado.

Dahlmann empuña[77] con firmeza el cuchillo, que acaso no sabrá manejar, y sale a la 165 llanura.

✦ ✦ ✦ ✦ ✦ ✦ ✦ ✦ ✦ ✦ ✦ ✦

---

65 **disparate** craziness
66 **alegres** drunk
67 **compadrito** little thug
68 **tambaleándose** stumbling
69 **barajó** grabbed

70 **imprevisible** unforeseen
71 **cifra** sign
72 **comprometía** obligated
73 **puñal** knife
74 **esgrima** knowledge of knife

fighting
75 **umbral** threshold
76 **acometiendo** attacking
77 **empuña** grips

Sugerencias para el análisis del cuento

1. ¿Qué desgracia le ocurre a Dahlmann en 1939? ¿Qué papel hace el libro *Las mil y una noches* en este accidente?

2. ¿Qué importancia tiene el título de este libro?

3. ¿Es la única simetría del relato?

4. Al empezar su viaje, Dahlmann comenta que cruzar la Calle Rivadavia (una calle en Buenos Aires) es igual a entrar en otro mundo. ¿Por qué le parece así?

5. ¿Cuál es la actitud de Dahlmann respecto del hombre viejo que ve en el almacén? ¿Qué símil o imagen emplea el narrador para describir al viejo?

6. ¿Por qué decide Dahlmann que no va a pelear con los peones? ¿Qué le dice el patrón que le hace cambiar su decisión?

7. ¿Qué significa para Dahlmann el gesto del gaucho de lanzarle una daga?

8. Además de simetrías, ¿hay coincidencias o elementos de azar sorprendentes?

9. ¿Qué sugieren las simetrías y coincidencias?

Temas de discusión y ensayos

1. A Dahlmann le interesa más uno de sus abuelos. ¿Qué explicación puede tener esta preferencia? ¿Qué aspecto de la naturaleza humana se comenta aquí?

2. ¿Qué representa el Sur para Dahlmann?

3. Antes de salir a pelear, Dahlmann piensa: "No hubieran permitido en el sanatorio que me pasaran estas cosas". ¿Qué sugieren estas palabras?

4. En el penúltimo párrafo se comparan la muerte en el sanatorio y la muerte en una "pelea a cuchillo" bajo el cielo. El narrador nos dice que cuando Dahlmann sufría en el sanatorio, si "hubiera podido elegir o soñar su muerte, ésta es la muerte que hubiera elegido o soñado". Este párrafo y específicamente esta cita pueden determinar tu interpretación del cuento. Explica.

5. Estudia la frase final del cuento. Observa los tiempos verbales. ¿Por qué termina la historia aquí?

6. ¿Cuáles son los temas de "El Sur"? En un ensayo, discute estos temas borgianos y cómo se presentan en el cuento.

❖ ❖ ❖ ❖ ❖ ❖ ❖ ❖ ❖ ❖ ❖ ❖

Borges y yo

    Al otro, a Borges, es a quien le ocurren las cosas. Yo camino por Buenos Aires y me demoro[1], acaso ya mecánicamente, para mirar el arco de un zaguán[2] y la puerta cancel; de Borges tengo noticias por el correo y veo su nombre en una terna[3] de profesores o en un diccionario biográfico. Me gustan los relojes de arena, los mapas, la tipografía del

5 siglo XVII, las etimologías, el sabor del café y la prosa de Stevenson; el otro comparte esas preferencias, pero de un modo vanidoso que las convierte en atributos de un actor. Sería exagerado afirmar que nuestra relación es hostil; yo vivo, yo me dejo vivir para que Borges pueda tramar[4] su literatura y esa literatura me justifica. Nada me cuesta confesar que ha logrado ciertas páginas válidas, pero esas páginas no me pueden salvar, quizá

10 porque lo bueno ya no es de nadie, ni siquiera del otro, sino del lenguaje o la tradición. Por lo demás, yo estoy destinado a perderme, definitivamente, y sólo algún instante de mí podrá sobrevivir en el otro. Poco a poco voy cediéndole[5] todo, aunque me consta[6] su perversa costumbre de falsear y magnificar. Spinoza entendió que todas las cosas quieren perseverar[7] en su ser; la piedra eternamente quiere ser piedra y el tigre un tigre. Yo he de

15 quedar en Borges, no en mí (si es que alguien soy), pero me reconozco menos en sus libros que en muchos otros o que en el laborioso rasgueo[8] de una guitarra. Hace años yo traté de librarme de él y pasé de las mitologías del arrabal[9] a los juegos con el tiempo y con lo infinito, pero esos juegos son de Borges ahora y tendré que idear otras cosas. Así mi vida es una fuga[10] y todo lo pierdo y todo es del olvido, o del otro.

20   No sé cuál de los dos escribe esta página.

❖ ❖ ❖ ❖ ❖ ❖ ❖ ❖ ❖ ❖ ❖

---

1 **demoro** pause	5 **cediéndole** surrender to him	9 **arrabal** outskirts of a city
2 **zaguán** doorway	6 **me consta** I know	10 **fuga** escape
3 **terna** list	7 **perseverar** to persist	
4 **tramar** to weave a plot	8 **rasgueo** strumming	

Sugerencias para el análisis de "Borges y yo"

1. Comenta el significado de las siguientes citas:

   "...de Borges tengo noticias por el correo y veo su nombre en una terna de profesores o en un diccionario biográfico". Al decir esto, ¿a qué Borges se refiere?

   " ...yo vivo, yo me dejo vivir, para que Borges pueda tramar su literatura y esa literatura me justifica".

   " ...todas las cosas quieren perseverar en su ser; la piedra eternamente quiere ser piedra y el tigre un tigre. Yo he de quedar en Borges, no en mí (si es que alguien soy)".

   "No sé cuál de los dos escribe esta página".

2. Haz dos listas con las características de cada uno.

Temas de discusión y ensayos

1. ¿Cómo construye el cuento la dicotomía entre una figura pública y una privada? Señala momentos y términos concretos que se asocian con una y otra.

2. Analiza la sutileza y las complejidades de la relación entre los dos Borges. ¿Qué se sugiere cuando el narrador se refiere a Borges el escritor como "el otro"? ¿Qué evidencia se presenta con respecto a los siguientes conceptos: la intimidad, la interdependencia, la distancia, la competencia, el resentimiento y la unidad de su identidad?

3. Borges nos dice que "lo bueno [de la literatura de Borges] ya no es de nadie, ni siquiera del otro, sino del lenguaje o la tradición". Una idea similar se encuentra en otro cuento de Borges, "El inmortal". El narrador de este cuento se presenta como inmortal y es acompañado por Homero, el gran poeta ciego griego, otro inmortal. Según el narrador, sus palabras se han mezclado con las de Homero: "Yo he sido Homero; en breve, seré Nadie, como Ulises; en breve, seré todos: estaré muerto". Comenta la relación entre la cita de "El inmortal" y la de "Borges y yo". ¿Qué idea quiere comunicar Borges sobre la relación entre un escritor o artista y la cultura? ¿Cómo se presenta aquí el tema del "otro"?

4. Compara y contrasta el tema del otro, del doble, en "Borges y yo" y en "El Sur".

Julio Cortázar
(1914–1984)

Datos biográficos

La vida de Julio Cortázar estuvo marcada irrevocablemente por su exilio voluntario y, a partir de los años sesenta, por su fervor por las causas sociales. Nació en Bruselas en 1914, de padres argentinos. Después de la Segunda Guerra Mundial, la familia regresó a la Argentina. Cortázar fue criado por su madre, sus tías y su abuela. Comenzó a trabajar de maestro en 1932, fue designado profesor en el Colegio Nacional de una pequeña ciudad en 1937 y publicó su primera colección de poemas, *Presencia,* en 1938. Aunque viajará constantemente en las décadas venideras, el año 1951 marca el principio de su exilio de la Argentina con su establecimiento en París para trabajar de traductor en la UNESCO.

Cortázar publicó varios libros en los años cincuenta, incluyendo sus cuentos fantásticos que ya se consideran entre sus obras maestras. Pero no será reconocido ampliamente como escritor hasta 1963, con la publicación de su novela *Rayuela.* Esta novela es la historia de Horacio Oliveira, argentino que vive en París, y su búsqueda de un centro espiritual, relato que introduce una nueva dimensión experimental en la novela latinoamericana. En 1962 Cortázar realiza su primer viaje a Cuba, donde iniciará su interés por cuestiones políticas. En los años setenta, lucha activamente contra la dictadura de Pinochet en Chile, contra la represión en la Argentina, y apoya a Castro en Cuba y a la revolución sandinista en Nicaragua. Además de otras novelas experimentales como *62 Modelo para armar* (1968) y *Libro de Manuel* (1973), en 1967 y 1968 aparecen *La vuelta al día en ochenta mundos* y *Último Round,* libros "almanaque" en que encontramos no sólo cuentos y poemas sino también ensayos y fotografías en un formato muy original.

El gobierno socialista de François Mitterrand le otorga la nacionalidad francesa en 1981, después de treinta años de residencia en ese país. En 1984 viaja a Nicaragua, donde el Ministro de Cultura, Ernesto Cardenal, le otorga la Orden de la Independencia Cultural Rubén Darío. Enfermo de leucemia, muere el 12 de febrero de 1984 y es enterrado en el cementerio de Montparnasse en París en la tumba donde yace su tercera esposa.

La ficción de Cortázar

La obra de Cortázar pertenece a la literatura hispanoamericana llamada del *Boom* que renueva la novela a partir de los años sesenta. Muchos críticos consideran su novela *Rayuela* como uno de los textos iniciadores de esta evolución de la novela. En su serie de conferencias en la Universidad de California, Berkeley, en 1980, Cortázar mismo señala tres etapas de su obra: la estética, la metafísica y la histórica. En la estética, principalmente las obras de los años cuarenta y cincuenta, predomina la literatura fantástica que vemos en muchos de los cuentos de las colecciones *Bestiario, Final del juego* y *Las armas secretas*. En una conferencia titulada "Algunos aspectos del cuento", de 1963, apunta: "Casi todos los cuentos que he escrito pertenecen al género llamado fantástico [...] y se oponen a ese falso realismo que consiste en creer que todas las cosas pueden describirse y explicarse como lo daba por sentado el optimismo filosófico y científico del siglo XVIII. [...] En mi caso, la sospecha de otro orden más secreto y menos comunicable [ha sido uno de] los principios orientadores de mi búsqueda personal de una literatura al margen de todo realismo demasiado ingenuo". En "La noche boca arriba" y en los otros cuentos de esta época, Cortázar comunica que lo fantástico no es un escándalo, sino parte integrante de la realidad misma que le puede suceder a cualquier persona en cualquier momento.

El cambio a la etapa metafísica aparece con el cuento largo "El perseguidor" que aborda un problema de tipo existencial, y se aprecia principalmente en sus novelas *Los premios* y *Rayuela*. Estos relatos se caracterizan por una intensa exploración filosófica y una angustia permanente de interrogación sobre la vida.

La etapa histórica tiene sus raíces en los acontecimientos políticos en Cuba entre 1959 y 1961, cuando Cortázar tomó conciencia política y rompió con su individualismo de los años anteriores. Al volver a Francia tras su visita a Cuba, empezó a entender lo que significaban las palabras "argentino" y "latinoamericano". Algunas de las obras más conocidas de la etapa histórica son las novelas *Libro de Manuel* y *62 Modelo para armar* y los cuentos de *Alguien que anda por ahí*.

Cortázar, pues, caracteriza su trayectoria literaria como el paso del arte por el arte a una literatura de interrogación humana, a la literatura como contribución a la sociedad.

❖ ❖ ❖ ❖ ❖ ❖ ❖ ❖ ❖ ❖ ❖

Nota para facilitar la lectura

La guerra florida, mencionada en el epígrafe, era el nombre que los aztecas daban a las guerras rituales en las que sacrificaban a los prisioneros. Los dioses veían a los seres humanos como flores porque también eran desarraigados, arrancados y pisoteados.

La noche boca arriba

Y salían en ciertas épocas a cazar enemigos;
le llamaban la guerra florida.

A mitad del largo zaguán[1] del hotel pensó que debía ser tarde, y se apuró a salir a la calle y sacar la motocicleta del rincón donde el portero[2] de al lado le permitía guardarla.

5   En la joyería de la esquina vio que eran las nueve menos diez; llegaría con tiempo sobrado adonde iba. El sol se filtraba entre los altos edificios del centro, y él –porque para sí mismo, para ir pensando, no tenía nombre– montó en la máquina saboreando[3] el paseo. La moto ronroneaba[4] entre sus piernas, y un viento fresco le chicoteaba[5] los pantalones.

Dejó pasar los ministerios (el rosa, el blanco) y la serie de comercios con brillantes
10   vitrinas[6] de la calle Central. Ahora entraba en la parte más agradable del trayecto, el verdadero paseo: una calle larga, bordeada de árboles, con poco tráfico y amplias villas que dejaban venir los jardines hasta las aceras, apenas demarcadas por setos[7] bajos. Quizá algo distraído, pero corriendo sobre la derecha como correspondía, se dejó llevar por la tersura[8], por la leve crispación[9] de ese día apenas empezado. Tal vez su involuntario relajamiento le
15   impidió prevenir el accidente. Cuando vio que la mujer parada en la esquina se lanzaba a la calzada[10] a pesar de las luces verdes, ya era tarde para las soluciones fáciles. Frenó[11] con el pie y la mano, desviándose[12] a la izquierda; oyó el grito de la mujer, y junto con el choque perdió la visión. Fue como dormirse de golpe.

Volvió bruscamente del desmayo[13]. Cuatro o cinco hombres jóvenes lo estaban
20   sacando de debajo de la moto. Sentía gusto a sal y sangre, le dolía una rodilla y cuando lo alzaron[14] gritó, porque no podía soportar la presión en el brazo derecho. Voces que no parecían pertenecer a las caras suspendidas sobre él, lo alentaban[15] con bromas y seguridades. Su único alivio fue oír la confirmación de que había estado en su derecho al cruzar la esquina. Preguntó por la mujer, tratando de dominar la náusea que le ganaba
25   la garganta. Mientras lo llevaban boca arriba[16] hasta una farmacia próxima, supo que la causante del accidente no tenía más que rasguños[17] en las piernas. "Usté la agarró apenas, pero el golpe le hizo saltar la máquina de costado[18]..." Opiniones, recuerdos, despacio, éntrenlo de espaldas, así va bien, y alguien con guardapolvo dándole a beber un trago que lo alivió en la penumbra de una pequeña farmacia de barrio.

30   La ambulancia policial llegó a los cinco minutos, y lo subieron a una camilla[19] blanda donde pudo tenderse a gusto. Con toda lucidez, pero sabiendo que estaba bajo los efectos de un shock terrible, dio sus señas[20] al policía que lo acompañaba. El brazo casi no le

---

1	**zaguán** entrance hall	6	**vitrinas** store windows	11	**frenó** braked	16	**boca arriba** face up
2	**portero** concierge	7	**setos** hedges	12	**desviándose** swerving	17	**rasguños** scrapes
3	**saboreando** enjoying	8	**tersura** smoothness	13	**desmayo** blackout	18	**de costado** on its side
4	**ronroneaba** purred	9	**crispación** tension	14	**alzaron** raised	19	**camilla** stretcher
5	**chicoteaba** lashed	10	**calzada** avenue, trail	15	**alentaban** encouraged	20	**dio sus señas** gave his personal information

dolía; de una cortadura[21] en la ceja goteaba sangre por toda la cara. Una o dos veces se
lamió los labios para beberla. Se sentía bien, era un accidente, mala suerte; unas semanas

35   quieto y nada más. El vigilante le dijo que la motocicleta no parecía muy estropeada[22].
"Natural", dijo él. "Como que me la ligué[23] encima…" Los dos rieron, y el vigilante le dio
la mano al llegar al hospital y le deseó buena suerte. Ya la náusea volvía poco a poco;
mientras lo llevaban en una camilla de ruedas hasta un pabellón[24] del fondo, pasando
bajo árboles llenos de pájaros, cerró los ojos y deseó estar dormido o cloroformado. Pero

40   lo tuvieron largo rato en una pieza con olor a hospital, llenando una ficha[25], quitándole la
ropa y vistiéndolo con una camisa grisácea y dura. Le movían cuidadosamente el brazo,
sin que le doliera. Las enfermeras bromeaban todo el tiempo, y si no hubiera sido por las
contracciones del estómago se habría sentido muy bien, casi contento.

      Lo llevaron a la sala de radio[26], y veinte minutos después, con la placa todavía húmeda

45   puesta sobre el pecho como una lápida negra, pasó a la sala de operaciones. Alguien de
blanco, alto y delgado, se le acercó y se puso a mirar la radiografía. Manos de mujer le
acomodaban la cabeza, sintió que lo pasaban de una camilla a otra. El hombre de blanco
se le acercó otra vez, sonriendo, con algo que le brillaba en la mano derecha. Le palmeó la
mejilla e hizo una seña a alguien parado atrás.

50   Como sueño era curioso porque estaba lleno de olores y él nunca soñaba olores.
Primero un olor a pantano[27], ya que a la izquierda de la calzada empezaban las marismas[28],
los tembladerales[29] de donde no volvía nadie. Pero el olor cesó, y en cambio vino una
fragancia compuesta y oscura como la noche en que se movía huyendo de los aztecas.
Y todo era tan natural, tenía que huir de los aztecas que andaban a caza de hombre, y

55   su única probabilidad era la de esconderse en lo más denso de la selva, cuidando de no
apartarse de la estrecha calzada que sólo ellos, los motecas[30], conocían.

      Lo que más lo torturaba era el olor, como si aun en la absoluta aceptación del sueño
algo se rebelara contra eso que no era habitual, que hasta entonces no había participado
del juego. "Huele a guerra", pensó, tocando instintivamente el puñal de piedra atravesado

60   en su ceñidor[31] de lana tejida. Un sonido inesperado lo hizo agacharse[32] y quedar inmóvil,
temblando. Tener miedo no era extraño, en sus sueños abundaba el miedo. Esperó,
tapado[33] por las ramas de un arbusto y la noche sin estrellas. Muy lejos, probablemente
del otro lado del gran lago, debían estar ardiendo fuegos de vivac[34]; un resplandor rojizo
teñía esa parte del cielo. El sonido no se repitió. Había sido como una rama quebrada. Tal

65   vez un animal que escapaba como él del olor a guerra. Se enderezó despacio, venteando.

---

21 **cortadura** cut   26 **sala de radio** x-ray room   azteca)

22 **estropeada** damaged   27 **pantano** swamp   31 **ceñidor** sash

23 **ligué** placed   28 **marismas** marshes   32 **agacharse** crouch

24 **pabellón** pavilion   29 **tembladerales** quagmires   33 **tapado** covered

25 **ficha** form   30 **motecas palabra inventada** (de 34 **vivac** bivouac
                                         motocicleta combinada con

70　No se oía nada, pero el miedo seguía allí como el olor, ese incienso dulzón de la guerra florida. Había que seguir, llegar al corazón de la selva evitando las ciénagas[35]. A tientas[36], agachándose a cada instante para tocar el suelo más duro de la calzada, dio algunos pasos. Hubiera querido echar a correr, pero los tembladerales palpitaban a su lado. En el sendero en tinieblas[37], buscó el rumbo. Entonces sintió una bocanada[38] del olor que más temía, y

75　saltó desesperado hacia adelante.

　　–Se va a caer de la cama– dijo el enfermo de la cama de al lado. No brinque[39] tanto, amigazo.

　　Abrió los ojos y era de tarde, con el sol ya bajo en los ventanales de la larga sala. Mientras trataba de sonreír a su vecino, se despegó[40] casi físicamente de la última visión

80　de la pesadilla. El brazo, enyesado[41], colgaba de un aparato con pesas y poleas. Sintió sed, como si hubiera estado corriendo kilómetros, pero no querían darle mucha agua, apenas para mojarse los labios y hacer un buche[42]. La fiebre lo iba ganando despacio y hubiera podido dormirse otra vez, pero saboreaba el placer de quedarse despierto, entornados[43] los ojos, escuchando el diálogo de los otros enfermos, respondiendo de cuando en

85　cuando a alguna pregunta. Vio llegar un carrito blanco que pusieron al lado de su cama, una enfermera rubia le frotó[44] con alcohol la cara anterior del muslo y le clavó[45] una gruesa aguja conectada con un tubo que subía hasta un frasco lleno de líquido opalino. Un médico joven vino con un aparato de metal y cuero que le ajustó al brazo sano para verificar alguna cosa. Caía la noche, y la fiebre lo iba arrastrando blandamente a un estado

90　donde las cosas tenían un relieve como de gemelos de teatro[46], eran reales y dulces y a la vez ligeramente repugnantes; como estar viendo una película aburrida y pensar que sin embargo en la calle es peor; y quedarse.

　　Vino una taza de maravilloso caldo[47] de oro oliendo a puerro, a apio, a perejil. Un trocito de pan, más precioso que todo un banquete, se fue desmigajando[48] poco a poco. El

95　brazo no le dolía nada y solamente en la ceja, donde lo habían suturado, chirriaba[49] a veces una punzada[50] caliente y rápida. Cuando los ventanales de enfrente viraron a manchas de un azul oscuro, pensó que no iba a ser difícil dormirse. Un poco incómodo, de espaldas, pero al pasarse la lengua por los labios resecos y calientes sintió el sabor del caldo, y suspiró de felicidad, abandonándose.

100　Primero fue una confusión, un atraer hacia sí todas las sensaciones por un instante embotadas o confundidas. Comprendía que estaba corriendo en plena oscuridad, aunque arriba el cielo cruzado de copas de árboles era menos negro que el resto. "La calzada", pensó. "Me salí de la calzada". Sus pies se hundían[51] en un colchón de hojas y barro, y ya no podía dar un paso sin que las ramas de los arbustos le azotaran[52] el torso y las piernas.

35 **ciénagas** swamps	41 **enyesado** in a plaster cast	47 **caldo** soup
36 **a tientas** groping in the dark	42 **buche** mouthful of liquid	48 **desmigajando** crumbling
37 **en tinieblas** in the dark	43 **entornados** half-closed	49 **chirriaba** hissed
38 **bocanada** mouthful	44 **frotó** rubbed	50 **punzada** jab
39 **brinque** jump	45 **clavó** nailed	51 **se hundían** sank
40 **se despegó** detached himself	46 **gemelos de teatro** binoculars	52 **azotaran** would whip

105　Jadeante[53], sabiéndose acorralado a pesar de la oscuridad y el silencio, se agachó para escuchar. Tal vez la calzada estaba cerca, con la primera luz del día iba a verla otra vez. Nada podía ayudarlo ahora a encontrarla. La mano que, sin saberlo él, aferraba[54] el mango del puñal, subió como un escorpión de los pantanos hasta su cuello, donde colgaba el amuleto[55] protector. Moviendo apenas los labios musitó la plegaria[56] del maíz que trae las

110　lunas felices, y la súplica a la Muy Alta, a la dispensadora de los bienes motecas. Pero sentía al mismo tiempo que los tobillos se le estaban hundiendo despacio en el barro, y la espera en la oscuridad del chaparral desconocido se le hacía insoportable. La guerra florida había empezado con la luna y llevaba ya tres días y tres noches. Si conseguía refugiarse en lo profundo de la selva, abandonando la calzada más allá de la región de las ciénagas, quizá

115　los guerreros no le siguieran el rastro[57]. Pensó en la cantidad de prisioneros que ya habrían hecho. Pero la cantidad no contaba, sino el tiempo sagrado. La caza continuaría hasta que los sacerdotes dieran la señal del regreso. Todo tenía su número y su fin, y él estaba dentro del tiempo sagrado, del otro lado de los cazadores.

　　　　Oyó los gritos y se enderezó de un salto, puñal en mano. Como si el cielo se incendiara

120　en el horizonte, vio antorchas[58] moviéndose entre las ramas, muy cerca. El olor a guerra era insoportable, y cuando el primer enemigo le saltó al cuello casi sintió placer en hundirle la hoja de piedra en pleno pecho. Ya lo rodeaban las luces y los gritos alegres. Alcanzó a cortar el aire una o dos veces, y entonces una soga[59] lo atrapó desde atrás.

　　　　–Es la fiebre– dijo el de la cama de al lado. A mí me pasaba igual cuando me operé del

125　duodeno. Tome agua y va a ver que duerme bien.

　　　　Al lado de la noche de donde volvía, la penumbra tibia de la sala le pareció deliciosa. Una lámpara violeta velaba en lo alto de la pared del fondo como un ojo protector. Se oía toser, respirar fuerte, a veces un diálogo en voz baja. Todo era grato y seguro, sin ese acoso[60], sin... Pero no quería seguir pensando en la pesadilla. Había tantas cosas en qué

130　entretenerse. Se puso a mirar el yeso del brazo, las poleas que tan cómodamente se lo sostenían en el aire. Le habían puesto una botella de agua mineral en la mesa de noche. Bebió del gollete, golosamente[61]. Distinguía ahora las formas de la sala, las treinta camas, los armarios con vitrinas. Ya no debía tener tanta fiebre, sentía fresca la cara. La ceja le dolía apenas, como un recuerdo. Se vio otra vez saliendo del hotel, sacando la moto.

135　¿Quién hubiera pensado que la cosa iba a acabar así? Trataba de fijar el momento del accidente, y le dio rabia advertir que había ahí como un hueco[62], un vacío que no alcanzaba a rellenar. Entre el choque y el momento en que lo habían levantado del suelo, un desmayo o lo que fuera no le dejaba ver nada. Y al mismo tiempo tenía la sensación de que ese hueco, esa nada, había durado una eternidad. No, ni siquiera tiempo, más bien como si en

140　ese hueco él hubiera pasado a través de algo o recorrido distancias inmensas. El choque, el golpe brutal contra el pavimento. De todas maneras al salir del pozo negro había sentido

53 **Jadeante** Panting	57 **siguieran el rastro** follow his trail	61 **golosamente** greedily
54 **aferraba** grasped	58 **antorchas** torches	62 **hueco** void
55 **amuleto** charm	59 **soga** rope	
56 **plegaria** prayer	60 **acoso** relentless pursuit	

casi un alivio mientras los hombres lo alzaban del suelo. Con el dolor del brazo roto, la sangre de la ceja partida, la contusión en la rodilla; con todo eso, un alivio al volver al día y sentirse sostenido y auxiliado. Y era raro. Le preguntaría alguna vez al médico de la oficina.

145   Ahora volvía a ganarlo el sueño, a tirarlo despacio hacia abajo. La almohada era tan blanda, y en su garganta afiebrada la frescura del agua mineral. Quizá pudiera descansar de veras, sin las malditas pesadillas. La luz violeta de la lámpara en lo alto se iba apagando poco a poco.

    Como dormía de espaldas, no lo sorprendió la posición en que volvía a reconocerse,
150   pero en cambio el olor a humedad, a piedra rezumante de filtraciones, le cerró la garganta y lo obligó a comprender. Inútil abrir los ojos y mirar en todas direcciones; lo envolvía una oscuridad absoluta. Quiso enderezarse y sintió las sogas en las muñecas y los tobillos. Estaba estaqueado[63] en el suelo, en un piso de lajas helado y húmedo. El frío le ganaba la espalda desnuda, las piernas. Con el mentón buscó torpemente el contacto con su
155   amuleto, y supo que se lo habían arrancado. Ahora estaba perdido, ninguna plegaria podía salvarlo del final. Lejanamente, como filtrándose entre las piedras del calabozo[64], oyó los atabales[65] de la fiesta. Lo habían traído al teocalli[66], estaba en las mazmorras del templo a la espera de su turno.

    Oyó gritar, un grito ronco que rebotaba en las paredes. Otro grito, acabando en un
160   quejido. Era él que gritaba en las tinieblas, gritaba porque estaba vivo, todo su cuerpo se defendía con el grito de lo que iba a venir, del final inevitable. Pensó en sus compañeros que llenarían otras mazmorras, y en los que ascendían ya los peldaños del sacrificio. Gritó de nuevo sofocadamente, casi no podía abrir la boca, tenía las mandíbulas agarrotadas[67] y a la vez como si fueran de goma y se abrieran lentamente, con un esfuerzo interminable.
165   El chirriar de los cerrojos[68] lo sacudió como un látigo[69]. Convulso, retorciéndose[70], luchó por zafarse[71] de las cuerdas que se le hundían en la carne. Su brazo derecho, el más fuerte, tiraba hasta que el dolor se hizo intolerable y tuvo que ceder. Vio abrirse la doble puerta, y el olor de las antorchas le llegó antes que la luz. Apenas ceñidos con el taparrabos[72] de la ceremonia, los acólitos de los sacerdotes se le acercaron mirándolo con desprecio. Las
170   luces se reflejaban en los torsos sudados, en el pelo negro lleno de plumas. Cedieron las sogas, y en su lugar lo aferraron manos calientes, duras como el bronce; se sintió alzado, siempre boca arriba, tironeado[73] por los cuatro acólitos que lo llevaban por el pasadizo[74]. Los portadores de antorchas iban adelante, alumbrando vagamente el corredor de paredes mojadas y techo tan bajo que los acólitos debían agachar la cabeza. Ahora lo llevaban, lo
175   llevaban, era el final. Boca arriba, a un metro del techo de roca viva que por momentos se iluminaba con un reflejo de antorcha. Cuando en vez del techo nacieran las estrellas y se alzara frente a él la escalinata incendiada de gritos y danzas, sería el fin. El pasadizo no

---

63 **estaqueado** stretched on stakes   67 **agarrotadas** closed tightly   71 **zafarse** escape

64 **calabozo, mazmorra** dungeon   68 **cerrojos** bolts   72 **taparrabos** loincloth

65 **atabales** kettle drums   69 **látigo** whip   73 **tironeado** pulled

66 **teocalli** Aztec temple   70 **retorciéndose** twisting   74 **pasadizo** narrow passage

acababa nunca, pero ya iba a acabar, de repente olería el aire libre lleno de estrellas, pero
todavía no, andaban llevándolo sin fin en la penumbra roja, tironeándolo brutalmente, y
180 él no quería, pero cómo impedirlo si le habían arrancado el amuleto que era su verdadero
corazón, el centro de la vida.

Salió de un brinco a la noche del hospital, al alto cielo raso dulce, a la sombra blanda
que lo rodeaba. Pensó que debía haber gritado, pero sus vecinos dormían callados. En la
mesa de noche, la botella de agua tenía algo de burbuja[75], de imagen traslúcida contra
185 la sombra azulada de los ventanales. Jadeó buscando el alivio de los pulmones, el olvido
de esas imágenes que seguían pegadas a sus párpados. Cada vez que cerraba los ojos
las veía formarse instantáneamente, y se enderezaba aterrado pero gozando a la vez del
saber que ahora estaba despierto, que la vigilia lo protegía, que pronto iba a amanecer,
con el buen sueño profundo que se tiene a esa hora, sin imágenes, sin nada... Le costaba
190 mantener los ojos abiertos, la modorra[76] era más fuerte que él. Hizo un último esfuerzo,
con la mano sana esbozó un gesto hacia la botella de agua; no llegó a tomarla, sus dedos
se cerraron en un vacío otra vez negro, y el pasadizo seguía interminable, roca tras roca,
con súbitas fulguraciones rojizas, y él boca arriba gimió[77] apagadamente porque el techo
iba a acabarse, subía, abriéndose como una boca de sombra, y los acólitos se enderezaban
195 y de la altura una luna menguante le cayó en la cara donde los ojos no querían verla,
desesperadamente se cerraban y abrían buscando pasar al otro lado, descubrir de nuevo el
cielo raso protector de la sala. Y cada vez que se abrían era la noche y la luna mientras lo
subían por la escalinata, ahora con la cabeza colgando hacia abajo, y en lo alto estaban las
hogueras[78], las rojas columnas de rojo perfumado, y de golpe vio la piedra roja, brillante de
200 sangre que chorreaba[79], y el vaivén[80] de los pies del sacrificado, que arrastraban para tirarlo
rodando por las escalinatas del norte. Con una última esperanza apretó los párpados,
gimiendo por despertar. Durante un segundo creyó que lo lograría, porque estaba otra
vez inmóvil en la cama, a salvo del balanceo cabeza abajo. Pero olía la muerte y cuando
abrió los ojos vio la figura ensangrentada del sacrificador que venía hacia él con el cuchillo
205 de piedra en la mano. Alcanzó a cerrar otra vez los párpados, aunque ahora sabía que
no iba a despertarse, que estaba despierto, que el sueño maravilloso había sido el otro,
absurdo como todos los sueños; un sueño en el que había andado por extrañas avenidas
de una ciudad asombrosa, con luces verdes y rojas que ardían sin llama ni humo, con un
enorme insecto de metal que zumbaba[81] bajo sus piernas. En la mentira infinita de ese
210 sueño también lo habían alzado del suelo, también alguien se le había acercado con un
cuchillo en la mano, a él tendido boca arriba, a él boca arriba con los ojos cerrados entre
las hogueras.

✦ ✦ ✦ ✦ ✦ ✦ ✦ ✦ ✦ ✦ ✦ ✦

---

75 **burbuja** bubble   78 **hogueras** bonfires   81 **zumbaba** buzzed
76 **modorra** drowsiness   79 **chorreaba** gushed
77 **gimió** moaned   80 **vaivén** to-and-fro motion

Sugerencias para el análisis del cuento

1. Según Cortázar, el cuento se inspiró en un accidente del autor en 1952, cuando iba en una Vespa en Francia. ¿Te parece realista la descripción del accidente? ¿Quién tiene la culpa del accidente, el motociclista o la mujer con quien chocó?

2. ¿Qué importancia tiene el hecho de que se desmayó, y la forma en que lo describe: "Fue como dormirse de golpe"?

3. Fíjate en los detalles de los hombres que llevan al protagonista a la farmacia y, después, en los detalles realistas en el hospital. ¿Cuáles se verán repetidos en otras partes del cuento?

4. ¿Cómo cambia radicalmente la historia en el párrafo que empieza "Como sueño era curioso..."? ¿Has notado el espacio en blanco que lo separa de la primera parte? Si antes el protagonista parecía encontrarse en una gran ciudad del siglo XX con avenidas y ministerios, ¿dónde y en qué época se encuentra ahora en lo que se presenta como sueño?

5. ¿Cuántos niveles narrativos presenta el cuento? ¿Cómo se señalan los cambios frecuentes entre el ambiente del hospital y el de las ciénagas donde el indio precolombino huye de los aztecas?

6. ¿Son el motociclista y el indio el mismo personaje?

7. De los cinco sentidos, ¿cuáles dominan en las dos experiencias, en el hospital y en la pesadilla?

8. ¿Qué efecto causa el conjunto de tantas imágenes sensoriales?

9. Haz una lista de correspondencias entre los dos relatos mencionando detalles específicos.

10. Cuando el protagonista trata de fijar el momento del accidente, descubre "un hueco" de tiempo que aunque no era "nada", le parece que "había durado una eternidad". Después se corrige diciendo: "No, ni siquiera tiempo, más bien como si en ese hueco él hubiera pasado a través de algo o recorrido distancias inmensas". ¿Qué importancia tienen esas irregularidades en el tiempo y el espacio para el significado último del cuento?

11. Cuando llega el momento del "final inevitable" para el moteca, en que los acólitos de los sacerdotes vienen a llevarlo "boca arriba" al sacrificio, ¿qué le ocurre al protagonista al despertarse en el hospital? Si al principio parece aliviado, ¿a qué sucumbe al final? ¿Por qué se puede hablar de un desdoblamiento interior del personaje?

12. La última persona a quien ve el moteca es al sacrificador acercándose con el cuchillo de piedra en la mano, y en este instante lo arrojan a las hogueras con los ojos cerrados. ¿Trata el protagonista/indio de escaparse? ¿Cómo? ¿Se da

cuenta de que se ha equivocado en cuanto a la "realidad" de su sueño? Cuando dice que "el sueño maravilloso había sido el otro", ¿de qué se da cuenta el lector? Explica el desenlace del cuento.

Temas de discusión y ensayos

1. Julio Cortázar es maestro de la literatura fantástica en donde se pasa de la realidad conocida a lo extraño o lo maravilloso. ¿En qué sentido es "La noche boca arriba" un cuento fantástico?

2. En muchas de las obras del *Boom* y del *Posboom*, se juega con los conceptos del tiempo y del espacio. Compara y contrasta la confusión temporal y espacial en el cuento de Cortázar.

3. Un tema importante en "La noche boca arriba" es la manera en que la realidad y el sueño se entrelazan. Cortázar describió sus experimentos con la noción del desdoblamiento del personaje y del tiempo a través del sueño. ¿Has tenido alguna vez un sueño que te parecía tan real que no podías distinguir entre lo real y lo soñado?

4. ¿Cuáles son las semejanzas y diferencias entre los efectos fantásticos que logra Cortázar en "La noche boca arriba" y el realismo mágico de García Márquez en "El ahogado más hermoso del mundo"?

5. Compara el uso de elementos precolombinos en "La noche boca arriba" y en "Chac Mool" de Carlos Fuentes.

Gabriel García Márquez

(1928–)

Datos biográficos

"La vida es la mejor cosa que se ha inventado".
Gabriel García Márquez en *El coronel no tiene quien le escriba*

Gabriel García Márquez conmueve a sus lectores con su fe en el espíritu humano, aun frente a la adversidad. Nos enriquece con su compasión por el ser humano y su capacidad de ofrecernos un espejo que refleja lo absurdo, lo entrañable y nuestra propia dignidad. A través de su realismo mágico no nos transporta a un mundo fantástico sino que nos hace ver lo maravilloso entretejido con la realidad cotidiana. En otras palabras, leer a García Márquez nos transforma y de alguna manera nos engrandece.

Gabito, como lo llamaba su familia, nació en Aracataca, Colombia, el 6 de marzo de 1928. Cuando tenía apenas dos años, sus padres se mudaron a otro pueblo para buscar mejores oportunidades económicas. Dejaron al niño al cuidado de los abuelos maternos, doña Tranquilina y el coronel Nicolás, lo que resultó ser muy importante en el desarrollo del escritor. A una pregunta sobre sus influencias artísticas, García Márquez respondió: "En primer término mi abuela. Me contaba las cosas más atroces sin conmoverse como si fuera una cosa que acabara de ver. Descubrí que esa riqueza de imágenes era lo que más contribuía a la verosimilitud de sus historias. Usando el mismo método de mi abuela, escribí *Cien años de soledad*".[1]

García Márquez también reconoce la influencia literaria de Franz Kafka. Ha comentado que cuando leyó la primera línea de *Metamorfosis*, que cuenta con toda naturalidad cómo el protagonista se despierta una mañana y se encuentra transformado en un insecto gigantesco, se dio cuenta de que el estilo narrativo de su abuela también podría aplicarse a la literatura.

Otra influencia poderosa en la vida del escritor es la de su abuelo, el coronel Nicolás Ricardo Márquez que, según García Márquez, es la persona con quien se ha entendido mejor. Se ven sus rasgos en varios personajes de García Márquez. Por ejemplo, en *Cien años de soledad*, José Arcadio Buendía lleva a su hijo Aureliano a "conocer el hielo", a descubrir la maravilla que nunca había visto antes. Esta escena evoca un recuerdo infantil del autor, cuando su abuelo lo llevó de la mano a ver el hielo (específicamente pescado congelado) por primera vez.[2] Fue también junto a él que el joven Gabito desarrolló su primera conciencia social y política. Se encuentran elementos de crítica o comentario sociales en *Cien años de soledad* y en cuentos como "Un día de éstos", "La siesta del martes" y "La viuda de Montiel".

---

1   Mendoza, Plinio Apuleyo. *El olor de la guayaba*. Bogotá: Editorial La Oveja Negra, 1982. 30.

2   Saldívar, Dasso. *García Márquez: El viaje a la semilla*. Madrid: Alfaguara, 1997. 104.

Es posible que las relaciones tan íntimas y positivas que el autor ha tenido con su madre, abuelos y los muchos parientes que formaban parte de su hogar en Aracataca hayan inspirado el gran cariño, compasión y dignidad con que García Márquez trata a la mayoría de sus personajes. A la edad de 21 años, empezó a trabajar como periodista, oficio que le sirvió bien al futuro novelista: "El periodismo me enseñó recursos para darles validez a mis historias", dijo en una ocasión. En 1958 se casó con el gran amor de su vida desde la niñez, Mercedes Barcha, con quien ha tenido dos hijos.

Al principio de su carrera, García Márquez escribió varias obras consideradas excelentes por los críticos literarios, pero que no le aportaron éxito económico. Su vida cambió de una forma dramática en 1967 con la publicación de *Cien años de soledad*. Después de pensar en esta novela durante más de quince años, la inspiración le llegó de forma repentina. Conducía por una carretera de México con Mercedes y sus dos hijos cuando se le ocurrió la idea completa de la novela. En menos de dos años, escribió el libro que según muchos es la mejor obra que se ha escrito en cualquier idioma desde el *Quijote*. Al terminar el manuscrito y llevarlo al correo, a Gabriel y Mercedes sólo les quedaba el dinero suficiente para mandar la mitad del manuscrito a la casa editorial. Aquel mismo día, después de vender las pocas cosas vendibles que les quedaban, volvieron al correo para mandar la otra mitad. En ese momento, Mercedes le dijo, "Oye, Gabo, ahora lo único que falta es que esta novela sea mala".[3] *Cien años de soledad* fue un éxito instantáneo y le trajo una fama que el autor, muy celoso de su vida privada, no deseaba. García Márquez ganó el Premio Nobel de Literatura en 1982.

La narrativa de García Márquez

Los temas y el estilo de este gran escritor están relacionados de una forma fascinante con su historia personal.

El realismo mágico

Los cuentos maravillosos de su abuela influyeron notablemente en la narrativa de García Márquez. El estilo natural con el que doña Tranquilina le contaba lo fantástico formó la base narrativa del realismo mágico del autor. En una escena de *Cien años de soledad*, Fernanda y su sobrina Remedios están doblando la ropa en el patio de la casa, cuando la joven se levanta, alejándose de la tierra hasta desaparecer en el cielo, llevando consigo una sábana. En vez de asustarse por este fenómeno, Fernanda se preocupa por la devolución de la sábana. García Márquez mezcla lo absurdo, lo mítico y lo maravilloso con nuestra realidad cotidiana con varios resultados: nos inspira lástima, hace comentarios sobre la naturaleza humana, nos hace reír, o simplemente divierte. También ofrece la capacidad de ver lo maravilloso y lo absurdo dentro de nuestra realidad.

---

3   Saldívar 449.

La crítica social

García Márquez ha dicho "Es posible que mi primera formación política haya comenzado con [mi abuelo], que en vez de contarme cuentos de hadas, me refería las historias más terribles de nuestra última guerra civil". La crítica social de García Márquez gira en torno a varios elementos: la corrupción política y la explotación de los pobres por los ricos; la violencia, la represión y la censura; la hipocresía. En ocasiones, critica a la Iglesia por su falta de compasión; en otras critica el código de honor de la sociedad, según el cual las apariencias son más importantes que el bienestar y aun la vida humana.

La dignidad del ser humano

Con las excepciones notables del hipócrita y el explotador, García Márquez retrata a la mayoría de sus personajes con cariño y dignidad. Muchas veces son los pobres y oprimidos los que reflejan estos valores. Desde el hombre sencillo y sincero de "La prodigiosa tarde de Baltazar" hasta la gran dignidad del ahogado que inspira al pueblo solidaridad y amor propio en "El ahogado más hermoso del mundo", los personajes de sus cuentos son ejemplos de decencia, lealtad y fuerza espiritual. El mismo García Márquez ha señalado "la inmensa compasión del autor por todas sus pobres criaturas" como un aspecto importante de su obra. El cariño, la aceptación y la dignidad con los que este autor trata al ser humano tienen un efecto poderoso sobre el lector.

La soledad y la solidaridad

Otro gran tema de la obra de García Márquez es la terrible soledad humana, contrastada con la solidaridad. En el prólogo a su colección *Doce cuentos peregrinos*, el autor cuenta un sueño en el que asiste a su propio entierro. Está gozando de la compañía de sus amigos más queridos, pero al final de la ceremonia se da cuenta de ser "el único que no puede irse. [...] Sólo entonces comprendí que morir es no estar nunca más con los amigos". La soledad de la muerte se representa también en obras como *Cien años de soledad*. El contrapeso a la soledad es la solidaridad. Uno de los mejores ejemplos de unión solidaria se encuentra en "El ahogado más hermoso del mundo". Aquí se ven los milagros que llegan a ser posibles cuando la gente de un pueblo mísero se une en un esfuerzo común inspirado por el poder del mito.

❖ ❖ ❖ ❖ ❖ ❖ ❖ ❖ ❖ ❖ ❖

El ahogado más hermoso del mundo

Los primeros niños que vieron el promontorio[1] oscuro y sigiloso[2] que se acercaba por el mar, se hicieron la ilusión de que era un barco enemigo. Después vieron que no llevaba banderas ni arboladura, y pensaron que fuera una ballena[3]. Pero cuando quedó varado en la playa le quitaron los matorrales de sargazos[4], los filamentos de medusas y los restos de
5 cardúmenes y naufragios que llevaba encima, y sólo entonces descubrieron que era un ahogado.[5]

Habían jugado con él toda la tarde, enterrándolo y desenterrándolo en la arena, cuando alguien los vio por casualidad y dio la voz de alarma en el pueblo. Los hombres que lo cargaron hasta la casa más próxima notaron que pesaba más que todos los muertos
10 conocidos, casi tanto como un caballo, y se dijeron que tal vez había estado demasiado tiempo a la deriva[6] y el agua se le había metido dentro de los huesos. Cuando lo tendieron en el suelo vieron que había sido mucho más grande que todos los hombres, pues apenas si cabía en la casa, pero pensaron que tal vez la facultad de seguir creciendo después de la muerte estaba en la naturaleza de ciertos ahogados. Tenía el olor del mar, y sólo la forma
15 permitía suponer que era el cadáver de un ser humano, porque su piel estaba revestida de una coraza[7] de rémora[8] y de lodo[9].

No tuvieron que limpiarle la cara para saber que era un muerto ajeno. El pueblo tenía apenas unas veinte casas de tablas, con patios de piedras sin flores, desperdigadas en el extremo de un cabo desértico. La tierra era tan escasa, que las madres andaban siempre
20 con el temor de que el viento se llevara a los niños, y a los pocos muertos que les iban causando los años tenían que tirarlos en los acantilados[10]. Pero el mar era manso y pródigo, y todos los hombres cabían en siete botes. Así que cuando se encontraron el ahogado les bastó con mirarse los unos a los otros para darse cuenta de que estaban completos.

Aquella noche no salieron a trabajar en el mar. Mientras los hombres averiguaban si
25 no faltaba alguien en los pueblos vecinos, las mujeres se quedaron cuidando al ahogado. Le quitaron el lodo con tapones de esparto, le desenredaron del cabello los abrojos submarinos y le rasparon la rémora con fierros de desescamar pescados. A medida que lo hacían, notaron que su vegetación era de océanos remotos y de aguas profundas, y que sus ropas estaban en piltrafas, como si hubiera navegado por entre laberintos de corales.
30 Notaron también que sobrellevaba[11] la muerte con altivez[12], pues no tenía el semblante[13] solitario de los otros ahogados del mar, ni tampoco la catadura sórdida y menesterosa[14] de los ahogados fluviales[15]. Pero solamente cuando acabaron de limpiarlo tuvieron conciencia de la clase de hombre que era, y entonces se quedaron sin aliento. No sólo era el más alto,

---

1 **promontorio** bulky object	6 **a la deriva** adrift	11 **sobrellevaba** endured
2 **sigiloso** mysterious	7 **coraza** hard shell	12 **altivez** pride
3 **ballena** whale	8 **rémora** trailing seaweeds	13 **semblante** countenance
4 **sargazos** algae	9 **lodo** mud	14 **menesterosa** needy
5 **ahogado** drowned man	10 **acantilados** cliffs	15 **fluviales** of the rivers

el más fuerte, el más viril y el mejor armado que habían visto jamás, sino que todavía
cuando lo estaban viendo no les cabía en la imaginación.

No encontraron en el pueblo una cama bastante grande para tenderlo ni una mesa
bastante sólida para velarlo[16]. No le vinieron los pantalones de fiesta de los hombres más
altos, ni las camisas dominicales de los más corpulentos, ni los zapatos del mejor plantado.
Fascinadas por su desproporción y su hermosura, las mujeres decidieron entonces hacerle
unos pantalones con un buen pedazo de vela cangreja, y una camisa de bramante de
novia, para que pudiera continuar su muerte con dignidad. Mientras cosían sentadas en
círculo, contemplando el cadáver entre puntada[17] y puntada, les parecía que el viento no
había sido nunca tan tenaz[18] ni el Caribe había estado nunca tan ansioso como aquella
noche, y suponían que esos cambios tenían algo que ver con el muerto. Pensaban que si
aquel hombre magnífico hubiera vivido en el pueblo, su casa habría tenido las puertas
más anchas, el techo más alto y el piso más firme, y el bastidor de su cama habría sido de
cuadernas maestras con pernos de hierro, y su mujer habría sido la más feliz. Pensaban
que habría tenido tanta autoridad que hubiera sacado los peces del mar con sólo llamarlos
por sus nombres, y habría puesto tanto empeño en el trabajo que hubiera hecho brotar[19]
manantiales[20] de entre las piedras más áridas y hubiera podido sembrar flores en los
acantilados. Lo compararon en secreto con sus propios hombres, pensando que no
serían capaces de hacer en toda una vida lo que aquél era capaz de hacer en una noche, y
terminaron por repudiarlos en el fondo de sus corazones como los seres más escuálidos y
mezquinos de la tierra. Andaban extraviadas por esos dédalos de fantasía, cuando la más
vieja de las mujeres, que por ser la más vieja había contemplado al ahogado con menos
pasión que compasión, suspiró:

–Tiene cara de llamarse Esteban.

Era verdad. A la mayoría le bastó con mirarlo otra vez para comprender que no podía
tener otro nombre. Las más porfiadas, que eran las más jóvenes, se mantuvieron con la
ilusión de que al ponerle la ropa, tendido entre flores y con unos zapatos de charol, pudiera
llamarse Lautaro. Pero fue una ilusión vana. El lienzo resultó escaso, los pantalones mal
cortados y peor cosidos le quedaron estrechos, y las fuerzas ocultas de su corazón hacían
saltar los botones de la camisa. Después de la media noche se adelgazaron[21] los silbidos[22]
del viento y el mar cayó en el sopor[23] del miércoles. El silencio acabó con las últimas
dudas: era Esteban. Las mujeres que lo habían vestido, las que lo habían peinado, las que
le habían cortado las uñas y raspado la barba no pudieron reprimir un estremecimiento
de compasión cuando tuvieron que resignarse a dejarlo tirado por los suelos. Fue entonces
cuando comprendieron cuánto debió haber sido de infeliz con aquel cuerpo descomunal[24],
si hasta después de muerto le estorbaba[25]. Lo vieron condenado en vida a pasar de medio

---

16 **velarlo** wake him	20 **manantiales** springs of water	24 **descomunal** larger than normal
17 **puntada** stitch	21 **se adelgazaron** diminished	25 **estorbaba** got in his way
18 **tenaz** tenacious	22 **silbidos** whistling sounds	
19 **brotar** spring forth	23 **sopor** drowsiness	

70 lado por las puertas, a descalabrarse con los travesaños, a permanecer de pie en las visitas
sin saber qué hacer con sus tiernas y rosadas manos de buey de mar, mientras la dueña de
casa buscaba la silla más resistente[26] y le suplicaba muerta de miedo siéntese aquí Esteban,
hágame el favor, y él recostado contra las paredes, sonriendo, no se preocupe señora,
así estoy bien, con los talones en carne viva y las espaldas escaldadas de tanto repetir
75 lo mismo en todas las visitas, no se preocupe señora, así estoy bien, sólo para no pasar
vergüenza de desbaratar[27] la silla, y acaso sin haber sabido nunca que quienes le decían no
te vayas Esteban, espérate siquiera hasta que hierva el café, eran los mismos que después
susurraban ya se fue el bobo grande, qué bueno, ya se fue el tonto hermoso. Esto pensaban
las mujeres frente al cadáver un poco antes del amanecer. Más tarde, cuando le taparon[28]
80 la cara con un pañuelo[29] para que no le molestara la luz, lo vieron tan muerto para siempre,
tan indefenso[30], tan parecido a sus hombres, que se les abrieron las primeras grietas[31] de
lágrimas en el corazón. Fue una de las más jóvenes la que empezó a sollozar[32]. Las otras,
alentándose entre sí, pasaron de los suspiros[33] a los lamentos, y mientras más sollozaban
más deseos sentían de llorar, porque el ahogado se les iba volviendo cada vez más Esteban,
85 hasta que lo lloraron tanto que fue el hombre más desvalido[34] de la tierra, el más manso[35]
y el más servicial[36], el pobre Esteban. Así que cuando los hombres volvieron con la noticia
de que el ahogado no era tampoco de los pueblos vecinos, ellas sintieron un vacío de júbilo
entre las lágrimas.

–¡Bendito sea Dios –suspiraron–: es nuestro!

90 Los hombres creyeron que aquellos aspavientos[37] no eran más que frivolidades de
mujer. Cansados de las tortuosas averiguaciones de la noche, lo único que querían era
quitarse de una vez el estorbo del intruso antes de que prendiera el sol bravo de aquel día
árido y sin viento. Improvisaron unas angarillas[38] con restos de trinquetes[39] y botavaras[40],
y las amarraron con carlingas de altura, para que resistieran el peso del cuerpo hasta los
95 acantilados. Quisieron encadenarle[41] a los tobillos[42] un ancla[43] de buque mercante para
que fondeara[44] sin tropiezos en los mares más profundos donde los peces son ciegos y los
buzos se mueren de nostalgia, de manera que las malas corrientes no fueran a devolverlo
a la orilla, como había sucedido con otros cuerpos. Pero mientras más se apresuraban,
más cosas se les ocurrían a las mujeres para perder el tiempo. Andaban como gallinas
100 asustadas picoteando amuletos de mar en los arcones, unas estorbando aquí porque
querían ponerle al ahogado los escapularios[45] del buen viento, otras estorbando allá para
abrocharse una pulsera de orientación, y al cabo de tanto quítate de ahí mujer, ponte
donde no estorbes, mira que casi me haces caer sobre el difunto, a los hombres se les

26 **resistente** strong	32 **sollozar** to weep	38 **angarillas** stretcher	44 **fondeara** sink to the bottom
27 **desbaratar** to break	33 **suspiros** sighs	39 **trinquetes** sails	45 **escapularios** religious medals
28 **taparon** covered	34 **desvalido** vulnerable	40 **botavaras** poles	
29 **pañuelo** handkerchief	35 **manso** gentle	41 **encadenarle** chain	
30 **indefenso** helpless	36 **servicial** helpful	42 **tobillos** ankles	
31 **grietas** cracks	37 **aspavientos** fuss	43 **ancla** anchor	

subieron al hígado las suspicacias[46] y empezaron a rezongar[47] que con qué objeto tanta

105 ferretería de altar mayor para un forastero[48], si por muchos estoperoles y calderetas que

llevara encima se lo iban a masticar los tiburones[49], pero ellas seguían tripotando[50] sus

reliquias de pacotilla, llevando y trayendo, tropezando, mientras se les iba en suspiros lo

que no se les iba en lágrimas, así que los hombres terminaron por despotricar[51] que de

cuándo acá semejante alboroto por un muerto al garete, un ahogado de nadie, un fiambre[52]

110 de mierda. Una de las mujeres, mortificada por tanta insolencia, le quitó entonces al

cadáver el pañuelo de la cara, y también los hombres se quedaron sin aliento.

Era Esteban. No hubo que repetirlo para que lo reconocieran. Si les hubieran dicho

Sir Walter Raleigh, quizás, hasta ellos se habrían impresionado con su acento de gringo,

con su guacamaya[53] en el hombro, con su arcabuz[54] de matar caníbales, pero Esteban

115 solamente podía ser uno en el mundo, y allí estaba tirado como un sábalo[55], sin botines[56],

con unos pantalones de sietemesino[57] y esas uñas rocallosas que sólo podían cortarse a

cuchillo. Bastó con que le quitaran el pañuelo de la cara para darse cuenta de que estaba

avergonzado, de que no tenía la culpa de ser tan grande, ni tan pesado ni tan hermoso,

y si hubiera sabido que aquello iba a suceder habría buscado un lugar más discreto para

120 ahogarse, en serio, me hubiera amarrado[58] yo mismo un áncora de galón en el cuello y

hubiera trastabillado como quien no quiere la cosa en los acantilados, para no andar ahora

estorbando[59] con este muerto de miércoles, como ustedes dicen, para no molestar a nadie

con esta porquería de fiambre que no tiene nada que ver conmigo. Había tanta verdad

en su modo de estar, que hasta los hombres más suspicaces, los que sentían amargas las

125 minuciosas noches del mar temiendo que sus mujeres se cansaran de soñar con ellos para

soñar con los ahogados, hasta ésos, y otros más duros, se estremecieron[60] en los tuétanos[61]

con la sinceridad de Esteban.

Fue así como le hicieron los funerales más espléndidos que podían concebirse para

un ahogado expósito[62]. Algunas mujeres que habían ido a buscar flores en los pueblos

130 vecinos regresaron con otras que no creían lo que les contaban, y éstas se fueron por

más flores cuando vieron al muerto, y llevaron más y más, hasta que hubo tantas flores y

tanta gente que apenas si se podía caminar. A última hora les dolió devolverlo huérfano

a las aguas, y le eligieron un padre y una madre entre los mejores, y otros se le hicieron

hermanos, tíos y primos, así que a través de él todos los habitantes del pueblo terminaron

135 por ser parientes entre sí. Algunos marineros que oyeron el llanto[63] a distancia perdieron

la certeza del rumbo[64], y se supo de uno que se hizo amarrar al palo mayor[65], recordando

---

46 **se les subieron al hígado las suspicacias** they became full of suspicion

47 **rezongar** to protest, complain

48 **forastero** stranger

49 **tiburones** sharks

50 **tripotando** piling on

51 **despotricar** to rage

52 **fiambre** cold meat

53 **guacamaya** macaw

54 **arcabuz** old fashioned rifle

55 **sábalo** kind of fish

56 **botines** shoes

57 **sietemesino** premature child, runt

58 **amarrado** tied

59 **estorbando** getting in the way

60 **estremecieron** trembled

61 **tuétanos** marrow of their bones

62 **expósito** abandoned child

63 **llanto** crying, weeping

64 **rumbo** way, path

65 **palo mayor** main mast

antiguas fábulas de sirenas[66]. Mientras se disputaban el privilegio de llevarlo en hombros por la pendiente escarpada[67] de los acantilados, hombres y mujeres tuvieron conciencia por primera vez de la desolación de sus calles, la aridez de sus patios, la estrechez de sus

140 sueños, frente al esplendor y la hermosura de su ahogado. Lo soltaron[68] sin ancla, para que volviera si quería, y cuando lo quisiera, y todos retuvieron el aliento durante la fracción de siglos que demoró[69] la caída del cuerpo hasta el abismo. No tuvieron necesidad de mirarse los unos a los otros para darse cuenta de que ya no estaban completos, ni volverían a estarlo jamás. Pero también sabían que todo sería diferente desde entonces, que sus casas

145 iban a tener las puertas más anchas, los techos más altos, los pisos más firmes, para que el recuerdo de Esteban pudiera andar por todas partes sin tropezar[70] con los travesaños[71], y que nadie se atreviera[72] a susurrar[73] en el futuro ya murió el bobo grande, qué lástima, ya murió el tonto hermoso, porque ellos iban a pintar las fachadas de colores alegres para eternizar la memoria de Esteban, y se iban a romper el espinazo excavando[74] manantiales

150 en las piedras y sembrando flores en los acantilados, para que los amaneceres de los años venturos los pasajeros de los grandes barcos despertaran sofocados por un olor de jardines en altamar, y el capitán tuviera que bajar de su alcázar[75] con su uniforme de gala, con su astrolabio[76], su estrella polar y su ristra de medallas de guerra, y señalando el promontorio de rosas en el horizonte del Caribe dijera en catorce idiomas: miren allá, donde el viento es

155 ahora tan manso que se queda a dormir debajo de las camas, allá, donde el sol brilla tanto que no saben hacia dónde girar los girasoles[77], sí, allá, es el pueblo de Esteban.

✦ ✦ ✦ ✦ ✦ ✦ ✦ ✦ ✦ ✦ ✦

---

66 **sirenas** mermaids

67 **pendiente escarpada** steep incline

68 **soltaron** they let him go

69 **demoró** delayed

70 **tropezar** to bump into

71 **travesaños** beams

72 **atreviera** would dare

73 **susurrar** to murmur

74 **excavando** digging

75 **alcázar** bridge of a ship

76 **astrolabio** navigational instrument

77 **girasoles** sunflowers

Sugerencias para el análisis del cuento

1. Al encontrar al ahogado, diferentes grupos de gente se comportan de modo distinto. ¿De qué manera se comportan los niños?

2. ¿Cómo sabe la gente que el ahogado no es de su pueblo?

3. ¿Cuál es la reacción de las mujeres? ¿Qué fantasías se les ocurren? ¿Qué les inspira maravilla? ¿Qué les inspira compasión?

4. ¿Cómo se decide el nombre del ahogado?

5. Explica el significado de la exclamación: "¡Bendito sea Dios – suspiraron – es nuestro!"

6. ¿Cuál es la reacción de los hombres hacia el ahogado? ¿Por qué se sienten hostiles? ¿Qué hacen las mujeres para cambiar los sentimientos de los hombres? ¿Qué emoción inspira este cambio en los lectores?

7. En conjunto, ¿qué transformación sufre la gente desde el principio hasta el final del cuento?

8. ¿Se puede también observar cambios en los elementos naturales? ¿Cómo se pueden interpretar?

9. En el futuro, ¿cómo cambiará el pueblo? ¿Qué reacción va a inspirar en las personas que pasen cerca de él?

Temas de discusión y ensayos

1. ¿Cuál es el significado de los funerales de Esteban? En la obra de García Márquez, la solidaridad, en contraste con la soledad, es un tema importante. Comenta el significado de los funerales en términos de este tema.

2. Al describir la reacción de los marineros que oyen el llanto de la gente en los funerales de Esteban, el narrador nos dice que "se supo de uno que se hizo amarrar al palo mayor, recordando antiguas fábulas de sirenas". ¿Cuál es el significado de la alusión?

3. Dos veces se oyen las palabras directas de Esteban sin que haya un diálogo. ¿Cómo se introducen en la narración? ¿Cómo se llama esta forma de narración y cuál es el efecto?

4. Al final se repiten las palabras iniciales en la frase "no estaban completos". ¿Tiene ahora un significado distinto?

5. ¿Se puede decir que "El ahogado más hermoso del mundo" es un mito? ¿Qué elementos tiene en común con otros mitos que hayas leído?

6. Señala algunos elementos de realismo mágico en el cuento.

7. ¿Cuáles son los temas principales del cuento? Discute las implicaciones individuales y sociales.

8. El tema central de este cuento, la transformación, ¿está reflejado en aspectos formales de la narración?

La siesta del martes

El tren salió del trepidante[1] corredor de rocas bermejas, penetró en las plantaciones de banano, simétricas e interminables, y el aire se hizo húmedo y no se volvió a sentir la brisa del mar. Una humareda[2] sofocante entró por la ventanilla del vagón. En el estrecho camino paralelo a la vía férrea había carretas de bueyes cargadas de racimos verdes. Al otro
5 lado del camino, en intempestivos espacios sin sembrar, había oficinas con ventiladores[3] eléctricos, campamentos de ladrillos rojos y residencias con sillas y mesitas blancas en las terrazas entre palmeras y rosales polvorientos. Eran las once de la mañana y todavía no había empezado el calor.

–Es mejor que subas el vidrio[4] –dijo la mujer–. El pelo se te va a llenar de carbón[5].

10 La niña trató de hacerlo pero la persiana[6] estaba bloqueada por el óxido[7].

Eran los únicos pasajeros en el escueto vagón de tercera clase. Como el humo de la locomotora siguió entrando por la ventanilla, la niña abandonó el puesto y puso en su lugar los únicos objetos que llevaban: una bolsa de material plástico con cosas de comer y un ramo de flores envuelto en papel de periódicos. Se sentó en el asiento opuesto, alejada
15 de la ventanilla, de frente a su madre. Ambas guardaban un luto[8] riguroso y pobre.

La niña tenía doce años y era la primera vez que viajaba. La mujer parecía demasiado vieja para ser su madre, a causa de las venas azules en los párpados y del cuerpo pequeño, blando y sin formas, en un traje cortado como una sotana[9]. Viajaba con la columna vertebral firmemente apoyada contra el espaldar del asiento, sosteniendo en el regazo[10]
20 con ambas manos una cartera[11] de charol[12] desconchado[13]. Tenía la serenidad escrupulosa de la gente acostumbrada a la pobreza.

A las doce había empezado el calor. El tren se detuvo diez minutos en una estación sin pueblo para abastecerse de agua. Afuera, en el misterioso silencio de las plantaciones, la sombra tenía un aspecto limpio. Pero el aire estancado[14] dentro del vagón olía a cuero sin
25 curtir[15]. El tren no volvió a acelerar. Se detuvo en dos pueblos iguales, con casas de madera pintadas de colores vivos. La mujer inclinó la cabeza y se hundió en el sopor[16]. La niña se quitó los zapatos. Después fue a los servicios sanitarios a poner en agua el ramo de flores muertas.

Cuando volvió al asiento la madre le esperaba para comer. Le dio un pedazo de queso,
30 medio bollo de maíz y una galleta dulce, y sacó para ella de la bolsa de material plástico una ración igual. Mientras comían, el tren atravesó muy despacio un puente de hierro y

---

1 **trepidante** quivering	6 **persiana** window shade	priests	14 **estancado** stagnant	
2 **humareda** cloud of smoke	7 **óxido** rust	10 **regazo** lap	15 **cuero sin curtir** untanned leather	
3 **ventiladores** fans	8 **luto** black mourning clothes	11 **cartera** purse	16 **sopor** drowsiness	
4 **vidrio** window		12 **charol** patent leather		
5 **carbón** soot	9 **sotana** black robe worn by	13 **desconchado** peeling		

pasó de largo por un pueblo igual a los anteriores, sólo que en éste había una multitud en la plaza. Una banda de músicos tocaba una pieza alegre bajo el sol aplastante. Al otro lado del pueblo en una llanura[17] cuarteada por la aridez, terminaban las plantaciones.

35   La mujer dejó de comer.

–Ponte los zapatos –dijo.

La niña miró hacia el exterior. No vio nada más que la llanura desierta por donde el tren empezaba a correr de nuevo, pero metió en la bolsa el último pedazo de galleta y se puso rápidamente los zapatos. La mujer le dio la peineta.

40   –Péinate –dijo.

El tren empezó a pitar[18] mientras la niña se peinaba. La mujer se secó el sudor del cuello y se limpió la grasa de la cara con los dedos. Cuando la niña acabó de peinarse el tren pasó frente a las primeras casas de un pueblo más grande pero más triste que los anteriores.

45   –Si tienes ganas de hacer algo, hazlo ahora –dijo la mujer–. Después, aunque te estés muriendo de sed no tomes agua en ninguna parte. Sobre todo, no vayas a llorar.

La niña aprobó con la cabeza. Por la ventanilla entraba un viento ardiente y seco, mezclado con el pito de la locomotora y el estrépito[19] de los viejos vagones. La mujer enrolló la bolsa con el resto de los alimentos y la metió en la cartera. Por un instante, la
50   imagen total del pueblo, en el luminoso martes de agosto, resplandeció en la ventanilla. La niña envolvió las flores en los periódicos empapados[20], se apartó un poco más de la ventanilla y miró fijamente a su madre. Ella le devolvió una expresión apacible[21]. El tren acabó de pitar y disminuyó la marcha. Un momento después se detuvo.

No había nadie en la estación. Del otro lado de la calle, en la acera sombreada por
55   los almendros[22], sólo estaba abierto el salón de billar. El pueblo flotaba en calor. La mujer y la niña descendieron del tren, atravesaron la estación abandonada cuyas baldosas[23] empezaban a cuartearse por la presión de la hierba, y cruzaron la calle hasta la acera de sombra.

Eran casi las dos. A esa hora, agobiado[24] por el sopor, el pueblo hacía la siesta. Los
60   almacenes, las oficinas públicas, la escuela municipal, se cerraban desde las once y no volvían a abrirse hasta un poco antes de las cuatro, cuando pasaba el tren de regreso. Sólo permanecían abiertos el hotel frente a la estación, su cantina y su salón de billar, y la oficina del telégrafo a un lado de la plaza. Las casas, en su mayoría construidas sobre el modelo de la compañía bananera, tenían las puertas cerradas por dentro y las persianas
65   bajas. En algunas hacía tanto calor que sus habitantes almorzaban en el patio. Otros recostaban un asiento a la sombra de los almendros y hacían la siesta sentados en plena

---

17 **llanura** plain

18 **pitar** to whistle

19 **estrépito** loud noise

20 **empapados** wet

21 **apacible** pleasant, calm

22 **almendros** almond trees

23 **baldosas** tiles

24 **agobiado** tired, worn out

calle.

Buscando siempre la protección de los almendros, la mujer y la niña penetraron en el pueblo sin perturbar la siesta. Fueron directamente a la casa cural[25]. La mujer raspó[26]
70   con la uña la red metálica de la puerta, esperó un instante y volvió a llamar. En el interior zumbaba[27] un ventilador eléctrico. No se oyeron los pasos. Se oyó apenas el leve crujido de una puerta y enseguida una voz cautelosa muy cerca de la red metálica: "¿Quién es?". La mujer trató de ver a través de la red metálica.

–Necesito al padre –dijo.

75   –Ahora está durmiendo.

–Es urgente –insistió la mujer.

Su voz tenía una tenacidad reposada[28]. La puerta se entreabrió sin ruido y apareció una mujer madura y regordeta, de cutis[29] muy pálido y cabellos color hierro, Los ojos parecían demasiado pequeños detrás de los gruesos cristales de los lentes.

80   –Sigan –dijo, y acabó de abrir la puerta.

Entraron en una sala impregnada de un viejo olor de flores. La mujer de la casa las condujo hasta un escaño[30] de madera y les hizo señas de que se sentaran. La niña lo hizo, pero la madre permaneció de pie, absorta, con la cartera apretada en las dos manos. No se percibía ningún ruido detrás del ventilador eléctrico.

85   La mujer de la casa apareció en la puerta del fondo.

–Dice que vuelvan después de las tres –dijo en voz muy baja–. Se acostó hace cinco minutos.

–El tren se va a las tres y media –dijo la mujer.

Fue una réplica breve y segura, pero la voz seguía siendo apacible, con muchos
90   matices. La mujer de la casa sonrió por primera vez.

–Bueno –dijo.

Cuando la puerta del fondo volvió a cerrarse, la mujer se sentó junto a su hija. La angosta sala de espera era pobre, ordenada y limpia. Al otro lado de la baranda de madera que dividía la habitación, había una mesa de trabajo, sencilla, con un tapete de hule, y
95   encima de la mesa una máquina de escribir primitiva junto a un vaso con flores. Detrás estaban los archivos parroquiales. Se notaba que era un despacho[31] arreglado por una mujer soltera.

La puerta del fondo se abrió y esta vez apareció el sacerdote[32] limpiando los lentes con un pañuelo. Sólo cuando se los puso pareció evidente que era hermano de la mujer que
100 había abierto la puerta.

---

25 **cural** of the priest	28 **reposada** calm	31 **despacho** office
26 **raspó** scratched, scraped	29 **cutis** skin	32 **sacerdote** priest
27 **zumbaba** buzzed	30 **escaño** bench	

–¿Qué se les ofrece? –preguntó.

–Las llaves del cementerio –dijo la mujer.

La niña estaba sentada con las flores en el regazo y los pies cruzados bajo el escaño. El sacerdote la miró, después miró a la mujer y después, a través de la red metálica de la
105 ventana, el cielo brillante y sin nubes.

–Con este calor –dijo–. Han podido esperar a que bajara el sol.

La mujer movió la cabeza en silencio. El sacerdote pasó del otro lado de la baranda, extrajo del armario un cuaderno forrado de hule, un plumero[33] de palo y un tintero[34], y se sentó a la mesa. El pelo que le faltaba en la cabeza le sobraba en las manos.

110 –¿Qué tumba van a visitar? –preguntó.

–La de Carlos Centeno –dijo la mujer.

–¿Quién?

–Carlos Centeno –repitió la mujer.

El padre siguió sin entender.

115 –Es el ladrón[35] que mataron aquí la semana pasada –dijo la mujer en el mismo tono–. Yo soy su madre.

El sacerdote la escrutó[36]. Ella lo miró fijamente con un dominio[37] reposado[38], y el padre se ruborizó[39]. Bajó la cabeza para escribir. A medida que llenaba la hoja, pedía a la mujer los datos de su identidad, y ella respondía sin vacilación, con detalles precisos,
120 como si estuviera leyendo. El padre empezó a sudar. La niña se desabotonó la trabilla del zapato izquierdo, se descalzó el talón[40] y lo apoyó en el contrafuerte. Hizo lo mismo con el derecho.

Todo había empezado el lunes de la semana anterior, a las tres de la madrugada y a pocas cuadras de allí. La señora Rebeca, una viuda[41] solitaria, que vivía en una casa llena
125 de cachivaches[42], sintió a través del rumor[43] de la llovizna[44] que alguien trataba de forzar desde afuera la puerta de la calle. Se levantó, buscó a tientas[45] en el ropero un revólver arcaico que nadie había disparado[46] desde los tiempos del coronel Aureliano Buendía, y fue a la sala sin encender las luces. Orientándose no tanto por el ruido de la cerradura[47] como por un terror desarrollado en ella por veintiocho años de soledad, localizó en la
130 imaginación no solo el sitio donde estaba la puerta sino la altura exacta de la cerradura. Agarró el arma con las dos manos, cerró los ojos y apretó el gatillo[48]. Era la primera vez en su vida que disparaba un revólver. Inmediatamente después de la detonación no sintió nada más que el murmullo de la llovizna en el techo de cinc. Después percibió un golpecito metálico en el andén de cemento y una voz muy baja, apacible, pero terriblemente

---

33 **plumero** pencil case	37 **dominio** self-control	41 **viuda** widow	45 **a tientas** by touch
34 **tintero** ink well	38 **reposado** calm	42 **cachivaches** junk	46 **disparado** shot
35 **ladrón** thief	39 **se ruborizó** blushed	43 **rumor** sound	47 **cerradura** lock
36 **escrutó** studied	40 **talón** heel	44 **llovizna** drizzle	48 **gatillo** trigger

135 fatigada: "Ay, mi madre". El hombre que amaneció muerto frente a la casa, con la nariz despedazada[49], vestía una franela[50] a rayas de colores, un pantalón ordinario con una soga[51] en lugar de cinturón, y estaba descalzo[52]. Nadie lo conocía en el pueblo.

  –De manera que se llamaba Carlos Centeno –murmuró el padre cuando acabó de escribir.

140 –Centeno Ayala –dijo la mujer–. Era el único varón[53].

  El sacerdote volvió al armario. Colgadas de un clavo en el interior de la puerta había dos llaves grandes y oxidadas, como la niña imaginaba y como imaginaba la madre cuando era niña y como debió imaginar el propio sacerdote alguna vez que eran las llaves de san Pedro. Las descolgó, las puso en el cuaderno abierto sobre la baranda y mostró con el

145 índice un lugar en la página escrita, mirando a la mujer.

  –Firme[54] aquí.

  La mujer garabateó su nombre, sosteniendo la cartera bajo la axila. La niña recogió las flores, se dirigió a la baranda arrastrando los zapatos y observó atentamente a su madre.

  El párroco[55] suspiró[56].

150 –¿Nunca trató de hacerlo entrar por el buen camino?

  La mujer contestó cuando acabó de firmar.

  –Era un hombre muy bueno.

  El sacerdote miró alternativamente a la mujer y a la niña y comprobó[57] con una especie de piadoso[58] estupor[59] que no estaban a punto de llorar.

155 La mujer continuó inalterable:

  –Yo le decía que nunca robara nada que le hiciera falta a alguien para comer, y él me hacía caso. En cambio, antes, cuando boxeaba, pasaba hasta tres días en la cama postrado[60] por los golpes.

  –Se tuvo que sacar todos los dientes –intervino la niña.

160 –Así es –confirmó la mujer–. Cada bocado que comía en ese tiempo me sabía a los porrazos[61] que le daban a mi hijo los sábados a la noche.

  –La voluntad de Dios es inescrutable –dijo el padre.

  Pero lo dijo sin mucha convicción, en parte porque la experiencia le había vuelto un poco escéptico, y en parte por el calor. Les recomendó que se protegieran la cabeza para

165 evitar la insolación[62]. Les indicó, bostezando[63] y ya casi completamente dormido, cómo debían hacer para encontrar la tumba de Carlos Centeno. Al regreso no tenían que tocar.

---

49 **despedazada** torn apart	54 **firme** sign your name	59 **estupor** amazement
50 **franela** flannel	55 **párroco** priest	60 **postrado** laid flat
51 **soga** rope	56 **suspiró** sighed	61 **porrazos** blows
52 **descalzo** barefoot	57 **comprobó** confirmed	62 **insolación** sun stroke
53 **varón** male	58 **piadoso** pious	63 **bostezando** yawning

Debían meter la llave por debajo de la puerta, y poner allí mismo, si tenían, una limosna[64] para la iglesia. La mujer escuchó las explicaciones con mucha atención, pero dio las gracias sin sonreír.

170   Desde antes de abrir la puerta de la calle el padre se dio cuenta de que había alguien mirando hacia adentro, las narices aplastadas[65] contra la red metálica[66]. Era un grupo de niños. Cuando la puerta se abrió por completo los niños se dispersaron. A esa hora, de ordinario, no había nadie en la calle. Ahora no solo estaban los niños. Había grupos bajo los almendros. El padre examinó la calle, distorsionada[67] por la reverberación[68], y entonces

175 comprendió. Suavemente volvió a cerrar la puerta.

    –Esperen un minuto –dijo, sin mirar a la mujer.

    Su hermana apareció en la puerta del fondo, con una chaqueta negra sobre la camisa de dormir y el cabello suelto en los hombros. Miró al padre en silencio.

    –¿Qué fue? –preguntó él.

180   –La gente se ha dado cuenta –murmuró su hermana.

    –Es mejor que salgan por la puerta del patio –dijo el padre.

    –Es lo mismo –dijo su hermana–. Todo el mundo está en las ventanas.

    La mujer parecía no haber comprendido hasta entonces. Trató de ver la calle a través de la red metálica. Luego le quitó el ramo de flores a la niña y empezó a moverse hacia la

185 puerta. La niña siguió.

    –Esperen a que baje el sol –dijo el padre.

    –Se van a derretir[69] –dijo su hermana, inmóvil en el fondo de la sala–. Espérense y les presto una sombrilla[70].

    –Gracias –replicó la mujer–. Así vamos bien.

190   Tomó a la niña de la mano y salió a la calle.

❖ ❖ ❖ ❖ ❖ ❖ ❖ ❖ ❖ ❖ ❖

---

64 **limosna** donation

65 **aplastadas** pressed

66 **red metálica** screen

67 **distorsionada** distorted

68 **reverberación** waves of heat

69 **derretir** to melt

70 **sombrilla** parasol

Sugerencias para el análisis del cuento

1. ¿Cómo se presenta a la mujer y la niña en las primeras páginas del cuento? ¿Qué revelan las comunicaciones breves de la madre con la hija?

2. Al describir la casa del cura, el narrador menciona dos veces el ventilador eléctrico. ¿Qué da a entender el narrador sobre el cura, su casa o su vida con esa mención?

3. ¿Qué reacción provoca en el lector que el cura pregunte a la madre, "¿Nunca trató de hacerlo entrar por el buen camino?" ¿Cuál es la actitud del cura a lo largo del cuento?

4. Mientras la madre provee información al cura, ¿qué se puede concluir sobre el estado emocional de cada uno?

5. ¿Por qué sugiere el cura que la madre y la niña salgan por la puerta del patio?

6. Piensa en el título. ¿Qué connotaciones tiene la siesta en los países latinos? ¿Qué ambiente o clima se asocia con la siesta? ¿Por qué habrá el autor seleccionado el martes?

7. ¿Cómo se ve a Carlos Centeno a través de los ojos del cura y de los de la madre? Describe el contraste fundamental entre los dos puntos de vista.

8. Aquí tenemos una madre a quien se le ha muerto el hijo. ¿Por qué no llora? ¿Qué detalles específicos nos hacen sentir su pena y amor profundo?

Temas de discusión y ensayos

1. En tu opinión, ¿cuál es la intención de García Márquez al escribir este cuento?

2. A través de esta narración concisa y de gran economía de palabras, se puede ver mucho más de lo expresado. Describe qué sugiere el narrador sin decirlo y cómo lo hace. ¿Cómo se presenta el carácter de la mujer?

3. ¿Cuál es la actitud del autor con respecto a ella? ¿Cómo nos comunica esta actitud?

4. En un ensayo bien organizado, comenta el tema de la dignidad humana en los dos cuentos.

Carlos Fuentes

(1928- 2012)

Datos biográficos

Escritor versátil y altamente prolífico, Carlos Fuentes es a la vez una de las grandes figuras de la literatura latinoamericana y una de las más polémicas. Es tan apreciado por sus admiradores como criticado por sus detractores, pero sigue siendo uno de los autores más leídos y discutidos dentro y fuera de Latinoamérica. Fuentes se ha erigido como representante y portavoz de la cultura hispana y es uno de los responsables de que la literatura latinoamericana haya recibido tanta atención mundial.

La vida de Fuentes, hijo de un embajador mexicano, ha sido un viaje continuo. Se le considera autor mexicano, a pesar de haya pasado tanto tiempo fuera de su país como en él. Nació en la ciudad de Panamá en 1928, pero, siguiendo los pasos familiares, ya en su niñez vivió en Quito, Montevideo, Río de Janeiro y Suiza. Entre 1934 y 1940 residió en Washington, D.C., y asistió a un colegio público. Aprendió a hablar y escribir tan bien en inglés como en español. Tal vez su experiencia como mexicano fuera de su patria le hizo más consciente de su identidad mexicana frente a otros países y culturas. Recuerda haber tenido de niño muchos amigos en Washington hasta que el presidente mexicano Cárdenas nacionalizó las industrias petroleras, creando un sentimiento antimexicano entre los adinerados estadounidenses. Desde entonces aprendió a sufrir por su ideología o la de su país. La identidad mexicana, mezcla de influencias europeas e indígenas, se convirtió en una obsesión para Fuentes, al igual que para otros autores contemporáneos como Octavio Paz. Y la lucha por su ideología, por medio de gestos simbólicos y de sus escritos, marcó su vida.

En 1941 su familia se trasladó a Chile donde estudió en un colegio americano. Para entonces, Fuentes ya había empezado a escribir cuentos de estilo fantástico, publicados en revistas escolares. Poco después vivió en Argentina. Allí abandonó el colegio, debido a lo que él llamó la orientación fascista de los centros estatales, y recibió su educación en casa. Sería éste el primero de numerosos gestos de rebeldía por parte de Fuentes contra instituciones que él juzgaba de política injusta. En 1941 volvió a México, donde terminó los estudios en un colegio francés, y en 1948 ingresó en la Universidad Nacional Autónoma de México para estudiar derecho.

Después de ampliar sus estudios en Suiza, siguió, dentro y fuera de su país, la carrera diplomática de su padre. La abandonará después de unos años, aunque no definitivamente, para dedicarse a tareas literarias. En 1954 publicó su primer libro, *Los días enmascarados*, colección de relatos cortos entre los que está "Chac Mool," uno de sus cuentos más apreciados, y fundó y editó revistas literarias. En su primera novela, *La región más transparente* (1956), Fuentes intenta, desde una perspectiva de tendencias marxistas, una investigación de la identidad mexicana, tema que ocupará gran parte de su obra. En los años 60, escribió gran número de trabajos en diferentes géneros y fue también uno de los portavoces de la juventud radicalizada mexicana. Tras visitar Cuba en 1959, poco después de la revolución, publicó la novela *La muerte de Artemio Cruz* (1962), que contiene una crítica de la sociedad mexicana desde el punto de vista socialista. Ese mismo año, por primera vez, le fue negado el visado de entrada a los Estados Unidos debido a su actitud política. Sin embargo, tras años de prolífica producción literaria y de haber enseñado en universidades como Princeton, Columbia, Pennsylvania y Brown, se considera hoy a Fuentes parte de la élite intelectual más que rebelde marxista. De 1975 a 1977 volvió a trabajar para el gobierno mexicano como embajador en Francia, aunque abandonó su puesto en protesta cuando el ex presidente Díaz Ordaz, uno de los responsables de la sangrienta represión de estudiantes mexicanos en 1968, fue nombrado embajador a España.

En sus últimos años, dividió su vida doméstica entre México y Londres. Viajó continuamente y dio conferencias con frecuencia en universidades de Estados Unidos. Sus trabajos incluyen novelas, cuentos, artículos, ensayos y guiones de película.

La narrativa de Fuentes

El mito, la historia, las cuestiones políticas y sociales de México han sido objeto de observación y estudio por parte de Fuentes y temas constantes en su narrativa. Desde la perspectiva, con frecuencia, de un mexicano fuera de su país, Fuentes examina la identidad mexicana que él percibe como una combinación del antiguo mundo indígena y el desarrollo histórico del México colonial y posrevolucionario hasta un presente moderno. En sus novelas y cuentos se combinan el tiempo cíclico del universo precolombino y el lineal. Ese mundo mítico, según Fuentes, permanece presente en la historia y en la vida del México moderno, a veces más cercano e incluso más real que los mismos hechos históricos. Los mitos indígenas, del mismo modo, están presentes en su obra narrativa, como se puede ver en el cuento que aquí se presenta. A través de múltiples voces narrativas, a veces en boca de un mismo personaje, ha reflejado en sus obras la búsqueda de esa compleja identidad mexicana y las diversas caras que la forman.

A pesar de estos elementos comunes en su abundante producción narrativa, Fuentes ha experimentado con una gran variedad de géneros y estilos. Ha escrito novelas experimentales como *La región más transparente* (1958), de narración fragmentada y lenguaje poético; de corte tradicional como *Las buenas conciencias* (1959); históricas, a la par que de gran profundidad poética, como *La muerte de Artemio Cruz* (1962); y fantásticas como *Aura* (1962). Es autor también de cuentos cortos fantásticos, entre ellos *Los días enmascarados* (1954) o realistas como *Cantar de ciegos* (1964).

Notas para facilitar la lectura

- La Catedral y el Palacio están ambos situados en el Zócalo, plaza en el centro de la Ciudad de México, de gran importancia histórica y cultural. Debajo y al lado de la Catedral están los restos de un antiguo templo azteca.

- Tlaxcala es la capital del estado del mismo nombre. Los tlaxcaltecas eran enemigos de los aztecas y, a la llegada de los españoles, ayudaron a Hernán Cortés a derrotar a Moctezuma.

- Teotihuacán, antigua ciudad sagrada cerca de la Ciudad de México, estaba ya en ruinas cuando llegaron los españoles. En ella están las magníficas pirámides del Sol y de la Luna.

- Tlaloc es el dios azteca de la Lluvia y el Trueno, equivalente al maya Chac.

◆ ◆ ◆ ◆ ◆ ◆ ◆ ◆ ◆ ◆ ◆

Chac Mool

Hace poco tiempo, Filiberto murió ahogado[1] en Acapulco. Sucedió en Semana Santa. Aunque despedido[2] de su empleo en la Secretaría, Filiberto no pudo resistir la tentación burocrática de ir, como todos los años, a la pensión alemana, comer el choucrout endulzado por los sudores de la cocina tropical, bailar el Sábado de Gloria en La Quebrada
5 y sentirse "gente conocida" en el oscuro anonimato vespertino de la Playa de Hornos. Claro, sabíamos que en su juventud había nadado bien; pero ahora, a los cuarenta, y tan desmejorado[3] como se le veía, ¡intentar salvar, y a la medianoche, un trecho tan largo! Frau Müller no permitió que se le velara[4] –cliente tan antiguo– en la pensión; por el contrario, esa noche organizó un baile en la terracita sofocada, mientras Filiberto esperaba, muy
10 pálido en su caja, a que saliera el camión matutino de la terminal, y pasó acompañado de huacales y fardos la primera noche de su nueva vida. Cuando llegué, temprano, a vigilar el embarque del féretro[5], Filiberto estaba bajo un túmulo de cocos; el chofer dijo que lo acomodáramos rápidamente en el toldo y lo cubriéramos de lonas, para que no se espantaran los pasajeros, y a ver si no le habíamos echado la sal al viaje.

15 Salimos de Acapulco, todavía en la brisa. Hasta Tierra Colorada nacieron el calor y la luz. Con el desayo huevos y chorizo abrí el cartapacio[6] de Filiberto, recogido el día anterior, junto con sus otras pertenencias, en la pensión de los Müller. Doscientos pesos. Un periódico derogado en México; cachos de la lotería; el pasaje de ida –¿sólo de ida?–, y el cuaderno barato, de hojas cuadriculadas y tapas de papel mármol.

20 Me aventuré a leerlo, a pesar de las curvas, el hedor[7] a vómito, y cierto sentimiento natural de respeto por la vida privada de mi difunto amigo. Recordaría –sí, empezaba con eso– nuestra cotidiana labor en la oficina; quizá, sabría por qué fue declinando, olvidando sus deberes, por qué dictaba oficios sin sentido, ni número, ni "sufragio efectivo". Por qué, en fin, fue corrido[8], olvidada la pensión[9], sin respetar los escalafones.

25 "Hoy fui a arreglar lo de mi pensión. El licenciado, amabilísimo. Salí tan contento que decidí gastar cinco pesos en un café. Es el mismo al que íbamos de jóvenes y al que ahora

---

1	**ahogado** drowned		poorly	5	**féretro** coffin	8	**corrido** (coll.) fired
2	**despedido** fired	4	**se le velara** to wake him	6	**cartapacio** folder	9	**pensión** retirement pay
3	**desmejorado** looking			7	**hedor** stench		

nunca concurro, porque me recuerda que a los veinte años podía darme más lujos que a los cuarenta. Entonces todos estábamos en un mismo plano, hubiéramos rechazado con energía cualquier opinión peyorativa hacia los compañeros –de hecho, librábamos la batalla por aquellos a quienes en la casa discutían por su baja extracción o falta de elegancia. Yo sabía que muchos de ellos (quizá los más humildes) llegarían muy alto y aquí, en la escuela, se iban a forjar las amistades duraderas[10] en cuya compañía cursaríamos el mar bravío. No, no fue así. No hubo reglas. Muchos de los humildes quedaron allí, muchos llegaron más arriba de lo que pudimos pronosticar en aquellas fogosas, amables tertulias.

Otros, que parecíamos prometerlo todo, nos quedamos a la mitad del camino, destripados en un examen extracurricular, aislados por una zanja[11] invisible de los que triunfaron y de los que nada alcanzaron. En fin, hoy volví a sentarme en las sillas modernizadas –también, como barricada de una invasión, la fuente de sodas– y pretendí leer expedientes. Vi a muchos, cambiados, amnésicos, retocados de luz neón, prósperos. Con el café que casi no reconocía, con la ciudad misma, habían ido cincelándose a ritmo distinto del mío. No, ya no me reconocían, o no me querían reconocer. A lo sumo –uno o dos– una mano gorda y rápida sobre el hombro. Adiós viejo, qué tal. Entre ellos y yo mediaban los dieciocho agujeros del Country Club. Me disfracé[12] en los expedientes. Desfilaron los años de las grandes ilusiones, de los pronósticos felices y también todas las omisiones que impidieron su realización. Sentí la angustia de no poder meter los dedos en el pasado y pegar los trozos de algún rompecabezas[13] abandonado; pero el arcón de los juguetes se va olvidando y, al cabo, ¿quién sabrá adónde fueron a dar los soldados de plomo, los cascos, las espadas de madera? Los disfraces tan queridos, no fueron más que eso. Y sin embargo había habido constancia, disciplina, apego al deber. ¿No era suficiente, o sobraba? No dejaba en ocasiones de asaltarme el recuerdo de Rilke. La gran recompensa de la aventura de juventud debe ser la muerte; jóvenes, debemos partir con todos nuestros secretos. Hoy, no tendría que volver la vista a las ciudades de sal. ¿Cinco pesos? Dos de propina.

Pepe, aparte de su pasión por el derecho mercantil[14], gusta de teorizar. Me vio salir de Catedral, y juntos nos encaminamos a Palacio. Él es descreído[15], pero no le basta: en media cuadra tuvo que fabricar una teoría. Que si yo no fuera mexicano, no adoraría a Cristo y –No, mira, parece evidente. Llegan los españoles y te proponen adorar a un Dios muerto hecho un coágulo, con el costado[16] herido, clavado en una cruz. Sacrificado. Ofrendado. ¿Qué cosa más natural que aceptar un sentimiento tan cercano a todo tu ceremonial, a toda tu vida?... Figúrate, en cambio, que México hubiera sido conquistado por budistas o por mahometanos. No es concebible que nuestros indios veneraran a un individuo que murió de indigestión. Pero un Dios al que no le basta que se sacrifiquen por él, sino que incluso va a que le arranquen el corazón, ¡caramba, jaque mate a Huitzilopochtli! El cristianismo, en su sentido cálido, sangriento, de sacrificio y liturgia, se vuelve una

---

10 **duraderas** lasting

11 **zanja** ditch

12 **me disfracé** I hid

13 **rompecabezas** puzzle

14 **derecho mercantil** commercial law

15 **descreído** unbeliever

16 **costado** side

prolongación natural y novedosa de la religión indígena. Los aspectos caridad, amor y la

65 otra mejilla[17], en cambio, son rechazados. Y todo en México es eso: hay que matar a los

hombres para poder creer en ellos.

Pepe sabía mi afición, desde joven, por ciertas formas de arte indígena mexicano.
Yo colecciono estatuillas, ídolos, cacharros[18]. Mis fines de semana los paso en Tlaxcala o
en Teotihuacán. Acaso por esto le guste relacionar todas las teorías que elabora para mi

70 consumo con estos temas. Por cierto que busco una réplica razonable del Chac Mool desde
hace tiempo, y hoy Pepe me informa de un lugar en la Lagunilla donde venden uno de
piedra y parece que barato. Voy a ir el domingo.

Un guasón[19] pintó de rojo el agua del garrafón en la oficina, con la consiguiente
perturbación de las labores. He debido consignarlo al Director, a quien sólo le dio mucha

75 risa. El culpable se ha valido de esta circunstancia para hacer sarcasmos a mis costillas el
día entero, todos en torno al agua. ¡Ch...!

Hoy domingo, aproveché para ir a la Lagunilla. Encontré el Chac Mool en la tienducha
que me señaló Pepe. Es una pieza preciosa, de tamaño natural, y aunque el marchante[20]
asegura su originalidad, lo dudo. La piedra es corriente, pero ello no aminora la elegancia

80 de la postura o lo macizo del bloque. El desleal vendedor le ha embarrado salsa de tomate
en la barriga para convencer a los turistas de la autenticidad sangrienta de la escultura.

El traslado a la casa me costó más que la adquisición. Pero ya está aquí, por el
momento en el sótano[21] mientras reorganizo mi cuarto de trofeos a fin de darle cabida.
Estas figuras necesitan sol, vertical y fogoso; ese fue su elemento y condición. Pierde

85 mucho en la oscuridad del sótano, como simple bulto agónico, y su mueca[22] parece
reprocharme que le niegue la luz. El comerciante tenía un foco que iluminaba vertical a la
escultura, que recortaba todas las aristas, y le daba una expresión más amable a mi Chac
Mool. Habrá que seguir su ejemplo.

Amanecí con la tubería[23] descompuesta[24]. Incauto, dejé correr el agua de la cocina

90 y se desbordó, corrió por el suelo y llegó hasta el sótano, sin que me percatara. El Chac
Mool resiste la humedad, pero mis maletas sufrieron, y todo esto en día de labores, me ha
obligado a llegar tarde a la oficina.

Vinieron, por fin, a arreglar la tubería. Las maletas, torcidas. Y el Chac Mool, con
lama[25] en la base.

95 Desperté a la una: había escuchado un quejido[26] terrible. Pensé en ladrones. Pura
imaginación.

Los lamentos[27] nocturnos han seguido. No sé a qué atribuirlos, pero estoy nervioso.
Para colmo de males, la tubería volvió a descomponerse, y las lluvias se han colado,

---

17 **mejilla** cheek	20 **marchante** salesman	23 **tubería** pipes	25 **lama** moss
18 **cacharros** pottery	21 **sótano** basement	24 **descompuesta** broken down	26 **quejido** moan
19 **guasón** joker	22 **mueca** grimace		27 **lamentos** moans

inundando el sótano.

100   El plomero[28] no viene, estoy desesperado. Del departamento del Distrito Federal, más vale no hablar. Es la primera vez que el agua de las lluvias no obedece a las coladeras y viene a dar a mi sótano. Los quejidos han cesado: vaya una cosa por otra.

Secaron el sótano, y el Chac Mool está cubierto de lama. Le da un aspecto grotesco, porque toda la masa de la escultura parece padecer de una erisipela verde, salvo los ojos,

105   que han permanecido de piedra. Voy a aprovechar el domingo para raspar el musgo[29]. Pepe me ha recomendado cambiarme a un apartamento, y en el último piso, para evitar estas tragedias acuáticas. Pero yo no puedo dejar este caserón[30], ciertamente es muy grande para mí solo, un poco lúgubre en su arquitectura porfiriana, pero que es la única herencia y recuerdo de mis padres. No sé qué me daría ver una fuente de sodas con sinfonola en el

110   sótano y una casa de decoración en la planta baja.

Fui a raspar la lama del Chac Mool con una espátula. El musgo parecía ser ya parte de la piedra; fue labor de más de una hora, y sólo a las seis de la tarde pude terminar. No era posible distinguir en la penumbra[31] y, al dar fin al trabajo, con la mano seguí los contornos de la piedra. Cada vez que repasaba el bloque parecía reblandecerse[32]. No quise

115   creerlo: era ya casi una pasta. Este mercader de la Lagunilla me ha timado[33]. Su escultura precolombina es puro yeso[34], y la humedad acabará por arruinarla. Le he echado encima unos trapos[35], y mañana la pasaré a la pieza de arriba, antes de que sufra un deterioro total.

Los trapos están en el suelo. Increíble. Volví a palpar el Chac Mool. Se ha endurecido pero no vuelve a la piedra. No quiero escribirlo: hay en el torso algo de la textura de la

120   carne, lo aprieto como goma, siento que algo corre por esa figura recostada... Volví a bajar en la noche. No cabe duda: el Chac Mool tiene vello[36] en los brazos.

Esto nunca me había sucedido. Tergiversé[37] los asuntos en la oficina; giré una orden de pago que no estaba autorizada, y el Director tuvo que llamarme la atención. Quizá me mostré hasta descortés con los compañeros. Tendré que ver a un médico, saber si es mi

125   imaginación, o delirio, o qué, y deshacerme de ese maldito Chac Mool".

Hasta aquí, la escritura de Filiberto era la vieja, la que tantas veces vi en memoranda y formas, ancha y ovalada. La entrada del 25 de agosto, sin embargo, parecía escrita por otra persona. A veces como niño, separando trabajosamente cada letra; otras, nerviosa, hasta diluirse en lo ininteligible. Hay tres días vacíos, y el relato continúa.

130   "Todo es tan natural; y luego se cree en lo real... pero esto lo es, más que lo creído por mí. Si es real un garrafón, y más, porque nos damos mejor cuenta de su existencia, o estar, si pinta un bromista de rojo el agua... Real bocanada de cigarro efímera, real imagen monstruosa en un espejo de circo, reales, ¿no lo son todos los muertos, presentes y olvidados?... Si un hombre atravesara el Paraíso en un sueño, y le dieran una flor

---

28 **plomero** plumber	31 **penumbra** twilight	34 **yeso** plaster	37 **tergiversé** I mixed up
29 **musgo** moss	32 **reblandecerse** soften	35 **trapos** rags	
30 **caserón** big house	33 **timado** swindled	36 **vello** hair	

135 como prueba de que había estado allí, y si al despertar encontrara esa flor en su mano...
¿entonces, qué?... Realidad: cierto día la quebraron en mil pedazos, la cabeza fue a dar allá,
la cola aquí, y nosotros no conocemos más que uno de los trozos desprendidos de su gran
cuerpo. Océano libre y ficticio, sólo real cuando se le aprisiona en un caracol. Hasta hace
tres días, mi realidad lo era al grado de haberse borrado hoy: era movimiento reflejo, rutina,

140 memoria, cartapacio. Y luego, como la tierra que un día tiembla para que recordemos su
poder, o la muerte que llegará, recriminando mi olvido de toda la vida, se presenta otra
realidad que sabíamos estaba allí, mostrenca, y que debe sacudirnos para hacerse viva y
presente. Creía, nuevamente, que era pura imaginación: el Chac Mool, blando y elegante,
había cambiado de color en una noche; amarillo, casi dorado, parecía indicarme que era

145 un Dios, por ahora laxo[38], con las rodillas menos tensas que antes, con la sonrisa más
benévola. Y ayer, por fin, un despertar sobresaltado, con esa seguridad espantosa de que
hay dos respiraciones en la noche, de que en la oscuridad laten más pulsos que el propio.
Sí, se escuchaban pasos en la escalera. Pesadilla[39]. Vuelta a dormir... No sé cuánto tiempo
pretendí dormir. Cuando volví a abrir los ojos, aún no amanecía[40]. El cuarto olía a horror,

150 a incienso y sangre. Con la mirada negra, recorrí la recámara, hasta detenerme en dos
orificios de luz parpadeante, en dos flámulas crueles y amarillas.

Casi sin aliento, encendí la luz.

Allí estaba Chac Mool, erguido, sonriente, ocre, con su barriga[41] encarnada. Me
paralizaban los dos ojillos, casi bizcos, muy pegados al caballete de la nariz triangular. Los

155 dientes inferiores, mordiendo el labio superior, inmóviles; sólo el brillo del casquetón[42]
cuadrado sobre la cabeza anormalmente voluminosa, delataba vida. Chac Mool avanzó
hacia mi cama; entonces empezó a llover".

Recuerdo que a fines de agosto, Filiberto fue despedido de la Secretaría, con una
recriminación pública del Director, y rumores de locura y aun robo. Esto no lo creí. Sí vi

160 unos oficios descabellados, preguntando al Oficial mayor si el agua podía olerse, ofreciendo
sus servicios al Secretario de Recursos Hidráulicos para hacer llover en el desierto. No supe
qué explicación darme; pensé que las lluvias excepcionalmente fuertes, de ese verano, lo
habían crispado. O que alguna depresión moral debía producir la vida en aquel caserón
antiguo, con la mitad de los cuartos bajo llave y empolvados, sin criados ni vida de familia.

165 Los apuntes siguientes son de fines de septiembre:

"Chac Mool puede ser simpático cuando quiere, ...un gluglú de agua embelesada...
Sabe historias fantásticas sobre los monzones, las lluvias ecuatoriales y el castigo de los
desiertos; cada planta arranca su paternidad mítica: el sauce, su hija descarriada; los
lotos, sus mimados; su suegra, el cacto. Lo que no puedo tolerar es el olor, extrahumano,

170 que emana de esa carne que no lo es, de las chanclas[43] flameantes de ancianidad. Con
risa estridente, el Chac Mool revela cómo fue descubierto por Le Plongeon, y puesto

---

38 **laxo** relaxed

39 **pesadilla** nightmare

40 **aún no amanecía** dawn had still not come

41 **barriga** belly

42 **casquetón** large helmet

43 **chanclas** sandals

físicamente en contacto con hombres de otros símbolos. Su espíritu ha vivido en el cántaro y la tempestad, natural; otra cosa es su piedra, y haberla arrancado del escondite es artificial y cruel. Creo que nunca lo perdonará el Chac Mool. Él sabe de la inminencia del
175   hecho estético.

He debido proporcionarle sapolio[44] para que se lave el estómago que el mercader le untó de ketchup al creerlo azteca. No pareció gustarle mi pregunta sobre su parentesco con Tlaloc, y, cuando se enoja, sus dientes, de por sí repulsivos, se afilan[45] y brillan. Los primeros días, bajó a dormir al sótano; desde ayer, en mi cama.

180   Ha empezado la temporada seca. Ayer, desde la sala en que duermo ahora, comencé a oír los mismos lamentos roncos del principio, seguidos de ruidos terribles. Subí y entreabrí la puerta de la recámara: el Chac Mool estaba rompiendo las lámparas, los muebles; saltó hacia la puerta con las manos arañadas, y apenas pude cerrar e irme a esconder al baño... Luego bajó jadeante y pidió agua; todo el día tiene corriendo las llaves, no queda un
185   centímetro seco en la casa. Tengo que dormir muy abrigado, y le he pedido que no empape la sala más".

El Chac Mool inundó hoy la sala. Exasperado, dije que lo iba a devolver a la Lagunilla. Tan terrible como su risilla –horrorosamente distinta a cualquier risa de hombre o de animal– fue la bofetada[46] que me dio, con ese brazo cargado de brazaletes pesados. Debo
190   reconocerlo: soy su prisionero. Mi idea original era distinta: yo dominaría al Chac Mool, como se domina a un juguete; era, acaso, una prolongación de mi seguridad infantil; pero la niñez –¿quién lo dijo?– es fruto comido por los años, y yo no me he dado cuenta... Ha tomado mi ropa y se pone las batas cuando empieza a brotarle musgo verde. El Chac Mool está acostumbrado a que se le obedezca, por siempre y para siempre; yo, que nunca he
195   debido mandar, sólo puedo doblegarme[47]. Mientras no llueva –¿y su poder mágico?– vivirá colérico e irritable.

Hoy descubrí que en las noches el Chac Mool sale de la casa. Siempre, al oscurecer, canta una canción chirriona y antigua, más vieja que el canto mismo. Luego cesa. Toqué varias veces a su puerta, y cuando no me contestó, me atreví a entrar. La recámara, que
200   no había vuelto a ver desde el día en que intentó atacarme la estatua, está en ruinas, y allí se concentra ese olor a incienso y sangre que ha permeado la casa. Pero detrás de la puerta, hay huesos[48]: huesos de perros, de ratones y gatos. Esto es lo que roba en la noche el Chac Mool para sustentarse. Esto explica los ladridos[49] espantosos de todas las madrugadas.

205   Febrero, seco. Chac Mool vigila cada paso mío; ha hecho que telefonee a una fonda para que me traigan diariamente arroz con pollo. Pero lo sustraído[50] de la oficina ya se va a acabar. Sucedió lo inevitable: desde el día primero, cortaron el agua y la luz por falta de pago. Pero Chac ha descubierto una fuente pública a dos cuadras de aquí; todos los días

---

44 **sapolio** soap   47 **doblegarme** obey   50 **sustraído** stolen

45 **afilan** become sharper   48 **huesos** bones

46 **bofetada** slap in the face   49 **ladridos** barking

hago diez o doce viajes por agua, y él me observa desde la azotea[51]. Dice que si intento huir me fulminará: también es Dios del Rayo. Lo que él no sabe es que estoy al tanto de sus correrías nocturnas... Como no hay luz, debo acostarme a las ocho. Ya debería estar acostumbrado al Chac Mool, pero hace poco, en la oscuridad, me topé con[52] él en la escalera, sentí sus brazos helados, las escamas[53] de su piel renovada, y quise gritar.

Si no llueve pronto, el Chac Mool va a convertirse en piedra otra vez. He notado su dificultad reciente para moverse; a veces se reclina durante horas, paralizado, y parece ser, de nuevo, un ídolo. Pero estos reposos sólo le dan nuevas fuerzas para vejarme[54], arañarme[55] como si pudiese arrancar algún líquido de mi carne. Ya no tienen lugar aquellos intermedios amables en que relataba viejos cuentos; creo notar un resentimiento concentrado. Ha habido otros indicios que me han puesto a pensar: se está acabando mi bodega; acaricia la seda de las batas; quiere que traiga una criada a la casa; me ha hecho enseñarle a usar jabón y lociones. Creo que el Chac Mool está cayendo en tentaciones humanas, incluso hay algo viejo en su cara que antes parecía eterna. Aquí puede estar mi salvación: si el Chac se humaniza, posiblemente todos sus siglos de vida se acumulen en un instante y caiga fulminado. Pero también, aquí, puede germinar mi muerte: el Chac no querrá que asista a su derrumbe[56], es posible que desee matarme.

Hoy aprovecharé la excursión nocturna de Chac para huir. Me iré a Acapulco; veremos qué puede hacerse para adquirir trabajo y esperar la muerte de Chac Mool; sí, se avecina; está canoso[57], abotagado[58]. Necesito asolearme, nadar, recuperar fuerza. Me quedan cuatrocientos pesos. Iré a la Pensión Müller, que es barata y cómoda. Que se adueñe de todo Chac Mool: a ver cuánto dura sin mis baldes de agua".

Aquí termina el diario de Filiberto. No quise volver a pensar en su relato; dormí hasta Cuernavaca. De ahí a México pretendí dar coherencia al escrito, relacionarlo con exceso de trabajo, con algún motivo psicológico. Cuando a las nueve de la noche llegamos a la terminal, aún no podía concebir la locura de mi amigo. Contraté una camioneta para llevar el féretro a casa de Filiberto, y desde allí ordenar el entierro.

Antes de que pudiera introducir la llave en la cerradura, la puerta se abrió. Apareció un indio amarillo, en bata de casa, con bufanda. Su aspecto no podía ser más repulsivo; despedía un olor a loción barata; su cara polveada, quería cubrir las arrugas[59]; tenía la boca embarrada de lápiz labial mal aplicado, y el pelo daba la impresión de estar teñido[60].

–Perdone... no sabía que Filiberto hubiera...

–No importa; lo sé todo. Dígale a los hombres que lleven el cadáver al sótano.

❖ ❖ ❖ ❖ ❖ ❖ ❖ ❖ ❖ ❖ ❖

---

51 **azotea** terrace	54 **vejarme** annoy me	57 **canoso** white haired	60 **teñido** dyed
52 **topé con** I met	55 **arañarme** scratch me	58 **abotagado** bloated	
53 **escamas** scales	56 **derrumbe** ruin	59 **arrugas** wrinkles	

Sugerencias para el análisis de "Chac Mool"

1. ¿Quién es el narrador? ¿Hay una o más voces narrativas? ¿Cómo cuentan la historia?

2. ¿Cómo ha sido la vida de Filiberto hasta su encuentro con el Chac Mool? ¿Cuáles han sido sus preocupaciones y a qué parte de la sociedad mexicana representa?

3. ¿Cuál es la teoría de Pepe, amigo de Filiberto, sobre la adaptación del cristianismo por los mexicanos? ¿Qué imagen de México se nos ofrece?

4. ¿Acepta Filiberto los extraños sucesos que ocurren desde que trajo la estatua a la casa? ¿Y los demás personajes? ¿Y el lector?

5. ¿Qué ocurre con Filiberto a lo largo del relato?

6. Observa y enumera los usos de imágenes del agua en el cuento. Analiza su uso y progresión en el relato.

7. ¿Cuenta Filiberto en sus escritos todo lo que le pasó?

8. Al final del cuento parece que el Chac Mool se está humanizando. ¿Qué significado tiene que el dios caiga en tentaciones humanas?

9. ¿Tienen importancia los lugares mencionados?

10. Trata de encontrar algún ejemplo del uso del humor en este relato y explica cómo contribuye al cuento.

11. ¿Qué ocurre al final?

Temas de discusión y ensayos

1. Estudia las voces narrativas y la estructura del cuento y explica si estos aspectos formales guardan relación con el tema del cuento.

2. Fuentes recurre a la fantasía con frecuencia en sus cuentos. ¿Cabe alguna duda de que el cuento es fantástico? ¿Sabemos con certeza que el Chac Mool no es real sino el resultado de alucinaciones de Filiberto?

3. En tu opinión, ¿el uso del mito indígena de Chac Mool por Fuentes es un simple recurso fantástico o el autor busca algo más?

4. ¿Cómo podrías definir el cuento? ¿Qué categorías sirven?

5. ¿Cuál es la actitud de Fuentes, según el cuento, respecto a las fuerzas naturales y sobrenaturales?

6. Al igual que otros autores mexicanos, Fuentes escribe a menudo sobre la identidad de su país, que es una mezcla de varios elementos. ¿Cuáles vemos en el cuento? Analiza cómo se unen en el relato y explica la visión del país que emerge.

Isabel Allende

(1942-)

Datos biográficos

Isabel Allende, de nacionalidad chilena, nació en Lima, Perú, en 1942, donde habitaban sus padres diplomáticos. De niña, con cierto paralelismo con la vida de García Márquez con quien ha sido comparada, fue a vivir con su madre y sus hermanos a casa de sus abuelos. Como ocurrió con el pequeño Gabriel, esta estancia fue decisiva en su vida. Sus abuelos no sólo han inspirado algunos de sus personajes, sino también estimularon su imaginación y fantasía. El golpe de estado chileno que derrocó al presidente democráticamente elegido Salvador Allende, tío de Isabel, le llevó al exilio a Caracas, Venezuela, donde residió antes de instalarse en los EE.UU., donde reside actualmente. Allende empezó a escribir desde joven, primero en prensa y desde 1982 como novelista. En esta fecha publicó *La casa de los espíritus*, una narrativa multigeneracional que tiene como telón de fondo la historia reciente de Chile y que se convirtió inmediatamente en un éxito mundial. Con esa novela, logró entrar en el grupo de escritores latinoamericanos de popularidad universal, anteriormente dominado por hombres. *Eva Luna* (1987), *Los cuentos de Eva Luna* (1990), *Paula* (1994), conmovedor relato sobre la enfermedad y muerte de su hija, *La hija de la fortuna* (1999) y *Retrato en sepia* (2001), han continuado el éxito inicial y han convertido a Isabel Allende en escritora de renombre en todo el mundo, no sólo en los países de habla hispana.

La narrativa de Isabel Allende

Como ella misma ha afirmado en alguna ocasión, Allende es antes que nada una contadora de historias. La riqueza de los detalles descriptivos, el humor de muchas situaciones, la fantasía y sorpresa en el desarrollo que la convierten en una maestra de la narración, están supeditados, sin embargo, a la presentación gloriosa de sus personajes femeninos. Protagonistas de sus novelas y cuentos, las mujeres de Allende, muy variadas entre sí, tienen en común su rebelión o indiferencia respecto a la sociedad patriarcal y un alma libre, valiente y aventurera. Capaces de romper ataduras ancestrales, de transgresión y de riesgo, estas mujeres se apropian del lugar preeminente de los hombres en la novelística tradicional.

Desde *La casa de los espíritus* hasta sus obras más recientes se observa un cambio hacia un mayor realismo y un abandono de las técnicas de realismo mágico usadas al comienzo de su carrera y que invitaban a una comparación con García Márquez. "Dos palabras" es el primero de *Los cuentos de Eva Luna* y es emblemático de la narrativa de Allende: su protagonista es una mujer atrevida y decidida. Sobrevive dificultades y obstáculos que vencen a los demás, y tiene la imaginación y la fuerza de crear su propia vida, la habilidad de cambiar la de otros y además capacidad de compasión, amor y pasión.

Dos palabras

Tenía el nombre de Belisa Crepusculario, pero no por fe de bautismo o acierto de su madre, sino porque ella misma lo buscó hasta encontrarlo y se vistió con él. Su oficio[1] era vender palabras. Recorría el país, desde las regiones más altas y frías hasta las costas calientes, instalándose en las ferias y en los mercados, donde montaba cuatro palos[2] con

5   un toldo de lienzo[3], bajo el cual se protegía del sol y de la lluvia para atender a su clientela. No necesitaba pregonar su mercadería, porque de tanto caminar por aquí y por allí, todos la conocían. Había quienes la aguardaban de un año para otro, y cuando aparecía por la aldea con su atado[4] bajo el brazo hacían cola frente a su tenderete. Vendía a precios justos. Por cinco centavos entregaba versos de memoria, por siete mejoraba la calidad de

10   los sueños, por nueve escribía cartas de enamorados, por doce inventaba insultos para enemigos irreconciliables. También vendía cuentos, pero no eran cuentos de fantasía, sino largas historias verdaderas que recitaba de corrido sin saltarse[5] nada. Así llevaba las nuevas de un pueblo a otro. La gente le pagaba por agregar una o dos líneas: nació un niño, murió fulano, se casaron nuestros hijos, se quemaron las cosechas. En cada lugar se

15   juntaba una pequeña multitud a su alrededor para oírla cuando comenzaba a hablar y así se enteraban de las vidas de otros, de los parientes lejanos, de los pormenores de la Guerra Civil. A quien le comprara cincuenta centavos, ella le regalaba una palabra secreta para espantar[6] la melancolía. No era la misma para todos, por supuesto, porque eso habría sido un engaño colectivo. Cada uno recibía la suya con la certeza de que nadie más la empleaba

20   para ese fin en el universo y más allá.

Belisa Crepusculario había nacido en una familia tan mísera, que ni siquiera poseía nombres para llamar a sus hijos. Vino al mundo y creció en la región más inhóspita, donde algunos años las lluvias se convierten en avalanchas de agua que se llevan todo, y en otros no cae ni una gota del cielo, el sol se agranda hasta ocupar el horizonte entero y el mundo

25   se convierte en un desierto. Hasta que cumplió doce años no tuvo otra ocupación ni virtud que sobrevivir[7] al hambre y la fatiga de siglos. Durante una interminable sequía[8] le tocó enterrar a cuatro hermanos menores y cuando comprendió que llegaba su turno, decidió echar a andar por las llanuras en dirección al mar, a ver si en el viaje lograba burlar a la muerte. La tierra estaba erosionada, partida en profundas grietas[9], sembrada de piedras,

30   fósiles de árboles y de arbustos espinudos, esqueletos de animales blanqueados por el calor. De vez en cuando tropezaba con familias que, como ella, iban hacia el sur siguiendo el espejismo del agua. Algunos habían iniciado la marcha llevando sus pertenencias al hombro o en carretillas[10], pero apenas podían mover sus propios huesos y a poco andar

---

1 **oficio** job	5 **sin saltarse** without omitting	9 **grietas** cracks
2 **palos** sticks	6 **espantar** scare away	10 **carretillas** wheelbarrows
3 **lienzo** canvas	7 **sobrevivir** overcome	
4 **atado** bundle	8 **sequía** drought	

debían abandonar sus cosas. Se arrastraban penosamente, con la piel convertida en cuero
35   de lagarto[11] y los ojos quemados por la reverberación de la luz. Belisa los saludaba con
un gesto al pasar, pero no se detenía, porque no podía gastar sus fuerzas en ejercicios
de compasión. Muchos cayeron por el camino, pero ella era tan tozuda[12] que consiguió
atravesar el infierno y arribó por fin a los primeros manantiales[13], finos hilos de agua, casi
invisibles, que alimentaban una vegetación raquítica, y que más adelante se convertían en
40   riachuelos[14] y esteros.

Belisa Crepusculario salvó la vida y además descubrió por casualidad la escritura. Al
llegar a una aldea en las proximidades de la costa, el viento colocó a sus pies una hoja de
periódico. Ella tomó aquel papel amarillo y quebradizo y estuvo largo rato observándolo
sin adivinar su uso, hasta que la curiosidad pudo más que su timidez. Se acercó a un
45   hombre que lavaba un caballo en el mismo charco turbio donde ella saciara su sed.

–¿Qué es esto? –preguntó.

–La página deportiva del periódico –replicó el hombre sin dar muestras de asombro
ante su ignorancia.

La respuesta dejó atónita a la muchacha, pero no quiso parecer descarada[15] y se limitó
50   a inquirir el significado de las patitas de mosca[16] dibujadas sobre el papel.

–Son palabras, niña. Allí dice que Fulgencio Barba noqueó al Negro Tiznao en el tercer
round.

Ese día Belisa Crepusculario se enteró que las palabras andan sueltas[17] sin dueño y
cualquiera con un poco de maña puede apoderárselas para comerciar con ellas. Consideró
55   su situación y concluyó que aparte de prostituirse o emplearse como sirvienta en las
cocinas de los ricos, eran pocas las ocupaciones que podía desempeñar. Vender palabras
le pareció una alternativa decente. A partir de ese momento ejerció esa profesión y
nunca le interesó otra. Al principio ofrecía su mercancía sin sospechar[18] que las palabras
podían también escribirse fuera de los periódicos. Cuando lo supo calculó las infinitas
60   proyecciones de su negocio, con sus ahorros le pagó veinte pesos a un cura para que le
enseñara a leer y escribir y con los tres que le sobraron se compró un diccionario. Lo revisó
desde la A hasta la Z y luego lo lanzó al mar, porque no era su intención estafar[19] a los
clientes con palabras envasadas.

Varios años después, en una mañana de agosto, se encontraba Belisa Crepusculario
65   en el centro de una plaza, sentada bajo su toldo vendiendo argumentos de justicia a un
viejo que solicitaba su pensión[20] desde hacía diecisiete años. Era día de mercado y había
mucho bullicio a su alrededor. Se escucharon de pronto galopes y gritos, ella levantó los
ojos de la escritura y vio primero una nube de polvo y enseguida un grupo de jinetes[21]

11 **cuero de lagarto** lizard skin	15 **descarada** brazen	19 **estafar** swindle
12 **tozuda** stubborn	16 **mosca** fly	20 **pensión** retirement pay
13 **manantiales** water springs	17 **sueltas** free	21 **jinetes** horsemen
14 **riachuelos** rivulets	18 **sospechar** suspect	

que irrumpió en el lugar. Se trataba de los hombres del Coronel, que venían al mando del
70   Mulato, un gigante conocido en toda la zona por la rapidez de su cuchillo y la lealtad hacia
su jefe. Ambos, el Coronel y el Mulato, habían pasado sus vidas ocupados en la Guerra Civil
y sus nombres estaban irremisiblemente unidos al estropicio y la calamidad. Los guerreros
entraron al pueblo como un rebaño en estampida, envueltos en ruido, bañados de sudor
y dejando a su paso un espanto de huracán. Salieron volando las gallinas, dispararon a
75   perderse los perros, corrieron las mujeres con sus hijos y no quedó en el sitio del mercado
otra alma viviente que Belisa Crepusculario, quien no había visto jamás al Mulato y por lo
mismo le extrañó que se dirigiera a ella.

     –A ti te busco –le gritó señalándola con su látigo[22] enrollado y antes que terminara
de decirlo, dos hombres cayeron encima de la mujer atropellando el toldo y rompiendo el
80   tintero, la ataron de pies y manos y la colocaron atravesada como un bulto de marinero
sobre la grupa[23] de la bestia del Mulato. Emprendieron galope en dirección a las colinas.

     Horas más tarde, cuando Belisa Crepusculario estaba a punto de morir con el corazón
convertido en arena por las sacudidas del caballo, sintió que se detenían y cuatro manos
poderosas la depositaban en tierra. Intentó ponerse de pie y levantar la cabeza con
85   dignidad, pero le fallaron las fuerzas y se desplomó[24] con un suspiro, hundiéndose en un
sueño ofuscado. Despertó varias horas después con el murmullo de la noche en el campo,
pero no tuvo tiempo de descifrar esos sonidos, porque al abrir los ojos se encontró ante la
mirada impaciente del Mulato, arrodillado a su lado.

     –Por fin despiertas, mujer– dijo alcanzándole su cantimplora[25] para que bebiera un
90   sorbo de aguardiente con pólvora y acabara de recuperar la vida.

     Ella quiso saber la causa de tanto maltrato y él le explicó que el Coronel necesitaba sus
servicios. Le permitió mojarse la cara y enseguida la llevó a un extremo del campamento,
donde el hombre más temido del país reposaba en una hamaca[26] colgada entre dos árboles.
Ella no pudo verle el rostro, porque tenía encima la sombra incierta del follaje y la sombra
95   imborrable de muchos años viviendo como un bandido, pero imaginó que debía ser de
expresión perdularia si su gigantesco ayudante se dirigía a él con tanta humildad. Le
sorprendió su voz, suave y bien modulada como la de un profesor.

     –¿Eres la que vende palabras? –preguntó.

     –Para servirte –balbuceó[27] ella oteando en la penumbra para verlo mejor.

100   El Coronel se puso de pie y la luz de la antorcha que llevaba el Mulato le dio de frente.
La mujer vio su piel oscura y sus fieros ojos de puma y supo al punto que estaba frente al
hombre más solo de este mundo.

     –Quiero ser Presidente –dijo él.

---

22 **látigo** whip   24 **desplomó** fainted   26 **hamaca** hammock
23 **grupa** rump   25 **cantimplora** canteen   27 **balbuceó** stammered

Estaba cansado de recorrer esa tierra maldita en guerras inútiles y derrotas que ningún subterfugio podía transformar en victorias. Llevaba muchos años, durmiendo a la intemperie, picado de mosquitos, alimentándose de iguanas y sopa de culebra, pero esos inconvenientes menores no constituían razón suficiente para cambiar su destino. Lo que en verdad le fastidiaba era el terror en los ojos ajenos. Deseaba entrar a los pueblos bajo arcos de triunfo, entre banderas de colores y flores, que lo aplaudieran y le dieran de regalo huevos frescos y pan recién horneado. Estaba harto de comprobar cómo a su paso huían los hombres, abortaban[28] de susto las mujeres y temblaban las criaturas, por eso había decidido ser Presidente. El Mulato le sugirió que fueran a la capital y entraran galopando al Palacio para apoderarse del gobierno, tal como tomaron tantas otras cosas sin pedir permiso, pero al Coronel no le interesaba convertirse en otro tirano, de ésos ya habían tenido bastantes por allí y, además, de ese modo no obtendría el afecto de las gentes. Su idea consistía en ser elegido por votación popular en los comicios de diciembre.

–Para eso necesito hablar como un candidato. ¿Puedes venderme las palabras para un discurso[29]?–preguntó el Coronel a Belisa Crepusculario.

Ella había aceptado muchos encargos, pero ninguno como ése, sin embargo no pudo negarse, temiendo que el Mulato le metiera un tiro entre los ojos o, peor aún, que el Coronel se echara a llorar. Por otra parte, sintió el impulso de ayudarlo, porque percibió un palpitante calor en su piel, un deseo poderoso de tocar a ese hombre, de recorrerlo con sus manos, de estrecharlo[30] entre sus brazos.

Toda la noche y buena parte del día siguiente estuvo Belisa Crepusculario buscando en su repertorio las palabras apropiadas para un discurso presidencial, vigilada de cerca por el Mulato, quien no apartaba los ojos de sus firmes piernas de caminante y sus senos virginales. Descartó las palabras ásperas[31] y secas, las demasiado floridas, las que estaban desteñidas[32] por el abuso, las que ofrecían promesas improbables, las carentes de verdad y las confusas, para quedarse sólo con aquellas capaces de tocar con certeza el pensamiento de los hombres y la intuición de las mujeres. Haciendo uso de los conocimientos comprados al cura por veinte pesos, escribió el discurso en una hoja de papel y luego hizo señas al Mulato para que desatara la cuerda con la cual la había amarrado por los tobillos a un árbol. La condujeron nuevamente donde el Coronel y al verlo ella volvió a sentir la misma palpitante ansiedad del primer encuentro. Le pasó el papel y aguardó, mientras él lo miraba sujetándolo con la punta de los dedos.

–¿Qué carajo dice aquí? –preguntó por último.

–¿No sabes leer?

–Lo que yo sé hacer es la guerra –replicó él.

Ella leyó en alta voz el discurso. Lo leyó tres veces, para que su cliente pudiera grabárselo en la memoria. Cuando terminó vio la emoción en los rostros de los hombres de

---

28 **abortaban** miscarried 30 **estrecharlo** embrace him 32 **desteñidas** faded

29 **discurso** speech 31 **ásperas** harsh

la tropa que se juntaron para escucharla y notó que los ojos amarillos del Coronel brillaban de entusiasmo, seguro de que con esas palabras el sillón presidencial sería suyo.

–Si después de oírlo tres veces los muchachos siguen con la boca abierta, es que esta vaina sirve, Coronel –aprobó el Mulato.

145 –¿Cuánto te debo por tu trabajo, mujer? –preguntó el jefe.

–Un peso, Coronel.

–No es caro –dijo él abriendo la bolsa que llevaba colgada del cinturón con los restos del último botín[33].

–Además tienes derecho a una ñapa[34]. Te corresponden dos palabras secretas –dijo
150 Belisa Crepuscular.io.

–¿Cómo es eso?

Ella procedió a explicarle que por cada cincuenta centavos que pagaba un cliente, le obsequiaba una palabra de uso exclusivo. El jefe se encogió de hombros, pues no tenía ni el menor interés en la oferta, pero no quiso ser descortés con quien lo había servido tan
155 bien. Ella se aproximó sin prisa al taburete de suela donde él estaba sentado y se inclinó para entregarle su regalo. Entonces el hombre sintió el olor de animal montuno que se desprendía de esa mujer, el calor de incendio que irradiaban sus caderas[35], el roce terrible de sus cabellos, el aliento de yerbabuena susurrando en su oreja las dos palabras secretas a las cuales tenía derecho.

160 –Son tuyas, Coronel –dijo ella al retirarse –. Puedes emplearlas cuanto quieras.

El Mulato acompañó a Belisa hasta el borde del camino, sin dejar de mirarla con ojos suplicantes de perro perdido, pero cuando estiró la mano para tocarla, ella lo detuvo con un chorro de palabras inventadas que tuvieron la virtud de espantarle el deseo, porque creyó que se trataba de alguna maldición irrevocable.

165 En los meses de setiembre, octubre y noviembre el Coronel pronunció su discurso tantas veces, que de no haber sido hecho con palabras refulgentes[36] y durables el uso lo habría vuelto ceniza. Recorrió el país en todas direcciones, entrando a las ciudades con aire triunfal y deteniéndose también en los pueblos más olvidados, allí, donde sólo el rastro de basura indicaba la presencia humana, para convencer a los electores que votaran por él.
170 Mientras hablaba sobre una tarima al centro de la plaza, el Mulato y sus hombres repartían caramelos y pintaban su nombre con escarcha dorada en las paredes, pero nadie prestaba atención a esos recursos de mercader, porque estaban deslumbrados por la claridad de sus proposiciones y la lucidez poética de sus argumentos, contagiados de su deseo tremendo de corregir los errores de la historia y alegres por primera vez en sus vidas. Al terminar la
175 arenga del candidato, la tropa lanzaba pistoletazos[37] al aire y encendía petardos y cuando por fin se retiraban, quedaba atrás una estela de esperanza que perduraba muchos días

---

33 **botín** loot

34 **ñapa** bonus

35 **caderas** hips

36 **refulgentes** dazzling

37 **pistoletazos** gunshots

en el aire, como el recuerdo magnífico de un cometa. Pronto el Coronel se convirtió en el político más popular. Era un fenómeno nunca visto, aquel hombre surgido de la guerra civil, lleno de cicatrices[38] y hablando como un catedrático, cuyo prestigio se regaba por el

180 territorio nacional conmoviendo el corazón de la patria. La prensa se ocupó de él. Viajaron de lejos los periodistas para entrevistarlo y repetir sus frases, y así creció el número de sus seguidores y de sus enemigos.

–Vamos bien, Coronel– dijo el Mulato al cumplirse doce semanas de éxito.

Pero el candidato no lo escuchó. Estaba repitiendo sus dos palabras secretas, como

185 hacía cada vez con mayor frecuencia. Las decía cuando lo ablandaba la nostalgia, las murmuraba dormido, las llevaba consigo sobre su caballo, las pensaba antes de pronunciar su célebre discurso y se sorprendía saboreándolas en sus descuidos. Y en toda ocasión en que esas dos palabras venían a su mente, evocaba la presencia de Belisa Crepusculario y se le alborotaban los sentidos con el recuerdo del olor montuno, el calor de incendio, el roce

190 terrible y el aliento de yerbabuena, hasta que empezó a andar como un sonámbulo y sus propios hombres comprendieron que se le terminaría la vida antes de alcanzar el sillón de los presidentes.

–¿Qué es lo que te pasa, Coronel? –le preguntó muchas veces el Mulato, hasta que por fin un día el jefe no pudo más y le confesó que la culpa de su ánimo eran esas dos palabras

195 que llevaba clavadas[39] en el vientre[40].

–Dímelas, a ver si pierden su poder –le pidió su fiel ayudante.

–No te las diré, son sólo mías –replicó el Coronel.

Cansado de ver a su jefe deteriorarse como un condenado a muerte, el Mulato se echó el fusil[41] al hombro y partió en busca de Belisa Crepusculario. Siguió sus huellas por toda

200 esa vasta geografía hasta encontrarla en un pueblo del sur, instalada bajo el toldo de su oficio, contando su rosario de noticias. Se le plantó delante con las piernas abiertas y el arma empuñada.

–Tú te vienes conmigo –ordenó.

Ella lo estaba esperando. Recogió su tintero, plegó el lienzo de su tenderete, se echó

205 el chal sobre los hombros y en silencio trepó al anca del caballo. No cruzaron ni un gesto en todo el camino, porque al Mulato el deseo por ella se le había convertido en rabia y sólo el miedo que le inspiraba su lengua le impedía destrozarla a latigazos. Tampoco esta dispuesto a comentarle que el Coronel andaba alelado[42], y que lo que no habían logrado tantos años de batallas lo había conseguido un encantamiento susurrado al oído. Tres

210 días después llegaron al campamento y de inmediato condujo a su prisionera hasta el candidato, delante de toda la tropa.

–Te traje a esta bruja[43] para que le devuelvas sus palabras, Coronel, y para que ella te

---

| 38 **cicatrices** scars | 40 **vientre** belly | 42 **alelado** stupefied |
| 39 **clavadas** nailed | 41 **fusil** rifle | 43 **bruja** witch |

devuelva la hombría[44] –dijo apuntando el cañón de su fusil a la nuca de la mujer.

215 El Coronel y Belisa Crepusculario se miraron largamente, midiéndose desde la distancia. Los hombres comprendieron entonces que ya su jefe no podía deshacerse del hechizo[45] de esas dos palabras endemoniadas, porque todos pudieron ver los ojos carnívoros del puma tornarse mansos cuando ella avanzó y le tomó la mano.

◆ ◆ ◆ ◆ ◆ ◆ ◆ ◆ ◆ ◆ ◆

---

44 **hombría** manhood   45 **hechizo** spell

Sugerencias para el análisis del cuento

1. Según el cuento, las palabras tienen realidad independiente y "fisicalidad". Señala ejemplos específicos.

2. ¿Qué poderes diferentes tienen las palabras? ¿Qué poder tiene Belisa por el hecho de poseerlas?

3. Comenta la gradación en precio que Belisa cobra por sus palabras.

4. Describe a Belisa, su vida, su personalidad. ¿De qué modo resulta su carácter inesperado?

5. Describe al Coronel, sus motivos para querer ser presidente, su carácter, su vida. Añade una descripción de la sociedad y del mundo donde viven.

6. ¿Cómo ha usado Belisa y con qué intención las dos palabras del título? ¿Qué han conseguido? ¿Tiene curiosidad el lector por saber cuáles son? ¿Es importante?

7. Describe al narrador del cuento.

8. ¿Hay hipérboles en este cuento? ¿Qué efecto causan?

Temas de discusión y ensayos

1. Horacio Quiroga dice en su *Decálogo del perfecto cuentista* que las tres primeras líneas de un cuento son tan importantes como las tres últimas. ¿Responde este cuento a ese "mandamiento"?

2. ¿Qué elementos crean el realismo mágico en el cuento? Menciona aspectos realistas y fantásticos, y explica también detalles de su técnica narrativa. Observa la minuciosidad en el detalle, el lenguaje hiperbólico y la actitud del narrador.

3. Compara "El ahogado más hermoso del mundo" de Gabriel García Márquez con este cuento en lo referente a la posibilidad de transformación, al papel del narrador y al lenguaje utilizado.

4. En el relato, "la palabra" se eleva por encima del mundo de las necesidades básicas y a su vez puede elevar al mundo. ¿Qué está sugiriendo la autora?

5. Comenta tus propias conclusiones sobre la trascendencia de la literatura en la vida.

6. En este cuento el acto de poner un nombre a algo tiene una gran importancia. Explica el efecto. ¿Dónde has visto anteriormente la importancia de dar el nombre a algo?

7. En base a lo que has leído, ¿se puede hablar de literatura femenina en Latinoamérica? ¿Qué tienen en común –en temas, actitud, estilo– Allende y las autoras de otras unidades? ¿Qué diferencias y contrastes hay entre ellas?

Actividades para la Unidad 3

1. Un estudiante hace una investigación histórica del México de la niñez y adolescencia de Rulfo, situando geográficamente la región donde Rulfo pasó sus primeros años y donde ocurren sus cuentos. La presenta a la clase, explicando también algunas de sus características económicas, políticas y sociales.

2. Otro estudiante, después de observar las fotografías de Rulfo en internet, puede mostrarlas en la clase y comparar esta representación visual con la literaria del cuento. Ambos representan por diferentes medios a un México duro y bello, visto y sentido por el autor, diferente del México que algunos estudiantes conocen o imaginan.

3. Escucha en Radioteca "No oyes ladrar los perros" (http://www.radioteca.net/result.php?id=05090320), leído por el propio Rulfo. (Mirar la guía digital para encontrar enlaces vivos.)

4. *Rumor de Páramo* es un homenaje musical a Juan Rulfo organizado por la pianista Ana Cervantes con la contribución de 18 compositores.

5. Durante los mismos años que Borges desarrolla los temas de dualidad, el otro, lo infinito y los límites de lo real, el artista holandés M.C. Escher trabaja estas ideas en el arte gráfico. En la página web del artista (www.mcescher.com), organizada por etapas artísticas, busca las siguientes imágenes, "Two Intersecting Planes" (1952), "Liberation" (1955) y "Swans" (1956), y compáralas con "El Sur" de Borges. (Mirar la guía digital para encontrar enlaces vivos.)

6. ¿Tienes una doble personalidad? ¿Tienes a veces un conflicto interior? ¿Hay un choque entre dos aspectos de tu identidad? Cada estudiante analiza este conflicto en una discusión, un ensayo personal, un poema o un dibujo.

7. Prepara una presentación de la geografía de Argentina, señalando qué es "el Sur". Explica no solo su geografía, sino también su historia, su carácter y sus costumbres.

8. Como reflejo de las dos Argentinas se puede escuchar en clase dos formas musicales totalmente distintas: una canción de Atahualpa Yupanqui como "Los ejes de mi carreta" y un tango, por ejemplo, "La Cumparsita" por Carlos Gardel.

9. Se puede escuchar en clase la canción "Coplas de Martin Fierro" (buscar en YouTube) o las composiciones de Soledad Bravo, y mencionar los aspectos que recuerdan a "El Sur".

10. Imitando la película "Being John Malkovich" (1999), se puede hacer en clase una representación "Being Borges", en la que cada estudiante interpreta un lado de Borges. (Para encontrar más detalles, consultar la guía digital.)

11. Traigan a clase ejemplos de películas o programas de televisión que podrían calificarse de borgianos porque mezclan ficción y realidad o nos llevan a otra dimensión intelectual.

12. Los estudiantes pueden leer el cuento de Borges "El otro", en el que también hay dos Borges, pero con un enfoque muy diferente.

13. Se puede leer en clase el "Poema conjetural" de Borges, de tema similar a "El Sur", en el que presenta la muerte de su antepasado Francisco de Laprida.

14. Cortázar cuenta que "La noche boca arriba" fue el resultado de una experiencia personal, un accidente tras el que pasó mes y medio en el hospital en un estado de delirio. Escribe un cuento basado en una de tus experiencias personales.

15. Un grupo de estudiantes prepara un informe sobre las deidades mayas y aztecas. Para conseguir información sobre su cultura y sus costumbres se puede explorar la fuente extraordinaria que son los *Códices*. (Mirar la guía digital.)

16. Un estudiante estudia las guerras floridas y la práctica de los sacrificios humanos y hace una presentación de PowerPoint a la clase. Los *Códices Dresden, Paris, Madrid, Borgia* y *Nuttall* ayudan a conocer el mundo mesoamericano.

17. Se ha comparado al Caribe con el Mediterráneo, dos mundos de historias épicas y mitos. Investiga historias o mitos que tienen lugar en el Mediterráneo. ¿Se pueden comparar con "El ahogado más hermoso del mundo"?

18. Tras la lectura de "Chac Mool", se puede elaborar un estudio sobre la guerra de Hernán Cortés contra Moctezuma, la colaboración que tuvo de la Malinche, la ayuda de los tlaxcaltecas y otras tribus y su avance por tierras mexicanas.

19. Los estudiantes llevarán a clase reproducciones fotográficas de Chaac (Tlaloc), Chac Mool y otras esculturas o representaciones religiosas precolombinas.

20. En *Google Images*, haz una investigación de los *Caprichos* de Francisco de Goya, empezando por "El sueño de la razón", y los *Disparates* ¿Cómo retrata el artista español del siglo XIX la soledad y la locura?

21. Un grupo de estudiantes puede hablar y presentar El Zócalo, corazón de la Ciudad de México, que sigue siendo en la actualidad una ilustración del pasado y presente del país con sus diferentes representaciones de las sucesivas etapas históricas y culturales.

22. Busca en la literatura, el cine o en la vida real personas de gran dignidad que recuerden a la madre de "La siesta del martes".

23. En grupos, los estudiantes tratarán de imaginar dos palabras que tengan la intensidad y el poder de las dos palabras del cuento. No tienen que ajustarse a la historia que hemos leído, pero sí deben ser ricas y sugerentes.

24. Los estudiantes pueden comparar "Dos palabras" con un poema del poeta chicano Tino Villanueva llamado "Convocación de palabras". Aunque es totalmente diferente, es también inspirador y sugestivo sobre el poder de las palabras.

25. Los estudiantes pueden traer a clase canciones cuya letra les ha afectado especialmente. Se puede escuchar en clase "Gracias a la vida" de Violeta Parra o una de las canciones políticas de Victor Jara. (Mirar la guía digital.)

26. El sitio web oficial de Isabel Allende ofrece material de interés para los estudiantes: entrevistas, discursos, biografía, fotografías, etc. (www.isabelallende.com)

También en YouTube se puede ver esta presentación muy interesante de Isabel Allende (en inglés) titulada *Tales of Passion* (http://www.youtube.com/watch?v=E11cDEr272Y)

(Mirar la guía digital para encontrar enlaces vivos.)

Videos interesantes

Los estudiantes pueden ver el video *Juan Rulfo*, en inglés, parte de la serie *Five Latin American Authors Speak*, que contiene una entrevista con el autor y se puede conseguir a través de *Films for the Humanities*.

Films for the Humanities tiene varios videos sobre Borges: *Borges para millones* (en español), *The Inner World of Jorge Luis Borges, The Many Faces of Borges, Jorge Luis Borges: The Mirror Man* (en inglés).

Hay una película, *Borges: un destino sudamericano*, argentina, y otra española, para TV, dirigida por Carlos Saura, llamada "El Sur", las dos referidas al cuento.

Films for the Humanities tiene dos vídeos en inglés sobre Carlos Fuentes, *Man of Two Worlds* y *Carlos Fuentes: At Home in the Americas*, una entrevista.

Films for the Humanities tiene los siguientes videos sobre Isabel Allende: *An Extraordinary Life, The Woman's Voice in Latin American Literature* y *Possessed by Her Art*, los tres en inglés.

Cuestiones esenciales para la Unidad 3

1. Esta talla en piedra se encuentra en una cancha para el juego de pelota en El Tajín (México). Según los arqueólogos, el juego era un evento ritual en el que a veces tomaba parte el sacrificio humano. ¿Qué muestra la talla y cómo se relaciona con "La noche boca arriba"? ¿Cuáles son los paralelos entre las dos épocas representadas en el cuento de Cortázar? ¿Qué comentario puede hacer la narrativa sobe el tiempo? Y, ¿sobre la identidad?

2. Varias de las obras de esta unidad, al igual que la película *Inception* de Christopher Nolan, exploran la frágil división entre lo real y lo ilusorio. Elige un cuento y compáralo con la película. ¿En qué momentos y de qué manera se experimenta con los límites de la realidad? ¿Cuál es el efecto? ¿Cuál es el papel de los sueños o la fantasía?

3. Analiza la litografía "Manos dibujando" (1948) de Escher. (Dentro de www.mcescher.com, abre primero el Picture Gallery y después Back in Holland para encontrar la obra. Mirar la guía digital para encontrar enlaces vivos.) ¿Qué propone el artista y qué cuestiona? ¿Cómo se parece el tema de "Manos dibujando" a "Borges y yo"? ¿Qué añade cada uno al discurso del otro?

4. La preocupación con el tema del tiempo (pasado, presente, futuro y su interrelación) en la cultura mexicana, ¿se ve reflejada en algunos cuentos de esta unidad? Explica.

5. En la fotografía (de Adriel A. Macedo Arroyo) se ve una estatua precolombina del Chac Mool en el Templo Mayor, cuyas ruinas se encuentran cerca del Zócalo en la Ciudad de México. ¿Qué trascendencia tiene el observar en el siglo XXI y en el espacio de una ciudad moderna, específicamente la capital mexicana, una manifestación artística y religiosa de otro tiempo? (Mirar la guía digital para ver foto en color.)

6. ¿Cómo reflexiona "Chac Mool" sobre la identidad mexicana? ¿Qué factores históricos y culturales la han moldeado?

7. En varias narrativas del curso, los protagonistas son figuras solitarias, por ejemplo, "Chac Mool", "El Sur", *Historia del hombre que se convirtió en perro*, entre otras. Analiza el papel de la soledad en el desarrollo de dos de estos relatos.

8. ¿De qué manera los autores de esta unidad se valen del tiempo y el espacio para construir una variedad de estados de ánimos y sentimientos, por ejemplo, la desorientación, la nostalgia y la desesperanza? Elige dos obras y discute este tema.

9. "No oyes ladrar los perros" ocurre en un espacio rural. ¿De qué modo este espacio influye en la narrativa y qué añade al relato en términos de aislamiento y hostilidad?

10. ¿Qué factores familiares y culturales afectan la relación entre el padre y el hijo de "No oyes ladrar los perros"?

11. Varias de estas obras tratan el tema de la dignidad personal, moral, social, afectiva. Elige dos y desarrolla este tema, citando ejemplos de las obras escogidas.

12. ¿Cuál es el significado de la aparición de un gaucho tradicional en el relato de "El Sur". ¿De que manera se combinan tiempos y espacios distantes a través de esta figura?

13. En su cuento "Biografía de Tadeo Isidoro Cruz", Borges dice "Cualquier destino, por largo y complicado que sea, consta en realidad de un solo momento: el momento en que el hombre sabe para siempre quién es". En "El Sur", el protagonista vacila entre dos tiempos y quizá entre dos mundos. ¿En qué sentido se relaciona la cita anterior con el destino de Dahlmann?

14. Además de los dos Dahlmann y los dos Borges, hemos visto una serie de dualidades a lo largo del curso. Elige dos obras de diferentes épocas y compáralas, explicando la influencia del entorno en la creación de esa dualidad.

15. Varias de estas obras ("El ahogado más hermoso del mundo", "El Sur", "La noche boca arriba" y "Dos palabras") mezclan la realidad y la fantasía. ¿Qué preguntas plantea esta mezcla? ¿Qué efecto causa en el lector?

16. En la dualidad del ser que has visto en varias obras, ¿puede uno elegir su "verdadero" ser? ¿Es uno la creación del otro? Puedes usar obras de diferentes periodos en tu análisis (por ejemplo "Borges y yo", el *Quijote* o cualquier otra obra).

17. Analiza las relaciones de poder en "La siesta del martes" y "Chac Mool". ¿Cómo se forman y caracterizan estas relaciones?

18. ¿Qué tienen en común las figuras femeninas de "La siesta del martes" y "Las medias rojas"? ¿Qué factores socioculturales y económicos han generado un cambio en la percepción de la mujer?

19. Compara el espacio rural en "Las medias rojas", "El Sur" y "No oyes ladrar los perros", y analiza la importancia que tiene en los diferentes personajes.

20. Después de leer a estos autores y ver la pintura de Frida Kahlo, Diego Rivera y Fernando Botero, ¿piensas que las nuevas formas narrativas del realismo mágico y la literatura fantástica son técnicas que podrían haber surgido en cualquier parte del mundo o un intento de representar la identidad diferente y única latinoamericana?

21. En *Romeo y Julieta* se pronuncian las palabras frecuentemente citadas: "¿En un nombre qué hay? Aquello que llamamos rosa mantendría su dulce fragancia con otro nombre". Compara los diferentes conceptos de lo que hay en un nombre en dos de las siguientes obras: "El ahogado más hermoso del mundo", "Dos palabras", *Romeo y Julieta* y el *Quijote*.

22. "El ahogado más hermoso del mundo" es el relato de un forastero que llega a un lugar nuevo y cambia la vida de la comunidad. Considera otras situaciones semejantes y discute de qué maneras la llegada del extranjero contribuye, o perjudica, al bienestar de la comunidad.

UNIDAD 4. COMPROMISO CON LO COTIDIANO

(1929 – 1999)

Datos biográficos

Osvaldo Dragún (1929 – 1999) nació en Entre Ríos, Argentina, en una comunidad agrícola judía. Problemas económicos forzaron a la familia a mudarse de un pueblo rural a la ciudad de Buenos Aires. Es posible que esta mudanza difícil se refleje en la obra del autor, que se enfoca en la pobreza y en la alienación urbana. Dragún escribió para el cine y la televisión, pero logró más fama e influencia en el teatro. No sólo era un dramaturgo innovador y original, sino también una fuerza poderosa en la renovación del teatro argentino. Dragún participó en el teatro independiente Fray Mocho y fue uno de los fundadores del Teatro Abierto, un grupo de más de doscientos escritores que produjeron obras en oposición a la dictadura militar. Pensaban que por formar un grupo tan grande, el gobierno no podría arrestar a todos. Durante distintas épocas de represión política, Dragún vivió en Estados Unidos y en varios países latinoamericanos, entre ellos Cuba. Dragún dijo: "Siempre viví en islas; Cuba lo es; el teatro Fray Mocho también lo era. Tengo la esperanza de que alguna vez todas estas islas constituyan el continente de la creatividad y de la magia".

El teatro de Dragún

El tema predominante de la obra de Dragún es la degradación del individuo frente a la injusticia social y política. Como el protagonista de *Historia del hombre que se convirtió en perro*, el ser humano es deshonrado y envilecido (o reducido a animal) a causa de una sociedad hostil que estima lo material sobre el valor humano. La incapacidad de comunicarse con otros resulta en una vida de frustración y aislamiento.

El estilo de Dragún refleja la influencia de Bertolt Brecht, escritor alemán, en términos de un enajenamiento que hace que lo familiar se presente como algo extraño e inesperado. La influencia de Brecht también se encuentra en la técnica de poner distancia entre el público y trama y personajes. A causa de esta distancia emocional, los espectadores deben reflexionar sobre las ideas o mensajes de la obra en vez de identificarse con los personajes. Las obras de Dragún tienen el propósito de instruir o influir en las opiniones de sus lectores. También emplea técnicas de metaficción cuando los personajes hablan directamente a las personas del público, que no tienen la ilusión de ser simplemente espectadores como en las obras de teatro más tradicionales. En *Historia del hombre que se convirtió en perro* hay que observar que los actores a veces nos hablan como los personajes que representan y a veces como actores, comentando lo que pasa.

✦ ✦ ✦ ✦ ✦ ✦ ✦ ✦ ✦ ✦ ✦

Historia del hombre que se convirtió en perro

Personajes

Actriz	Actor 1°
Actor 2°	Actor 3°

Actor 2°:	Amigos, la tercera historia vamos a contarla así...
Actor 3°:	Así como nos la contaron esta tarde a nosotros.
Actriz:	Es la "Historia del hombre que se convirtió en perro".
Actor 3°:	Empezó hace dos años, en el bando de una plaza. Allí, señor... donde usted
5	trataba hoy de adivinar[1] el secreto de una hoja.
Actriz:	Allí donde, extendiendo los brazos, apretamos[2] al mundo por la cabeza y
	los pies, y le decimos: "¡Suena, acordeón, suena!"
Actor 2°:	Allí lo conocimos. (*Entra el Actor 1°.*) Era... (*Lo señala.*) Así, como lo ven,
	nada más. Y estaba muy triste.
10 Actriz:	Fue nuestro amigo. Él buscaba trabajo, y nosotros éramos actores.
Actor 3°:	Él debía mantener a su mujer, y nosotros éramos actores.
Actor 2°:	Él soñaba con la vida y despertaba gritando por la noche. Y nosotros
	éramos actores.
Actriz:	Fue nuestro amigo, claro. Así como lo ven... (*Lo señala.*) Nada más.
15 Todos:	¡Y estaba muy triste!
Actor 3°:	Pasó el tiempo. El otoño...
Actor 2°:	El verano...
Actriz:	El invierno...
Actor 3°:	La primavera...
20 Actor 1°:	¡Mentira! Nunca tuve primavera.
Actor 2°:	El otoño...
Actriz:	El invierno...
Actor 3°:	El verano. Y volvimos. Y fuimos a visitarlo, porque era nuestro amigo.
Actor 2°:	Y preguntarnos: ¿Está bien? Y su mujer nos dijo....
25 Actriz:	No sé.
Actor 3°:	¿Está mal?
Actriz:	No sé.
Actores 2° y 3°:	¿Dónde está?
Actriz:	En la perrera[3]. (*Actor 1° en cuatro patas.*)
30 Actores 2° y 3°:	¡Uhhh!
Actor 3°:	(*Observándolo.*)
	Soy el director de la perrera
	Y esto me parece fenomenal.

---

1 **adivinar** to guess	2 **apretamos** we squeeze	3 **perrera** kennel

		Llegó ladrando⁴ como un perro
35		(*Requisito principal.*)
		Y si bien conserva el traje,
		Es un perro, a no dudar.
	Actor 2°:	(*Tartamudeando.*)
		S-s-soy el v-veter-r-inario
40		Y esto-t-to es c-claro p-para mí.
	Actor 1°:	(*Al público.*) Y yo, ¿qué les puedo decir? No sé si soy hombre o perro. Y creo que ni siquiera ustedes podrán decírmelo al final. Porque todo empezó de la manera más corriente. Fui a una fábrica a buscar trabajo. Hacía tres meses que no conseguía nada y fui a buscar trabajo.
45	Actor 3°:	¿No leyó el letrero? "NO HAY VACANTES⁵".
	Actor 1°:	Sí, lo leí. ¿No tiene nada para mí?
	Actor 3°:	Sí, dice "No hay vacantes", no hay.
	Actor 1°:	Claro. ¿No tienes nada para mí?
	Actor 3°:	¡Ni para usted ni para el ministro!
50	Actor 1°:	¿No tiene nada para mí?
	Actor 3°:	¡No!
	Actor 1°:	Tornero⁶...
	Actor 3°:	¡No!
	Actor 1°:	Mecánico...
55	Actor 3°:	¡No!
	Actor 1°:	S...
	Actor 3°:	N...
	Actor 1°:	S...
	Actor 3°:	N...
60	Actor 1°:	R...
	Actor 3°:	N...
	Actor 1°:	F...
	Actor 3°:	N...
	Actor 1°:	¡Sereno⁷! ¡Aunque sea de sereno!
65	Actriz:	(*Como si tocara un clarín.*) ¡tutú, tu, tu, tu! ¡El patrón!

(*Los Actores 2° y 3° hablan por señas.*)

	Actor 3°:	(*Al público.*) El perro del sereno, señores, había muerto la noche anterior, luego de veinticinco años de lealtad.
	Actor 2°:	Era un perro muy viejo.

---

4 **ladrando** barking

5 **vacantes** openings, positions or jobs to be filled

6 **tornero** lathe operator

7 **sereno** night watchman

70	Actriz:	Amén.
	Actor 2°:	(*Al Actor 1°.*) ¿Sabe ladrar?
	Actor 1°:	Tornero.
	Actor 2°:	¿Sabe ladrar?
	Actor 1°:	Mecánico...
75	Actor 2°:	¿Sabe ladrar?
	Actor 1°:	Albañil[8]...
	Actores 2° y 3°:	¡No hay vacantes!
	Actor 1°:	(*Pausa.*) Guau... guau...
	Actor 2°:	Muy bien, lo felicito...
80	Actor 3°:	Le asignamos diez pesos diarios de sueldo, la casilla y la comida.
	Actor 2°:	Como ven, ganaba diez pesos más que el perro verdadero.
	Actriz:	Cuando volvió a casa me contó del empleo conseguido. Estaba borracho.
	Actor 1°:	(*A su mujer.*) Pero me prometieron que apenas un obrero se jubilara, muriera o fuera despedido, me darían su puesto. ¡Divertite, María,
85		divertite! Guau...
	Actores 2° y 3°:	Guau... guau... ¡Divertite, María, divertite!
	Actriz:	Estaba borracho, pobre...
	Actor 1°:	Y a la otra noche empecé a trabajar... (*Se agacha[9] en cuatro patas.*)
	Actor 2°:	¿Tan chica le queda la casilla?
90	Actor 1°:	No puedo agacharme tanto.
	Actor 3°:	¿Le aprieta aquí?
	Actor 1°:	Sí.
	Actor 3°:	Bueno, pero vea, no me diga "sí". Tiene que empezar a acostumbrarse. Dígame, "Guau... guau...".
95	Actor 2°:	¿Le aprieta aquí? (*El Actor 1° no responde.*) ¿Le aprieta aquí?
	Actor 1°:	Guau ... guau...
	Actor 2°:	Y bueno ... (*Sale.*)
	Actor 1°:	Pero esa noche llovió, y tuve que meterme en la casilla.
	Actor 2°:	(*Al Actor 3°.*) Ya no le aprieta...
100	Actor 3°:	Y está en la casilla
	Actor 3°:	(*Al Actor 1°.*) ¿Vio cómo uno se acostumbra a todo?
	Actriz:	Uno se acostumbra a todo...
	Actores 2° y 3°:	Amén...
	Actriz:	Él empezó a acostumbrarse.
105	Actor 3°:	Entonces, cuando vea a alguien entrar, me grita: "Guau... guau". A ver...
	Actor 1°:	(*El Actor 2° pasa corriendo.*) Guau... guau... (*El Actor 2° pasa sigilosamente.*) Guau... guau... (*El Actor 2° pasa agachado.*) Guau... guau...

---

8 **albañil** bricklayer   9 **se agacha** crouches down

		guau… (*Sale.*)
	Actor 3°:	(*Al Actor 2°.*) Son diez pesos por día extras en nuestro presupuesto[10]…
110	Actor 2°:	Mmm.
	Actor 3°:	Pero la aplicación que pone el pobre los merece[11]…
	Actor 2°:	Mmm.
	Actor:	Además, no como más que el muerto…
	Actor 2°:	Mmm.
115	Actor 3°:	¡Debemos ayudar a la familia!
	Actor 2°:	Mmm. Mmm. Mmm. (*Salen.*)
	Actriz:	Sin embargo, yo lo veía muy triste, y trataba de consolarlo cuando el volvía a casa. (*Entra Actor 1°.*) ¡Hoy vinieron visitas! …
	Actor 1°:	¿Sí?
120	Actriz:	Y del baile en el club, ¿te acordás?
	Actor 1°:	Sí.
	Actriz:	¿Cuál era nuestro tango?
	Actor 1°:	No sé.
	Actriz:	¡Cómo que no! "Percanta que me amuraste[12]…" (*El Actor 1° está en cuatro*
125		*patas.*) Y un día me trajiste un clavel… (*Lo mira, y queda horrorizada.*) ¿Qué está haciendo?
	Actor 1°:	¿Qué?
	Actriz:	Estás en cuatro patas… (*Sale.*)
	Actor 1°:	¡Esto no lo aguanto más! ¡Voy a hablar con el patrón!
130		(*Entran los Actores 2° y 3°.*)
	Actor 3°:	Es que no hay otra cosa…
	Actor 1°:	Me dijeron que un viejo se murió.
	Actor 3°:	Sí, pero estamos de economía. Espera un tiempo más, ¿eh?
	Actriz:	Y esperó. Volvió a los tres meses.
135	Actor 1°:	(*Al Actor 2°.*) Me dijeron que uno se jubiló…
	Actor 2°:	Sí, pero pensamos cerrar esa sección. Espere un tiempito más, ¿eh?
	Actriz:	Y esperó. Volvió a los tres meses.
	Actor 1°:	(*Al Actor 3°.*) Deme el empleo de uno de los que echaron por la huelga[13]…
	Actor 3°:	Imposible. Sus puestos quedarán vacantes…
140	Actores 2° y 3°:	¡Como castigo! (*Salen.*)
	Actor 1°:	Entonces no pude aguantar más… ¡Y planté[14]!
	Actriz:	Fue nuestra noche más feliz en mucho tiempo. (*Lo toma del brazo.*) ¿Cómo se llama esta flor?

---

10 **presupuesto** budget	12 **Percanta que me amuraste** woman who left me	13 **huelga** workers' strike
11 **merece** deserves		14 **planté** I quit

Actor 1°:	Flor…	
Actriz:	¿Y cómo se llama esa estrella?	
145 Actor 1°:	María.	
Actriz:	(*Ríe.*) ¡María me llamo yo!	
Actor 1°:	¡Ella también… ella también! (*Le toma una mano y la besa.*)	
Actriz:	(*Retira su mano.*) ¡No me muerdas!	
Actor 1°:	No te iba a morder… Te iba a besar, María.	
150 Actriz:	¡Ah! Yo creía que me ibas a morder… (*Sale.*)	

(*Entran los Actores 2° y 3°.*)

Actor 2°:	Por supuesto…	
Actor 3°:	… y a la mañana siguiente…	
Actores 2° y 3°:	Debió volver a buscar trabajo.	
155 Actor 1Actores 2° y 3°: Recorrí varias partes, hasta que en una…		
Actor 3°:	Vea, este… No tenemos nada, salvo que…	
Actor 1°:	¿Qué?	
Actor 3°:	Anoche murió el perro del sereno.	
Actor 2°:	Tenía treinta y cinco años, el pobre…	
160 Actores 2° y 3°:	¡El pobre!	
Actor 1°:	Y tuve que volver a aceptar.	
Actor 2°:	Eso sí, le pagábamos quince pesos por día. (*Los Actores 2° y 3° dan vueltas.*) ¡Hmm!… ¡Hmm!… ¡Hmm!… ¡Hmm!…	
Actores 2° y 3°:	¡Aceptado! ¡Que sean quince! (*Salen.*)	
165 Actriz:	(*Entra.*) Claro que cuatrocientos cincuenta pesos no nos alcanza para pagar el alquiler…	
Actor 1°:	Mirá, como yo tengo la casilla, mudate vos a una pieza con cuatro o cinco muchachas más, ¿eh?	
Actriz:	No hay otra solución. Y como no nos alcanza tampoco para comer…	
170 Actor 1°:	Mirá, como yo me acostumbré al hueso, te voy a traer la carne a vos, ¿eh?	
Actores 2° y 3°:	(*Entrando.*) ¡El directorio accedió[15]!	
Actor 1° y Actriz: El directorio accedió… ¡Loado sea!		

(*Salen los Actores 2° y 3°.*)

Actor 1°:	Yo ya me había acostumbrado. La casilla me parecía más grande. Andar en	
175	cuatro patas no era muy diferente de andar en dos. Con María nos veíamos en la plaza… (*Va hacia ella.*) Porque vos no podés entrar en mi casilla; y como yo no puedo entrar a tu pieza…. Hasta que una noche…	

---

15 **accedió** agreed

	Actriz:	Paseábamos. Y de repente me sentí mal...
	Actor 1°:	¿Qué te pasa?
180	Actriz:	Tengo mareos[16].
	Actor 1°:	¿Por qué?
	Actriz:	(*Llorando.*) Me parece... que voy a tener un hijo...
	Actor 1°:	¿Y por eso llorás?
	Actriz:	¡Tengo miedo... tengo miedo!
185	Actor 1°:	Pero ¿por qué?
	Actriz:	¡Tengo miedo... tengo miedo! ¡No quiero tener un hijo!
	Actor 1°:	¿Por qué María? ¿Por qué?
	Actriz:	Tengo miedo... que sea... (*Musita[17] el perro. El Actor 1° la mira aterrado y sale corriendo y ladrando. Cae al suelo. Ella se pone de pie.*) Se fue... se fue
190		corriendo. A veces se paraba, y a veces corría en cuatro patas...
	Actor 1°:	¡No es cierto, no me paraba! ¡No podía pararme! ¡Me dolía la cintura si me paraba! Los coches se me venían encima... La gente me miraba... (*Entran los Actores 2° y 3°.*) ¡Váyanse! ¿Nunca vieron un perro?
	Actor 2°:	¡Está loco! ¡Llamen a un médico! (*Sale.*)
195	Actor 3°:	¡Está borracho! ¡Llamen a un policía! (*Sale.*)
	Actriz:	Después me dijeron que un hombre se apiadó[18] de él y se le acercó cariñosamente.
	Actor 2°:	(*Entra.*) ¿Se siente mal amigo? No puede quedarse en cuatro patas. ¿Sabe cuántas cosas hermosas hay para ver, de pie, con los ojos hacia arriba? A
200		ver, párese... Yo le ayudo... Vamos, párese...
	Actor 1°:	(*Comienza a pararse y de repente.*) ¡Guau... guau...!
		(*Lo muerde.*) ¡Guau... guau...! (*Sale.*)
	Actor 3°:	(*Entra.*) En fin, que cuando, después de dos años sin verlo, le preguntamos a su mujer: "¿Cómo está?", nos contestó...
205	Actriz:	No sé.
	Actor 2°:	¿Está bien?
	Actriz:	No sé.
	Actor 3°:	¿Está mal?
	Actriz:	No sé.
210	Actores 2° y 3°:	¿Dónde está?
	Actriz:	En la perrera.
	Actor 3°:	Y cuando veníamos para acá, pasó al lado nuestro un boxeador.
	Actor 2°:	Y nos dijeron que no sabía leer, pero que eso no importaba porque era boxeador.
215	Actor 3°:	Y pasó un conscripto[19]...

---

16 **mareos** náusea

17 **musita** mutters

18 **apiadó** was sorry for

19 **conscripto** soldier

Actriz:	Y pasó un policía...
Actor 2°:	Y pasaron...y pasaron ustedes. Y pensamos que tal vez podría importarles la historia de nuestro amigo...
Actriz:	Por qué tal vez entre ustedes haya ahora una mujer que piense: "¿No tendré... no tendré...? (*Musita "perro".*)
Actor 3°:	O alguien a quien le hayan ofrecido el empleo del perro del sereno...
Actriz:	Si no es así, nos alegramos.
Actor 2°:	Pero si es así, entre ustedes hay alguno a quien quieran convertir en perro, como a nuestro amigo, entonces... Pero, bueno, entonces esa ... ¡Esa es otra historia!

220

225

(Telón)

✦ ✦ ✦ ✦ ✦ ✦ ✦ ✦ ✦ ✦ ✦

Sugerencias para el análisis del drama

1. Desde la primera frase de *Historia del hombre que se convirtió en perro*, se nota que el diálogo o la forma de narrar es diferente del estilo normal de otras obras de teatro. Comenta la diferencia.

2. Nota las referencias a distintas instancias en el tiempo. ¿Qué inconsistencia o confusión se crea?

3. ¿Qué efecto se crea por la repetición de "y nosotros éramos actores"?

4. ¿Cuál es la confusión con respecto a la identidad del Actor 1°?

5. Comenta la transición o transformación del Actor 1°.

6. El Actor 2° y el Actor 3° hacen el papel de patrones o jefes que emplean al Actor 1°. Hablan del dinero que merece el Actor 1° pero que no va a recibir. Dicen, "Son diez pesos por día extras en nuestro presupuesto". También le habían prometido un mejor puesto que el de ser perro del sereno, y le dicen, "Espere un tiempito más". ¿Qué actitud muestran hacia el Actor 1°?

7. El Actor 2° y el Actor 3° hablan de unos trabajadores que perdieron el empleo debido a una huelga y dicen que no van a llenar sus puestos "como castigo". ¿Qué mensaje quieren comunicar a los trabajadores?

8. El Actor 1° nos dice que por fin no pudo tolerar más su situación "¡y planté!". ¿Qué pasó después entre él y su esposa? ¿Qué malentendido arruina su noche feliz?

9. ¿Por qué no quiere tener un hijo la esposa del Actor 1°?

10. ¿Cuál es la última imagen que tenemos del Actor 1°?

11. ¿Cómo se incluye al público en el drama del final de la obra?

Temas de discusión y ensayos

1. Comenta la transformación del protagonista. Debes incluir los elementos de:

   a) su comportamiento

   b) su degradación

   c) su alienación

2. La crítica social es un elemento esencial de la obra de Dragún. ¿Qué actitudes, injusticias y valores sociales critica en *Historia del hombre que se convirtió en perro*?

3. Comenta el simbolismo en *Historia del hombre que se convirtió en perro*.

4. *Historia del hombre que se convirtió en perro*, que puede calificarse de metaliteraria, no es una obra convencional en términos de su forma de presentar la historia. Compara ésta con otras obras más tradicionales y comenta las diferencias. ¿Cómo sirve la técnica para comunicar el mensaje central?

5. ¿Por qué ha elegido Dragún esta forma de narrar? ¿Qué efecto busca?

6. Compara el tema de enajenación o alienación en "Walking around" de Neruda y en *Historia del hombre que se convirtió en perro*.

Rosa Montero

(1951-)

Datos biográficos

La vocación de escritora llegó muy temprano a la vida de esta periodista y novelista madrileña que nació en 1951. De niña tuvo tuberculosis, lo que le obligó a no salir de casa y a pasar mucho tiempo leyendo y escribiendo. Cursó estudios en Madrid, en las Facultades de Filosofía y Letras y Periodismo. También trabajó con grupos independientes de teatro. En 1976 empezó a trabajar para *El País*, uno de los periódicos de mayor difusión de España. Más tarde publicó entrevistas en la edición de los domingos y en 1980 fue nombrada jefa de redacción de la revista semanal de *El País*. Ese mismo año ganó el Premio Nacional de Periodismo.

Aunque Montero es la más joven de todos los autores de nuestro programa de *AP Spanish Literature and Culture*, su lista de publicaciones es muy amplia y, además de un libro de entrevistas por el que fue la primera mujer en ganar el Premio Manuel de Arco, ha publicado numerosas obras de ficción. Entre sus novelas destacan la primera, *Crónica del desamor* (1979), y *Te trataré como una reina* (1982), que tuvo gran éxito comercial. Ganó el Premio Primavera de la Novela por *La hija del caníbal* en 1997 y dos veces el premio de la revista *Qué Leer* al mejor libro del año en español por *La loca de la casa* (2003) e *Historia del Rey Transparente* (2005).

En la actualidad, la fama de Montero es internacional. Algunos de sus libros han sido traducidos a más de veinte idiomas y ha dado conferencias en varios países de Europa y en los Estados Unidos. En 2011 publicó *Amor de mi vida,* un volumen que recoge artículos publicados entre 1998 y 2010 en *El País*. Su novela más reciente, *Lágrimas en la lluvia* (2011), muestra el mundo futuro del año 2109.

❖ ❖ ❖ ❖ ❖ ❖ ❖ ❖ ❖ ❖ ❖ ❖

Como la vida misma

Las nueve menos cuarto de la mañana. Semáforo en rojo, un rojo inconfundible. Las nueve menos trece, hoy no llego. Atasco[1]. Doscientos mil coches apretujados[2] junto al tuyo. Tienes la mandíbula[3] tan encajada[4] de tensión que entre los dientes permanece aún, apresado[5], el sabor del café matinal. Escudriñas[6] al vecino. Está intolerablemente cerca.

5 La única vía de la calle se convierte a estas horas en vía doble. La chapa[7] del contrario casi roza[8] la tuya, qué impudicia[9]. Verde. Avanza, imbécil. Tira[10], tira. ¿Qué hacen? No arrancan[11]. No se mueven, los cretinos. Están de paseo, con la inmensa urgencia que tú tienes. Doscientos mil coches que han salido a pasear a la misma hora con el único fin de fastidiarte. ¡Rojjjjjjjjjjjo! (bramido soterrado[12]). ¡Rojo de nuevo! No es posible. Las nueve

10 menos diez. Hoy desde luego que no llego-o-o-o (gemido desolado). El vecino te atisba con mirar esquinado[13] y rencoroso, como si tú tuvieras la culpa de no haber sobrepasado el semáforo (cuando es obvio que los culpables son los canallas[14] de delante). Te embarga[15] un presentimiento de desastre, una premonición de catástrofe y derrota. Hoy no llego. Por el retrovisor[16] ves cómo se acerca un chico en un vespino[17], zigzagueando entre los

15 coches. Su facilidad te indigna, su libertad te subleva[18]. Mueves el coche unos centímetros, arrimándolo una pizca[19] al del vecino, y compruebas[20] con alivio que el transgresor se encuentra bloqueado, que has detenido su insultante avance: te jorobaste, listo[21], paladeas[22]. Alguien pita[23] por detrás. Te sobresaltas, casi arrancas. De pronto adviertes que el semáforo sigue aún en rojo. ¿Qué quieres, que salga con el paso cerrado, imbécil?

20 (en voz alta y quebrada por la rabia). Pip, piiiiiiip. Dale al pito[24], así te electrocutes (ya gritando). Te vuelves en el asiento, te encaras con[25] la fila de atrás, ves a los conductores a través de la capa de contaminación y polvo que cubre los cristales de tu coche. Gesticulas desaforadamente[26]. Los de atrás contestan con más gestos. El atasco se convierte en un santiamén[27] en un concurso mímico[28]. Doscientos mil conductores solitarios encerrados

25 en doscientos mil vehículos, todos ellos insultando gestualmente a los vecinos: frenéticos manotazos al aire, ojos desorbitados, codos volanderos, dedos engarabitados[29], escurrir de babas rabiosas[30] por las comisuras de la boca[31], dolor de nuca[32] por mirar hacia atrás con ansias asesinas. En éstas, la luz se pone verde y los de atrás del todo, a partir del

---

1 **atasco** traffic jam

2 **apretujados** squeezed

3 **mandíbula** jaw

4 **encajada** clenched

5 **apresado** entrapped

6 **escudriñas** you scrutinize

7 **chapa** license plate

8 **rozar** to rub

9 **qué impudicia** how rude!

10 **tira** go

11 **no arrancan** they don't start up

12 **bramido soterrado** deep growl

13 **te atisba con mirar esquinado** peeps at you out of the corner of his eye

14 **canallas** scoundrels

15 **te embarga** you are overwhelmed by

16 **retrovisor** rearview mirror

17 **vespino** moped

18 **te subleva** incites you

19 **arrimándolo una pizca** coming a little closer

20 **compruebas** you confirm

21 **te jorobaste, listo** you ruined it for yourself, smarty pants

22 **paladeas** you relish it

23 **pita** honks

24 **dale al pito** hit the horn

25 **te encaras con** you challenge

26 **desaforadamente** wildly

27 **en un santiamén** in the blink of an eye

28 **un concurso mímico** a mimicking contest

29 **dedos engarabitados** gesturing fingers

30 **escurrir de babas rabiosas** foaming at the mouth

31 **comisuras de la boca** corners of the mouth

32 **nuca** nape of the neck

coche doscientos mil uno, organizan un estrépito[33] verdaderamente portentoso. Ante tal

30   algarabía[34] reaccionas, recuperas el volante[35], al fin arrancas. Las nueve menos cinco. Vas
codo con codo, aleta con aleta[36] con un utilitario cochambroso[37]. Unos metros más allá la
calle se estrecha, sólo cabrá un coche. Te miras con el vecino con el ánimo traspasado[38] de
odio y desconfianza. Aceleras. El también. Comprendes repentinamente que conseguir la
prioridad en el estrechamiento se ha convertido en el objetivo principal de tu existencia:

35   nunca has deseado nada con tal ímpetu y tal ansia. Avanzas unos centímetros de morro[39].
Te sientes rozar la plenitud[40]. Entonces, el utilitario hace un quiebro grácil[41] de cadera, se
sube al bordillo[42], te adelanta, entra victorioso en la estrechez. Corre, corre, mascullas[43] con
la línea de los labios fríos, fingiendo gran desprecio: ¿adónde vas, chalao[44]? tanta prisa para
adelantarme sólo un metro... Pero la derrota escuece[45], inquieta. La calle adquiere ahora

40   una fluidez momentánea, puedes meter segunda[46], puedes meter tercera, te embriaga[47]
el vértigo de la velocidad. A lo lejos ves una figura negra, una anciana que cruza la calle
con tembloroso paso. Pero tú estás intoxicado de celeridad, no puedes remediarlo, sientes
el retumbar de los tamtanes[48] de la caza del peatón y aprietas el acelerador sin la menor
clemencia. Te abalanzas[49] sobre la anciana, la sorteas[50] por milímetros, la envuelves del

45   viento de tu prisa: «Cuidado, abuela», gritas por la ventanilla; estas viejas son un peligro,
un peligro, te dices a ti mismo, sintiéndote cargado de razón. Estás ya en la proximidad
de tu destino, y los automóviles se arraciman en los bordillos[51], no hay posibilidades de
aparcar. De pronto descubres un par de metros libres, un milagroso pedacito de ciudad
sin coche: pegas un frenazo[52], el corazón te late apresuradamente. Los conductores de

50   detrás comienzan a tocar la bocina[53]: tócate las narices, porque no me muevo[54]. Intentas
maniobrar[55], pero los vehículos que te siguen te lo impiden, se escurren[56] por el escaso
margen de la derecha, te imprecan[57] al pasar. Tú atisbas con angustia el espacio libre, ese
pedazo de paraíso tan cercano y, sin embargo, inalcanzable. De pronto, uno de los coches
de la fila se detiene, espera a que tú aparques. Sientes una oleada[58] de agradecimiento,

55   intentas retroceder al hueco, pero la calle es angosta[59] y la cosa está difícil. El vecino da
marcha atrás para facilitarte las cosas, aunque apenas pueda moverse porque los otros
coches te rozan el trasero. Tu agradecimiento es tal que te desborda, te llena de calor.
Al fin aparcas y la fila continúa. Sales del coche, cierras la portezuela. Experimentas un

---

33 **estrépito** loud noise

34 **algarabía** confusion

35 **volante** steering wheel

36 **codo con codo, aleta con aleta** elbow to elbow, bumper to bumper

37 **utilitario cochambroso** beat up small car

38 **traspasado** pierced

39 **avanzas unos centímetros de morro** you nose forward

40 **te sientes rozar la plenitud** you feel you are reaching your dream

41 **quiebro grácil** slight turn

42 **al bordillo** on the curb

43 **mascullas** you mumble

44 **chalao** crazy idiot

45 **escuece** stings

46 **meter segunda** put it in second gear

47 **te embriaga** you get drunk/high on

48 **retumbar de los tamtanes** the pounding of the drums

49 **abalanzas** lunge

50 **la sorteas** you miss her

51 **se arraciman en los bordillos** cluster on the curbs

52 **pegas un frenazo** you brake suddenly

53 **tocar la bocina** to honk their horns

54 **tócate las narices, porque no me muevo** do what you will, I'm not moving

55 **maniobrar** maneuver

56 **se escurren** they slip

57 **te imprecan** they curse you

58 **una oleada** a wave

59 **angosta** narrow

alivio infinito por haber culminado la gesta, por haber cruzado la ciudad enemiga, por
60   haber conseguido un lugar para tu coche; pero, fundamentalmente, te sientes aniquilado[60]
de gratitud hacia el anónimo vecino que se detuvo; es una emoción tal que te quita las
fuerzas, que te deja por dentro como flojo[61]. Apresuras el paso para alcanzar al generoso
conductor, detenido por el tapón[62] a pocos metros. Llegas a su altura[63], es un hombre de
media edad, de gesto melancólico. Te inclinas sobre su ventanilla, te sientes embargado[64]
65   de bondad; muchas gracias, le dices en tono exaltado, aún tembloroso tras la batalla. El
otro se sobresalta, te mira de hito en hito[65]. Muchas gracias, insistes; soy el del coche azul,
el que aparcaba. El otro palidece, al fin contesta con un hilo[66] de voz: «Pero, ¿qué quería
usted, que me montara encima de los coches? No podía dar más marcha atrás». Tú te
azaras[67], por unos segundos no comprendes, al fin, enrojeces[68]: «Pero si le estoy dando las
70   gracias de verdad, oiga, le estoy dando las gracias.» El hombre se pasa la mano por la cara,
abrumado[69], y balbucea[70]; «es que... este tráfico, estos nervios... » Reemprendes tu camino,
sorprendido. Y mientras resoplas[71] en el aire frío matinal, te dices con filosófica tristeza,
con genuino asombro: hay que ver lo agresiva que está la gente, no lo entiendo.

❖ ❖ ❖ ❖ ❖ ❖ ❖ ❖ ❖ ❖ ❖

---

60 **aniquilado** annihilated

61 **que te deja por dentro como flojo** that leaves you
     limp inside

62 **el tapón** jam

63 **llegas a su altura** you catch up to him

64 **embargado** overcome

65 **te mira de hito en hito** he stares at you

66 **hilo** thin thread

67 **te azaras** get flustered

68 **enrojeces** you blush

69 **abrumado** overcome

70 **balbucea** stammers

71 **resoplas** gasp

Sugerencias para el análisis del texto

1. ¿Cómo crea la primera frase el tono y la tensión del texto? ¿Cómo usa Montero la mención repetida de la hora a través del texto para establecer la urgencia?

2. ¿Qué otras repeticiones encuentras y qué efecto tienen?

3. Describe cómo Montero convierte una actividad frecuente de la vida cotidiana de las ciudades modernas en una odisea de nuestros días. ¿Cómo describe las acciones y reacciones del "héroe" (el conductor del coche) al confrontar las acciones agresivas de los otros conductores (los antagonistas)?

4. Analiza el punto de vista del narrador.

5. Analiza el vocabulario y señala algunas palabras que indiquen la hostilidad y los peligros de la vida urbana. Muestra otras expresiones que describen el estado psicológico del "héroe".

6. ¿Cómo interpretas el encuentro final entre el conductor principal y el "generoso conductor"? ¿Qué significa el hallazgo de la plaza de aparcamiento?

7. Define el género de este texto. ¿Es un cuento? ¿Un artículo que cuenta las vicisitudes de la vida moderna? ¿Un comentario filosófico sobre la vida? ¿Una combinación de los tres? Explica tu respuesta utilizando lo que conoces de los aspectos literarios que definen cada género y los detalles del texto.

Temas de discusión y ensayos

1. Analiza el significado del título. Según Montero, ¿qué es "como la vida misma"? ¿Cómo explica las relaciones interpersonales de hoy en día?

2. Compara el estilo de Montero en "Como la vida misma" con el de Ulibarrí en "Mi caballo mago". ¿En qué aspectos es similar o diferente el efecto producido en los dos pasajes?

3. Escoge las seis citas que mejor demuestren el uso del humor y de la ironía en "Como la vida misma" y analiza cómo las usa la autora.

Actividades para la Unidad 4

1. Otros dramaturgos que emplean elementos de metaficción en su forma de narrar son Pirandello en *Seis personajes en busca de un autor* y Woody Allen en *Dios*. Lee una de estas obras y compara la narración con la de *Historia del hombre que se convirtió en perro*.

2. Los alumnos deben pensar en ejemplos de películas o programas de televisión que manifiestan elementos de metaficción y explicar el efecto.

3. El aislamiento y la alienación se encuentran en el arte tanto como en la literatura. Mira los cuadros de pintores como Picasso, Dalí, Edward Hopper, Francis Bacon y otros, y comenta la emoción que se comunica a través del arte.

4. El cine ha tratado el tema del desempleo y el hambre desde los tiempos de *Las uvas de la ira* (*Grapes of Wrath*) o la película italiana *El ladrón de bicicletas* (*Ladri di biciclette*) hasta las recientes *Los lunes al sol* y *The Full Monty*. Busca y mira una película que no hayas visto y compara su representación de una crisis económica.

5. ¿Crees que hay más alienación en la sociedad de hoy comparada con el pasado? ¿Te parece que la tecnología como el *texting, el Facebook* y los videojuegos disminuyen o aumentan el aislamiento en nuestra sociedad?

6. En *Google Images* busca "El perro", una de las *Pinturas negras* (1820-1823) de Francisco de Goya (http://en.wikipedia.org/wiki/File:Goya_Dog.jpg). Estudia la composición, el cromatismo y el tono para encontrar el significado de la obra y compárala con la *Historia del hombre que se convirtió en perro*. (Mirar la guía digital para encontrar enlaces vivos.)

7. Montero hace una presentación detallada y plena del patetismo de lo cotidiano. Los estudiantes pueden investigar en grupos la vida cotidiana en distintas formas artísticas:

   a) la pintura (por ejemplo, Norman Rockwell, Edward Hopper, Van Gogh)

   b) el cine (por ejemplo, el neorrealismo, el cine español de los 50, la *nouvelle vague*)

   c) la fotografía (por ejemplo, Dorothea Lange, Weegee, Walker Evans)

   d) la literatura (por ejemplo, Louisa May Alcott, Mark Twain, Raymond Carver)

   Cada grupo selecciona una obra para presentar a la clase.

8. Los códices (recopilados y estudiados por León-Portilla) y su iconografía dan testimonio de la vida diaria de su tiempo. En *Google Images*, busca códices de la época pre-colombina y colonial y estudia las representaciones. ¿Qué aprendemos de su cultura?

9. Julio Cortázar publicó "La autopista del sur" que también usa un atasco como centro de su cuento. Consigue un ejemplar en tu biblioteca o en la red, léelo y

después contrástalo con "Como la vida misma" en cuanto al significado metafórico del atasco.

10. Selecciona otro aspecto cotidiano de la vida que muestre un aspecto fundamental del carácter humano, o que revele las perspectivas y costumbres de una cultura en un periodo determinado, y escribe un cuento análogo al de Montero.

11. Compara el estudio de lo cotidiano que desempeña "Como la vida misma" con un episodio de *Seinfeld*. ¿En qué detalles se enfocan? ¿Qué sentimientos se expresan y cómo lo hacen?

◆ ◆ ◆ ◆ ◆ ◆ ◆ ◆ ◆ ◆ ◆

Cuestiones esenciales para la Unidad 4

1. Mira el cuadro *Huyendo de la crítica* de Pere Borrell del Caso (1874). Escribe un ensayo analizando las técnicas de metaficción y otros elementos en común con *Historia del hombre que se convirtió en perro*. ¿Cómo se cuestionan los límites entre la realidad y la fantasía en las dos obras? ¿Qué efecto causan ambos en el espectador? (Mirar la guía digital para ver el cuadro en color.)

2. ¿Qué factores socioeconómicos y familiares marcan la trayectoria del protagonista de *Historia del hombre que se convirtió en perro*? ¿Qué estudio hace Dragún de la pérdida o de los límites de la dignidad?

3. Compara la obra de Dragún con la transformación de Gregor Samsa en la *Metamorfosis* de Kafka, poniendo una especial atención en el estilo y resolución de las dos obras.

4. ¿A través de qué detalles de *Historia del hombre que se convirtió en perro* se revelan las relaciones entre clases sociales? ¿Cómo reaccionan los diferentes individuos ante la situación del hombre? ¿Por qué?

5. El *Lazarillo* y la *Historia del hombre que se convirtió en perro* incluyen una fuerte crítica social. Explica cómo cada época influye en el objeto de la crítica y en el modo de expresar esta crítica.

6. En una entrevista de 1931, recuperada por el Centro de Documentación Teatral y citada en numerosos periódicos (23/02/2012), García Lorca habla del teatro de vanguardia y opina: "Está bien algo de laboratorio, de teatro experimental; pero toda obra de teatro no debe buscar limitaciones, sino ser ampliamente

para todos". ¿Es la *Historia del hombre que se convirtió en perro* para todos los públicos? ¿Puede conmover a personas de ambos sexos y de todas las clases sociales? Discute.

7. ¿Qué espera Dragún del espectador de su obra? ¿Crees que sale cambiado del teatro? Explica.

8. A pesar de haberse producido en Argentina y en otro contexto socio-histórico, la *Historia del hombre que se convirtió en perro* explora temas actuales en todo el mundo. ¿Qué resonancia tiene para el ciudadano actual de EE.UU.?

9. Compara la trayectoria del protagonista de "Como la vida misma" con un "héroe" que conozcas de la literatura épica. ¿En qué sentido el héroe de Montero es una versión degradada de la figura tradicional? ¿Cómo influyen los valores y las costumbres de la época en las características específicas de la aventura de los héroes?

10. Analiza las nociones de amistad y hostilidad en la obra de Montero. ¿Qué predomina? Trata de encontrar ejemplos de ambas en las reacciones de los diferentes personajes. ¿Qué comentario social ofrece la obra?

11. Según las imágenes, el lenguaje y el desenlace de "Como la vida misma", ¿cómo es la vida de la ciudad moderna? En tu respuesta, comenta también cómo el estilo de la narrativa, en forma de monólogo interior, se relaciona con el tema.

12. El protagonista de "Como la vida misma" se encuentra rodeado de otros individuos de su mismo ambiente y sin embargo no surgen enlaces o momentos de contacto íntimo. Analiza la comunicación, o su fracaso, en la narrativa.

13. ¿Cómo se puede definir la escritura femenina? ¿Crees que "Como la vida misma" pertenece a este subgénero? ¿Qué factores socioeconómicos y culturales llevan a Rosa Montero a escribir así?

UNIDAD 5. LA CUESTIÓN FEMENINA

 Alfonsina Storni

(1892-1938)

Datos biográficos

Aunque Alfonsina Storni nació en Suiza el 29 de mayo de 1892, cuatro años más tarde la familia volvió a Argentina. Como sus padres tenían grandes dificultades económicas, Alfonsina tuvo que trabajar de adolescente para ayudar a la familia. Consiguió su primer puesto de maestra en una escuela elemental de Rosario y, después de una relación amorosa con un hombre casado, se fue a Buenos Aires en 1911. Allí nació, el año siguiente, su hijo Alejandro, a quien Storni cuidaría sola. Su primer libro apareció en 1916, en una época en que la poeta tenía serios problemas económicos. Amado Nervo, el gran poeta mexicano, publicó algunos de los poemas de Storni en la revista *Mundo Argentino*, lo que supuso un reconocimiento importante para ella. En 1920, su libro *Languidez* ganó el Primer Premio Municipal de Poesía y el Segundo Premio Nacional de Literatura. Storni participó en la creación de la Sociedad Argentina de Escritores y durante dos viajes a España, en 1928 y en 1931, conoció a otras escritoras. Tras ocupar varios puestos de profesora, obtuvo dos cátedras en 1923 y 1926, una de "Lectura y Declamación" y otra en el conservatorio de Música y Declamación, que dictaría hasta su muerte. En 1938 asistió en Montevideo a un congreso con Gabriela Mistral y Juana de Ibarbourou, dos poetas suramericanas muy conocidas. Fue operada de cáncer de seno en 1935, enfermedad que reapareció tres años más tarde. La poeta se suicidó en el mar en la ciudad de Mar del Plata, el 25 de octubre de 1938, un año después del suicidio de su gran amigo Horacio Quiroga.

La poesía de Storni

La trayectoria poética de Storni se divide en dos etapas. Una temprana, con poemas publicados entre 1916 y 1925; dentro de éstos, *El dulce daño* (1918), *Irremediablemente* (1919), libro del que forma parte el poema que estudiamos, y *Languidez* (1920) contienen sus poemas más intensos. En esta época, su estilo es generalmente de un lirismo subjetivo con rasgos del romanticismo y modernismo, y habla del amor y de sus fracasos. Algunos de sus temas son la deshumanización del mundo moderno, la fatalidad y la injusticia social, pero el principal es la guerra entre los sexos. Storni articula de manera muy elegante la situación de la mujer víctima de la opresión general del hombre. Storni luchó toda su vida contra la desigualdad de derechos, expresó su dolor contra el hombre hispano que exige que la mujer sea pura y se manifestó contra la sujeción de la mujer: "Hombre pequeñito, hombre pequeñito, / suelta a tu canario, que quiere volar." En un ensayo humorístico y autobiográfico que escribió poco tiempo antes de su muerte, Storni rechazó su primer libro, *La inquietud del rosal*, al que caracteriza como "sencillamente abominable; cursi, mal medido a veces". Demostró más caridad hacia *Irremediablemente:* "Los versos son como los panes que se sacan de un horno arrebatado. De vez en cuando se salva un panecillo que no está ni crudo ni quemado". En estos poemas se destaca sobre todo el miedo al amor por parte de la mujer.

En el mismo trabajo autobiográfico, Storni admite que *Ocre,* su quinto volumen de poesías, "es ya un poco mejor; algo cerebral, pero se advierte que quien lo hizo gobernaba con alguna propiedad su instrumento". Publicado en 1925, el libro actúa como punto de transición a la segunda etapa poética. Esta nueva etapa está marcada por la introspección, no solamente sobre sus propias emociones personales, sino también sobre la condición humana, tanto del hombre como de la mujer. Ya no muestra una hostilidad tan aguda contra los hombres. En esta época Storni comienza a escribir teatro y, al volver a la poesía en 1934 con *Mundo de siete pozos* y con el volumen póstumo *Mascarilla y trébol,* muestra una nueva libertad, rompiendo con la rima y la versificación tradicionales. Algunos de sus poemas, "antisonetos", muestran gran tensión e intensidad. En esta segunda etapa Storni se distancia de ser etiquetada como escritora femenina para reclamar su posición como poeta más universal.

✦ ✦ ✦ ✦ ✦ ✦ ✦ ✦ ✦ ✦ ✦ ✦

Peso ancestral

Tú me dijiste: no lloró mi padre;
tú me dijiste: no lloró mi abuelo;
no han llorado los hombres de mi raza,
eran de acero[1].

5   Así diciendo te brotó[2] una lágrima
y me cayó en la boca...; más veneno[3]
yo no he bebido nunca en otro vaso
así pequeño.

Débil mujer, pobre mujer que entiende,
10   dolor de siglos conocí al beberlo.
Oh, el alma mía soportar[4] no puede
todo su peso.

✦ ✦ ✦ ✦ ✦ ✦ ✦ ✦ ✦ ✦ ✦ ✦

---

1 **acero** steel
2 **brotó** sprouted

3 **veneno** poison
4 **soportar** to tolerate

Sugerencias para el análisis del poema

1. En la primera estrofa, ¿quién habla? Y, ¿a quién? Explica la función de la repetición de las formas del verbo *"llorar"*.

2. Analiza el impacto del verso corto, "eran de acero". ¿Cuál es el valor simbólico del acero y, al decir esto, cuál es la actitud de la madre?

3. ¿A quién le brotó una lágrima, a la madre o a la voz poética? ¿Por qué le parece venenosa a la poeta? La metáfora del vaso "así pequeño", ¿a qué se refiere?

4. La "débil mujer" de la tercera estrofa, ¿a quién representa? ¿Por qué dice que conoció el "dolor de siglos" al beber la lágrima?

5. Analiza el significado del orden de las palabras en los dos últimos versos.

6. Al enunciar el poema, ¿logra la poeta quitar algo del "peso ancestral"? ¿Se puede decir que su arte es una experiencia catártica?

7. Describe el tono del poema.

Temas de discusión y ensayos

1. ¿Sería posible una interpretación del poema en la que el interlocutor de la voz poética fuera un hombre amado en vez de su madre? ¿Cómo cambiaría el significado del poema?

2. Muchos críticos han comparado los temas de la poesía de Storni con los de Sor Juana Inés de la Cruz. ¿Qué semejanzas y contrastes ves entre este poema de Storni y "Hombres necios que acusáis" de Sor Juana? Compara los poemas en cuanto al tema y al tono.

3. Compara la representación del pasado en "Peso ancestral" con la del poema de Machado, "He andado muchos caminos".

Julia de Burgos

(1914-1953)

Datos biográficos

La escritora puertorriqueña nació en febrero de 1914 en el barrio de Santa Cruz de Carolina, la mayor de trece hermanos, y murió en 1953 en Nueva York tras una vida marcada por la insatisfacción y la incomprensión. Conoció el fracaso sentimental (se divorció a los 23 años), las dificultades económicas y la soledad. Maestra y escritora desde muy joven, luchó para ganarse la vida, teniendo que publicar y vender sus obras ella misma. En La Habana, donde residió de 1940 a 1942, conoció a Nicolás Guillén y a Neruda, quien prometió escribir el prólogo para el libro que Burgos estaba preparando, *El mar y tú*. En La Habana vivió con el gran amor de su vida, Juan Isidro Jiménes Grullón. Cuando rompieron, Julia volvió sola y desilusionada a Nueva York. Allí trabajó en una variedad de empleos, volvió a casarse, sufrió varias crisis de salud y trató en vano de publicar *El mar y tú*.

Minada su salud por la enfermedad y el alcohol, Burgos murió en las calles de Nueva York, en parecidas circunstancias, a la misma edad y en el mismo año que el poeta Dylan Thomas. Su cadáver fue encontrado en el Harlem puertorriqueño, lejos de la isla que tanto amaba, y enterrado en una fosa común. Sólo después de muerta pudo volver con honores a Puerto Rico, al cementerio de Carolina, su pueblo natal.

La poesía de Julia de Burgos

Su poesía es intensamente personal. En ella vierte sus preocupaciones, desnuda su alma, "[da] al mundo su yo", como dice en su poema "A Julia de Burgos". Habla del amor, la soledad, la incomprensión y de sus intentos de definirse ante sí misma y ante los demás. Dolorosamente consciente, por haberlo sufrido en su propia carne, de las limitaciones que la sociedad impone a la mujer, la escritora revela en sus poemas la trayectoria de una vida apasionada e inquieta que encuentra más fracasos que éxitos.

Poema en veinte surcos (1938) y *Canción de la verdad sencilla* (1939) son los dos únicos libros que publicó en vida. Numerosos poemas salieron en revistas y una obra póstuma *El mar, tú y otros poemas* fue publicada en 1954.

Notas para facilitar la lectura

- Rocinante (verso 22) es el caballo de don Quijote.
- Los siete pecados capitales mencionados en el verso 39 son: soberbia, avaricia, lujuria, ira, gula, envidia y pereza.
- Las siete virtudes correspondientes (verso 40) son: humildad, generosidad, castidad, paciencia, templanza, caridad y diligencia.

＋ ＋ ＋ ＋ ＋ ＋ ＋ ＋ ＋ ＋ ＋ ＋ ＋

A Julia de Burgos

Ya las gentes murmuran que yo soy tu enemiga
porque dicen que en verso doy al mundo mi yo.

Mienten, Julia de Burgos. Mienten, Julia de Burgos.
La que se alza[1] en mis versos no es tu voz: es mi voz,
5   porque tú eres ropaje y la esencia soy yo;
y el más profundo abismo[2] se tiende entre las dos.

Tú eres fría muñeca de mentira social,
y yo, viril destello de la humana verdad.

Tú, miel[3] de cortesana hipocresías; yo no;
10   que en todos mis poemas desnudo el corazón.

Tú eres como tu mundo, egoísta; yo no;
que en todo me lo juego a ser lo que soy yo.

Tú eres sólo la grave señora señorona[4]; yo no,
yo soy la vida, la fuerza, la mujer.

15   Tú eres de tu marido, de tu amo; yo no;
yo de nadie, o de todos, porque a todos, a todos,
en mi limpio sentir y en mi pensar me doy.

Tú te rizas[5] el pelo y te pintas; yo no;
a mí me riza el viento, a mí me pinta el sol.

20   Tú eres dama casera, resignada, sumisa,
atada a los prejuicios de los hombres; yo no;
que yo soy Rocinante corriendo desbocado[6]
olfateando horizontes de justicia de Dios.

Tú en ti misma no mandas; a ti todos te mandan;
25   en ti mandan tu esposo, tus padres, tus parientes,

1	**alza** rise up	5	**rizas** curl	9	**el qué dirán** gossip
2	**abismo** abyss	6	**desbocado** runaway		
3	**miel** honey	7	**modista** seamstress		
4	**señorona** great lady	8	**alhajas** jewels		

el cura, la modista[7] , el teatro, el casino,
el auto, las alhajas[8] , el banquete, el champán,
el cielo y el infierno, y el qué dirán[9] social.

En mí no, que en mí manda mi solo corazón,
30   mi solo pensamiento; quien manda en mí soy yo.

Tú, flor de aristocracia; y yo, la flor del pueblo.
Tú en ti lo tienes todo y a todos se lo debes,
mientras que yo, mi nada a nadie se la debo.

Tú, clavada[10] al estático dividendo ancestral,
35   y yo, un uno en la cifra[11] del divisor social
somos el duelo a muerte que se acerca fatal.

Cuando las multitudes corran alborotadas[12]
dejando atrás cenizas[13] de injusticias quemadas,
y cuando con la tea de las siete virtudes,
40   tras los siete pecados, corran las multitudes,
contra ti, y contra todo lo injusto y lo inhumano,
yo iré en medio de ellas con la tea[14] en la mano.

❖ ❖ ❖ ❖ ❖ ❖ ❖ ❖ ❖ ❖ ❖

---

10 **clavada** nailed   13 **cenizas** ashes

11 **cifra** figure   14 **tea** torch

12 **alborotadas** rowdy

Sugerencias para el análisis del poema

1. ¿A quién se dirige la voz poética?

2. Describe los dos "yos" que forman parte de Julia, la voz del poema. Detalla aspectos específicos de cada uno, agrupándolos por categorías.

3. ¿Por qué hay dos "yos"? ¿Cómo es la sociedad a la que responden ambos? ¿De qué modo lo hacen?

4. ¿Cuál ha sido la relación entre los dos? ¿Cuál es la consecuencia de la partición en dos de una persona? ¿A qué desenlace conduce?

5. Explica la alusión a Rocinante.

6. Describe y comenta la métrica del poema. ¿En qué sentido las estrategias formales tienen relación con el contenido del poema?

7. ¿Cómo es el tono del poema? Señala las palabras o frases que lo denotan.

8. Comenta la anáfora y los paralelismos en el poema. ¿Qué efecto busca la poeta?

9. En el verso 14, ¿qué figura retórica observas?, ¿qué efecto causa?

10. ¿Qué objetivo tiene la enumeración en los versos 24 a 28?

Temas de discusión y ensayos

1. ¿Cuál es el sentido central del poema?

2. ¿Tienen vigencia en la sociedad de hoy las ideas y los sentimientos expresados en este poema? Ofrece ejemplos.

3. Describe las características de una sociedad en la que la Julia del poema no tendría que dividirse en dos.

4. ¿Podría ser un hombre el autor de este poema o es esencialmente femenino? Explica las razones de tu respuesta.

5. Compara este poema con el relato de Borges "Borges y yo", en el que el narrador también habla de sus dos "yos". Examina las diferencias en tono, actitud y conclusión.

6. ¿Crees que Julia de Burgos habla de sí misma?

Nancy Morejón

(1944-)

Datos biográficos

Nancy Morejón nació, se crió, y todavía vive en La Habana, Cuba. Pasó la juventud con su madre, una costurera de origen chino y europeo, y su padre, un estibador de origen africano que trabajaba en los muelles de La Habana y que introdujo a Nancy a la música de jazz. Fue la primera mujer afrocubana en licenciarse de la Universidad de La Habana, donde estudió francés y tradujo muchas obras al español. Escribió la tesis sobre Aimé Césaire, poeta y político martiniqués y uno de los fundadores del movimiento de la negritud, que promovía el rechazo al existente racismo colonial y la solidaridad entre intelectuales negros. Morejón publicó su primer libro de poesía, *Mutismos* (1962) a la edad de 18 años, poco después de graduarse de la escuela secundaria. Sus ideas sobre la raza son, en parte, el resultado de las influencias multiculturales de su niñez y su concepto de la transculturación se fue formando a través de los estudios y numerosos escritos.

Tenía solamente 14 años cuando comenzó la Revolución Cubana y pudo beneficiarse de los programas de enseñanza y cultura establecidos por la Revolución para los que antes habían sido excluidos. Nunca perteneció al Partido Comunista ni se aisló de los que habían emigrado. Como su mentor Nicolás Guillén, autor de "Balada de los dos abuelos", Nancy Morejón basó gran parte de su obra literaria en cuestiones del mestizaje y en el lenguaje y cultura de los afrocubanos. Pero ella se centró en introducir, por primera vez, el mundo de la mujer afrocubana en la poesía.

Elegida miembro de la Academia Cubana de la Lengua en el 2000, Morejón ha recibido muchos premios notables, que incluyen el Premio Nacional de la Literatura Cubana en 2001, el Premio de la Crítica tres veces (1986,1997, 2000) y el Premio Rafael Alberti en 2007. También sirvió de directora del Centro de Estudios del Caribe en La Casa de las Américas, una institución cubana de gran prestigio en la comunidad literaria de Latinoamérica.

La poesía de Morejón

En homenaje a Nancy Morejón, Nicolás Guillén escribió un poema en prosa, titulado "Nancy", en que escribe: "Pienso que su poesía es negra como su piel, cuando la tomamos en su esencia íntima y sonámbula. Es también cubana (por eso mismo) con la raíz enterrada muy hondo hasta salir por el otro lado del planeta, donde se la puede ver sólo el instante en que la Tierra se detiene para que la retraten los cosmonautas". Autora muy prolífica, Morejón ha publicado un libro casi todos los años desde 1980. No escribe sólo poemas, sino también crítica, periodismo y traducciones literarias del francés al español. Recientemente ha producido arte visual. Sus poemas plantean cuestiones de género, etnicidad, historia y política, sobre todo la mezcla bicultural de su herencia afrocubana. Tratan sobre las relaciones socioculturales en Cuba, con una actitud inclusiva, y sus obras sirven para unificar una identidad cubana a partir de los legados culturales de España y África. Ha creado un feminismo en que las mujeres negras son las protagonistas que sufren, pero que igualmente triunfan, a pesar de sus circunstancias y de los abusos. En sus escritos encontramos no sólo temas complejos, sino que el humor y la mitología de la cultura cubana, que contienen un gran lirismo y un aspecto espiritual, también están presentes con frecuencia.

Notas para facilitar la lectura

Mandingo: miembro de un grupo lingüístico del África occidental

Guinea: país africano en la región de la costa del África occidental entre Senegal y Nigeria

Benín: antiguo reino del África occidental, ahora una provincia de Nigeria en el centro de lo que se llamaba "Costa de los Esclavos"

Madagascar: isla en el Océano Índico cerca de la costa sudoeste de África

Cabo Verde: archipiélago en el Océano Atlántico, a unos 570 kilómetros de la costa del África occidental

Maceo: teniente general José Antonio de la Caridad Maceo y Grajales (1845-1896) fue el segundo al mando del ejército de la Independencia de Cuba

❖ ❖ ❖ ❖ ❖ ❖ ❖ ❖ ❖ ❖ ❖

Mujer negra

Todavía huelo la espuma[1] del mar que me hicieron atravesar.

La noche, no puedo recordarla.

Ni el mismo océano[2] podría recordarla.

Pero no olvido el primer alcatraz[3] que divisé.

5   Altas, las nubes, como inocentes testigos presenciales[4].

Acaso no he olvidado ni mi costa perdida, ni mi lengua ancestral.

Me dejaron aquí y aquí he vivido.

Y porque trabajé como una bestia,

aquí volví a nacer.

10   A cuanta epopeya mandinga intenté recurrir[5].

    Me rebelé.

Su Merced[6] me compró en una plaza.

Bordé la casaca[7] de su Merced y un hijo macho le parí.

Mi hijo no tuvo nombre.

15   Y su Merced murió a manos de un impecable lord inglés.

    Anduve.

Esta es la tierra donde padecí bocabajos y azotes[8].

Bogué[9] a lo largo de todos sus ríos.

Bajo su sol sembré, recolecté[10] y las cosechas no comí.

20   Por casa tuve un barracón.

Yo misma traje piedras para edificarlo,

pero canté al natural compás[11] de los pájaros nacionales.

    Me sublevé[12].

En esta tierra toqué la sangre húmeda

25   y los huesos podridos de muchos otros,

traídos a ella, o no, igual que yo.

Ya nunca más imaginé el camino a Guinea.

¿Era a Guinea? ¿A Benín? ¿Era a

---

1 **espuma** foam

2 **ni el mismo océano** not even the ocean itself

3 **alcatraz** gull

4 **testigos presenciales** eye-witnesses

5 **A cuanta epopeya mandinga intenté recurrir** How many Mandinga epics I turned to for strength

6 **Su Merced** His Worship (title for slave-master)

7 **bordé la casaca** I embroidered the coat

8 **bocabajos y azotes** being thrust in the dust and whippings

9 **bogué** rowed

10 **recolecté** harvested

11 **compás** rhythm

12 **me sublevé** I rose up in rebellion

Madagascar? ¿O a Cabo Verde?

30   Trabajé mucho más.

Fundé mejor mi canto milenario y mi esperanza.
Aquí construí mi mundo.

Me fui al monte.

Mi real independencia fue el palenque[13]
35   y cabalgué entre las tropas de Maceo.
Sólo un siglo más tarde,
junto a mis descendientes,
desde una azul montaña.

Bajé de la Sierra

40   Para acabar con capitales y usureros,
con generales y burgueses.
Ahora soy: sólo hoy tenemos y creamos.
Nada nos es ajeno.
Nuestra la tierra.
45   Nuestros el mar y el cielo.
Nuestras la magia y la quimera[14].
Iguales míos, aquí los veo bailar
alrededor del árbol que plantamos para el comunismo.
Su pródiga madera ya resuena.

❖ ❖ ❖ ❖ ❖ ❖ ❖ ❖ ❖ ❖ ❖

---

13 **palenque** free slave fort

14 **quimera** dream or illusion

Sugerencias para el análisis del poema

1. Aunque esta obra es un poema, narra la historia de la "mujer negra", desde el momento de su captura como esclava en África, pasando por su rebelión contra "Su Merced" y finalmente su triunfo en Cuba con el comunismo. ¿Cómo indican los tiempos verbales el paso del tiempo? ¿Qué tiempo verbal domina en los versos 7-40? ¿Y en los versos 1-5 y 41-48?

2. Examina la primera estrofa como introducción al poema. ¿Cómo funciona el verbo "olvidar" y por qué es importante lo que ha olvidado y lo que no?

3. Analiza la forma del poema. ¿Cómo es la estructura del poema? Describe las diferencias entre las estrofas: el número de versos de cada estrofa, el uso de las estrofas de un solo verso corto, la ubicación de los saltos de línea. ¿Cuál es el efecto producido por el uso de versos de diferentes dimensiones? Si leemos separadamente los versos cortos (11, 15, 22, 29, 32, y 38), ¿podemos decir que funcionan como un resumen del poema?

4. Describe la relación entre "Su Merced" y la "mujer negra". ¿Cómo sirven los verbos en los versos 12-21 para resumir la vida de la mujer negra en este periodo de su vida? ¿Cómo contrasta el último verbo "canté" con los otros?

5. ¿Cómo contrastan las estrofas en los versos 22-40 con los versos anteriores? ¿Qué cambios en la mentalidad de la mujer negra representan los verbos como "toqué", "imaginé", "fundé" y "cabalgué"?

6. ¿Qué representa el cambio en los versos 41-42 de la primera persona singular a plural? Analiza el cambio de identidad de la mujer negra que representa.

7. Consideremos el simbolismo extendido del poema: ¿la mujer negra es una mujer particular o representa a muchas mujeres? ¿Se podría decir que el simbolismo es aun más amplio al incorporar la historia de los esclavos afrocubanos desde sus principios hasta el momento presente? Comenta.

Temas de discusión y ensayos

1. Compara y contrasta este poema con "Balada de los dos abuelos" de Nicolás Guillén. Ambas obras, escritas por autores cubanos, ¿qué revelan sobre el papel del género y la raza en la construcción de la identidad del yo poético? ¿Qué nos dicen sobre los conflictos de las sociedades africanas y las del Nuevo Mundo? Compara las últimas palabras de los dos poemas: "resuena" y "¡Cantan!".

2. En "A Julia de Burgos", la poeta puertorriqueña describe los dos "yos", uno interior / privado / esencial y el otro exterior / público / "ropaje" que forman parte de "Julia", la voz del poema. También vemos la construcción de una mujer en "Mujer negra", pero en vez de basarse en la división del ser, ¿en qué se basa? ¿Cómo se comparan los dos poemas en cuanto a estructura, tono y conclusión?

3. El poema "Hombres necios que acusáis" de Sor Juana es una crítica aguda del México colonial con respecto al doble estándar entre el hombre y la mujer. Examina la crítica explícita de las relaciones entre el hombre y la mujer en los versos 11-21 de "Mujer negra". ¿Cómo se imagina una sociedad en la que no existan tales injusticias?

4. Compara el "Peso ancestral" de Alfonsina Storni con un "peso ancestral" que lleva la "Mujer negra". ¿En qué se parecen y en qué se diferencian?

Federico García Lorca

(1898-1936)

....

Ver datos biográficos de Lorca en el Capítulo 5, Unidad 2 (La poesía: la palabra y su mensaje)

La obra teatral de Lorca: sus temas

El libre albedrío y el determinismo

Lorca destaca en dos géneros literarios, poesía y teatro. Se puede decir que el deseo de libertad individual es el tema predominante de sus tres tragedias rurales: *Bodas de sangre* (1933), *Yerma* (1934), y *La casa de Bernarda Alba* (1936). Los protagonistas de estos dramas mueren, tanto en sentido literal como figurado, por expresar su voluntad. Son víctimas de varios obstáculos a su individualismo y libre albedrío. Lorca retrata una sociedad muy rígida, con estereotipos fijos que definen los papeles del hombre y de la mujer. El hombre es fuerte y varonil, y cuida y controla a su esposa. La mujer es sumisa y callada, y se queda en casa. Quien no sigue estos papeles sufrirá las consecuencias

Otro tema importante relacionado con la voluntad es la casta: según Lorca el destino (el sino) se une a ciertas características que, generación tras generación, se encuentran en una familia, y de las que no se puede escapar. Si los padres no tuvieron un matrimonio feliz, sus hijos tampoco pueden esperar la felicidad matrimonial. Por ejemplo, según Bernarda Alba, si su hija tiene un interés en algo indecente, será porque "esa sale a sus tías". En *La casa de Bernarda Alba,* más que en *Yerma* o *Bodas de sangre*, apreciamos la clase social como una fuerza poderosa que también limita el libre albedrío. Oímos de los abusos e injusticias que las criadas han sufrido a manos de Bernarda y su esposo. Adela, en cierto sentido presa en la casa de su madre, mira con envidia a los trabajadores y piensa en lo que haría si "pudiera salir también a los campos". Su hermana contesta "¡Cada clase tiene que hacer lo suyo!".

A veces los personajes lorquianos expresan su voluntad y siguen la pasión, rompiendo las reglas de la sociedad. Pero aun estas acciones no representan el libre albedrío sino una pasión irresistible, que no se puede controlar. En ambos dramas, *Bodas de sangre* y *La casa de Bernarda Alba*, los amantes son víctimas de la fuerza del deseo sexual.

Al considerar estos elementos poderosos que impiden el libre albedrío del ser humano, el lector de Lorca se pregunta si toda acción, aun las decisiones deliberadas, no son determinadas por alguna fuerza fuera del control individual. La herencia genética, la influencia de la familia en los primeros años de la vida, nacer rico o pobre, varón o hembra, todos estos elementos, ¿coartan la libertad? Aunque nuestra sociedad no sea tan rígida como la de Lorca, esta cuestión es importante porque es un tema universal. Lorca muestra las pasiones y preocupaciones más básicas y centrales del ser humano. Por esa razón es al mismo tiempo un autor regional, que retrata la sociedad española y andaluza, y un escritor universal, que nos ofrece un espejo de nuestras propias frustraciones.

La necesidad de comunicación

Otro de los temas universales de Lorca es el de la necesidad de comunicar emociones profundas, de ser entendido por otros. En *La casa de Bernarda Alba*, Martirio por fin confiesa su amor por Pepe: "¡Sí! Déjame decirlo con la cabeza fuera de los embozos. ¡Sí! Déjame que el pecho se rompa como una granada de amargura. ¡Le quiero!". Aunque no cambie nada, los personajes quieren al menos el consuelo de comunicar su pena a alguien que los entienda.

El amor frustrado y la muerte

En un mundo de reglas sociales rígidas, donde los casamientos se deciden según el deseo de los padres y la clase social, y donde no existe el divorcio, muchos personajes lorquianos sufren grandes pasiones por personas inalcanzables. Como Adela en *La casa de Bernarda Alba,* se sienten "arrastrados" por sus pasiones a desobedecer las reglas de la sociedad. El resultado de la transgresión es siempre trágico. La muerte violenta es el fin más frecuente de quienes violan el orden social.

El honor

La obsesión con la honra es un tema íntimamente relacionado con todos los anteriores. La mayor razón de respetar las reglas de la sociedad y no seguir las pasiones es el miedo a la pérdida de la honra. El honor no depende fundamentalmente de lo que hace una persona, de su carácter moral, sino del qué dirá la gente. Los chismes, las malas lenguas pueden destruir la honra de una mujer honesta, y perder la honra es peor que la muerte. Este sistema de valores está personificado por Bernarda Alba.

❖ ❖ ❖ ❖ ❖ ❖ ❖ ❖ ❖ ❖ ❖

La casa de Bernarda Alba

Drama de mujeres en los pueblos de España

Personajes:

BERNARDA, 60 años

MARÍA JOSEFA (madre de Bernarda), 80 años

ANGUSTIAS (hija de Bernarda), 39 años

MAGDALENA (hija de Bernarda), 30 años

AMELIA (hija de Bernarda), 27 años

MARTIRIO (hija de Bernarda), 24 años

ADELA (hija de Bernarda), 20 años

CRIADA, 50 años

LA PONCIA (criada), 60 años

PRUDENCIA, 50 años

MENDIGA

MUJERES DE LUTO

MUJER PRIMERA

MUJER SEGUNDA

MUJER TERCERA

MUJER CUARTA

MUCHACHA

El poeta advierte que estos tres actos tienen la intención de un documental fotográfico.

Acto primero

Habitación blanquísima del interior de la casa de Bernarda. Muros gruesos. Puertas en arco con cortinas de yute rematadas con madroños y volantes, Sillas de anea. Cuadros con paisajes inverosímiles de ninfas, o reyes de leyenda. Es verano. Un gran silencio umbroso se extiende por la escena. Al levantarse el telón está la escena sola. Se oyen doblar las campanas.

5

(*Sale la Criada primera.*)

CRIADA. Ya tengo el doble[1] de esas campanas metido entre las sienes[2].

---

1 **doble** sound of bells

2 **sienes** temples

LA PONCIA. (*Sale comiendo chorizo y pan.*) Llevan ya más de dos horas de gori-gori[3]. Han
venido curas de todos los pueblos. La iglesia está hermosa. En el primer
responso[4] se desmayó[5] la Magdalena.

10

CRIADA. Ésa es la que se queda más sola.

PONCIA. Era a la única que quería el padre. ¡Ay! Gracias a Dios que estamos solas un
poquito. Yo he venido a comer.

CRIADA. ¡Si te viera Bernarda!

15

PONCIA. ¡Quisiera que ahora, como no come ella, que todas nos muriéramos de hambre!
¡Mandona! ¡Dominanta! ¡Pero se fastidia[6]! Le he abierto la orza[7] de chorizos.

CRIADA. (*Con tristeza, ansiosa.*) ¿Por qué no me das para mi niña, Poncia?

PONCIA. Entra y llévate también un puñado de garbanzos. ¡Hoy no se dará cuenta!

VOZ. (*Dentro.*) ¡Bernarda!

20

PONCIA. La vieja. ¿Está bien encerrada?

CRIADA. Con dos vueltas de llave.

PONCIA. Pero debes poner también la tranca[8]. Tiene unos dedos como cinco ganzúas[9].

VOZ. ¡Bernarda!

PONCIA. (*A voces.*) ¡Ya viene! (*A la Criada.*) Limpia bien todo. Si Bernarda no ve

25

relucientes[10] las cosas me arrancará[11] los pocos pelos que me quedan.

CRIADA. ¡Qué mujer!

PONCIA. Tirana de todos los que la rodean. Es capaz de sentarse encima de tu corazón y
ver cómo te mueres durante un año sin que se le cierre esa sonrisa fría que
lleva en su maldita cara. ¡Limpia, limpia ese vidriado[12]!

30

CRIADA. Sangre en las manos tengo de fregarlo[13] todo.

PONCIA. Ella, la más aseada[14], ella, la más decente, ella, la más alta. Buen descanso ganó
su pobre marido.

(*Cesan las campanas.*)

CRIADA. ¿Han venido todos sus parientes?

35

PONCIA. Los de ella. La gente de él la odia. Vinieron a verlo muerto, y le hicieron la cruz.

CRIADA. ¿Hay bastantes sillas?

PONCIA. Sobran. Que se sienten en el suelo. Desde que murió el padre de Bernarda no han
vuelto a entrar las gentes bajo estos techos. Ella no quiere que la vean en su
dominio. ¡Maldita sea!

40

CRIADA. Contigo se portó bien.

3	**gori-gori** the murmur of people praying	7	**orza** small earthen pot	12	**vidriado** glass objects
4	**responso** prayer for the dead	8	**tranca** lock	13	**fregarlo** to scrub
5	**se desmayó** fainted	9	**ganzúas** skeleton keys	14	**aseada** clean
6	**se fastidia** get angry	10	**relucientes** shining		
		11	**arrancará** she will pull out		

PONCIA. Treinta años lavando sus sábanas, treinta años comiendo sus sobras[15], noches
en vela cuando tose, días enteros mirando por la rendija para espiar a los
vecinos y llevarle el cuento; vida sin secretos una con otra, y sin embargo,
¡maldita sea!, ¡mal dolor de clavo[16] le pinche[17] en los ojos!

45 CRIADA. ¡Mujer!

PONCIA. Pero yo soy buena perra: ladro cuando me lo dice y muerdo los talones de los que
piden limosna[18] cuando ella me azuza[19]; mis hijos trabajan en sus tierras y ya
están los dos casados, pero un día me hartaré[20].

CRIADA. Y ese día...

50 PONCIA. Ese día me encerraré con ella en un cuarto y le estaré escupiendo un año entero.
"Bernarda, por esto, por aquello, por lo otro", hasta ponerla como un lagarto[21]
machacado[22] por los niños, que es lo que es ella y toda su parentela. Claro
es que no le envidio la vida. Le quedan cinco mujeres, cinco hijas feas, que
quitando a Angustias, la mayor, que es la hija del primer marido y tiene
55 dineros, las demás, mucha puntilla[23] bordada, muchas camisas de hilo, pero
pan y uvas por toda herencia[24].

CRIADA. ¡Ya quisiera tener yo lo que ellas!

PONCIA. Nosotras tenemos nuestras manos y un hoyo[25] en la tierra de la verdad.

CRIADA. Ésa es la única tierra que nos dejan a los que no tenemos nada.

60 PONCIA. (*En la alacena.*) Este cristal tiene unas motas[26].

CRIADA. Ni con el jabón ni con bayeta[27] se le quitan.

(*Suenan las campanas.*)

PONCIA. El último responso. Me voy a oírlo. A mí me gusta mucho cómo canta el
párroco[28]. En el "Pater Noster" subió, subió, subió la voz que parecía un
65 cántaro llenándose de agua poco a poco. ¡Claro es que al final dio un
gallo, pero da gloria oírlo! Ahora que nadie como el antiguo sacristán
Tronchapinos. En la misa de mi madre, que esté en gloria, cantó.
Retumbaban[29] las paredes y cuando decía amén era como si un lobo hubiese
entrado en la iglesia. (*Imitándolo.*) ¡Améééén! (*Se echa a toser.*)

70 CRIADA. Te vas a hacer el gaznate[30] polvo.

PONCIA. ¡Otra cosa hacía polvo yo! (*Sale riendo.*)

---

15 **sobras** leftovers	enough	26 **motas** specks, spots
16 **clavo** nail	21 **lagarto** lizard	27 **bayeta** rag
17 **pinche** sting	22 **machacado** smashed	28 **párroco** priest
18 **limosna** money given as charity	23 **puntilla** lace	29 **retumbaban** resounded
19 **azuza** incites	24 **herencia** inheritance	30 **gaznate** windpipe
20 **me hartaré** I will have had	25 **hoyo** hole	

(*La Criada limpia. Suenan las campanas.*)

CRIADA. (*Llevando el canto.*) Tin, tin, tan. Tin, tin, tan. ¡Dios lo haya perdonado!

MENDIGA. (*Con una niña.*) ¡Alabado[31] sea Dios!

75 CRIADA. Tin, tin, tan. ¡Que nos espere muchos años! Tin, tin, tan.

MENDIGA. (*Fuerte, con cierta irritación.*) ¡Alabado sea Dios!

CRIADA. (*Irritada.*) ¡Por Siempre!

MENDIGA. Vengo por las sobras.

(*Cesan las campanas.*)

80 CRIADA. Por la puerta se va a la calle. Las sobras de hoy son para mí.

MENDIGA. Mujer, tú tienes quien te gane. Mi niña y yo estamos solas.

CRIADA. También están solos los perros y viven.

MENDIGA. Siempre me las dan.

CRIADA. Fuera de aquí. ¿Quién os dijo que entrarais? Ya me habéis dejado los pies

85 señalados. (*Se van, limpia.*) Suelos barnizados con aceite, alacenas[32], pedestales, camas de acero, para que traguemos quina las que vivimos en las chozas de tierra con un plato y una cuchara. ¡Ojalá que un día no quedáramos ni uno para contarlo! (*Vuelven a sonar las campanas.*) Sí, sí, ¡vengan clamores!, ¡venga caja con filos dorados y toallas de seda para

90 llevarla!; ¡que lo mismo estarás tú que estaré yo! Fastídiate, Antonio María Benavides, tieso[33] con tu traje de paño y tus botas enterizas. ¡Fastídiate! ¡Ya no volverás a levantarme las enaguas[34] detrás de la puerta de tu corral! (*Por el fondo, de dos en dos, empiezan a entrar Mujeres de luto[35], con pañuelos grandes, faldas y abanicos[36] negros. Entran lentamente hasta*

95 *llenar la escena.*)

CRIADA. (*Rompiendo a gritar.*) ¡Ay Antonio María Benavides, que ya no verás estas paredes, ni comerás el pan de esta casa! Yo fui la que más te quiso de las que te sirvieron. (*Tirándose del cabello.*) ¿Y he de vivir yo después de haberte marchado? ¿Y he de vivir?

100 (*Terminan de entrar las doscientas Mujeres y aparece Bernarda y sus cinco hijas. Bernarda viene apoyada en un bastón[37].*)

BERNARDA. (*A la Criada.*) ¡Silencio!

CRIADA. (*Llorando.*) ¡Bernarda!

---

31 **alabado** praised

32 **alacenas** cabinets

33 **tieso** stiff

34 **enaguas** slip

35 **luto** black clothing worn during mourning period or the mourning period itself

36 **abanicos** fans

37 **bastón** walking stick

BERNARDA. Menos gritos y más obras. Debías haber procurado que todo esto estuviera
105 más limpio para recibir al duelo[38]. Vete. No es éste tu lugar. (*La Criada se va
sollozando.*) Los pobres son como los animales. Parece como si estuvieran
hechos de otras sustancias.

MUJER primera Los pobres sienten también sus penas.

BERNARDA. Pero las olvidan delante de un plato de garbanzos[39].

110 MUCHACHA primera. (*Con timidez.*) Comer es necesario para vivir.

BERNARDA. A tu edad no se habla delante de las personas mayores.

MUJER primera. Niña, cállate.

BERNARDA. No he dejado que nadie me dé lecciones. Sentarse. (*Se sientan. Pausa. Fuerte.*)
Magdalena, no llores. Si quieres llorar te metes debajo de la cama. ¿Me has
115 oído?

MUJER segunda. (*A Bernarda.*) ¿Habéis empezado los trabajos en la era[40]?

BERNARDA. Ayer.

MUJER tercera. Cae el sol como plomo[41].

MUJER primera. Hace años no he conocido calor igual.

120 (*Pausa. Se abanican todas.*)

BERNARDA. ¿Está hecha la limonada?

PONCIA. Sí, Bernarda. (*Sale con una gran bandeja llena de jarritas blancas, que
distribuye.*)

BERNARDA. Dale a los hombres.

125 PONCIA. La están tomando en el patio.

BERNARDA. Que salgan por donde han entrado. No quiero que pasen por aquí.

MUCHACHA. (*A Angustias.*) Pepe el Romano estaba con los hombres del duelo.

ANGUSTIAS. Allí estaba.

BERNARDA. Estaba su madre. Ella ha visto a su madre. A Pepe no la ha visto ni ella ni yo.

130 MUCHACHA. Me pareció...

BERNARDA. Quien sí estaba era el viudo[42] de Darajalí. Muy cerca de tu tía. A ése lo vimos
todas.

MUJER segunda. (*Aparte y en baja voz.*) ¡Mala, más que mala!

MUJER tercera. (*Aparte y en baja voz.*) ¡Lengua de cuchillo!

135 BERNARDA. Las mujeres en la iglesia no deben mirar más hombre que al oficiante[43], y a
ese porque tiene faldas. Volver la cabeza es buscar el calor de la pana[44].

MUJER primera. (*En voz baja.*) ¡Vieja lagarta recocida[45]!

---

38 **duelo** group of mourners

39 **garbanzos** chick peas

40 **era** place for separating wheat from chaff

41 **plomo** lead

42 **viudo** widower

43 **oficiante** priest

44 **pana** cloth used in men's clothing

45 **recocida** overcooked

PONCIA. (*Entre dientes.*) ¡Sarmentosa[46] por calentura de varón!

BERNARDA. (*Dando un golpe de bastón en el suelo.*) Alabado sea Dios.

140 TODAS. (*Santiguándose.*) Sea por siempre bendito y alabado.

BERNARDA. Descansa en paz con la santa compaña de cabecera.

TODAS. ¡Descansa en paz!

BERNARDA. Con el ángel san Miguel y su espada justiciera.

TODAS. ¡Descansa en paz!

145 BERNARDA. Con la llave que todo lo abre y la mano que todo lo cierra.

TODAS. ¡Descansa en paz!

BERNARDA. Con los bienaventurados[47] y las lucecitas del campo.

TODAS. ¡Descansa en paz!

BERNARDA. Con nuestra santa caridad y las almas de tierra y mar.

150 TODAS. ¡Descansa en paz!

BERNARD A. Concede el reposo a tu siervo Antonio María Benavides y dale la corona de tu santa gloria.

TODAS. Amén.

BERNARDA. (*Se pone de pie y canta.*) "Requiem aeternam dona eis, Domine."

155 TODAS. (*De pie y cantando al modo gregoriano.*) "Et lux perpetua luceat eis." (*Se santiguan.*)

MUJER primera. Salud para rogar por su alma. (*Van desfilando.*)

MUJER tercera. No te faltará la hogaza de pan caliente.

MUJER segunda. Ni el techo para tus hijas. (*Van desfilando todas por delante de Bernarda*

160 *y saliendo.*)

(*Sale Angustias por otra puerta, la que da al patio.*)

MUJER cuarta. El mismo lujo de tu casamiento lo sigas disfrutando.

PONCIA. (*Entrando con una bolsa.*) De parte de los hombres esta bolsa de dineros para responsos.

165 BERNARDA. Dales las gracias y échales una copa de aguardiente[48].

MUCHACHA. (*A Magdalena.*) Magdalena.

BERNARDA. (*A sus hijas. A Magdalena, que inicia el llanto.*) Chisssss. (*Salen todas. Golpea con el bastón. A las que se han ido.*) ¡Andar a vuestras cuevas a criticar todo lo que habéis visto! Ojalá tardéis muchos años en volver a pasar

170 el arco de mi puerta.

PONCIA. No tendrás queja ninguna. Ha venido todo el pueblo.

BERNARDA. Sí; para llenar mi casa con el sudor de sus refajos[49] y el veneno[50] de sus

---

46 **sarmentosa** twisted (like a vine)

47 **bienaventurados** those blessed by God's grace

48 **aguardiente** whiskey

49 **refajos** skirts

50 **veneno** poison

lenguas.

AMELIA. ¡Madre, no hable usted así!

175   BERNARDA. Es así como se tiene que hablar en este maldito pueblo sin río, pueblo de
pozos[51], donde siempre se bebe el agua con el miedo de que esté envenenada.

PONCIA. ¡Cómo han puesto la solería[52]!

BERNARDA. Igual que si hubiese pasado por ella una manada[53] de cabras. (*La Poncia
limpia el suelo.*)

180   Niña, dame un abanico.

ADELA. Tome usted. (*Le da un abanico redondo con flores rojas y verdes.*)

BERNARDA. (*Arrojando el abanico al suelo.*) ¿Es éste el abanico que se da a una viuda?
Dame uno negro y aprende a respetar el luto de tu padre.

MARTIRIO. Tome usted el mío.

185   BERNARDA. ¿Y tú?

MARTIRIO. Yo no tengo calor.

BERNARDA. Pues busca otro, que te hará falta. En ocho años que dure el luto no ha de
entrar en esta casa el viento de la calle. Haceros cuenta que hemos tapiado
con ladrillos[54] puertas y ventanas. Así pasó en casa de mi padre y en casa
190   de mi abuelo. Mientras, podéis empezar a bordar el ajuar[55]. En el arca
tengo veinte piezas de hilo con el que podréis cortar sábanas y embozos.
Magdalena puede bordarlas.

MAGDALENA. Lo mismo me da.

ADELA. (*Agria.*) Si no quieres bordarlas, irán sin bordados. Así las tuyas lucirán más.

195   MAGDALENA. Ni las mías ni las vuestras. Sé que ya no me voy a casar. Prefiero llevar sacos
al molino[56]. Todo menos estar sentada días y días dentro de esta sala oscura.

BERNARDA. Eso tiene ser mujer.

MAGDALENA. Malditas sean las mujeres.

BERNARDA. Aquí se hace lo que yo mando. Ya no puedes ir con el cuento a tu padre. Hilo[57]
200   y aguja[58] para las hembras[59]. Látigo y mula para el varón[60]. Eso tiene la gente
que nace con posibles.

(*Sale Adela.*)

VOZ. Bernarda, ¡déjame salir!

BERNARDA. (*En voz alta.*) ¡Dejadla ya!

---

51 **pozos** wells

52 **solería** floor

53 **manada** herd

54 **tapiado con ladrillos** covered
in bricks

55 **bordar el ajuar** embroider the
trousseau

56 **molino** windmill

57 **hilo** thread

58 **aguja** needle

59 **hembras** females

60 **varón** male

205 (*Sale la Criada primera.*)

CRIADA. Me ha costado mucho sujetarla. A pesar de sus ochenta años, tu madre es fuerte

   como un roble[61].

BERNARDA. Tiene a quién parecérsele. Mi abuela fue igual.

CRIADA. Tuve durante el duelo que taparle varias veces la boca con un costal[62] vacío

210   porque quería llamarte para que le dieras agua de fregar siquiera para beber

   y carne de perro, que es lo que ella dice que le das.

MARTIRIO. ¡Tiene mala intención!

BERNARDA. (*A la Criada.*) Déjala que se desahogue[63] en el patio.

CRIADA. Ha sacado del cofre[64] sus anillos y los pendientes[65] de amatistas, se los ha puesto

215   y me ha dicho que se quiere casar.

(*Las hijas ríen.*)

BERNARDA. Ve con ella y ten cuidado que no se acerque al pozo.

CRIADA. No tengas miedo que se tire.

BERNARDA. No es por eso. Pero desde aquel sitio las vecinas pueden verla desde su

220   ventana.

(*Sale la Criada.*)

MARTIRIO. Nos vamos a cambiar la ropa.

BERNARDA. Sí; pero no el pañuelo de la cabeza. (*Entra Adela.*) ¿Y Angustias?

ADELA. (*Con retintín*[66].) La he visto asomada[67] a la rendija[68] del portón. Los hombres se

225   acababan de ir.

BERNARDA. ¿Y tú a qué fuiste también al portón?

ADELA. Me llegué a ver si habían puesto las gallinas.

BERNARDA. ¡Pero el duelo de los hombres habría salido ya!

ADELA. (*Con intención.*) Todavía estaba un grupo parado por fuera.

230 BERNARDA. (*Furiosa.*) ¡Angustias! ¡Angustias!

ANGUSTIAS. (*Entrando.*) ¿Qué manda usted?

BERNARDA. ¿Qué mirabas y a quién?

ANGUSTIAS. A nadie.

BERNARDA. ¿Es decente que una mujer de tu clase vaya con el anzuelo[69] detrás de un

235   hombre el día de la misa de su padre? ¡Contesta! ¿A quién mirabas?

---

61 **roble** oak tree

62 **costal** large bag

63 **se desahogue** find relief

64 **cofre** box

65 **pendientes** earrings

66 **retintín** irony or malice

67 **asomada** peeking out from

68 **rendija** small opening

69 **anzuelo** fish hook

240 (*Pausa.*)

ANGUSTIAS. Yo...

BERNARDA. ¡Tú!

ANGUSTIAS. ¡A nadie!

BERNARDA. (*Avanzando con el bastón.*) ¡Suave! ¡Dulzarrona[70]! (*Le da.*)

245 PONCIA. (*Corriendo.*) ¡Bernarda, cálmate! (*La sujeta.*) (*Angustias llora.*)

BERNARDA. ¡Fuera de aquí todas! (*Salen.*)

PONCIA. Ella lo ha hecho sin dar alcance a[71] lo que hacía, que está francamente mal. ¡Ya me chocó a mí verla escabullirse hacia el patio! Luego estuvo detrás de una ventana oyendo la conversación que traían los hombres, que, como siempre,

250 no se puede oír.

BERNARDA. ¡A eso vienen a los duelos! (*Con curiosidad.*) ¿De qué hablaban?

PONCIA. Hablaban de Paca la Roseta. Anoche ataron a su marido a un pesebre[72] y a ella se la llevaron a la grupa[73] del caballo hasta lo alto del olivar.

BERNARDA. ¿Y ella?

255 PONCIA. Ella, tan conforme. Dicen que iba con los pechos fuera y Maximiliano la llevaba cogida[74] como si tocara la guitarra. ¡Un horror!

BERNARDA. ¿Y qué pasó?

PONCIA. Lo que tenía que pasar. Volvieron casi de día. Paca la Roseta traía el pelo suelto y una corona de flores en la cabeza.

260 BERNARDA. Es la única mujer mala que tenemos en el pueblo.

PONCIA. Porque no es de aquí. Es de muy lejos. Y los que fueron con ella son también hijos de forastero. Los hombres de aquí no son capaces de eso.

BERNARDA. No; pero les gusta verlo y comentarlo y se chupan[75] los dedos de que esto ocurra.

265 PONCIA. Contaban muchas cosas más.

BERNARDA. (*Mirando a un lado y otro con cierto temor.*) ¿Cuáles?

PONCIA. Me da vergüenza referirlas.

BERNARDA. Y mi hija las oyó.

PONCIA. ¡Claro!

270 BERNARDA. Ésa sale a sus tías; blancas y untosas[76] que ponían ojos de carnero al piropo[77] de cualquier barberillo[78]. ¡Cuánto hay que sufrir y luchar para hacer que las personas sean decentes y no tiren al monte[79] demasiado!

PONCIA. ¡Es que tus hijas están ya en edad de merecer! Demasiada poca guerra te dan. Angustias ya debe tener mucho más de los treinta.

---

70 **Dulzarrona** Phony	74 **cogida** grabbed	78 **barberillo** a nobody
71 **dar alcance a** realizing	75 **chupan** suck	79 **no tiren al monte** don't go wild
72 **pesebre** trough	76 **untosas** sneaky	
73 **grupa** back part of a horse	77 **piropo** flirtation	

275 BERNARDA. Treinta y nueve justos.

PONCIA. Figúrate. Y no ha tenido nunca novio...

BERNARDA. (*Furiosa.*) ¡No, no ha tenido novio ninguna ni les hace falta! Pueden pasarse
muy bien.

PONCIA. No he querido ofenderte.

280 BERNARDA. No hay en cien leguas a la redonda quien se pueda acercar a ellas. Los
hombres de aquí no son de su clase. ¿Es que quieres que las entregue a
cualquier gañán[80]?

PONCIA. Debías haberte ido a otro pueblo.

BERNARDA. Eso, ¡a venderlas!

285 PONCIA. No, Bernarda; a cambiar... ¡Claro que en otros sitios ellas resultan las pobres!

BERNARDA. ¡Calla esa lengua atormentadora!

PONCIA. Contigo no se puede hablar. Tenemos o no tenemos confianza.

BERNARDA. No tenemos. Me sirves y te pago. ¡Nada más!

CRIADA primera. (*Entrando.*) Ahí está don Arturo, que viene a arreglar las particiones[81].

290 BERNARDA. Vamos. (*A la Criada.*) Tú empieza a blanquear el patio. (*A la Poncia.*) Y tú ve
guardando en el arca grande toda la ropa del muerto.

PONCIA. Algunas cosas las podríamos dar...

BERNARDA. Nada. ¡Ni un botón! ¡Ni el pañuelo con que le hemos tapado la cara! (*Sale
lentamente apoyada en el bastón y al salir, vuelve la cabeza y mira a sus
295   Criadas. Las Criadas salen después.*)

(*Entran Amelia y Martirio.*)

AMELIA. ¿Has tomado la medicina?

MARTIRIO. ¡Para lo que me va a servir!

AMELIA. Pero la has tomado.

300 MARTIRIO. Ya hago las cosas sin fe pero como un reloj.

AMELIA. Desde que vino el médico nuevo estás más animada.

MARTIRIO. Yo me siento lo mismo.

AMELIA. ¿Te fijaste? Adelaida no estuvo en el duelo.

MARTIRIO. Ya lo sabía. Su novio no la deja salir ni al tranco de la calle. Antes era alegre.
305   Ahora ni polvos se echa en la cara.

AMELIA. Ya no sabe una si es mejor tener novio o no.

MARTIRIO. Es lo mismo.

AMELIA. De todo tiene la culpa esta crítica que no nos deja vivir. Adelaida habrá pasado
mal rato.

310 MARTIRIO. Le tienen miedo a nuestra madre. Es la única que conoce la historia de su

---

80 **gañán** farm worker

81 **particiones** inheritance

padre y el origen de sus tierras. Siempre que viene le tira puñaladas[82] con el asunto. Su padre mató en Cuba al marido de su primera mujer para casarse con ella, luego aquí la abandonó y se fue con otra que tenía una hija y luego tuvo relaciones con esta muchacha, la madre de Adelaida, y casó con ella después de haber muerto loca la segunda mujer.

AMELIA. Y ese infame[83], ¿por qué no está en la cárcel?

MARTIRIO. Porque los hombres se tapan unos a otros las cosas de esta índole y nadie es capaz de delatar[84].

AMELIA. Pero Adelaida no tiene culpa de esto.

MARTIRIO. No, pero las cosas se repiten. Yo veo que todo es una terrible repetición. Y ella tiene el mismo sino[85] de su madre y de su abuela, mujeres las dos del que la engendró.

AMELIA. ¡Qué cosa más grande!

MARTIRIO. Es preferible no ver a un hombre nunca. Desde niña les tuve miedo. Los veía en el corral

uncir los bueyes y levantar los costales de trigo entre voces y zapatazos y siempre tuve miedo de crecer por temor de encontrarme de pronto abrazada por ellos. Dios me ha hecho débil y fea y los ha apartado definitivamente de mí.

AMELIA. ¡Eso no digas! Enrique Humanes estuvo detrás de ti y le gustabas.

MARTIRIO. ¡Invenciones de la gente! Una noche estuve en camisa detrás de la ventana hasta que fue de día porque me avisó con la hija de su gañán que iba a venir, y no vino. Fue todo cosa de lenguas. Luego se casó con otra que tenía más que yo.

AMELIA. Y fea como un demonio.

MARTIRIO. ¡Qué les importa a ellos la fealdad! A ellos les importa la tierra, las yuntas y una perra sumisa que les dé de comer.

AMELIA. ¡Ay! (*Entra Magdalena.*)

MAGDALENA. ¿Qué hacéis?

MARTIRIO. Aquí.

AMELIA. ¿Y tú?

MAGDALENA. Vengo de correr las cámaras. Por andar un poco. De ver los cuadros bordados en cañamazo de nuestra abuela, el perrito de lanas y el negro luchando con el león que tanto nos gustaba de niñas. Aquélla era una época más alegre. Una boda duraba diez días y no se usaban las malas lenguas. Hoy hay más finura, las novias se ponen velo blanco como en las poblaciones y se bebe vino de botella, pero nos pudrimos[86] por el qué dirán[87].

MARTIRIO. ¡Sabe Dios lo que entonces pasaría!

---

82 **puñaladas** stabs

83 **infame** vile man

84 **delatar** snitch, tell

85 **sino** fate

86 **nos pudrimos** we're rotting

87 **el qué dirán** gossip

AMELIA. (*A Magdalena*.) Llevas desabrochados[88] los cordones de un zapato.

350 MAGDALENA. ¡Qué más da!

AMELIA. Te los vas a pisar y te vas a caer.

MAGDALENA. ¡Una menos!

MARTIRIO. ¿Y Adela?

MAGDALENA. ¡Ah! Se ha puesto el traje verde que se hizo para estrenar[89] el día de su

355 cumpleaños, se ha ido al corral, y ha comenzado a voces: " ¡Gallinas, gallinas,
miradme!".¡Me he tenido que reír!

AMELIA. ¡Si la hubiera visto madre!

MAGDALENA. ¡Pobrecilla! Es la más joven de nosotras y tiene ilusión. ¡Daría algo por verla
feliz!

360 (*Pausa. Angustias cruza la escena con unas toallas en la mano.*)

ANGUSTIAS. ¿Qué hora es?

MARTIRIO. Ya deben ser las doce.

ANGUSTIAS. ¿Tanto?

AMELIA. Estarán al caer.

365 (*Sale Angustias.*)

MAGDALENA. (*Con intención.*) ¿Sabéis ya la cosa...? (*Señalando a Angustias.*)

AMELIA. No.

MAGDALENA. ¡Vamos!

MARTIRIO. ¡No sé a qué cosa te refieres...!

370 MAGDALENA. ¡Mejor que yo lo sabéis las dos, siempre cabeza con cabeza como dos
ovejitas, pero sin desahogaros con nadie! ¡Lo de Pepe el Romano!

MARTIRIO. ¡Ah!

MAGDALENA. (*Remedándola.*) ¡Ah! Ya se comenta por el pueblo. Pepe el Romano viene a
casarse con Angustias. Anoche estuvo rondando la casa y creo que pronto va

375 a mandar un emisario.

MARTIRIO. ¡Yo me alegro! Es buen hombre.

AMELIA. Yo también. Angustias tiene buenas condiciones.

MAGDALENA. Ninguna de las dos os alegráis.

MARTIRIO. ¡Magdalena! ¡Mujer!

380 MAGDALENA. Si viniera por el tipo de Angustias, por Angustias como mujer, yo me
alegraría; pero viene por el dinero. Aunque Angustias es nuestra hermana,
aquí estamos en familia y reconocemos que está vieja, enfermiza y que

---

88 **desabrochados** untied   89 **estrenar** wear for the first time

siempre ha sido la que ha tenido menos mérito de todas nosotras. Porque si con veinte años parecía un palo vestido, ¡qué será ahora que tiene cuarenta!

385 MARTIRIO. No hables así. La suerte viene a quien menos la aguarda.

AMELIA. ¡Después de todo dice la verdad! ¡Angustias tiene el dinero de su padre, es la única rica de la casa y por eso ahora que nuestro padre ha muerto y ya se harán particiones vienen por ella!

MAGDALENA. Pepe el Romano tiene veinticinco años y es el mejor tipo de todos estos

390 contornos; lo natural sería que te pretendiera a ti, Amelia, o a nuestra Adela, que tiene veinte años, pero no que venga a buscar lo más oscuro de esta casa, a una mujer que, como su padre, habla con la nariz.

MARTIRIO. ¡Puede que a él le guste!

MAGDALENA. ¡Nunca he podido resistir tu hipocresía!

395 MARTIRIO. ¡Dios nos valga!

(*Entra Adela.*)

MAGDALENA. ¿Te han visto ya las gallinas?

ADELA. ¿Y qué querías que hiciera?

AMELIA. ¡Si te ve nuestra madre te arrastra⁹⁰ del pelo!

400 ADELA. Tenía mucha ilusión con el vestido. Pensaba ponérmelo el día que vamos a comer sandías a la noria. No hubiera habido otro igual.

MARTIRIO. ¡Es un vestido precioso!

ADELA. Y me está muy bien. Es lo que mejor ha cortado Magdalena.

MAGDALENA. ¿Y las gallinas qué te han dicho?

405 ADELA. Regalarme una cuantas pulgas⁹¹ que me han acribillado⁹² las piernas. (*Ríen.*)

MARTIRIO. Lo que puedes hacer es teñirlo de negro.

MAGDALENA. ¡Lo mejor que puede hacer es regalárselo a Angustias para su boda con Pepe el Romano!

ADELA. (*Con emoción contenida.*) ¡Pero Pepe el Romano...!

410 AMELIA. ¿No lo has oído decir?

ADELA. No.

MAGDALENA. ¡Pues ya lo sabes!

ADELA. ¡Pero si no puede ser!

MAGDALENA. ¡El dinero lo puede todo!

415 ADELA. ¿Por eso ha salido detrás del duelo y estuvo mirando por el portón? (*Pausa.*) Y ese hombre es capaz de...

MAGDALENA. Es capaz de todo.

(*Pausa.*)

---

90 **arrastra** drag   91 **pulgas** fleas   92 **acribillado** bitten up

MARTIRIO. ¿Qué piensas, Adela?

420 ADELA. Pienso que este luto me ha cogido en la peor época de mi vida para pasarlo.

MAGDALENA. Ya te acostumbrarás.

ADELA. (*Rompiendo a llorar con ira.*) ¡No, no me acostumbraré! Yo no quiero estar encerrada. ¡No quiero que se me pongan las carnes como a vosotras! ¡No quiero perder mi blancura en estas habitaciones! ¡Mañana me pondré mi

425 vestido verde y me echaré a pasear por la calle! ¡Yo quiero salir!

(*Entre la Criada primera.*)

MAGDALENA. (*Autoritaria.*) ¡Adela!

CRIADA primera. ¡La pobre! ¡Cuánto ha sentido a su padre! (*Sale.*)

MARTIRIO. ¡Calla!

430 AMELIA. Lo que sea de una será de todas.

(*Adela se calma.*)

MAGDALENA. Ha estado a punto de oírte la criada.

CRIADA. (*Apareciendo.*) Pepe el Romano viene por lo alto de la calle.

(*Amelia, Martirio y Magdalena corren presurosas.*)

435 MAGDALENA. ¡Vamos a verlo! (*Salen rápidas.*)

CRIADA. (*A Adela.*) ¿Tú no vas?

ADELA. No me importa.

CRIADA. Como dará la vuelta a la esquina, desde la ventana de tu cuarto se verá mejor.
(*Sale la Criada.*)

440 (*Adela queda en escena dudando; después de un instante se va también rápida hacia su habitación. Sale Bernarda y la Poncia.*)

BERNARDA. ¡Malditas particiones!

PONCIA. ¡¡Cuánto dinero le queda a Angustias!!

BERNARDA. Sí.

445 PONCIA. Y a las otras bastante menos.

BERNARDA. Ya me lo has dicho tres veces y no te he querido replicar. Bastante menos, mucho menos. No me lo recuerdes más.

(*Sale Angustias muy compuesta de cara.*)

BERNARDA. ¡Angustias!

450 ANGUSTIAS. Madre.

BERNARDA. ¿Pero has tenido valor de echarte polvos en la cara? ¿Has tenido valor de
  lavarte la cara el día de la misa de tu padre?

ANGUSTIAS. No era mi padre. El mío murió hace tiempo. ¿Es que ya no lo recuerda usted?

BERNARDA. ¡Más debes a este hombre, padre de tus hermanas, que al tuyo! Gracias a este
455   hombre tienes colmada tu fortuna.

ANGUSTIAS. ¡Eso lo teníamos que ver!

BERNARDA. ¡Aunque fuera por decencia! Por respeto.

ANGUSTIAS. Madre, déjeme usted salir.

BERNARDA. ¿Salir? Después de que te hayas quitado esos polvos de la cara, ¡suavona!
460   ¡Yeyo! ¡Espejo de tus tías! (*Le quita violentamente con su pañuelo los polvos.*)
  ¡Ahora vete!

PONCIA. ¡Bernarda, no seas tan inquisitiva!

BERNARDA. Aunque mi madre esté loca, yo estoy con mis cinco sentidos y sé
  perfectamente lo que hago.

465 (*Entran todas.*)

MAGDALENA. ¿Qué pasa?

BERNARDA. No pasa nada.

MAGDALENA. (*A Angustias.*) Si es que discutís por las particiones, tú que eres la más rica
  te puedes quedar con todo.

470 ANGUSTIAS. ¡Guárdate la lengua en la madriguera[93]!

BERNARDA. (*Golpeando con el bastón en el suelo.*) ¡No os hagáis ilusiones de que vais a
  poder conmigo! ¡Hasta que salga de esta casa con los pies adelante mandaré
  en lo mío y en lo vuestro!

(*Se oyen unas voces y entra en escena María Josefa, la madre de Bernarda, viejísima,*
475   *ataviada con flores en la cabeza y en el pecho.*)

MARÍA JOSEFA. Bernarda, ¿dónde está mi mantilla? Nada de lo que tengo quiero que sea
  para vosotras: ni mis anillos ni mi traje negro de moaré. Porque ninguna de
  vosotras se va a casar. ¡Ninguna! Bernarda, ¡dame mi gargantilla[94] de perlas!

BERNARDA. (*A la Criada.*) ¿Por qué la habéis dejado entrar?

480 CRIADA. (*Temblando.*) ¡Se me escapó!

MARÍA JOSEFA. Me escapé porque me quiero casar, porque quiero casarme con un varón
  hermoso de la orilla del mar, ya que aquí los hombres huyen de las mujeres.

BERNARDA. ¡Calle usted, madre!

---

93 **madriguera** cave; (fig.) "mouth"   94 **gargantilla** necklace

MARÍA JOSEFA. No, no callo. No quiero ver a estas mujeres solteras rabiando por[95] la
485   boda, haciéndose polvo el corazón, y yo me quiero ir a mi pueblo. ¡Bernarda,
           yo quiero un varón para casarme y para tener alegría!
BERNARDA. ¡Encerradla!
MARÍA JOSEFA. ¡Déjame salir, Bernarda!

(*La Criada coge a María Josefa.*)

490   BERNARDA. ¡Ayudarla vosotras! (*Todas arrastran a la Vieja.*)
MARÍA JOSEFA. ¡Quiero irme de aquí, Bernarda! A casarme a la orilla del mar, a la orilla del
           mar.

(*Telón rápido*)

Acto segundo

495   Habitación blanca del interior de la casa de Bernarda. Las puertas de la izquierda dan a los
           dormitorios. Las Hijas de Bernarda están sentadas en sillas bajas cosiendo.
           Magdalena borda. Con ellas está la Poncia.

ANGUSTIAS. Ya he cortado la tercera sábana.
MARTIRIO. Le corresponde a Amelia.
500   MAGDALENA. Angustias, ¿pongo también las iniciales de Pepe?
ANGUSTIAS. (*Seca.*) No.
MAGDALENA. (*A voces.*) Adela, ¿no vienes?
AMELIA. Estará echada en la cama.
PONCIA. Ésa tiene algo. La encuentro sin sosiego, temblona, asustada, como si tuviera una
505   lagartija entre los pechos.
MARTIRIO. No tiene ni más ni menos que lo que tenemos todas.
MAGDALENA. Todas menos Angustias.
ANGUSTIAS. Yo me encuentro bien, y al que le duela, que reviente[96].
MAGDALENA. Desde luego hay que reconocer que lo mejor que has tenido siempre ha
510   sido el talle[97] y la delicadeza.
ANGUSTIAS. Afortunadamente pronto voy a salir de este infierno.
MAGDALENA. ¡A lo mejor no sales!
MARTIRIO. ¡Dejar esa conversación!
ANGUSTIAS. Y además, ¡más vale onza en el arca que ojos negros en la cara[98]!
515   MAGDALENA. Por un oído me entra y por otro me sale.

---

95 **rabiando por** mad for

96 **reviente** explode

97 **talle** figure

98 **más vale onza en el arca que ojos negros en la cara** money is worth more than beauty

AMELIA. (*A la Poncia.*) Abre la puerta del patio a ver si nos entra un poco el fresco.

(*La Poncia lo hace.*)

MARTIRIO. Esta noche pasada no me podía quedar dormida del calor.

AMELIA. ¡Yo tampoco!

520 MAGDALENA. Yo me levanté a refrescarme. Había un nublo negro de tormenta y hasta
        cayeron algunas gotas.

PONCIA. Era la una de la madrugada y salía fuego de la tierra. También me levanté yo.
        Todavía estaba Angustias con Pepe en la ventana.

MAGDALENA. (*Con ironía.*) ¿Tan tarde? ¿A qué hora se fue?

525 ANGUSTIAS. Magdalena, ¿a qué preguntas si lo viste?

AMELIA. Se iría a eso de la una y media.

ANGUSTIAS. Sí. ¿Tú por qué lo sabes?

AMELIA. Lo sentí toser y oí los pasos de su jaca[99].

PONCIA. ¡Pero si yo lo sentí marchar a eso de las cuatro!

530 ANGUSTIAS. ¡No sería él!

PONCIA. ¡Estoy segura!

AMELIA. ¡A mí también me pareció!

MAGDALENA. ¡Qué cosa más rara!

(*Pausa.*)

535 PONCIA. Oye, Angustias. ¿Qué fue lo que te dijo la primera vez que se acercó a tu ventana?

ANGUSTIAS. Nada, ¡qué me iba a decir! Cosas de conversación.

MARTIRIO. Verdaderamente es raro que dos personas que no se conocen se vean de
        pronto en una reja[100] y ya novios.

ANGUSTIAS. Pues a mí no me chocó.

540 AMELIA. A mí me daría no sé qué.

ANGUSTIAS. No, porque cuando un hombre se acerca a una reja ya sabe por los que van y
        vienen, llevan y traen, que se le va a decir que sí.

MARTIRIO. Bueno; pero él te lo tendría que decir.

ANGUSTIAS. ¡Claro!

545 AMELIA. (*Curiosa.*) ¿Y cómo te lo dijo?

ANGUSTIAS. Pues nada: "Ya sabes que ando detrás de ti, necesito una mujer buena,
        modosa[101], ¡y ésa eres tú si me das la conformidad!".

AMELIA. ¡A mí me da vergüenza de estas cosas!

---

99 **jaca** mare

100 **reja** wrought iron bars on window

101 **modosa** well behaved

ANGUSTIAS. ¡Y a mí, pero hay que pasarlas!

550 PONCIA. ¿Y habló más?

ANGUSTIAS. Sí; siempre habló él.

MARTIRIO. ¿Y tú?

ANGUSTIAS. Yo no hubiera podido. Casi se me salía el corazón por la boca. Era la primera vez que estaba sola de noche con un hombre.

555 MAGDALENA. Y un hombre tan guapo.

ANGUSTIAS. ¡No tiene mal tipo[102]!

PONCIA. Esas cosas pasan entre personas ya un poco instruidas que hablan y dicen y mueven la mano... La primera vez que mi marido Evaristo el Colorín vino a mi ventana... ¡Ja, ja, ja!

560 AMELIA. ¿Qué pasó?

PONCIA. Era muy oscuro. Lo vi acercarse y al llegar me dijo: "Buenas noches". "Buenas noches", le dije yo, y nos quedamos callados más de media hora. Me corría el sudor por todo el cuerpo. Entonces Evaristo se acercó, se acercó que se quería meter por los hierros, y dijo con voz muy baja: "¡Ven que te tiente[103]!".

565 (*Ríen todas.*)

(*Amelia se levanta corriendo y espía por una puerta.*)

AMELIA. ¡Ay! ¡Creí que llegaba nuestra madre!

MAGDALENA. ¡Buenas nos hubiera puesto[104]! (*Siguen riendo.*)

AMELIA. Chissss... ¡Que nos va a oír!

570 PONCIA. Luego se portó bien. En vez de darle por otra cosa le dio por criar colorines[105] hasta que se murió. A vosotras que sois solteras, os conviene saber de todos modos que el hombre a los quince días de boda deja la cama por la mesa y luego la mesa por la tabernilla. Y la que no se conforma se pudre llorando en un rincón.

575 AMELIA. Tú te conformaste.

PONCIA. ¡Yo pude con él!

MARTIRIO. ¿Es verdad que le pegaste algunas veces?

PONCIA. Sí, y por poco lo dejo tuerto[106].

MAGDALENA. ¡Así debían ser todas las mujeres!

580 PONCIA. Yo tengo la escuela de tu madre. Un día me dijo no sé qué cosa y le maté todos los colorines con la mano del almirez[107]. (*Ríen.*)

MAGDALENA. Adela, ¡niña! No te pierdas esto.

AMELIA. Adela.

---

102 **tipo** appearance

103 **tiente** touch

104 **¡Buenas nos hubiera puesto!** She would have really let us have it!

105 **colorines** certain birds

106 **tuerto** one-eyed

107 **almirez** mortar

(Pausa.)

585 MAGDALENA. ¡Voy a ver! (*Entra.*)

PONCIA. ¡Esa niña está mala!

MARTIRIO. Claro, ¡no duerme apenas!

PONCIA. ¿Pues qué hace?

MARTIRIO. ¡Yo qué sé lo que hace!

590 PONCIA. Mejor lo sabrás tú que yo, que duermes pared por medio.

ANGUSTIAS. La envidia la come.

AMELIA. No exageres.

ANGUSTIAS. Se lo noto en los ojos. Se le está poniendo mirar de loca.

MARTIRIO. No habléis de locos. Aquí es el único sitio donde no se puede pronunciar esta
595   palabra.

(Sale Magdalena con Adela.)

MAGDALENA. Pues ¿no estabas dormida?

ADELA. Tengo mal cuerpo[108].

MARTIRIO. (*Con intención.*) ¿Es que no has dormido bien esta noche?

600 ADELA. Sí.

MARTIRIO. ¿Entonces?

ADELA. (*Fuerte.*) ¡Déjame ya! ¡Durmiendo o velando[109] no tienes por qué meterte en lo mío!
       ¡Yo hago con mi cuerpo lo que me parece!

MARTIRIO. ¡Sólo es interés por ti!

605 ADELA. Interés o inquisición. ¿No estabais cosiendo? ¡Pues seguir! ¡Quisiera ser invisible,
       pasar por las habitaciones sin que me preguntarais dónde voy!

CRIADA. (*Entra.*) Bernarda os llama. Está el hombre de los encajes[110]. (*Salen.*)

(Al salir, Martirio mira fijamente a Adela.)

ADELA. ¡No me mires más! Si quieres te daré mis ojos, que son frescos, y mis espaldas,
610   para que te compongas la joroba[111] que tienes, pero vuelve la cabeza cuando
       yo pase.

PONCIA. Adela, ¡que es tu hermana y además la que más te quiere!

ADELA. Me sigue a todos lados. A veces se asoma a mi cuarto para ver si duermo. No me
       deja respirar. Y siempre: "¡Qué lástima de cara! ¡Qué lástima de cuerpo que no
615   va a ser para nadie!". ¡Y eso no! ¡Mi cuerpo será de quien yo quiera!

PONCIA. (*Con intención y en voz baja.*) De Pepe el Romano, ¿no es eso?

---

108 **Tengo mal cuerpo** I don't feel well   110 **encajes** lace

109 **velando** staying awake   111 **joroba** hump

ADELA. (*Sobrecogida.*) ¿Qué dices?

PONCIA. ¡Lo que digo, Adela!

ADELA. ¡Calla!

620 PONCIA. (*Alto.*) ¿Crees que no me he fijado[112]?

ADELA. ¡Baja la voz!

PONCIA. ¡Mata esos pensamientos!

ADELA. ¿Qué sabes tú?

PONCIA. Las viejas vemos a través de las paredes. ¿Dónde vas de noche cuando te

625   levantas?

ADELA. ¡Ciega debías estar!

PONCIA. Con la cabeza y las manos llenas de ojos cuando se trata de lo que se trata.

               Por mucho que pienso no sé lo que te propones. ¿Por qué te pusiste casi

               desnuda, con la luz encendida y la ventana abierta al pasar Pepe el segundo

630   día que vino a hablar con tu hermana?

ADELA. ¡Eso no es verdad!

PONCIA. ¡No seas como los niños chicos! Deja en paz a tu hermana, y si Pepe el Romano

               te gusta, te aguantas[113]. (*Adela llora.*) Además, ¿quién dice que no te puedes

               casar con él? Tu hermana Angustias es una enferma. Ésa no resiste el primer

635   parto[114]. Es estrecha de cintura, vieja, y con mi conocimiento te digo que

               se morirá. Entonces Pepe hará lo que hacen todos los viudos de esta tierra:

               se casará con la más joven, la más hermosa, y ésa eres tú. Alimenta esa

               esperanza, olvídalo, lo que quieras, pero no vayas contra la ley de Dios.

ADELA. ¡Calla!

640 PONCIA. ¡No callo!

ADELA. Métete en tus cosas, ¡oledora[115]!, ¡pérfida[116]!

PONCIA. ¡Sombra tuya he de ser!

ADELA. En vez de limpiar la casa y acostarte para rezar a tus muertos, buscas como una

               vieja marrana[117] asuntos de hombres y mujeres para babosear[118] en ellos.

645 PONCIA. ¡Velo[119]!, para que las gentes no escupan[120] al pasar por esta puerta.

ADELA. ¡Qué cariño tan grande te ha entrado de pronto por mi hermana!

PONCIA. No os tengo ley[121] a ninguna, pero quiero vivir en casa decente. ¡No quiero

               mancharme[122] de vieja!

ADELA. Es inútil tu consejo. Ya es tarde. No por encima de ti que eres una criada; por

---

112 **fijado** noticed	116 **pérfida** traitor	120 **escupan** spit
113 **te aguantas** control yourself	117 **marrana** pig	121 **no os tengo ley** there is no love lost between us
114 **parto** childbirth	118 **babosear** to drool	
115 **oledora** stinky	119 **velo** I keep watch	122 **mancharme** to become stained

650 encima de mi madre saltaría para apagarme este fuego que tengo levantado por piernas y boca. ¿Qué puedes decir de mí? ¿Que me encierro en mi cuarto y no abro la puerta? ¿Que no duermo? ¡Soy más lista que tú! Mira a ver si puedes agarrar la liebre[123] con tus manos.

PONCIA. No me desafíes[124]. ¡Adela, no me desafíes! Porque yo puedo dar voces, encender

655 luces y hacer que toquen las campanas.

ADELA. Trae cuatro mil bengalas amarillas y ponlas en las bardas del corral. Nadie podrá evitar que suceda lo que tiene que suceder.

PONCIA. ¡Tanto te gusta ese hombre!

ADELA. ¡Tanto! Mirando sus ojos me parece que bebo su sangre lentamente.

660 PONCIA. Yo no te puedo oír.

ADELA. ¡Pues me oirás! Te he tenido miedo. ¡Pero ya soy más fuerte que tú!

(*Entra Angustias.*)

ANGUSTIAS. ¡Siempre discutiendo!

PONCIA. Claro. Se empeña[125] que con el calor que hace vaya a traerle no sé qué cosa de la

665 tienda.

ANGUSTIAS. ¿Me compraste el bote de esencia?

PONCIA. El más caro. Y los polvos. En la mesa de tu cuarto los he puesto.

(*Sale Angustias.*)

ADELA. ¡Y chitón[126]!

670 PONCIA. ¡Lo veremos!

(*Entran Martirio, Amelia y Magdalena.*)

MAGDALENA. (*A Adela.*) ¿Has visto los encajes?

AMELIA. Los de Angustias para sus sábanas de novia son pre preciosos.

ADELA. (*A Martirio, que trae unos encajes.*) ¿Y éstos?

675 MARTIRIO. Son para mí. Para una camisa.

ADELA. (*Con sarcasmo.*) ¡Se necesita buen humor!

MARTIRIO. (*Con intención.*) Para verlos yo. No necesito lucirme ante nadie.

PONCIA. Nadie le ve a una en camisa.

MARTIRIO. (*Con intención y mirando a Adela.*) ¡A veces! Pero me encanta la ropa interior.

680 Si fuera rica la tendría de holanda. Es uno de los pocos gustos que me quedan.

---

123 **liebre** rabbit

124 **desafíes** defy

125 **se empeña** insiste

126 **chitón** psst

PONCIA. Estos encajes son preciosos para las gorras de niño, para manteruelos de cristianar. Yo nunca pude usarlos en los míos. A ver si ahora Angustias los usa en los suyos. Como le dé por tener crías, vais a estar cosiendo mañana y tarde.

685

MAGDALENA. Yo no pienso dar una puntada[127].

AMELIA. Y mucho menos cuidar niños ajenos[128]. Mira tú cómo están las vecinas del callejón, sacrificadas por cuatro monigotes[129].

PONCIA. Ésas están mejor que vosotras. ¡Siquiera[130] allí se ríe y se oyen porrazos[131]!

690 MARTIRIO. Pues vete a servir con ellas.

PONCIA. No. ¡Ya me ha tocado en suerte este convento!

(*Se oyen unos campanillos lejanos como a través de varios muros.*)

MAGDALENA. Son los hombres que vuelven al trabajo.

PONCIA. Hace un minuto dieron las tres.

695 MARTIRIO. ¡Con este sol!

ADELA. (*Sentándose.*) ¡Ay, quien pudiera salir también a los campos!

MAGDALENA. (*Sentándose.*) ¡Cada clase tiene que hacer lo suyo!

MARTIRIO. (*Sentándose.*) ¡Así es!

AMELIA. (*Sentándose.*) ¡Ay!

700 PONCIA. No hay alegría como la de los campos en esta época. Ayer de mañana llegaron los segadores[132]. Cuarenta o cincuenta buenos mozos.

MAGDALENA. ¿De dónde son este año?

PONCIA. De muy lejos. Vinieron de los montes. ¡Alegres! ¡Como árboles quemados! ¡Dando voces y arrojando piedras! Anoche llegó al pueblo una mujer vestida de

705 lentejuelas[133] y que bailaba con un acordeón, y quince de ellos la contrataron para llevársela al olivar. Yo los vi de lejos. El que la contrataba era un muchacho de ojos verdes, apretado como una gavilla de trigo.

AMELIA. ¿Es eso cierto?

ADELA. ¡Pero es posible!

710 PONCIA. Hace años vino otra de éstas y yo misma di dinero a mi hijo mayor para que fuera. Los hombres necesitan estas cosas.

ADELA. Se les perdona todo.

AMELIA. Nacer mujer es el mayor castigo.

MAGDALENA. Y ni nuestros ojos siquiera nos pertenecen.

715 (*Se oye un canto lejano que se va acercando.*)

---

127 **puntada** stitch	129 **monigotes** puppets	132 **segadores** field workers
128 **ajenos** belonging to other people	130 **Siquiera** At least	133 **lentejuelas** sequins
	131 **porrazos** sounds of knocking	

PONCIA. Son ellos. Traen unos cantos preciosos.

AMELIA. Ahora salen a segar.

CORO.

Ya salen los segadores

720   en busca de las espigas;

se llevan los corazones

de las muchachas que miran.

(*Se oyen panderos y carrañacas. Pausa. Todas oyen en un silencio traspasado por el sol.*)

AMELIA. ¡Y no les importa el calor!

725   MARTIRIO. Siegan entre llamaradas.

ADELA. Me gustaría poder segar para ir y venir. Así se olvida lo que nos muerde.

MARTIRIO. ¿Qué tienes tú que olvidar?

ADELA. Cada una sabe sus cosas.

MARTIRIO. (*Profunda.*) ¡Cada una!

730   PONCIA. ¡Callar! ¡Callar!

CORO. (*Muy lejano.*)

Abrir puertas y ventanas

las que vivís en el pueblo.

El segador pide rosas

735   para adornar su sombrero.

PONCIA. ¡Qué canto!

MARTIRIO. (*Con nostalgia.*)

Abrir puertas y ventanas

las que vivís en el pueblo...

740   ADELA. (*Con pasión.*) ...

El segador pide rosas

para adornar su sombrero.

(*Se va alejando el cantar.*)

PONCIA. Ahora dan la vuelta a la esquina.

745   ADELA. Vamos a verlos por la ventana de mi cuarto.

PONCIA. Tened cuidado con no entreabrirla mucho, porque son capaces de dar un

empujón[134] para ver quién mira.

(*Se van las tres. Martirio queda sentada en la silla baja con la cabeza entre las manos.*)

---

134 **empujón** push

AMELIA. (*Acercándose.*) ¿Qué te pasa?

750 MARTIRIO. Me sienta mal el calor.

AMELIA. ¿No es más que eso?

MARTIRIO. Estoy deseando que llegue noviembre, los días de lluvia, la escarcha[135], todo lo
        que no sea este verano interminable.

AMELIA. Ya pasará y volverá otra vez.

755 MARTIRIO. ¡Claro! (*Pausa.*) ¿A qué hora te dormiste anoche?

AMELIA. No sé. Yo duermo como un tronco. ¿Por qué?

MARTIRIO. Por nada, pero me pareció oír gente en el corral.

AMELIA. ¿Sí?

MARTIRIO. Muy tarde.

760 AMELIA. ¿Y no tuviste miedo?

MARTIRIO. No. Ya lo he oído otras noches.

AMELIA. Debíamos tener cuidado. ¿No serían los gañanes?

MARTIRIO. Los gañanes llegan a las seis.

AMELIA. Quizá una mulilla sin desbravar[136].

765 MARTIRIO. (*Entre dientes y llena de segunda intención.*) Eso, ¡eso! Una mulilla sin
        desbravar.

AMELIA. ¡Hay que prevenir[137]!

MARTIRIO. ¡No, no! No digas nada, puede ser un barrunto[138] mío.

AMELIA. Quizá. (*Pausa. Amelia inicia el mutis.*)

770 MARTIRIO. ¡Amelia!

AMELIA. (*En la puerta.*) ¿Qué?

MARTIRIO. Nada.

AMELIA. ¿Por qué me llamaste?

(*Pausa.*)

775 MARTIRIO. Se me escapó. Fue sin darme cuenta.

(*Pausa.*)

AMELIA. Acuéstate un poco.

ANGUSTIAS. (*Entrando furiosa en escena, de modo que haya un gran contraste con los
        silencios anteriores.*) ¿Dónde está el retrato de Pepe que tenía yo debajo de
780   mi almohada? ¿Quién de vosotras lo tiene?

MARTIRIO. Ninguna.

AMELIA. Ni que Pepe fuera un san Bartolomé de plata.

---

135 **escarcha** frost

136 **mulilla sin desbravar** an | untamed little mule

137 **prevenir** to warn

138 **barrunto** conjecture

(*Entran Poncia, Magdalena y Adela.*)

ANGUSTIAS. ¿Dónde está el retrato?

785 ADELA. ¿Qué retrato?

ANGUSTIAS. Una de vosotras me lo ha escondido.

MAGDALENA. ¿Tienes la desvergüenza de decir esto?

ANGUSTIAS. Estaba en mi cuarto y no está.

MARTIRIO. ¿Y no se habrá escapado a medianoche al corral? A Pepe le gusta andar con la

790 luna.

ANGUSTIAS. ¡No me gastes bromas! Cuando venga se lo contaré.

PONCIA. ¡Eso no! ¡Porque aparecerá! (*Mirando a Adela.*)

ANGUSTIAS. ¡Me gustaría saber cuál de vosotras lo tiene!

ADELA. (*Mirando a Martirio.*) ¡Alguna! ¡Todas menos yo!

795 MARTIRIO. (*Con intención.*) ¡Desde luego!

BERNARDA. (*Entrando con su bastón.*) ¡Qué escándalo es éste en mi casa y con el silencio

del peso del calor! Estarán las vecinas con el oído pegado a los tabiques[139].

ANGUSTIAS. Me han quitado el retrato de mi novio.

BERNARDA. (*Fiera.*) ¿Quién?, ¿quién?

800 ANGUSTIAS. ¡Estas!

BERNARDA. ¿Cuál de vosotras? (*Silencio.*) ¡Contestarme! (*Silencio. A Poncia.*) Registra los

cuartos, mira por las camas. Esto tiene no ataros más cortas. ¡Pero me vais a

soñar! (*A Angustias.*) ¿Estás segura?

ANGUSTIAS. Sí.

805 BERNARDA. ¿Lo has buscado bien?

ANGUSTIAS. Sí, madre.

(*Todas están de pie en medio de un embarazoso silencio.*)

BERNARDA. Me hacéis al final de mi vida beber el veneno más amargo[140] que una madre

puede resistir. (*A Poncia.*) ¿No lo encuentras?

810 (*Sale Poncia.*)

PONCIA. Aquí está.

BERNARDA. ¿Dónde lo has encontrado?

PONCIA. Estaba...

BERNARDA. Dilo sin temor.

815 PONCIA. (*Extrañada.*) Entre las sábanas de la cama de Martirio.

BERNARDA. (*A Martirio.*) ¿Es verdad?

---

139 **tabiques** walls 140 **amargo** bitter

MARTIRIO. ¡Es verdad!

BERNARDA. (*Avanzando y golpeándola con el bastón.*) ¡Mala puñalada te den, mosca muerta[141]!

820 ¡Sembradura de vidrios!

MARTIRIO. (*Fiera.*) ¡No me pegue usted, madre!

BERNARDA. ¡Todo lo que quiera!

MARTIRIO. ¡Si yo la dejo! ¿Lo oye? ¡Retírese usted!

PONCIA. ¡No faltes a tu madre!

825 ANGUSTIAS. (*Cogiendo a Bernarda.*) ¡Déjela!, ¡por favor!

BERNARDA. Ni lágrimas te quedan en esos ojos.

MARTIRIO. No voy a llorar para darle gusto.

BERNARDA. ¿Por qué has cogido el retrato?

MARTIRIO. ¿Es que yo no puedo gastar una broma a mi hermana? ¡Para qué otra cosa lo

830 iba a querer!

ADELA. (*Saltando llena de celos.*) No ha sido broma, que tú no has gustado jamás de juegos. Ha sido otra

cosa que te reventaba en el pecho por querer salir. Dilo ya claramente.

MARTIRIO. ¡Calla y no me hagas hablar, que si hablo se van a juntar las paredes unas con

835 otras de vergüenza!

ADELA. ¡La mala lengua no tiene fin para inventar!

BERNARDA. ¡Adela!

MAGDALENA. Estáis locas.

AMELIA. Y nos apedreáis con malos pensamientos.

840 MARTIRIO. ¡Otras hacen cosas más malas!

ADELA. Hasta que se pongan en cueros[142] de una vez y se las lleve el río.

BERNARDA. ¡Perversa!

ANGUSTIAS. Yo no tengo la culpa de que Pepe el Romano se haya fijado en mí.

ADELA. ¡Por tus dineros!

845 ANGUSTIAS. ¡Madre!

BERNARDA. ¡Silencio!

MARTIRIO. Por tus marjales[143] y tus arboledas[144].

MAGDALENA. ¡Eso es lo justo!

BERNARDA. ¡Silencio digo! Yo veía la tormenta venir, pero no creía que estallara[145] tan

850 pronto. ¡Ay qué pedrisco[146] de odio habéis echado sobre mi corazón! Pero todavía no soy anciana y tengo cinco cadenas para vosotras y esta casa levantada por mi padre para que ni las hierbas se enteren de mi desolación.

¡Fuera de aquí! (*Salen. Bernarda se sienta desolada. La Poncia está de pie arrimada a los muros. Bernarda reacciona, da un golpe en el suelo y dice.*) ¡Tendré que

---

| 141 **mosca muerta** hypocrite | 143 **marjales** fertile land | 145 **estallara** would explode |
| 142 **en cueros** naked | 144 **arboledas** woodlands | 146 **pedrisco** shower of hail stones |

855   sentarles la mano! Bernarda: ¡acuérdate que ésta es tu obligación!

PONCIA. ¿Puedo hablar?

BERNARDA. Habla. Siento que hayas oído. Nunca está bien una extraña en el centro de la familia.

PONCIA. Lo visto, visto está.

860 BERNARDA. Angustias tiene que casarse en seguida.

PONCIA. Claro; hay que retirarla de aquí.

BERNARDA. No a ella. ¡A él!

PONCIA. Claro, ¡a él hay que alejarlo de aquí! Piensas bien.

BERNARDA. No pienso. Hay cosas que no se pueden ni se deben pensar. Yo ordeno.

865 PONCIA. ¿Y tú crees que él querrá marcharse?

BERNARDA. (*Levantándose.*) ¿Qué imagina tu cabeza?

PONCIA. Él, claro, ¡se casará con Angustias!

BERNARDA. Habla, te conozco demasiado para saber que ya me tienes preparada la cuchilla.

870 PONCIA. Nunca pensé que se llamara asesinato al aviso.

BERNARDA. ¿Me tienes que prevenir algo?

PONCIA. Yo no acuso, Bernarda: yo sólo te digo: abre los ojos y verás.

BERNARDA. ¿Y verás qué?

PONCIA. Siempre has sido lista. Has visto lo malo de las gentes a cien leguas; muchas

875   veces creí que adivinabas los pensamientos. Pero los hijos son los hijos. Ahora estás ciega.

BERNARDA. ¿Te refieres a Martirio?

PONCIA. Bueno, a Martirio... (*Con curiosidad.*) ¿Por qué habrá escondido el retrato?

BERNARDA. (*Queriendo ocultar a su hija.*) Después de todo, ella dice que ha sido una

880   broma. ¿Qué otra cosa puede ser?

PONCIA. (*Con sorna.*) ¿Tú lo crees así?

BERNARDA. (*Enérgica.*) No lo creo. ¡Es así!

PONCIA. Basta. Se trata de lo tuyo. Pero si fuera la vecina de enfrente, ¿qué sería?

BERNARDA. Ya empiezas a sacar la punta del cuchillo.

885 PONCIA. (*Siempre con crueldad.*) No, Bernarda: aquí pasa una cosa muy grande. Yo no te quiero echar la culpa, pero tú no has dejado a tus hijas libres. Martirio es enamoradiza, digas tú lo que quieras. ¿Por qué no la dejaste casar con Enrique Humanes? ¿Por qué el mismo día que iba a venir a la ventana le mandaste recado[147] que no viniera?

890 BERNARDA. (*Fuerte.*) ¡Y lo haría mil veces! ¡Mi sangre no se junta con la de los Humanes mientras yo viva! Su padre fue gañán.

PONCIA. ¡Y así te va a ti con esos humos[148]!

BERNARDA. Los tengo porque puedo tenerlos. Y tú no los tienes nes porque sabes muy

---

147 **recado** message

148 **humos** pretension

bien cuál es tu origen.

895   PONCIA. (*Con odio.*) ¡No me lo recuerdes! Estoy ya vieja. Siempre agradecí tu protección.

BERNARDA. (*Crecida.*) ¡No lo parece!

PONCIA. (*Con odio envuelto en suavidad.*) A Martirio se le olvidará esto.

BERNARDA. Y si no lo olvida peor para ella. No creo que ésta sea "la cosa muy grande" que aquí pasa. Aquí no pasa nada. ¡Eso quisieras tú! Y si pasara algún día, estáte

900   segura que no traspasaría las paredes.

PONCIA. ¡Eso no lo sé yo! En el pueblo hay gentes que leen también de lejos los pensamientos

escondidos.

BERNARDA. ¡Cómo gozarías de vernos a mí y a mis hijas camino del lupanar[149]!

905   PONCIA. ¡Nadie puede conocer su fin!

BERNARDA. ¡Yo sí sé mi fin! ¡Y el de mis hijas! El lupanar se queda para alguna mujer ya difunta...

PONCIA. (*Fiera.*) ¡Bernarda, respeta la memoria de mi madre!

BERNARDA. ¡No me persigas tú con tus malos pensamientos!

910   (*Pausa.*)

PONCIA. Mejor será que no me meta en nada.

BERNARDA. Eso es lo que debías hacer. Obrar y callar a todo es la obligación de los que viven a sueldo.

PONCIA. Pero no se puede. ¿A ti no te parece que Pepe estaría mejor casado con Martirio

915   o... ¡sí!, o con Adela?

BERNARDA. No me parece.

PONCIA. (*Con intención.*) Adela. ¡Ésa es la verdadera novia del Romano!

BERNARDA. Las cosas no son nunca a gusto nuestro.

PONCIA. Pero les cuesta mucho trabajo desviarse[150] de la verdadera inclinación. A mí me

920   parece mal que Pepe esté con Angustias, y a las gentes, y hasta al aire. ¡Quién sabe si se saldrán con la suya!

BERNARDA. ¡Ya estamos otra vez!... Te deslizas para llenarme de malos sueños. Y no quiero entenderte, porque si llegara al alcance de todo lo que dices te tendría que arañar[151].

925   PONCIA. ¡No llegará la sangre al río!

BERNARDA. ¡Afortunadamente mis hijas me respetan y jamás torcieron mi voluntad!

PONCIA. ¡Eso sí! Pero en cuanto las dejes sueltas se te subirán al tejado.

BERNARDA. ¡Ya las bajaré tirándoles cantos!

---

149 **lupanar** brothel   151 **arañar** to scratch

150 **desviarse** to divert

PONCIA. ¡Desde luego eres la más valiente!

930 BERNARDA. ¡Siempre gasté sabrosa pimienta!

PONCIA. ¡Pero lo que son las cosas! A su edad ¡hay que ver el entusiasmo de Angustias con
su novio! ¡Y él también parece muy picado! Ayer me contó mi hijo mayor que
a las cuatro y media de la madrugada, que pasó por la calle con la yunta,
estaban hablando todavía.

935 BERNARDA. ¡A las cuatro y media!

ANGUSTIAS. (*Saliendo.*) ¡Mentira!

PONCIA. Eso me contaron.

BERNARDA. (*A Angustias.*) ¡Habla!

ANGUSTIAS. Pepe lleva más de una semana marchándose a la una. Que Dios me mate si
940   miento.

MARTIRIO. (*Saliendo.*) Yo también lo sentí marcharse a las cuatro.

BERNARDA. ¿Pero lo viste con tus ojos?

MARTIRIO. No quise asomarme. ¿No habláis ahora por la ventana del callejón?

ANGUSTIAS. Yo hablo por la ventana de mi dormitorio.

945 (*Aparece Adela en la puerta.*)

MARTIRIO. Entonces...

BERNARDA. ¿Qué es lo que pasa aquí?

PONCIA. ¡Cuida de enterarte! Pero, desde luego, Pepe estaba a las cuatro de la madrugada
en una reja de tu casa.

950 BERNARDA. ¿Lo sabes seguro?

PONCIA. Seguro no se sabe nada en esta vida.

ADELA. Madre, no oiga usted a quien nos quiere perder a todas.

BERNARDA. ¡Ya sabré enterarme! Si las gentes del pueblo quieren levantar falsos
testimonios, se encontrarán con mi pedernal[152]. No se hable de este asunto.
955   Hay a veces una ola de fango[153] que levantan los demás para perdernos.

MARTIRIO. A mí no me gusta mentir.

PONCIA. Y algo habrá.

BERNARDA. No habrá nada. Nací para tener los ojos abiertos. Ahora vigilaré sin cerrarlos
ya hasta que me muera.

960 ANGUSTIAS. Yo tengo derecho de enterarme.

BERNARDA. Tú no tienes derecho más que a obedecer. Nadie me traiga ni me lleve. (*A la
Poncia.*) Y tú te metes en los asuntos de tu casa. ¡Aquí no se vuelve a dar un
paso que yo no sienta!

CRIADA. (*Entrando.*) ¡En lo alto de la calle hay un gran gentío[154], y todos los vecinos están

---

152 **pedernal** hard stone

153 **fango** mud

154 **gentío** crowd

965   en sus puertas!

BERNARDA. (*A Poncia.*) ¡Corre a enterarte de lo que pasa! (*Las Mujeres corren para salir.*) ¿Dónde vais? Siempre os supe mujeres ventaneras y rompedoras de su luto. ¡Vosotras, al patio!

(Salen y sale Bernarda. Se oyen rumores lejanos. Entran Martirio y Adela, que se quedan
970   *escuchando y sin atreverse a dar un paso más de la puerta de salida.)*

MARTIRIO. Agradece a la casualidad que no desaté[155] mi lengua.

ADELA. También hubiera hablado yo.

MARTIRIO. ¿Y qué ibas a decir? ¡Querer no es hacer!

ADELA. Hace la que puede y la que se adelanta. Tú querías, pero no has podido.

975 MARTIRIO. No seguirás mucho tiempo.

ADELA. ¡Lo tendré todo!

MARTIRIO. Yo romperé tus abrazos.

ADELA. (*Suplicante.*) ¡Martirio, déjame!

MARTIRIO. ¡De ninguna!

980 ADELA. ¡Él me quiere para su casa!

MARTIRIO. ¡He visto cómo te abrazaba!

ADELA. Yo no quería. He ido como arrastrada[156] por una maroma[157].

MARTIRIO. ¡Primero muerta!

(Se asoman Magdalena y Angustias. Se siente crecer el tumulto.)

985 PONCIA. (*Entrando con Bernarda.*) ¡Bernarda!

BERNARDA. ¿Qué ocurre?

PONCIA. La hija de la Librada, la soltera, tuvo un hijo no se sabe con quién.

ADELA. ¿Un hijo?

PONCIA. Y para ocultar su vergüenza lo mató y lo metió debajo de unas piedras, pero
990   unos perros con más corazón que muchas criaturas, lo sacaron y como llevados por la mano de Dios lo han puesto en el tranco de su puerta. Ahora la quieren matar. La traen arrastrando por la calle abajo, y por las trochas[158] y los terrenos del olivar vienen los hombres corriendo, dando unas voces que estremecen[159] los campos.

995 BERNARDA. Sí, que vengan todos con varas de olivo y mangos de azadones[160], que vengan todos para matarla.

ADELA. ¡No, no, para matarla no!

MARTIRIO. Sí, y vamos a salir también nosotras.

---

155 **desaté** untied

156 **arrastrada** dragged

157 **maroma** rope

158 **trochas** paths

159 **estremecen** shake

160 **mangos de azadones** hoe handles

BERNARDA. Y que pague la que pisotea[161] su decencia.

1000   (*Fuera se oye un grito de mujer y un gran rumor.*)

ADELA. ¡Que la dejen escapar! ¡No salgáis vosotras!
MARTIRIO. (*Mirando a Adela.*) ¡Que pague lo que debe!
BERNARDA. (*Bajo el arco.*) ¡Acabar con ella antes que lleguen los guardias! ¡Carbón
         ardiendo[162] en el sitio de su pecado!
1005   ADELA. (*Cogiéndose el vientre.*) ¡No! ¡No!
BERNARDA. ¡Matadla! ¡Matadla!

(*Telón*)

Acto tercero

Cuatro paredes blancas ligeramente azuladas del patio interior de la casa de Bernarda. Es
1010   de noche. El decorado ha de ser de una perfecta simplicidad. Las puertas,
         iluminadas por la luz de los interiores, dan un tenue fulgor a la escena.
En el centro, una mesa con un quinqué, donde están comiendo Bernarda y sus hijas. La
         Poncia las sirve. Prudencia está sentada aparte.

Al levantarse el telón hay un gran silencio, interrumpido por el ruido de platos y cubiertos.

1015   PRUDENCIA. Ya me voy. Os he hecho una visita larga. (*Se levanta.*)
BERNARDA. Espérate, mujer. No nos vemos nunca.
PRUDENCIA. ¿Han dado el último toque para el rosario?
PONCIA. Todavía no. (*Prudencia se sienta.*)
BERNARDA. ¿Y tu marido cómo sigue?
1020   PRUDENCIA. Igual.
BERNARDA. Tampoco lo vemos.
PRUDENCIA. Ya sabes sus costumbres. Desde que se peleó con sus hermanos por la
         herencia no ha salido por la puerta de la calle. Pone una escalera y salta las
         tapias del corral.
1025   BERNARDA. Es un verdadero hombre. ¿Y con tu hija...?
PRUDENCIA. No la ha perdonado.
BERNARDA. Hace bien.
PRUDENCIA. No sé qué te diga. Yo sufro por esto.
BERNARDA. Una hija que desobedece deja de ser hija para convertirse en enemiga.

---

161 **pisotea** trample   162 **ardiendo** burning

1030   PRUDENCIA. Yo dejo que el agua corra. No me queda más consuelo[163] que refugiarme en
                la iglesia, pero como me estoy quedando sin vista tendré que dejar de venir
                para que no jueguen con una los chiquillos.
       (*Se oye un gran golpe como dado en los muros.*) ¿Qué es eso?
       BERNARDA. El caballo garañón[164], que está encerrado y da coces[165] contra el muro. (*A
1035   voces.*) ¡Trabadlo y que salga al corral! (*En voz baja.*) Debe tener calor.
       PRUDENCIA. ¿Vais a echarle las potras[166] nuevas?
       BERNARDA. Al amanecer.
       PRUDENCIA. Has sabido acrecentar[167] tu ganado.
       BERNARDA. A fuerza de dinero y sinsabores[168].
1040   PONCIA. (*Interviniendo.*) ¡Pero tiene la mejor manada[169] de estos contornos! Es una
                lástima que esté bajo de precio.
       BERNARDA. ¿Quieres un poco de queso y miel?
       PRUDENCIA. Estoy desganada[170].

       (*Se oye otra vez el golpe.*)

1045   PONCIA. ¡Por Dios!
       PRUDENCIA. ¡Me ha retemblado dentro del pecho!
       BERNARDA. (*Levantándose furiosa.*) ¿Hay que decir las cosas dos veces? ¡Echadlo que
                se revuelque[171] en los montones de paja! (*Pausa, y como hablando con los
                gañanes.*) Pues encerrad las potras en la cuadra[172], pero dejadlo libre, no sea
1050   que nos eche abajo las paredes. (*Se dirige a la mesa y se sienta otra vez.*) ¡Ay
                qué vida!
       PRUDENCIA. Bregando como un hombre.
       BERNARDA. Así es. (*Adela se levanta de la mesa.*) ¿Dónde vas?
       ADELA. A beber agua.
1055   BERNARDA. (*En alta voz.*) Trae un jarro de agua fresca. (*A Adela.*) Puedes sentarte. (*Adela
                se sienta.*)
       PRUDENCIA. Y Angustias, ¿cuándo se casa?
       BERNARDA. Vienen a pedirla dentro de tres días.
       PRUDENCIA. ¡Estarás contenta!
1060   ANGUSTIAS. ¡Claro!
       AMELIA. (*A Magdalena.*) Ya has derramado[173] la sal.
       MAGDALENA. Peor suerte que tienes no vas a tener.

---

163 **consuelo** solace, comfort

164 **garañón** horse used for breeding

165 **coces** kicks

166 **potras** female horses

167 **acrecentar** increase

168 **sinsabores** troubles

169 **manada** herd

170 **desganada** without appetite

171 **se revuelque** roll around

172 **cuadra** stable

173 **derramado** spilled

AMELIA. Siempre trae mala sombra.

BERNARDA. ¡Vamos!

1065 PRUDENCIA. (*A Angustias*.) ¿Te ha regalado ya el anillo?

ANGUSTIAS. Mírelo usted. (*Se lo alarga*.)

PRUDENCIA. Es precioso. Tres perlas. En mi tiempo las perlas significaban lágrimas.

ANGUSTIAS. Pero ya las cosas han cambiado.

ADELA. Yo creo que no. Las cosas significan siempre lo mismo. Los anillos de pedida

1070 deben ser de diamantes.

PRUDENCIA. Es más propio.

BERNARDA. Con perlas o sin ellas, las cosas son como una se las propone.

MARTIRIO. O como Dios dispone.

PRUDENCIA. Los muebles me han dicho que son preciosos.

1075 BERNARDA. Dieciséis mil reales he gastado.

PONCIA. (*Interviniendo*.) Lo mejor es el armario de luna[174].

PRUDENCIA. Nunca vi un mueble de éstos.

BERNARDA. Nosotras tuvimos arca.

PRUDENCIA. Lo preciso es que todo sea para bien.

1080 ADELA. Que nunca se sabe.

BERNARDA. No hay motivo para que no lo sea.

(*Se oyen lejanísimas unas campanas*.)

PRUDENCIA. El último toque. (*A Angustias*.) Ya vendré a que me enseñes la ropa.

ANGUSTIAS. Cuando usted quiera.

1085 PRUDENCIA. Buenas noches nos dé Dios.

BERNARDA. Adiós, Prudencia.

LAS CINCO. (*A la vez*.) Vaya usted con Dios.

(*Pausa. Sale Prudencia*.)

BERNARDA. Ya hemos comido. (*Se levantan*.)

1090 ADELA. Voy a llegarme hasta el portón para estirar[175] las piernas y tomar un poco el fresco.

(*Magdalena se sienta en una silla baja retrepada contra la pared*.)

AMELIA. Yo voy contigo.

MARTIRIO. Y yo.

ADELA. (*Con odio contenido*.) No me voy a perder.

---

174 **armario de luna** wardrobe with a mirror

175 **estirar** to stretch

1095   AMELIA. La noche quiere compaña. (*Salen.*)

(*Bernarda se sienta y Angustias está arreglando la mesa.*)

BERNARDA. Ya te he dicho que quiero que hables con tu hermana Martirio. Lo que pasó del retrato fue una broma y lo debes olvidar.

ANGUSTIAS. Usted sabe que ella no me quiere.

1100   BERNARDA. Cada uno sabe lo que piensa por dentro. Yo no me meto en los corazones, pero quiero buena fachada y armonía familiar. ¿Lo entiendes?

ANGUSTIAS. Sí.

BERNARDA. Pues ya está.

MAGDALENA. (*Casi dormida.*) Además ¡si te vas a ir antes de nada! (*Se duerme.*)

1105   ANGUSTIAS. ¡Tarde me parece!

BERNARDA. ¿A qué hora terminaste anoche de hablar?

ANGUSTIAS. A las doce y media.

BERNARDA. ¿Qué cuenta Pepe?

ANGUSTIAS. Yo lo encuentro distraído. Me habla siempre como pensando en otra cosa.
1110   Si le pregunto qué le pasa, me contesta: "Los hombres tenemos nuestras preocupaciones".

BERNARDA. No le debes preguntar. Y cuando te cases, menos. Habla si él habla y míralo cuando te mire. Así no tendrás disgustos.

ANGUSTIAS. Yo creo, madre, que él me oculta muchas cosas.

1115   BERNARDA. No procures descubrirlas, no le preguntes y, desde luego, que no te vea llorar jamás.

ANGUSTIAS. Debía estar contenta y no lo estoy.

BERNARDA. Eso es lo mismo.

ANGUSTIAS. Muchas noches miro a Pepe con mucha fijeza y se me borra a través de
1120   los hierros, como si lo tapara una nube de polvo de las que levantan los rebaños[176].

BERNARDA. Eso son cosas de debilidad.

ANGUSTIAS. ¡Ojalá!

BERNARDA. ¿Viene esta noche?

1125   ANGUSTIAS. No. Fue con su madre a la capital.

BERNARDA. Así nos acostaremos antes. ¡Magdalena!

ANGUSTIAS. Está dormida.

(*Entran Adela, Martirio y Amelia.*)

AMELIA. ¡Qué noche más oscura!

---

176 **rebaños** flocks

1130   ADELA. No se ve a dos pasos de distancia.

MARTIRIO. Una buena noche para ladrones, para el que necesite escondrijo[177].

ADELA. El caballo garañón estaba en el centro del corral, ¡blanco! Doble de grande.

Llenando todo lo oscuro.

AMELIA. Es verdad. Daba miedo. ¡Parecía una aparición!

1135   ADELA. Tiene el cielo unas estrellas como puños[178].

MARTIRIO. Ésta se puso a mirarlas de modo que se iba a tronchar[179] el cuello.

ADELA. ¿Es que no te gustan a ti?

MARTIRIO. A mí las cosas de tejas arriba[180] no me importan nada. Con lo que pasa dentro
de las habitaciones tengo bastante.

1140   ADELA. Así te va a ti.

BERNARDA. A ella le va en lo suyo como a ti en lo tuyo.

ANGUSTIAS. Buenas noches.

ADELA. ¿Ya te acuestas?

ANGUSTIAS. Sí; esta noche no viene Pepe. (*Sale.*)

1145   ADELA. Madre, ¿por qué cuando se corre una estrella o luce un relámpago se dice:

Santa Bárbara bendita,

que en el cielo estás escrita

con papel y agua bendita?

BERNARDA. Los antiguos sabían muchas cosas que hemos olvidado.

1150   AMELIA. Yo cierro los ojos para no verlas.

ADELA. Yo, no. A mí me gusta ver correr lleno de lumbre[181] lo que está quieto y quieto años
enteros.

MARTIRIO. Pero estas cosas nada tienen que ver con nosotros.

BERNARDA. Y es mejor no pensar en ellas.

1155   ADELA. ¡Qué noche más hermosa! Me gustaría quedarme hasta muy tarde para disfrutar
el fresco del campo.

BERNARDA. Pero hay que acostarse. ¡Magdalena!

AMELIA. Está en el primer sueño.

BERNARDA. ¡Magdalena!

1160   MAGDALENA. (*Disgustada.*) ¡Dejarme en paz!

BERNARDA. ¡A la cama!

MAGDALENA. (*Levantándose malhumorada.*) ¡No la dejáis a una tranquila! (*Se va
refunfuñando[182].*)

AMELIA. Buenas noches. (*Se va.*)

1165   BERNARDA. Andar vosotras también.

---

177 **escondrijo** hiding place

178 **puños** fists

179 **tronchar** to break

180 **de tejas arriba** above the
house

181 **lumbre** light

182 **refunfuñando** grumbling

MARTIRIO. ¿Cómo es que esta noche no vino el novio de Angustias?

BERNARDA. Fue de viaje.

MARTIRIO. (*Mirando a Adela.*) ¡Ah!

ADELA. Hasta mañana. (*Sale.*)

1170 (*Martirio bebe agua y sale lentamente, mirando hacia la puerta del corral. Sale la Poncia.*)

PONCIA. ¿Estás todavía aquí?

BERNARDA. Disfrutando este silencio y sin lograr ver por parte alguna "la cosa tan grande" que aquí pasa, según tú.

1175 PONCIA. Bernarda, dejemos esa conversación.

BERNARDA. En esta casa no hay un sí ni un no. Mi vigilancia lo puede todo.

PONCIA. No pasa nada por fuera. Eso es verdad. Tus hijas están y viven como metidas en alacenas[183]. Pero ni tú ni nadie puede vigilar por el interior de los pechos.

BERNARDA. Mis hijas tienen la respiración tranquila.

1180 PONCIA. Esto te importa a ti que eres su madre. A mí, con servir tu casa tengo bastante.

BERNARDA. Ahora te has vuelto callada.

PONCIA. Me estoy en mi sitio, y en paz.

BERNARDA. Lo que pasa es que no tienes nada que decir. Si en esta casa hubiera hierbas, ya te encargarías de traer a pastar[184] las ovejas del vecindario.

1185 PONCIA. Yo tapo más de lo que te figuras.

BERNARDA. ¿Sigue tu hijo viendo a Pepe a las cuatro de la mañana? ¿Siguen diciendo todavía la mala letanía de esta casa?

PONCIA. No dicen nada.

BERNARDA. Porque no pueden. Porque no hay carne donde morder. ¡A la vigilia de mis
1190 ojos se debe esto!

PONCIA. Bernarda, yo no quiero hablar porque temo tus in intenciones. Pero no estés segura.

BERNARDA. ¡Segurísima!

PONCIA. ¡A lo mejor de pronto cae un rayo! A lo mejor de pronto, un golpe de sangre te
1195 para el corazón.

BERNARDA. Aquí no pasará nada. Ya estoy alerta contra tus suposiciones.

PONCIA. Pues mejor para ti.

BERNARDA. ¡No faltaba más!

CRIADA. (*Entrando.*) Ya terminé de fregar los platos. ¿Manda usted algo, Bernarda?

1200 BERNARDA. (*Levantándose.*) Nada. Yo voy a descansar.

PONCIA. ¿A qué hora quiere que la llame?

---

183 **alacenas** cupboards

184 **pastar** to graze

BERNARDA. A ninguna. Esta noche voy a dormir bien. (*Se va.*)

PONCIA. Cuando una no puede con el mar lo más fácil es volver las espaldas para no verlo.

CRIADA. Es tan orgullosa que ella misma se pone una venda[185] en los ojos.

1205 PONCIA. Yo no puedo hacer nada. Quise atajar[186] las cosas, pero ya me asustan demasiado. ¿Tú ves este silencio? Pues hay una tormenta en cada cuarto. El día que estallen[187] nos barrerán a todas. Yo he dicho lo que tenía que decir.

CRIADA. Bernarda cree que nadie puede con ella y no sabe la fuerza que tiene un hombre entre mujeres solas.

1210 PONCIA. No es toda la culpa de Pepe el Romano. Es verdad que el año pasado anduvo detrás de Adela y ésta estaba loca por él, pero ella debió estarse en su sitio y no provocarlo. Un hombre es un hombre.

CRIADA. Hay quien cree que habló muchas noches con Adela.

PONCIA. Es verdad. (*En voz baja.*) Y otras cosas.

1215 CRIADA. No sé lo que va a pasar aquí.

PONCIA. A mí me gustaría cruzar el mar y dejar esta casa de guerra.

CRIADA. Bernarda está aligerando[188] la boda y es posible que nada pase.

PONCIA. Las cosas se han puesto ya demasiado maduras. Adela está decidida a lo que sea y las demás vigilan sin descanso.

1220 CRIADA. ¿Y Martirio también...?

PONCIA. Ésa es la peor. Es un pozo de veneno. Ve que el Romano no es para ella y hundiría[189] el mundo si estuviera en su mano.

CRIADA. ¡Es que son malas!

PONCIA. Son mujeres sin hombre, nada más. En estas cuestiones se olvida hasta la

1225 sangre.¡Chisssss!

(*Escucha.*)

CRIADA. ¿Qué pasa?

PONCIA. (*Se levanta.*) Están ladrando los perros.

CRIADA. Debe haber pasado alguien por el portón.

1230 (*Sale Adela en enaguas blancas y corpiño[190].*)

PONCIA. ¿No te habías acostado?

ADELA. Voy a beber agua. (*Bebe en un vaso de la mesa.*)

PONCIA. Yo te suponía dormida.

ADELA. Me despertó la sed. ¿Y vosotras no descansáis?

---

185 **venda** blindfold	187 **estallen** they explode	189 **hundiría** she would sink
186 **atajar** prevent	188 **aligerando** hastening	190 **corpiño** undergarment

1235   CRIADA. Ahora.

(*Sale Adela.*)

PONCIA. Vámonos.
CRIADA. Ganado tenemos el sueño. Bernarda no me deja descanso en todo el día.
PONCIA. Llévate la luz.
1240   CRIADA. Los perros están como locos.
PONCIA. No nos van a dejar dormir. (*Salen.*)

(*La escena queda casi a oscuras. Sale María Josefa con una oveja en los brazos.*)

MARÍA JOSEFA.
Ovejita, niño mío,
1245   vámonos a la orilla del mar;
la hormiguita estará en su puerta,
yo te daré la teta y el pan.

Bernarda, cara de leoparda,
Magdalena, cara de hiena.
1250   Ovejita. Meee, meeee.
Vamos a los ramos del portal de Belén.

(*Ríe.*)

Ni tú ni yo queremos dormir.
La puerta sola se abrirá
1255   y en la playa nos meteremos
en una choza[191] de coral.

Bernarda, cara de leoparda,
Magdalena, cara de hiena.
Ovejita. Meee, meeee.
Vamos a los ramos del portal de Belén.

1260   (*Se va cantando.*)

(*Entra Adela. Mira a un lado y otro con sigilo y desaparece por la puerta del corral. Sale Martirio por otra puerta y queda en angustioso acecho en el centro de la*

---

191 **choza** hut

escena. También va en enaguas. Se cubre con un pequeño mantón negro de talle. Sale por enfrente de ella María Josefa.)

1265   MARTIRIO. Abuela, ¿dónde va usted?

MARÍA JOSEFA. ¿Vas a abrirme la puerta? ¿Quién eres tú?

MARTIRIO. ¿Cómo está aquí?

MARÍA JOSEFA. Me escapé. ¿Tú quién eres?

MARTIRIO. Vaya a acostarse.

1270   MARÍA JOSEFA. Tú eres Martirio. Ya te veo. Martirio: cara de Martirio. ¿Y cuándo vas a tener un niño? Yo he tenido éste.

MARTIRIO. ¿Dónde cogió esa oveja?

MARÍA JOSEFA. Ya sé que es una oveja. Pero ¿por qué una oveja no va a ser un niño? Mejor es tener una oveja que no tener nada.

1275   Bernarda, cara de leoparda.

Magdalena, cara de hiena.

MARTIRIO. No dé voces.

MARÍA JOSEFA. Es verdad. Está todo muy oscuro. Como tengo el pelo blanco crees que no puedo tener crías[192], y sí, crías y crías y crías. Este niño tendrá el pelo blanco

1280   y tendrá otro niño y éste otro, y todos con el pelo de nieve, seremos como las olas, una y otra y otra. Luego nos sentaremos todos y todos tendremos el cabello blanco y seremos espuma[193]. ¿Por qué aquí no hay espumas? Aquí no hay más que mantos[194] de luto.

MARTIRIO. Calle, calle.

1285   MARÍA JOSEFA. Cuando mi vecina tenía un niño yo le llevaba chocolate y luego ella me lo traía a mí y así siempre, siempre, siempre. Tú tendrás el pelo blanco, pero no vendrán las vecinas. Yo tengo que marcharme, pero tengo miedo de que los perros me muerdan. ¿Me acompañarás tú a salir del campo? Yo no quiero campo. Yo quiero casas, pero casas abiertas y las vecinas acostadas

1290   en sus camas con sus niños chiquititos y los hombres fuera sentados en sus sillas. Pepe el Romano es un gigante. Todas lo queréis. Pero él os va a devorar porque vosotras sois granos de trigo[195]. No granos de trigo, no. ¡Ranas[196] sin lengua!

MARTIRIO. (*Enérgica.*) Vamos, váyase a la cama. (*La empuja.*)

1295   MARÍA JOSEFA. Sí, pero luego tú me abrirás ¿verdad?

MARTIRIO. De seguro.

MARÍA JOSEFA. (*Llorando.*)

Ovejita, niño mío,

vámonos a la orilla del mar;

---

192 **crías** offspring   194 **mantos** cloaks   196 **ranas** frogs

193 **espuma** foam   195 **trigo** wheat

1300   la hormiguita estará en su puerta,

yo te daré la teta y el pan.

(*Sale. Martirio cierra la puerta por donde ha salido María Josefa y se dirige a la puerta del corral. Allí vacila, pero avanza dos pasos más.*)

MARTIRIO. (*En voz baja.*) Adela. (*Pausa. Avanza hasta la misma puerta. En voz alta.*)
1305   ¡Adela!

(*Aparece Adela. Viene un poco despeinada.*)

ADELA. ¿Por qué me buscas?

MARTIRIO. ¡Deja a ese hombre!

ADELA. ¿Quién eres tú para decírmelo?

1310   MARTIRIO. No es ése el sitio de una mujer honrada.

ADELA. ¡Con qué ganas te has quedado de ocuparlo!

MARTIRIO. (*En voz más alta.*) Ha llegado el momento de que yo hable. Esto no puede
           seguir.

ADELA. Esto no es más que el comienzo. He tenido fuerza para adelantarme. El brío[197] y el
1315   mérito que tú no tienes. He visto la muerte debajo de estos techos y he salido
           a buscar lo que era mío, lo que me pertenecía.

MARTIRIO. Ese hombre sin alma vino por otra. Tú te has atravesado[198].

ADELA. Vino por el dinero, pero sus ojos los puso siempre en mí.

MARTIRIO. Yo no permitiré que lo arrebates[199]. Él se casará con Angustias.

1320   ADELA. Sabes mejor que yo que no la quiere.

MARTIRIO. Lo sé.

ADELA. Sabes, porque lo has visto, que me quiere a mí.

MARTIRIO. (*Desesperada.*) Sí.

ADELA. (*Acercándose.*) Me quiere a mí, me quiere a mí.

1325   MARTIRIO. Clávame[200] un cuchillo si es tu gusto, pero no me lo digas más.

ADELA. Por eso procuras que no vaya con él. No te importa que abrace a la que no quiere;
           a mí, tampoco. Ya puede estar cien años con Angustias, pero que me abrace
           a mí se te hace terrible, porque tú lo quieres también; ¡lo quieres!

MARTIRIO. (*Dramática.*) ¡Sí! Déjame decirlo con la cabeza fuera de los embozos[201]. ¡Sí!
1330   Déjame que el pecho se me rompa como una granada[202] de amargura. ¡Lo
           quiero!

ADELA. (*En un arranque y abrazándola.*) Martirio, Martirio, yo no tengo la culpa.

MARTIRIO. ¡No me abraces! no quieras ablandar mis ojos. Mi sangre ya no es la tuya, y

---

197 **brío** spirit

198 **te has atravesado** you've gotten in the way

199 **lo arrebates** you take him away

200 **Clávame** stab me

201 **embozos** cloak parts used to cover face

202 **granada** pomegranate

aunque quisiera verte como hermana, no te miro ya más que como mujer.

1335 (*La rechaza.*)

1340 ADELA. Aquí no hay ningún remedio. La que tenga que ahogarse[203] que se ahogue. Pepe el Romano es mío. Él me lleva a los juncos[204] de la orilla.

MARTIRIO. ¡No será!

ADELA. Ya no aguanto el horror de estos techos después de haber probado el sabor de su boca. Seré lo que él quiera que sea. Todo el pueblo contra mí, quemándome

1345 con sus dedos de lumbre, perseguida por las que dicen que son decentes, y me pondré delante de todos la corona de espinas[205] que tienen las que son queridas de algún hombre casado.

MARTIRIO. ¡Calla!

ADELA. Sí, Sí. (*En voz baja.*) Vamos a dormir, vamos a dejar que se case con Angustias, ya

1350 no me importa; pero yo me iré a una casita sola donde él me verá cuando quiera, cuando le venga en gana.

MARTIRIO. Eso no pasará mientras yo tenga una gota de sangre en el cuerpo.

ADELA. No a ti, que eres débil. A un caballo encabritado[206] soy capaz de poner de rodillas con la fuerza de mi dedo meñique[207].

1355 MARTIRIO. No levantes esa voz que me irrita. Tengo el corazón lleno de una fuerza tan mala, que sin quererlo yo, a mí misma me ahoga.

ADELA. Nos enseñan a querer a las hermanas. Dios me ha debido dejar sola en medio de la oscuridad, porque te veo como si no te hubiera visto nunca.

(*Se oye un silbido y Adela corre a la puerta, pero Martirio se le pone delante.*)

1360 MARTIRIO. ¿Dónde vas?

ADELA. ¡Quítate de la puerta!

MARTIRIO. ¡Pasa si puedes!

ADELA. ¡Aparta[208]! (*Lucha.*)

MARTIRIO. (*A voces.*) ¡Madre, madre!

1365 ADELA. ¡Déjame!

(*Aparece Bernarda. Sale en enaguas, con un mantón negro.*)

BERNARDA. Quietas, quietas. ¡Qué pobreza la mía no poder tener un rayo entre los dedos!

MARTIRIO. (*Señalando a Adela.*) ¡Estaba con él! ¡Mira esas enaguas llenas de paja[209] de trigo!

1370 BERNARDA. ¡Ésa es la cama de las mal nacidas! (*Se dirige furiosa hacia Adela.*)

---

203 **ahogarse** to drown

204 **juncos** reeds

205 **corona de espinas** crown of thorns

206 **encabritado** rearing up

207 **meñique** little finger

208 **¡Aparta!** Get away!

209 **paja** straw

ADELA. (*Haciéndole frente.*) ¡Aquí se acabaron las voces de presidio[210]! (*Adela arrebata el bastón a su Madre y lo parte en dos.*) Esto hago yo con la vara[211] de la dominadora. No dé usted un paso más. ¡En mí no manda nadie más que Pepe!

1375　(*Sale Magdalena.*)

MAGDALENA. ¡Adela!

(*Salen la Poncia y Angustias.*)

ADELA. Yo soy su mujer. (*A Angustias.*) Entérate tú y ve al corral a decírselo. Él dominará toda esta casa. Ahí fuera está, respirando como si fuera un león.

1380　ANGUSTIAS. ¡Dios mío!

BERNARDA. ¡La escopeta[212]! ¿Dónde está la escopeta? (*Sale corriendo.*)

(*Aparece Amelia por el fondo, que mira aterrada con la cabeza sobre la pared. Sale detrás Martirio.*)

ADELA. ¡Nadie podrá conmigo! (*Va a salir.*)

1385　ANGUSTIAS. (*Sujetándola.*) De aquí no sales tú con tu cuerpo en triunfo, ¡ladrona!, ¡deshonra de nuestra casa!

MAGDALENA. ¡Déjala que se vaya donde no la veamos nunca más!

(*Suena un disparo[213].*)

BERNARDA. (*Entrando.*) Atrévete[214] a buscarlo ahora.

1390　MARTIRIO. (*Entrando.*) Se acabó Pepe el Romano.

ADELA. ¡Pepe! ¡Dios mío! ¡Pepe! (*Sale corriendo.*)

PONCIA. ¿Pero lo habéis matado?

MARTIRIO. ¡No! ¡Salió corriendo en la jaca!

BERNARDA. Fue culpa mía. Una mujer no sabe apuntar[215].

1395　MAGDALENA. ¿Por qué lo has dicho entonces?

MARTIRIO. ¡Por ella! ¡Hubiera volcado[216] un río de sangre sobre su cabeza!

PONCIA. Maldita.

MAGDALENA. ¡Endemoniada[217]!

BERNARDA. ¡Aunque es mejor así! (*Se oye como un golpe.*) ¡Adela! ¡Adela!

210　**presidio** prison

211　**vara** stick

212　**escopeta** gun

213　**disparo** gun shot

214　**Atrévete** Dare

215　**apuntar** to aim

216　**volcado** overturned

217　**Endemoniada** possessed by the devil

1400   PONCIA. (*En la puerta.*) ¡Abre!

BERNARDA. Abre. No creas que los muros defienden de la vergüenza.

CRIADA. (*Entrando.*) ¡Se han levantado los vecinos!

BERNARDA. (*En voz baja como un rugido.*) ¡Abre, porque echaré abajo la puerta! (*Pausa.*
Todo queda en silencio.) ¡Adela! (*Se retira de la puerta.*) ¡Trae un martillo[218]!

1405   (*La Poncia da un empujón y entra. Al entrar da un grito y sale.*) ¿Qué?

PONCIA. (*Se lleva las manos al cuello.*) ¡Nunca tengamos ese fin!

(*Las hermanas se echan hacia atrás. La Criada se santigua. Bernarda da un grito y*
avanza.)

PONCIA. ¡No entres!

1410   BERNARDA. No. ¡Yo no! Pepe; tú irás corriendo vivo por lo oscuro de las alamedas, pero
otro día caerás.

¡Descolgarla[219]! ¡Mi hija ha muerto virgen! Llevadla a su cuarto y vestirla como si fuera
doncella[220]. ¡Nadie

dirá nada! ¡Ella ha muerto virgen! ¡Avisad que al amanecer den dos clamores las campanas!

1415   MARTIRIO. Dichosa[221] ella mil veces que lo pudo tener.

BERNARDA. Y no quiero llantos. La muerte hay que mirarla cara a cara. ¡Silencio! (*A otra*
hija.) ¡A callar he dicho! (*A otra hija.*) ¡Las lágrimas cuando estés sola! ¡Nos
hundiremos todas en un mar de luto! Ella, la hija menor de Bernarda Alba, ha
muerto virgen. ¿Me habéis oído? Silencio, silencio he dicho.

1420   ¡Silencio!

(*Telón*)

❖ ❖ ❖ ❖ ❖ ❖ ❖ ❖ ❖ ❖ ❖ ❖

---

218 **martillo** hammer

219 **¡Descolgarla!** Get her down

220 **doncella** maiden

221 **Dichosa** Lucky

Sugerencias para el análisis del drama

1. ¿Cómo es la Poncia? Describe su relación con Bernarda.

2. ¿Cómo es Bernarda? ¿Qué sabemos de ella a través de sus opiniones (por ejemplo, sobre los pobres, las vecinas, el luto, el papel del hombre y de la mujer en la sociedad o el estado de soltería de sus hijas)?

3. ¿Cuál es la importancia de la clase social en el drama? ¿En qué sentido determina la vida de los personajes? ¿Qué efecto tiene el haber nacido varón o hembra?

4. ¿Quién es Pepe el Romano? Según las hermanas, ¿por qué quiere casarse con Angustias? ¿Cómo reacciona Adela a la noción de que van a casarse y qué sugiere esta reacción?

5. En el segundo acto, ¿qué pasó con el retrato de Pepe? Explica el significado de este incidente.

6. En el mismo acto hay una duda sobre cuándo se despidió Pepe de la ventana de Angustias. Según Angustias, se fue a la una. Según la Poncia y Martirio, se fue a las cuatro. ¿Qué posibilidad se sugiere?

7. Al final del segundo acto, ¿qué pasó con la hija de la Librada? ¿Qué quiere ilustrar Lorca con este incidente? ¿Cómo reaccionan Adela, Bernarda y las otras hijas?

8. ¿Quién y cómo es María Josefa? ¿Qué objetivo tiene este personaje en el drama?

9. Al principio del tercer acto, Bernarda mantiene una conversación con su amiga Prudencia. Discute el contraste de opinión entre las dos mujeres. ¿Qué se sugiere aquí?

10. Advierte la repetición de las palabras "¡Callar!" y "¡Silencio!". ¿Qué importancia tienen con respecto a las ideas centrales del drama?

11. Al final del drama, la Poncia dice que lo que pasa "no es toda la culpa de Pepe el Romano" porque "un hombre es un hombre". ¿A qué refrán en inglés te recuerda? ¿Qué ideas quiere comunicar Lorca?

Temas de discusión y ensayos

1. Comenta la historia de Adelaida. ¿Qué relación tiene con los temas del drama?

2. ¿Con qué se compara la casa de Bernarda? ¿Qué imágenes se usan para crear una impresión de la casa? ¿Qué ideas o emociones quiere trasmitir Lorca con estas imágenes?

3. Comenta el significado de las siguientes citas: "Nacer mujer es el peor castigo" (Amelia, Acto II); "Pero les cuesta mucho trabajo desviarse de la verdadera inclinación" (Poncia, Acto II); "Cada uno sabe lo que piensa por dentro. Yo no me meto en los corazones, pero quiero buena fachada y armonía familiar" (Bernarda, Acto III).

4. Analiza el uso de símbolos en *La casa de Bernarda Alba*. Incluye el calor, la sed, el agua y el caballo que da patadas contra el muro al principio del tercer acto.

5. *La casa de Bernarda Alba* es un drama trágico. Pero hay momentos de humor oscuro y de ironía, a veces cómica, a veces triste. Comenta estos elementos.

6. Analiza la escena entre Adela y Martirio en el tercer acto. A pesar de las expresiones de compasión de Adela hacia Martirio, ¿por qué termina de manera pesimista?

7. Estudia la obra en términos de libertad individual. ¿Cuáles son los factores que la obstaculizan?

8. Discute el tema de la honra en *La casa de Bernarda Alba*.

Actividades para la Unidad 5

1. En *Google Images* observa *Las dos Fridas* y otros autorretratos de Frida Kahlo. ¿Puedes establecer un paralelo entre los poemas y el arte de Frida Kahlo?

2. Escucha la canción de Mercedes Sosa, "Alfonsina y el mar", dedicada a Storni.

3. Imagínate los eventos que llevan a la conversación entre la madre y la hija que forma la base de "Peso ancestral", y escribe un cuento para elaborarlos.

4. Prepara una respuesta en forma de carta o poema, desde el punto de vista de la madre o de un hombre, a "Peso ancestral".

5. ¿Pueden llorar los hombres en nuestra sociedad? Busca en películas, series televisivas o en la vida real (políticos, actores, deportistas, etc.) ejemplos de hombres que han llorado. ¿Cuál es la respuesta del público? Trata de definir los supuestos papeles de los géneros femenino y masculino en nuestra sociedad.

6. Investiga el movimiento feminista en Latinoamérica: cuándo empezó, líderes que destacan, cambios que han logrado, etc. Compara con la situación en los Estados Unidos y en España.

7. Busca en *Google Images* "Mujer ante el espejo" de Picasso y compara la representación de la dualidad en el cuadro y en el poema de Julia de Burgos.

8. Julia de Burgos tuvo una vida dura y variada, llena de éxitos y problemas, estrecheces económicas, viajes y desilusiones. Murió sola en las calles de Nueva York. Haz un estudio de su biografía y comenta cómo sus ideas feministas pudieron influir en su vida, y su vida en su escritura.

9. Cada estudiante escribe un poema a sí mismo/a. Traten de retratar, como hace Julia de Burgos, sus dos "yos", el íntimo y el que perciben los otros, y reacciona a las expectativas de los demás. No olviden incluir una conclusión.

10. Investiga escritoras en inglés que tratan los temas de esta unidad, por ejemplo la experiencia de la esclavitud, la opresión de la mujer y las presiones sociales. Explica a la clase en qué se parecen y en qué se diferencian de las escritoras latinoamericanas y españolas

11. "Mujer negra" cuenta los sufrimientos de una mujer que representa a su pueblo entero. Escribe otro poema que narre la discriminación y sublevación de un hombre o mujer y que muestre el triunfo del espíritu humano.

12. Estudia el encuentro en Cuba de las poblaciones de origen africano con las europeas. Investiga el trasfondo socio-histórico y la cultura afro-cubana que nace de dicho encuentro.

13. Estudia el papel de la mujer afrocubana en la historia de Cuba y presenta la información a la clase en forma de PowerPoint.

14. Lee *The Narrative of Sojourner Truth* y compara la descripción detallada de su vida como esclava con el poema de Morejón.

15. Crea un diálogo entre las voces poéticas de "Balada de los dos abuelos" y de "Mujer negra".

16. Busca dos o tres ejemplos de "herencia", de legado cultural, que en la actualidad se pasan las mujeres de una generación a otra.

17. Escucha una versión oral del poema de Nancy Morejón en:

    • http://www.ensayistas.org/curso3030/textos/poesia/mujer-negra-r.htm

    • Mira la guía digital para encontrar enlaces vivos.

18. Los estudiantes pueden investigar la condición de la mujer española en los años 30. Deben prestar atención especial a los derechos de la mujer, por ejemplo el año en que en España se aprueba su derecho al voto.

19. Un grupo de estudiantes crea un blog de noticias determinado (puede ser feminista, tradicionalista, progresista, religioso, reaccionario, etc.). Imaginen que el blog es de una mujer política conocida. Publica una entrada sobre el suicidio de Adela y otros estudiantes añadirán sus comentarios y opiniones divergentes.

20. Piensen en películas que subrayan, desde diferentes puntos de vista, el papel de la madre. Entre ellas se encuentran *Psicosis* (*Psycho*), *La decisión de Sofía* (*Sophie's Choice*), *Queridísima Mamá* (*Mommie Dearest*), *Todo sobre mi madre*, *Solas*, *Tira a mamá del tren* (*Throw Momma from the Train*), *Los timadores* (*The Grifters*) y un sinnúmero más. Elige una y analiza el papel de la madre en contraste con Bernarda Alba.

Cuestiones esenciales para la Unidad 5

1. Desde hace siglos el espejo es una figura prominente en el arte por y sobre mujeres. Este cuadro del siglo XV (anónimo) retrata a una conocida artista romana. La poeta mexicana Rosario Castellanos escribe: "Cuando una mujer latinoamericana toma entre sus manos la literatura, lo hace con el mismo gesto y la misma intención con la que toma un espejo: para contemplar su imagen"[1]. ¿Por qué el espejo? ¿Para qué sirve? ¿Qué indica la cita de Castellanos sobre el sujeto del arte femenino? ¿Cómo sirven de "espejo" las obras de esta unidad? Compara el uso del espejo, y el reflejo, en este cuadro y en uno de los poemas de la unidad. (Mirar la guía digital para ver en color.)

2. Varias de las obras de esta unidad ponen en relieve las diferencias entre las apariencias y la realidad. Elige dos y compara su representación de las causas, estrategias y efectos de la hipocresía social.

3. Analiza las relaciones de poder en *La casa de Bernarda Alba*. ¿Quiénes son las figuras de poder y cómo ejercen su autoridad? ¿Es su poder absoluto? ¿Hay figuras de resistencia?

4. El subtítulo de la obra de Lorca es "Drama de mujeres en los pueblos de España". ¿Son los problemas planteados exclusivos de los pueblos de España o aplicables universalmente? Ofrece ejemplos específicos en la respuesta.

5. ¿Cómo se organizan las relaciones familiares en *La casa de Bernarda Alba*. Existe un orden de jerarquías que incluye a la Poncia y a las criadas. ¿Cuál es? ¿De qué manera este orden refleja la sociedad en general? ¿Qué factores lo rigen?

6. Varios poemas del curso critican el doble estándar, las expectativas de la sociedad y la división de una mujer que resulta de ello. ¿Cómo ha cambiado la representación de lo femenino desde Sor Juana hasta Alfonsina Storni y Julia de Burgos? Y, según tus observaciones y experiencia, ¿es ésta una situación limitada a Latinoamérica o es universal?

7. Los temas de los poemas de las escritoras latinoamericanas, ¿son en tu opinión personales o sociales? ¿Qué factores pueden influir en la temática de la poesía? ¿Crees que en el siglo XXI las escritoras de Latinoamérica siguen escribiendo así?

8. Compara y contrasta el conflicto entre las dos identidades de la misma persona en "Borges y yo" y "A Julia de Burgos". ¿Es paralela la tensión? ¿Cuál es el

---

1   Castellanos. Rosario. *Mujer que sabe latín*. México, D.F.: Fondo de Cultura Económica, 1997, pág. 140.

papel de la sociedad en cada obra? Haz una comparación con el cuadro Las dos Fridas.

9. Elige una obra escrita por un hombre en la primera mitad del siglo XX, sobre el tema de la opresión, y compárala con uno de los poemas de esta unidad. ¿Qué situaciones sociales sirven de trasfondo de cada obra? ¿De qué manera los supuestos influyen en la escritura según el género del escritor?

10. En la antología de lengua inglesa *Women's Writing in Latin America: An Anthology*, la escritora mexicana Elena Poniatowska dice: "We write in order to understand the incomprehensible. We write in order to bear testimony of things […]. We write in order to be. We write so as not to be wiped from the map". Explica el significado de la cita y relaciónala con el poema "A Julia de Burgos" o con "Peso ancestral".

11. ¿Que factores históricos y sociopolíticos han afectado a estas autoras latinoamericanas y les han movido a escribir así? ¿Ha habido cambios significativos desde los tiempos de Sor Juana hasta los de las poetas desde esta unidad? Y ¿hasta nuestros días?

12. En varias obras de la unidad se representan relaciones problemáticas entre distintos grupos socioculturales (clases sociales, grupos étnicos, por ejemplo). Elige una de las obras de la unidad y compárala, en este aspecto, con "Mujer negra".

13. "Mujer negra" representa el comienzo de una vida en un nuevo lugar. ¿Cuáles son algunas de las dificultades con las que se enfrenta la voz poética? ¿Qué aspectos de su identidad logra mantener o adaptar? ¿Cómo se resisten (o se asimilan) los miembros de una minoría cultural a las costumbres y las perspectivas de la mayoría dominante?

14. Compara la temática de las escritoras latinoamericanas con la de Rosa Montero, española y muy posterior. ¿Encuentras entre ellas semejanzas o diferencias? Explica.

15. Conociendo las dificultades personales que tuvieron en su vida Alfonsina Storni y Julia de Burgos, ¿se puede decir que su experiencia les inclina a escribir así? ¿Se puede decir que su escritura es autobiográfica?

16. Compara "Mujer negra" con una obra de literatura afro-americana de los EE.UU. que hayas leído. Describe y analiza instancias de resistencia a la autoridad de figuras de poder.

17. ¿Existe en tu opinión una literatura femenina? ¿Es una literatura sobre mujeres? ¿Por mujeres? ¿Para mujeres? ¿Se debe incluir una obra como *La casa de Bernarda Alba* en la que ningún hombre aparece en el escenario? Trata de definir la literatura femenina y sé especifico/a en tus razones y ejemplos.

UNIDAD 6. LA PRESENCIA HISPANA EN LOS ESTADOS UNIDOS: AQUÍ Y ALLÁ

En EE.UU., donde el español es la segunda lengua del país y donde la presencia hispana es cada día más patente, numerosos escritores latinos escriben en español, en inglés, o en una mezcla de ambos, para una audiencia que crece a diario. Sabine Ulibarrí y Tomás Rivera, ambos nacidos en Estados Unidos, escriben en español sobre temas que, referidos a la vida y cultura hispanas, son de valor universal.

Sabine Ulibarrí

(1919-2003)

Datos biográficos

Sabine Ulibarrí nació en el pueblo de Tierra Amarilla, New Mexico, en el seno de una familia y comunidad hispanas. De sus padres, ganaderos en un rancho, aprendió el valor de la familia, la educación y su herencia hispana. De niño también oyó cuentos e historias que luego, junto con sus propias observaciones, iban a ser la inspiración de sus escritos. Su primer trabajo fue el de maestro en un centro escolar de su estado, actividad profesional que, de una u otra manera, siguió cultivando el resto de su vida.

Durante varias décadas fue profesor en la universidad de New Mexico, en la que había estudiado, a la par que conferenciante y escritor de cuentos cortos, poemas y ensayos. En el aula o con la pluma, Sabine Ulibarrí mostró a generaciones de lectores y estudiantes el amor por su tierra y su cultura, y contribuyó deliberada y eficazmente al entendimiento del mundo hispano en los EE.UU. Sus conferencias y escritos se hicieron eco de la problemática en torno a la comunidad hispanohablante, de la que fue voz y líder, defendiendo siempre la armonía, comprensión y enriquecimiento mutuos. La continuidad de una larga vida centrada en las letras y dedicada a la difusión de la cultura hispana ha extendido la presencia e influencia de Sabine Ulibarrí más allá de los EE.UU., a Latinoamérica y España. En este país recibió el honor excepcional de ser miembro de la Real Academia de la Lengua Española, organización que cuida del idioma español.

La narrativa de Ulibarrí

Los cuentos de Ulibarrí frecuentemente tienen lugar en Tierra Amarilla (su primera colección de cuentos se llama precisamente *Tierra Amarilla: Cuentos de Nuevo México*), su lugar natal, en la región del norte de New Mexico. Tierra Amarilla es todo un mundo tan específico y diferenciado como lo pueda ser el Macondo de García Márquez o la Comala de Rulfo, con su duro y bello paisaje, sus poblaciones rurales mezcla de hispanos, anglos e indios, y sus leyendas e historias. El lenguaje es natural y conversacional cuando está en boca de los personajes y también rico en imágenes sensoriales a menudo sorprendentes. Sus temas se refieren a historias que ha vivido u oído, a personas que ha conocido o imaginado, pero que pertenecen todas al mundo de Tierra Amarilla.

A pesar de tener ese fuerte sabor local, sus cuentos trascienden los límites geográficos. La realidad que describen, al igual que la fantasía que contienen, llevan resonancias universales. En ellos, el afecto por sus personajes y las tierras que habitan es palpable y el hecho de que frecuentemente el narrador sea niño permite a cualquier lector adentrarse en ellos.

Ulibarrí escribió siempre en español. Varias de sus colecciones de cuentos han sido publicadas en inglés o en forma bilingüe, con traducciones del propio autor. "Mi caballo mago" es parte de *Tierra Amarilla* y, como en otros cuentos, la historia contiene elementos realistas, que bien pueden ser las memorias del autor, y está visto desde la perspectiva de un adolescente.

❖ ❖ ❖ ❖ ❖ ❖ ❖ ❖ ❖ ❖ ❖

Mi caballo mago

Era blanco. Blanco como el olvido[1]. Era libre. Libre como la alegría. Era la ilusión, la libertad y la emoción. Poblaba y dominaba las serranías y las llanuras de las cercanías[2]. Era un caballo blanco que llenó mi juventud de fantasía y poesía.

Alrededor de las fogatas del campo y en las resolanas[3] del pueblo los vaqueros de esas
5   tierras hablaban de él con entusiasmo y admiración. Y la mirada se volvía turbia[4] y borrosa de ensueño. La animada charla se apagaba. Todos atentos a la visión evocada. Mito del reino animal. Poema del mundo viril.

Blanco y arcano[5]. Paseaba su harén por el bosque de verano en regocijo imperial. El invierno decretaba el llano y la ladera para sus hembras[6]. Veraneaba como rey de oriente
10   en su jardín silvestre. Invernaba como guerrero ilustre que celebra la victoria ganada.

Era leyenda. Eran sin fin las historias que se contaban del caballo brujo. Unas verdad, otras invención. Tantas trampas[7], tantas redes[8], tantas expediciones. Todas venidas a menos. El caballo siempre se escapaba, siempre se burlaba, siempre se alzaba por encima del dominio de los hombres. ¡Cuánto valedor no juró ponerle su jáquima[9] y su marca para
15   confesar después que el brujo había sido más hombre que él!

Yo tenía quince años. Y sin haberlo visto nunca el brujo me llenaba ya la imaginación y la esperanza. Escuchaba embobado[10] a mi padre y a sus vaqueros hablar del caballo fantasma que al atraparlo se volvía espuma[11] y aire y nada. Participaba de la obsesión de todos, ambición de lotería, de algún día ponerle yo mi lazo[12], de hacerlo mío, y lucirlo los
20   domingos por la tarde cuando las muchachas salen a paseo por la calle.

Pleno el verano. Los bosques verdes, frescos y alegres. Las reses lentas, gordas y

---

1	**olvido** forgetting	5	**arcano** mysterious
2	**cercanías** nearby lands	6	**hembras** females
3	**resolanas** patios	7	**trampas** tricks
4	**turbia** cloudy	8	**redes** nets

9	**jáquima** headstall
10	**embobado** rapt
11	**espuma** foam
12	**lazo** lasso

luminosas en la sombra y en el sol de agosto. Dormitaba[13] yo en un caballo brioso, lánguido y sutil en el sopor del atardecer. Era hora ya de acercarse a la majada[14], al buen pan y al rancho del rodeo. Ya los compañeros estarían alrededor de la hoguera agitando la guitarra, contando cuentos del pasado o de hoy o entregándose al cansancio de la tarde. El sol se ponía ya, detrás de mí, en escándalos de rayo y color. Silencio orgánico y denso.

Sigo insensible a las reses al abra[15]. De pronto el bosque se calla. El silencio enmudece. La tarde se detiene. La brisa deja de respirar, pero tiembla. El sol se excita. El planeta, la vida y el tiempo se han detenido de una manera inexplicable. Por un instante no sé lo que pasa.

Luego mis ojos aciertan. ¡Allí está! ¡El caballo mago! Al extremo del abra, en un promontorio, rodeado de verde. Hecho estatua, hecho estampa[16]. Línea y forma y mancha blanca en fondo verde. Orgullo, fama y arte en carne animal. Cuadro de belleza encendida y libertad varonil. Ideal invicto y limpio de la eterna ilusión humana. Hoy palpito todo aún al recordarlo.

Silbido[17]. Reto[18] trascendental que sube y rompe la tela virginal de las nubes rojas. Orejas lanzas. Ojos rayos. Cola viva y ondulante, desafío movedizo. Pezuña[19] tersa y destructiva. Arrogante majestad de los campos.

El momento es eterno. La eternidad momentánea. Ya no está, pero siempre estará. Debió de haber yeguas[20]. Yo no las vi. Las reses siguen indiferentes. Mi caballo las sigue y yo vuelvo lentamente del mundo del sueño a la tierra del sudor. Pero ya la vida no volverá a ser lo que antes fue.

Aquella noche bajo las estrellas no dormí. Soñé. Cuánto soñé despierto y cuánto soñé dormido yo no sé. Sólo sé que un caballo blanco pobló mis sueños y los llenó de resonancia y de luz y de violencia.

Pasó el verano y entró el invierno. El verde pasto dio lugar a la blanca nieve. Las manadas[21] bajaron de las sierras a los valles y cañadas. Y en el pueblo se comentaba que el brujo andaba por este o aquel rincón. Yo indagaba por todas partes su paradero. Cada día se me hacía más ideal, más imagen, más misterio.

Domingo. Apenas rayaba el sol de la sierra nevada. Aliento[22] vaporoso. Caballo tembloroso de frío y de ansias. Como yo. Salí sin ir a misa. Sin desayunarme siquiera. Sin pan y sardinas en las alforjas. Había dormido mal y velado bien. Iba en busca de la blanca luz que galopaba en mis sueños.

Al salir del pueblo al campo libre desaparecen los caminos. No hay rastro[23] humano o animal. Silencio blanco, hondo y rutilante. Mi caballo corta el camino con el pecho y deja estela[24] eterna, grieta abierta, en la mar cana. La mirada diestra y atenta puebla el paisaje

13 **dormitaba** dozed	17 **silbido** whistle	21 **manadas** herds
14 **majada** hut	18 **reto** challenge	22 **aliento** breath
15 **abra** clearing in the forest	19 **pezuña** hoof	23 **rastro** trace
16 **estampa** print, engraving	20 **yeguas** mares	24 **estela** wake (of a ship)

hasta cada horizonte buscando el noble perfil del caballo místico.

Sería mediodía. No sé. El tiempo había perdido su rigor. Di con él. En una ladera[25] contaminada de sol. Nos vimos al mismo tiempo. Juntos nos hicimos piedra. Inmóvil,
60 absorto y jadeante contemplé su belleza, su arrogancia, su nobleza. Esculpido en mármol, se dejó admirar.

Silbido violento que rompe el silencio. Guante arrojado a la cara. Desafío[26] y decreto a la vez. Asombro nuevo. El caballo que en verano se coloca entre la amenaza[27] y la manada, oscilando a distancia de diestra a siniestra, ahora se lanza a la nieve. Más fuerte que ellas,
65 abre la vereda a las yeguas. Y ellas lo siguen. Su fuga es lenta para conservar sus fuerzas.

Sigo. Despacio. Palpitante. Pensando en su inteligencia. Admirando su valentía. Apreciando su cortesía. La tarde se alarga. Mi caballo cebado[28] a sus anchas.

Una a una las yeguas se van cansando. Una a una se van quedando a un lado. ¡Solos! El y yo. La agitación interna rebosa a los labios. Le hablo. Me escucha y calla.

70 El abre el camino y yo sigo por la vereda que me deja. Detrás de nosotros una larga y honda zanja[29] blanca que cruza la llanura. El caballo que ha comido grano y buen pasto sigue fuerte. A él, mal nutrido, se la han agotado las fuerzas. Pero sigue porque es él y porque no sabe ceder.

Encuentro negro y manchas negras por el cuerpo. La nieve y el sudor[30] han revelado la
75 piel negra bajo el pelo. Mecheros violentos de vapor rompen el aire. Espumarajos blancos sobre la blanca nieve. Sudor, espuma y vapor. Ansia.

Me sentí verdugo[31]. Pero ya no había retorno. La distancia entre nosotros se acortaba implacablemente. Dios y la naturaleza indiferentes.

Me siento seguro. Desato el cabestro[32]. Abro el lazo. Las riendas tirantes. Cada nervio,
80 cada músculo alerta y el alma en la boca. Espuelas tensas en ijares temblorosos. Arranca el caballo. Remolineo el cabestro y lanzo el lazo obediente.

Vértigo de furia y rabia. Remolinos[33] de luz y abanicos de transparente nieve. Cabestro que silba y quema en la teja de la silla. Guantes violentos que humean. Ojos ardientes en sus pozos. Boca seca. Frente caliente. Y el mundo se sacude y se estremece. Y se acaba la
85 larga zanja blanca en un ancho charco blanco.

Sosiego[34] jadeante y denso. El caballo mago es mío. Temblorosos ambos, nos miramos de hito en hito[35] por un largo rato. Inteligente y realista, deja de forcejear y hasta toma un paso hacia mí. Yo le hablo. Hablándole me acerco. Primero recula. Luego me espera. Hasta que los dos caballos se saludan a la manera suya. Y por fin llego a alisarle la crin[36]. Le digo
90 muchas cosas, y parece que me entiende.

---

25 **ladera** hillside	30 **sudor** sweat	35 **nos miramos de hito en hito** we stared at each other
26 **desafío** challenge	31 **verdugo** executioner	36 **crin** mane
27 **amenaza** threat	32 **cabestro** ox	
28 **cebado** fed	33 **remolinos** swirls	
29 **zanja** ditch	34 **sosiego** calm	

Por delante y por las huellas de antes lo dirigí hacia el pueblo. Triunfante. Exaltado. Una risa infantil me brotaba. Yo, varonil, la dominaba. Quería cantar y pronto me olvidaba. Quería gritar pero callaba. Era un manojo de alegría. Era el orgullo del hombre adolescente. Me sentí conquistador.

95   El Mago ensayaba la libertad una y otra vez, arrancándome de mis meditaciones abruptamente. Por unos instantes se armaba la lucha otra vez. Luego seguíamos.

Fue necesario pasar por el pueblo. No había remedio. Sol poniente. Calles de hielo y gente en los portales. El Mago lleno de terror y pánico por la primera vez. Huía y mi caballo herrado lo detenía. Se resbalaba[37] y caía de costalazo. Yo lloré por él. La indignidad. La

100   humillación. La alteza venida a menos. Le rogaba que no forcejara, que se dejara llevar. ¡Cómo me dolió que lo vieran así los otros!

Por fin llegamos a la casa. "¿Qué hacer contigo, Mago? Si te meto en el establo o en el corral, de seguro te haces daño. Además sería un insulto. No eres esclavo. No eres criado. Ni siquiera eres animal." Decidí soltarlo en el potrero[38]. Allí podría el Mago irse

105   acostumbrando poco a poco a mi amistad y compañía. De ese potrero no se había escapado nunca un animal.

Mi padre me vio llegar y me esperó sin hablar. En la cara le jugaba una sonrisa y en los ojos le bailaba una chispa. Me vio quitarle el cabestro al Mago y los dos lo vimos alejarse, pensativos. Me estrechó la mano un poco más fuerte que de ordinario y me dijo: "Esos son

110   hombres." Nada más. Ni hacía falta. Nos entendíamos mi padre y yo muy bien. Yo hacía el papel de *muy hombre* pero aquella risa infantil y aquel grito que me andaban por dentro por poco estropean la impresión que yo quería dar.

Aquella noche casi no dormí y cuando dormí no supe que dormía. Pues el soñar es igual, cuando se sueña de veras, dormido o despierto. Al amanecer yo ya estaba de pie.

115   Tenía que ir a ver al Mago. En cuanto aclaró salí al frío a buscarlo.

El potrero era grande. Tenía un bosque y una cañada. No se veía el Mago en ninguna parte pero yo me sentía seguro. Caminaba despacio, la cabeza toda llena de los acontecimientos de ayer y de los proyectos de mañana. De pronto me di cuenta que había andado mucho. Aprieto el paso. Miro aprensivo a todos lados. Empieza a entrarme el

120   miedo. Sin saber voy corriendo. Cada vez más rápido.

No está. El Mago se ha escapado. Recorro cada rincón donde pudiera haberse agazapado. Sigo la huella[39]. Veo que durante toda la noche el Mago anduvo sin cesar buscando, olfateando, una salida. No la encontró. La inventó.

Seguí la huella que se dirigía directamente a la cerca. Y vi como el rastro no se detenía

125   sino continuaba del otro lado. El alambre era de púa[40]. Y había pelos blancos en el alambre. Había sangre en las púas. Había manchas rojas en la nieve y gotitas rojas en las huellas del

---

37 **se resbalaba** slipped

38 **potrero** corral for colts

39 **huella** track

40 **alambre de púa** barbed wire fence

otro lado de la cerca.

Allí me detuve. No fui más allá. Sol rayante en la cara. Ojos nublados y llenos de luz. Lágrimas infantiles en mejillas varoniles. Grito hecho nudo en la garganta. Sollozos
130   despaciosos y silenciosos.

Allí me quedé y me olvidé de mí y del mundo y del tiempo. No sé cómo estuvo, pero mi tristeza era gusto. Lloraba de alegría. Estaba celebrando, por mucho que me dolía, la fuga y la libertad del Mago, la transcendencia de ese espíritu indomable. Ahora seguiría siendo el ideal, la ilusión y la emoción. El Mago era un absoluto. A mí me había enriquecido la vida
135   para siempre.

Allí me halló mi padre. Se acercó sin decir nada y me puso el brazo sobre el hombro. Nos quedamos mirando la zanja blanca con flecos de rojo que se dirigía al sol rayante.

◆ ◆ ◆ ◆ ◆ ◆ ◆ ◆ ◆ ◆ ◆ ◆

Sugerencias para el análisis del cuento

1. ¿Cómo es el narrador? Descríbelo en detalle. ¿El punto de vista, es el mismo todo el tiempo?

2. ¿Qué significa el Mago para el niño al principio, durante y al final de la narración?

3. El narrador habla frecuentemente en frases breves, descriptivas, sin forma verbal en muchas ocasiones. ¿Cuál es el efecto?

4. En un momento determinado "mago" deja de ser un adjetivo y se convierte en nombre propio. Comenta.

5. ¿Hay personificación en este relato?

6. "… el caballo…se volvía espuma y aire y nada" es un ejemplo de…

7. "Silencio blanco", "encuentro negro" y "blanco como el olvido", son sorprendentes superposiciones. ¿Cómo se llama esta figura retórica que mezcla imágenes procedentes de diferentes sentidos? ¿Qué efecto pretende el autor?

8. "El momento es eterno. La eternidad momentánea". ¿Cómo se llama esta figura?

9. ¿Qué aprendemos de la tierra natal, del paisaje y de las costumbres a lo largo del año por medio de este cuento?

Temas de discusión y ensayos

1. Nombra varios temas posibles de este cuento y elige el fundamental para ti.

2. En el cuento hay un continuo juego entre el narrador niño (protagonista) y el narrador adulto, entre la acción y el recuerdo. Hay paralelamente una alternancia entre formas verbales en el presente y en el pasado. Explica la razón y el efecto en el lector.

3. Analiza el lenguaje, el estilo del cuento, en relación con el tema.

4. Comenta la lucha entre el protagonista de la historia y el caballo. ¿Qué representan ambos? ¿Qué simboliza esta lucha? ¿Es una aventura personal o tiene implicaciones más amplias? ¿Cómo la ven el padre y los otros en el pueblo? ¿Qué sentido tiene el desenlace final?

5. Estudia la irrupción del mundo de la fantasía en la realidad. ¿Qué es realidad y qué es ficción, para el niño y para el lector? ¿Cómo se mezclan? ¿Con qué objetivo?

6. ¿Cómo y dónde se percibe el amor del autor hacia su tierra?

7. Este relato toca brevemente un tema que hemos visto en varios cuentos anteriores: la relación entre un padre y su hijo. ¿Cuántos puedes recordar? Comenta los parecidos y las diferencias.

8. Compara y contrasta la atmósfera de este lugar con la de "No oyes ladrar los perros" de Rulfo.

Tomás Rivera
(1935-1984)

Datos biográficos

Tomás Rivera nació en Crystal City, Texas, el 22 de diciembre de 1935 en una familia de trabajadores migrantes. De joven, Rivera aprendió el valor de la educación mientras trabajaba en los campos junto a su familia a la vez que se dedicaba a los estudios académicos. Logró educarse a pesar de las clases que perdía durante las cosechas. La familia Rivera migraba de pueblo a pueblo en la zona del Medio Oeste de los EE.UU., vulnerable a la injusticia, al racismo y a la dureza de horas de labor bajo el sol inclemente. Todos trabajaban, incluso los niños pequeños.

A la edad de once años, Tomás Rivera escribió su primer cuento, "El accidente", inspirado por un accidente de automóvil que había sufrido. Desde muy joven sabía que quería ser escritor.

Después de graduarse de la universidad, Rivera enseñó inglés y español en varias escuelas secundarias y unos años más tarde recibió el doctorado en Lenguas Romances de la Universidad de Oklahoma. En 1979 Rivera llegó a ser presidente de la Universidad de California en Riverside.

Tomás Rivera murió el 16 de mayo, 1984 de un ataque cardíaco. Hoy, se reconoce a Rivera como una figura sobresaliente e influyente de la literatura chicana. Es autor, en los dos idiomas, español e inglés, de novelas, cuentos, poesía y ensayos. Su obra relata sus propias experiencias de niño en el mundo duro de los trabajadores migrantes.

La narrativa de Tomás Rivera

Se dice de García Lorca que es el escritor más regional y a la vez el más universal. Lo mismo se puede aplicar a Tomás Rivera. A través de las experiencias de su niñez entre trabajadores migrantes, una niñez afligida por la pobreza y el racismo, Rivera presenta temas universales como el sufrimiento de los pobres, la búsqueda de identidad, el contacto de culturas y la crisis de fe, entre muchos más.

… *y no se lo tragó la tierra*, la obra mas conocida de Tomás Rivera, es difícil de clasificar. Se puede leer como una serie de cuentos cortos, pero al leerlos en conjunto, los cuentos forman una narrativa sobre la vida de un joven. A la vez que se clasifica como una obra de ficción, … *y no se lo tragó la tierra* contiene elementos autobiográficos, lo que casi la coloca en el género de memorias.

La forma de narración es única, imaginative y poética. Algunos párrafos presentan la voz de un narrador en tercera persona, más o menos omnisciente. Otros presentan la voz del joven protagonista a veces en diálogo con otro personaje y a veces en monólogo interior.

Las selecciones que siguen, "... y no se lo tragó la tierra" y "La noche buena" son dos de los cuentos en … *y no se lo tragó la tierra*. Hay numerosos regionalismos y referencias a la cultura local. Por ejemplo, "N'ombre" es una contracción de "no hombre" y es el equivalente de "Man!" o "No, man!". En "La noche buena" se menciona a don Chon, una figura del folclore mexicano. Es un viejo que le ofrece tierra a un pobre que quiere sembrar una cosecha. Por eso simboliza la generosidad y en el cuento se asocia con el Papá Noel o "Santa Clos". Se puede observar la mezcla de elementos culturales en el mundo chicano: don Chon es del folclore mexicano; la Nochebuena es el 24 de diciembre, la noche antes de la Navidad, cuando se dan regalos según la tradición norteamericana; y el día de los Reyes Magos, el 6 de enero, es la fecha de dar regalos en la cultura hispana.

◆ ◆ ◆ ◆ ◆ ◆ ◆ ◆ ◆ ◆ ◆ ◆

… y no se lo tragó la tierra

La primera vez que sintió odio y coraje[1] fue cuando vio llorar a su mamá por su tío y su tía. A los dos les había dado la tuberculosis y a los dos los habían mandado a distintos sanatorios. Lego entre los otros hermanos y hermanas se habían repartido los niños y los habían cuidado a como había dado lugar. Luego la tía se había muerto y al poco tiempo habían traído al tío del sanatorio, pero ya venía escupiendo[2] sangre. Fue cuando vio llorar
5   a su madre cada rato. A él le dio coraje porque no podía hacer nada contra nadie. Ahora se sentía lo mismo. Pero ahora era por su padre.

- Se hubieran venido luego luego, m'ijo. ¿No veían que su tata[3] estaba enfermo? Ustedes sabían muy bien que estaba picado del sol[4]. ¿Por qué no se vinieron?

- Pos, no sé. Nosotros como andábamos bien mojados de sudor no se nos hacía que
10   hacía mucho calor pero yo creo que cuando está picado uno del sol es diferente. Yo como quiera sí le dije que se sentara debajo del árbol que está a la orilla de los surcos, pero él no quiso. Fue cuando empezó a vomitar. Luego vimos que ya no pudo azadonear[5] y casi lo llevamos en rastra y lo pusimos debajo del árbol. Nomás dejó que lo lleváramos. Ni repeló[6] ni nada.

15   - Pobre viejo, pobre de mi viejo. Anoche casi ni durmió. ¿No lo oyeron ustedes fuera de la casa? Se estuvo retorciendo[7] toda la noche de puros calambres[8]. Dios quiera y se alivie. Lo he estado dando agua de limonada fresca todo el día pero tiene los ojos como de vidrio. Si yo hubiera ido ayer a su labor les aseguro que no se hubiera asoleado[9]. Pobre viejo, le van a durar los calambres por todo el cuerpo a lo menos tres días y tres noches. Ahora ustedes
20   cuídense No se atareen[10] tanto. No le hagan caso al viejo si los apura[11]. Aviéntenle con el trabajo. Como él no anda allí empinado[12], se le hace muy fácil.

1	**coraje** anger	5	**azadonear** to rake	9	**asoleado** gotten sun stroke
2	**escupiendo** spitting	6	**repeló** protested	10	**atareen** work too hard
3	**tata** daddy	7	**retorciendo** writhing in pain	11	**apura** hurry
4	**picado del sol** had a sunstroke	8	**calambres** cramps	12	**empinado** steep

Le entraba más coraje cuando oía a su papá gemir[13] fuera del gallinero. No se quedaba adentro porque decía que le entraban muchas ansias. Apenas afuera podía estar, donde
25 le diera el aire. También podía estirarse en el zacate y revolcarse[14] cuando le entraban los calambres. Luego pensaba en que si su padre se iba a morir de la asoleada. Oía a su papá que a veces empezaba a rezar y a pedir ayuda a Dios. Primero había tenido esperanza de que se aliviara pronto pero al siguiente día sentía que le crecía el odio. Y más cuando su mamá o su papá clamaba[15] por la misericordia[16] de Dios. También esa noche los habían
30 despertado, ya en la madrugada, los pujidos de su papá. Y su mamá se había levantado y le había quitado los escapularios[17] del cuello y se los había lavado. Luego había prendido unas velitas. Pero, nada. Era lo mismo de cuando su tío y su tía.

- ¿Qué se gana, mamá, con andar haciendo eso? ¿A poco cree que le ayudó mucho a mi tío y a mi tía? ¿Por qué es que nosotros estamos aquí como enterrados en la tierra?
35 O los microbios nos comen o el sol nos asolea. Siempre alguna enfermedad. Y todos los días, trabaje y trabaje. ¿Para qué? Pobre papá, él que le entra parejito. Yo creo que nació trabajando. Como dice él, apenas tenía cinco años y ya andaba con su papá sembrando maíz. Tanto darle de comer a la tierra y al sol y luego, zas, un día cuando menos lo piensa cae asoleado. Y uno sin poder hacer nada. Y luego ellos rogándole a Dios... si Dios no se
40 acuerda de uno... y yo creo que ni hay... No, mejor decirlo, a lo mejor empeora papá. Pobre, siquiera eso le dará esperanzas.

Su mamá le notó lo enfurecido que andaba y le dijo por la mañana que se calmara, que todo estaba en las manos de Dios y que su papá se iba a aliviar con la ayuda de Dios.

- N'ombre[18], ¿usted cree? A Dios, estoy seguro, no le importa nada de uno. ¿A ver,
45 dígame usted si papá es de mal alma o de mal corazón? ¿Dígame usted si él ha hecho mal a alguien?

- Pos, no.

- Ahí está. ¿Luego? ¿Y mi tío y mi tía? Usted dígame. Ahora sus pobres niños sin conocer a sus padres. ¿Por qué se los tuvo que llevar? N'ombre, a Dios le importa poco
50 de uno los pobres. A ver, ¿por qué tenemos que vivir aquí de esta manera? ¿Qué mal le hacemos a nadie? Usted tan buena gente que es y tiene que sufrir tanto.

- Ay hijo, no hables así. No hables contra la voluntad de Dios. M'ijo, no hables así por favor. Que me das miedo. Hasta parece que llevas el demonio entre las venas ya.

- Pues a lo mejor. Así, siquiera se me quitaría el coraje. Ya me canso de pensar. ¿Por
55 qué? ¿Por qué usted? ¿Por qué papá? ¿Por qué mi tío? ¿Por qué mi tía? ¿Por qué sus niños? ¿Dígame usted por qué? ¿Por qué nosotros no más enterrados en la tierra como animales sin ningunas esperanzas de nada? Sabe que las únicas esperanzas son las de venir para acá cada año. Y como usted misma dice, hasta que se muere uno, descansa. Yo creo que así se

---

13 **gemir** to moan

14 **revolcarse** roll around on the ground

15 **clamaba** was crying out for

16 **misericordia** mercy

17 **escapularios** religious medals

18 **n'ombre** (Coll.) No, man

sintieron mi tío y mi tía, y así se sentirá papá.

60   - Así es, m'ijo. Sólo la muerte nos trae el descanso a nosotros.

- Pero, ¿por qué a nosotros?

- Pues dicen que...

- No me diga nada. Ya sé lo que va a decir - que los pobres van al cielo.

Ese día empezó nublado y sentía lo fresco de la mañana rozarle las pestañas mientras
65   empezaban a trabajar él y sus hermanos. La madre había tenido que quedarse en casa a
cuidar al viejo. Así que se sentía responsable de apurar a sus hermanos. Por la mañana, a
lo menos por las primeras horas, se había aguantado el sol, pero ya para las diez y media
limpió el cielo de repente y se aplanó[19] sobre todo el mundo. Empezaron a trabajar más
despacio porque se les venía una debilidad y un bochorno[20] si trabajaban muy aprisa.
70   Luego se tenía que limpiar el sudor de los ojos cada rato porque se les oscurecía la vista.

- Cuando vean oscuro, muchachos, párenle de trabajar o denle más despacio. Cuando
lleguemos a la orilla descansamos un rato para coger fuerzas. Va a estar caliente hoy.
Que se quedara nubladito así como en la mañana, ni quién dijera nada. Pero nada, ya
aplanándose el sol ni una nubita se le aparece de puro miedo. Para acabarla de fregar, aquí
75   acabamos para los dos y luego tenemos que irnos a aquella labor que tiene puro lomerío[21].
Arriba está bueno pero cuando estemos en las bajadas se pone bien sofocado. Ahí no
ventea nada de aire. Casi ni entra el aire. ¿Se acuerdan?

- Sí.

- Ahí nos va a tocar lo mero bueno del calor. Nomás toman bastante agua cada rato; no
80   le hace que se enoje el viejo. No se vayan a enfermar. Y si ya no aguantan[22] me dicen luego
luego ¿eh? Nos vamos para la casa. Ya vieron lo que le pasó a papá por andar aguantando.
El sol se lo puede comer a uno.

Así como habían pensado se habían trasladado a otra labor para las primeras horas
de la tarde. Ya para las tres andaban todos empapados de sudor. No traían una parte de
85   la ropa seca. Cada rato se detenían. A veces no alcanzaban respiración, luego veían todo
oscuro y les entraba el miedo de asolearse, pero seguían.

- ¿Cómo se sienten?

- N'ombre, hace mucho calor. Pero tenemos que seguirle. Siquiera hasta las seis.
Nomás que esta agua que traemos ya no quita la sed. Cómo quisiera un frasco de agua
90   fresca, fresquecita acabada de sacar de la noria, o una coca bien helada.

- Estás loco, con eso sí que te asoleas. Nomás no le den muy aprisa. A ver si
aguantamos hasta las seis. ¿Qué dicen?

A las cuatro se enfermó el más chico. Tenía apenas nueve años pero como ya le

---

19 **aplanó sobre** fell down on   21 **lomerío** range of small mountains

20 **bochorno** extreme heat   22 **aguantan** stand it

pagaban por grande trataba de emparejarse como los demás. Empezó a vomitar y se quedó
95 sentado, luego se acostó. Corrieron todos a verlo atemorizados[23] y. Parecía como que se había desmayado[24] cuando le abrieron los párpados tenía los ojos volteados al revés. El que se le seguía en edad empezó a llorar pero le dijo luego luego que se callara y que ayudara a llevarlo a casa. Parecía que se le venían calambres por todo el cuerpecito. Lo llevó entonces cargado él solo y se empezó a decir otra vez que por qué.

100   - ¿Por qué a papá y luego a mi hermanito? Apenas tiene los nueve años. ¿Por qué? Tiene que trabajar como un burro enterrado en la tierra. Papá, mamá y éste mi hermanito, ¿qué culpa tienen de nada?

   Cada paso que daba hacia la casa le retumbaba la pregunta ¿por qué? Como a medio camino se empezó a enfurecer y luego comenzó a llorar de puro coraje. Sus otros
105 hermanitos no sabían qué hacer y empezaron ellos también a llorar, pero de miedo. Luego empezó a echar maldiciones. Y no supo ni cuándo, pero lo dijo que lo había tenido ganas de decir desde hacía mucho tiempo. Maldijo a Dios. Al hacerlo sintió el miedo infundido por los años y por sus padres. Por un segundo vio que se abría la tierra para tragárselo[25]. Luego se sintió andando por tierra bien apretada[26], más apretada que nunca. Entonces le
110 entró el coraje de nuevo y se desahogó maldiciendo a Dios. Cuando vio a su hermanito ya no se le hacía tan enfermo. No sabía si habían comprendido sus otros hermanos lo grave que había sido su maldición.

   Esa noche no se durmió hasta muy tarde. Tenía una paz que nunca había sentido antes. Le parecía que se había separado de todo. Ya no le preocupaba ni su papá ni su
115 hermano. Todo lo que esperaba era el nuevo día, la frescura de la mañana. Para cuando amaneció su padre estaba mejor. Ya iba de alivio. A su hermanito también casi se le fueron de encima los calambres. Se sorprendía cada rato por lo que había hecho la tarde anterior. Le iba a decir a su mamá pero decidió guardar el secreto. Solamente le dijo que la tierra no se comía a nadie, ni que el sol tampoco.

120   Salió para el trabajo y se encontró con la mañana bien fresca. Había nubes y por primera vez se sentía capaz de hacer y deshacer cualquier cosa que él quisiera. Vio hacia la tierra y le dio una patada bien fuerte y le dijo:

   -Todavía no, todavía no me puedes tragar. Algún día, sí. Pero yo ni sabré.

        ❖ ❖ ❖ ❖ ❖ ❖ ❖ ❖ ❖ ❖ ❖

---

23 **atemorizados** scared   25 **tragárselo** to swallow him up
24 **desmayado** fainted   26 **apretada** tight

Sugerencias para el análisis del cuento

1. En el primer párrafo el narrador nos habla del joven protagonista y nos describe la primera vez que el niño siente "odio y coraje" ¿Qué tragedia ha ocurrido? ¿Por qué está enojado el niño? ¿Cuál es el paralelo que se hace entre los tíos y su "tata" (el padre)?

2. Después del primer párrafo, hay un diálogo entre el niño y su madre. Cuando la madre se dirige a "ustedes" habla al niño y sus hermanos. ¿De qué les culpa la madre? ¿Quién es el viejo? ¿Por qué se culpa también a sí misma?

3. ¿Qué detalles se utilizan para comunicar la calidad de la vida y el sufrimiento del niño y de su familia?

4. ¿Qué evidencia vemos en los miembros de la familia de su fe religiosa?

5. El niño empieza a cuestionar ciertas creencias. ¿Cuáles son? ¿Qué le inspira estas dudas? ¿Cómo reacciona su madre?

6. Cuando por fin el niño "maldijo a Dios", ¿qué consecuencia teme?

Temas de discusión y ensayos

1. En los cuentos hay varias voces: la de un narrador omnisciente, la del joven protagonista y la de sus padres. ¿De qué manera sirve la variedad de voces narrativas para enriquecer los cuentos?

2. ¿Cuál es el tema fundamental de este cuento?

3. ¿Qué impresión tienes de la relación entre los miembros de la familia? ¿Cómo se crea esta impresión?

4. Explica el significado del título " ... y no se lo tragó la tierra". ¿Qué descubrimiento representa para el niño? En tu opinión, ¿cómo será diferente el niño de allí en adelante?

✦ ✦ ✦ ✦ ✦ ✦ ✦ ✦ ✦ ✦ ✦

La noche buena

La noche buena se aproxima y la radio igualmente que la bocina[1] de la camioneta
que anunciaba las películas del Teatro Ideal parecían empujarla con canción, negocio
y bendición. Faltaban tres días para la noche buena cuando doña María se decidió
comprarles algo a sus niños. Esta sería la primera vez que les compraría juguetes. Cada
año se proponía hacerlo pero siempre terminaba diciéndose que no, que no podían. Su
esposo de todas maneras les traía dulces y nueces[2] a cada uno, así que racionalizaba que
en realidad no les faltaba nada. Sin embargo cada navidad preguntaban los niños por sus
juguetes. Ella siempre los apaciguaba con lo de siempre. Les decía que se esperaran hasta
el seis de enero, el día de los reyes magos y así para cuando se llegaba ese día ya hasta se les
había olvidado todo a los niños. También había notado que sus hijos apreciaban menos y
menos la vida de don Chon la noche de Navidad cuando venía con el costal de naranjas y
nueces.

    - Pero, ¿por qué a nosotros no nos trae nada Santo Clos?

    - ¿Cómo no? ¿Luego cuando viene y les trae naranjas y nueces?

    - No, pero ése es don Chon.

    - No, yo digo lo que siempre aparece debajo de la máquina de coser.

    - Ah, eso lo trae papá, a poco cree que no sabemos. ¿Es que no somos buenos como
los demás?

    - Sí, sí son buenos, pero... pues espérense hasta el día de los reyes magos. Ése es el día
en que de veras vienen los juguetes y los regalos. Allá en México no viene Santo Clos sino
los reyes magos. Y no vienen hasta el seis de enero. Así que eso sí es el mero día.

    - Pero, lo que pasa es que se les olvida. Porque a nosotros nunca nos han dado nada ni
en la noche buena ni en el día de los reyes magos.

    - Bueno, pero a lo mejor esta vez sí.

    - Pos, sí, ojalá.

Por eso se decidió comprarles algo. Pero no tenían dinero para gastar en juguetes.
Su esposo trabajaba casi las diez y ocho horas lavando platos y haciendo de comer en un
restaurante. No tenía tiempo de ir al centro para comprar juguetes. Además tenían que
alzar[3] cada semana para poder pagar para la ida al norte. Ya les cobraban por los niños
aunque fueran parados todo el camino hasta Iowa. Así que les costaba bastante para hacer
el viaje. De todas maneras le propuso a su esposo esa noche, cuando llegó bien cansado del
trabajo, que les compraran algo.

    - Fíjate, viejo, que los niños quieren algo para Crismes.

    - ¿Y luego las naranjas y las nueces que les traigo?

    - Pos sí, pero ellos quieren juguetes. Ya no se conforman con comida. Es que ya están

---

1 **bocina** horn   2 **nueces** nuts   3 **alzar** save some money

más grandes y ven más.

- No necesitan nada.

- ¿A poco tú no tenías juguetes cuando eras niño?

- Sabes que yo mismo los hacía de barro[4] - caballitos, soldaditos...

40   - Pos sí, pero aquí es distinto, como ven muchas cosas... ándale vamos a comprarles algo... yo misma voy al Kres.

- ¿Tú?

- Sí, yo.

-¿No tienes miedo de ir al centro? ¿Te acuerdas allá en Wilmar, Minesora, cómo te
45   perdiste en el centro? ¿Tás segura que no tienes miedo?

- Sí, sí me acuerdo pero me doy ánimo. Yo voy. Ya me estuve dando ánimo todo el día y estoy segura que no me pierdo aquí. Mira, salgo a la calle. De aquí se ve la hielería. Son cuatro cuadras[5] nomás, según me dijo doña Reina. Luego cuando llegue a la hielería volteo a la derecha y dos cuadras más y estoy en el centro. Allí está el Kres. Luego salgo del Kres,
50   voy a la hielería y volteo para esta calle y aquí me tienes.

- De veras que no estará difícil. Pos sí. Bueno, te voy a dejar dinero sobre la mesa cuando me vaya por la mañana. Pero tienes cuidado, vieja, en estos días hay mucha gente en el centro.

Era que doña María nunca salía de casa sola. La única vez que salía era cuando iba a
55   visitar a su papá y a su hermana quienes vivían en la siguiente cuadra. Sólo iba a la iglesia cuando había difuntito y a veces cuando había boda. Pero iba siempre con su esposo, así que nunca se fijaba por donde iba. También su esposo le traía siempre todo. Él era el que compraba la comida y la ropa. En realidad no conocía el centro aun estando solamente a seis cuadras de su casa. El camposanto[6] quedaba por el lado opuesto al centro, la iglesia
60   también quedaba por ese rumbo. Pasaban por el centro sólo cuando iban de pasada para San Antonio o cuando iban o venían del norte. Casi siempre era de madrugada o de noche. Pero ese día traía ánimo y se preparó par ir al centro.

Al siguiente día se levantó, como lo hacía siempre, muy temprano y ya cuando había despachado a su esposo y a los niños recogió el dinero de sobre la mesa y empezó a
65   prepararse par ir al centro. No le llevó mucho tiempo.

- Yo no sé por qué soy tan miedosa yo, Dios mío. Si el centro está solamente a seis cuadras de aquí. Nomás me voy derechito y luego volteo a la derecha al pasar los traques. Luego, dos cuadras, y allí está el Kres. De allá para acá ando las dos cuadras y luego volteo a la izquierda y luego hasta que llegue aquí otra vez. Dios quiera y no me vaya a salir algún
70   perro. Al pasar los traques que no vaya a venir un tren y me pesque en medio... Ojalá y no me salga un perro... Ojalá y no venga un tren por los traques.

---

4 **barro** mud   5 **cuadras** blocks   6 **camposanto** cemetery

La distancia de su casa al ferrocarril la anduvo rápidamente. Se fue en medio de la calle todo el trecho. Tenía miedo de andar por la banqueta[7]. Se le hacía que la mordían los perros o que alguien la cogía. En realidad solamente había un perro en todo el trecho y

75 la mayor parte de la gente ni se dio cuenta de que iba al centro. Ella, sin embargo, seguía andando por en medio de la calle y tuvo suerte de que no pasar un solo mueble, si no, no hubiera sabido qué hacer. Al llegar al ferrocarril le entró el miedo. Oía el movimiento y el pitido[8] de los trenes y esto la desconcertaba. No se animaba a cruzar los rieles. Parecía que cada vez que se animaba se oía el pitido de un tren y se volvía a su lugar. Por fin venció el

80 miedo, cerró los ojos y pasó sobre las rieles. Al pasar se le fue quitando el miedo. Volteó a la derecha.

Las aceras[9] estaban repletas[10] de gente y se le empezaron a llenar los oídos de ruido, un ruido que después de entrar no quería salir. No reconocía a nadie en la banqueta. Le entraron ganas de regresarse pero alguien la empujó hacia el centro y los oídos se le

85 llenaban más y más de ruido. Sentía miedo y más y más se le olvidaba la razón por la cual estaba allí entre el gentío. En medio de dos tiendas donde había una callejuela se detuvo para recuperar el ánimo un poco y se quedó viendo un rato a la gente que pasaba.

- Dos mío, ¿qué me pasa? Ya empiezo a sentir como me sentí en Wilmar. Ojalá y no me vaya a sentir mal. A ver. Para allá queda la hielería. No, para allá. No, Dios mío, ¿qué me

90 pasa? A ver. Venía andando de allá para acá. Así que queda para allá. Mejor me hubiera quedado en casa. Oiga, perdone usted, ¿dónde está el Kres, por favor?... Gracias.

Se fue andando hasta donde le habían indicado y entró. El ruido y la apretura de la gente era peor. Le entró más miedo y ya lo único que quería era salirse de la tienda pero ya no veía la puerta. Sólo veía cosas sobre cosas, gente sobre gente. Hasta oía hablar a las

95 cosas. Se quedó parada un rato viendo vacíamente a lo que estaba enfrente de ella. Era que ya no sabía los nombres de las cosas. Unas personas se le quedaban viendo unos segundos, otras solamente la empujaban para un lado. Permaneció así por un rato y luego empezó a andar de nuevo. Reconoció unos juguetes y los echó en la bolsa. De pronto ya no oía el ruido de la gente aunque sí veía todos los movimientos de sus piernas, de sus brazos, de

100 la boca, de sus ojos. Pero no oía nada. Por fin preguntó que dónde quedaba la puerta, la salida. Le indicaron y empezó a andar hacia aquel rumbo. Empujó y empujó gente hasta que llegó a empujar la puerta y salió.

Apenas había estado unos segundos en la acera tratando de reconocer dónde estaba, cuando sintió que alguien la cogió fuerte del brazo. Hasta la hicieron que diera un

105 gemido[11].

- Here she is... these damn people, always stealing something, stealing. I've been watching you all along. Let's have that bag.

- ¿Pero...?

---

7 **banqueta** sidewalk   9 **aceras** sidewalks   11 **gemido** moan

8 **pitido** whistle   10 **repletas** full

Y ya no oyó nada por mucho tiempo. Sólo vio que el cemento de la acera se vino a sus
110 ojos y que una piedrita se le metió en el ojo y le calaba[12] mucho. Sentía que la estiraban
de los brazos y aun cuando la voltearon boca arriba veía a todos muy retirados. Se veía
a sí misma. Se sentía hablar pero ni ella sabía lo que decía pero sí se veía mover la boca.
También veía puras caras desconocidas. Luego vio al empleado con la pistola en la
cartuchera y le entró un miedo terrible. Fue cuando se volvió a acordar de sus hijos. Le
115 empezaron a salir las lágrimas y lloró. Luego ya no supo nada. Sólo se sentía andar en un
mar de gente. Los brazos la rozaban como si fueran olas.

- De buena suerte que mi compadre andaba por allí. Él fue el que me fue a avisar al
restaurante. ¿Cómo te sientes?

- Yo creo que estoy loca, viejo.

120 - Por eso te pregunté que si no te irías a sentir mal como en Wilmar.

- ¿Qué va a ser de mis hijos con una mamá loca? Con una loca que ni siquiera sabe
hablar ni ir al centro.

- De todos modos, fui a traer al notario público. Y él fue el que fue conmigo a la cárcel.
Él le explicó todo al empleado. Que se te había volado la cabeza. Y que te daban ataques de
125 nervios cuando andabas entre mucha gente.

- ¿Y se me mandan a un manicomio[13]? Yo no quiero dejar a mis hijos. Por favor, viejo,
no vayas a dejar que me manden, que no me lleven. Mejor no hubiera ido al centro.

- Pos nomás quédate aquí dentro de la casa y no te salgas del solar. Que al cabo no hay
necesidad. Yo te traigo todo lo que necesites. Mira, ya no llores, ya no llores. No, mejor, llora
130 para que te desahogues. Le voy a decir a los muchachos que ya no te anden fregando con
Santo Clos. Les voy a decir que no hay para que no te molesten con eso ya.

- No, viejo, no seas malo. Diles que si no les trae nada en la noche buena que es porque
les van a traer algo los reyes magos.

- Pero... bueno, como tú quieras. Yo creo que siempre lo mejor es tener esperanzas.

135 Los niños que estaban escondidos detrás de la puerta oyeron todo pero no
comprendieron muy bien. Y esperaron el día de los reyes magos como todos los años.
Cuando llegó y pasó aquel día sin regalos no preguntaron nada.

❖ ❖ ❖ ❖ ❖ ❖ ❖ ❖ ❖ ❖ ❖

---

12 **calaba** was digging into   13 **manicomio** psychiatric hospital

Sugerencias para el análisis del cuento

1. ¿Qué pasa cada Navidad cuando el niño y sus hermanos preguntan por sus juguetes? ¿Qué les dice su madre? ¿Qué desilusión sufren? ¿Qué ha decidido hacer la madre?

2. Los padres no coinciden en su opinión sobre los juguetes. ¿Por qué cree el padre que no es necesario comprar regalos? ¿Por qué no está de acuerdo la madre?

3. Cuando la madre informa al padre que va al centro para comprar juguetes, ¿por qué se preocupa el padre?

4. ¿Qué ocurre en la tienda? ¿Qué pasa en la calle después de salir de la tienda? ¿Cuál es la nueva preocupación de la madre?

5. ¿Cuál es la ironía del título "La noche buena"?

Temas de discusión y ensayos

1. Al no tener regalos, el niño pregunta a su madre: "¿Es que no somos buenos como los demás?" ¿Qué efecto tiene la pregunta sobre el lector?

2. El padre dice que cuando era niño hacía sus propios juguetes y sugiere que sus hijos hagan lo mismo. ¿En qué sentido se revela aquí un conflicto universal entre generaciones? Tus padres o abuelos, ¿te han dicho cosas semejantes? ¿Es válida esta manera de pensar?

3. Describe los problemas psicológicos de la madre. ¿Cómo varía el punto de vista al comunicar el estado emocional de la madre? ¿Qué reacción provoca en el lector?

4. ¿Qué impresión tenemos de la relación entre los miembros de la familia? ¿Qué evidencia nos da el autor para apoyar esta impresión?

5. ¿Cómo se puede interpretar la última frase: "Cuando llegó y pasó aquel día sin regalos no preguntaron nada"? Compara el final con la resolución de "... y no se lo tragó la tierra".

Temas de discusión y ensayos de los dos cuentos

1. En los dos cuentos, hay un momento clave en que algo en la vida emocional del niño cambia para siempre. Identifica estos momentos en cada uno. Explica los cambios.

2. Trata de distanciarte de los cuentos y ver a esta familia como la verían las familias de los "anglos". ¿Qué podrían pensar de ellos? ¿Cómo los juzgarían?

3. Haz lo mismo y trata de enjuiciar a la realidad americana que les rodea. ¿Cómo la percibe la familia? ¿Qué crea, en tu opinión, la mayor parte de los prejuicios mutuos (el idioma, la cultura, la clase social)? ¿Habría posibilidad de entendimiento y respeto mutuos?

4. ¿Sobreviven estos estereotipos en tu opinión, respecto a inmigrantes de todas las nacionalidades? Contesta con ejemplos específicos de la vida actual.

Actividades para la Unidad 6

1. Un grupo de estudiantes puede hacer mapas con los cambios de la frontera entre México y EE.UU. hasta el presente y explicar las circunstancias de cada cambio.

2. Otro grupo puede examinar los nombres geográficos en español al norte de la frontera y explicar su origen.

3. Finalmente, otro puede estudiar la proporción de hispanohablantes en Estados Unidos y donde residen mayoritariamente.

4. Se puede ver el DVD *... y no se lo tragó la tierra* y comparar la película con el texto. La película, de una duración de 99 minutos, dirigida por Severo Pérez, ha tenido buena crítica y es fiel al texto.

5. Hay otras novelas que tratan del sufrimiento de los trabajadores migrantes, por ejemplo *The Tortilla Curtain* de T. C. Boyle o *Las uvas de la ira* de John Steinbeck. Prepárate para discutirlas en clase.

6. En grupos, los estudiantes investigan y preparan presentaciones de PowerPoint sobre los trabajadores migrantes. Posibles temas: su trabajo, la situación familiar, las zonas geográficas, la legislación especial para ellos, César Chávez y la UFW (United Farm Workers), la situación de hoy, etc.

7. Lee *Cajas de cartón* y otros cuentos de Francisco Jiménez y compáralos con los cuentos de Rivera.

8. Piensa en un momento de tu vida que tenga un paralelismo con la del niño de "... y no se lo tragó la tierra", una instancia cuando pasó algo que cambió tu vida o tus percepciones para siempre, y preséntalo a la clase. Puedes mencionar experiencias que te han cambiado la manera de pensar, como el primer encuentro con la muerte, la primera vez que descubres que un adulto ha mentido, un momento de profunda desilusión, etc.

9. La emigración ha sido una realidad universal y de todos los tiempos. Un grupo de estudiantes puede investigar sobre la emigración entre países de Europa, otro sobre la inmigración a Latinoamérica, otro de África a Europa, otro la emigración judía, finalmente otro la inmigración a Estados Unidos de Latinoamérica, Asia, África y Europa.

10. Los estudiantes pueden hacer entrevistas a inmigrantes en su escuela y comunidad, hablando de las razones, las dificultades, las ventajas y esperanzas de futuro.

11. Un grupo de estudiantes investiga películas sobre emigración/inmigración, no limitándose a Latinoamérica/EE.UU. Hay numerosísimas, algunas de varias historias independientes. Pueden encontrar españolas o hechas en Latinoamérica, en español. Pueden recomendar una para ver en clase.

Cuestiones esenciales para la Unidad 6

1. Esta fotografía de 1939 muestra a una trabajadora migrante con sus hijos en una escena repetida durante docenas de años después. Después de haber leído a Rivera ponte en su situación. ¿Qué factores socioeconómicos y culturales le han incitado a viajar a los Estados Unidos y con cuáles se enfrenta en este país?

2. El tema de la pérdida de inocencia que resulta de las experiencias de la niñez o los ritos de iniciación, a través de los cuales se llega a ser adulto, se encuentra en *Lazarillo de Tormes*, "Las medias rojas" y "Mi caballo mago". Compara y contrasta estas obras, haciendo mención de los factores culturales y socioeconómicos de su contexto.

3. En los cuentos de Rivera aparece el tema de la fe o creencia absoluta frente a la duda, y la tendencia humana de cuestionar, al igual que en *San Manuel Bueno, mártir*. Contrasta el estudio del tema en ambas.

4. Los relatos de Ulibarrí y Rivera presentan la percepción de la realidad desde la perspectiva de un niño que se mueve entre lo subjetivo (emociones, instintos, memorias y sueños) y lo objetivo (razón, lógica, observaciones), haciéndose eco, en cierto modo, de Borges en su exploración de los límites entre lo real y lo irreal. Esta cuestión se encuentra también en "El Sur", el *Quijote*, "Chac Mool" y "El hijo". Elige dos obras y compáralas bajo este punto de vista.

5. ¿Qué ambiente social y cultural nos presenta "Mi caballo mago"? Y ¿en "…y no se lo tragó la tierra"? ¿Por qué son tan diferentes, siendo ambos escritores hispanos en los EE.UU.?

6. ¿De qué manera se presenta el choque entre dos culturas, con su falta de entendimiento, conflictos o integración en los relatos de Rivera? Contrástalos con "Balada de los dos abuelos". ¿Qué factores culturales y sociales marcan las diferencias?

7. ¿Cómo pueden las perspectivas culturales afectar la representación en los cuentos de Rivera? ¿Cómo se perciben las prácticas y perspectivas de la mayoría "anglo"?

8. ¿Qué podrías tú explicar a los personajes de "…y no se lo tragó la tierra" que no saben sobre el grupo mayoritario? ¿Es tu experiencia muy diferente de la suya?

9. ¿Cuáles son las razones de la distancia, en práctica y percepción, entre los dos grupos culturales presentados por Rivera? ¿Qué se podría hacer para unir esta separación? ¿Conoces a un individuo o alguna organización que trabaje en esta dirección?

10. Encuentra y analiza un ejemplo de una minoría cultural que se resiste (o se asimila) a las costumbres y las perspectivas de la mayoría dominante.

11. ¿Es responsabilidad de los miembros de las familias migrantes hispanas explicar a los demás su situación y acercarse a ellos? ¿O al contrario, debe el grupo mayoritario tratar de comprender? Da tu opinión. ¿Cómo reflexionan los cuentos de Rivera sobre la cuestión?

12. Ulibarrí presenta una comunidad, algo aislada del grupo mayoritario, que practica su propio modo de vida. ¿Cómo es? Explica su armonía. ¿Crees que es posible hoy?

13. El efecto opresor de la pobreza se encuentra en "Dos palabras", *Lazarillo de Tormes*, *Historia del hombre que se convirtió en perro*, "La siesta del martes", "Las medias rojas" y "No oyes ladrar los perros". Escribe un ensayo comparando dos de las obras citadas, mencionando los factores que determinan la situación.

14. ¿Ha cambiado la situación desde el momento en que se escribió "…y no se lo tragó la tierra"? Explica. Si lo necesitas, habla con una persona de tu escuela o de tu comunidad.

15. La mayor parte de los inmigrantes sienten la necesidad de emigrar debido a las condiciones de vida en su país. Basándote en los cuentos que has leído de Rivera, trata de reconstruir la vida de estas familias en México, su decisión de emigrar, las dificultades que encuentran, la soledad y aislamiento de su nueva vida, su visión para el futuro.

16. ¿Cómo nos definimos como individuos y a la vez parte de una familia, una identidad étnica, un grupo socioeconómico, etc.? Elige dos de las siguientes obras y estudia el tema, teniendo en cuenta los factores culturales que influyen: "A Julia de Burgos", "Borges y yo", "A Roosevelt" y "Balada de los dos abuelos".

APÉNDICE I

UNA APROXIMACIÓN A LA LECTURA DE POESÍA

¿Qué es poesía?

Todo género literario, no exclusivamente el poético, se construye a base de una combinación de dos elementos indispensables. Estas bases se han llamado de numerosas maneras, entre ellas: el fondo y la forma; el contenido y el estilo; el tema y su modo de expresión. No existe obra literaria en la que falte una de estas partes y en todo estudio de un texto cabe el análisis de las dos. La obra artística brota de una combinación, por parte del artista, de ambos elementos. No sólo están íntimamente unidos, sino que son interdependientes. Por ejemplo, en un ensayo de Larra o en un cuento de Borges la forma puede ponerse en función del fondo; es decir, el escritor a veces manipula la forma estética de su lenguaje para hacer resaltar el argumento de su prosa. En la poesía de Bécquer, por otra parte, se puede dar la situación inversa en que es posible decir que el tema del poema es su estilo.

Siempre surge una tensión o un equilibrio entre las ideas de una obra y la estética con que se transmiten. Sin embargo, en la poesía, más que en los demás géneros literarios, el equilibrio se tiende a deslizar hacia la forma. La poesía tiene como rasgo distintivo la intensidad expresiva, la concentración de significado. Lo que en prosa se puede explicar o presentar a través de descripciones, personajes o situaciones, el poeta trata de comunicar con una necesaria limitación de palabras[1]. El poeta sugiere, evoca. De manera consciente o no, utilizará todo tipo de recursos estilísticos al servicio de su intención. Por medio de metáforas, imágenes, símbolos, el poeta consigue que el lector asocie una palabra con un conjunto de sensaciones y emociones. A través de la posición de las palabras, su repetición o su ausencia, el poeta comunica sentidos más allá del mero significado. La selección de términos ambiguos o ricos en connotaciones, insinúa múltiples implicaciones. El mismo sonido de las palabras es un instrumento sugeridor. El poeta utiliza de manera especial el ritmo, la dimensión sonora de las palabras y de las frases. El ritmo es también un componente esencial en la poesía. Según el poeta Octavio Paz, la poesía es precisamente lenguaje rítmico.

Sugerencias para el análisis del texto poético

Es una gran ayuda para los estudiantes tener un método de estudio que les conduzca a entender mejor un poema y por tanto a gozar más de él. Los siguientes pasos están presentados a modo de simple sugerencia. En una última instancia, cada lector

---

1   "La brevedad y, como contrapartida, la condensación son los dos rasgos esenciales del lenguaje poético", dice Isabel Paraíso en su excelente tratado poético (Paraíso, Isabel. *El comentario de textos poéticos*. Valladolid: Ediciones Júcar, 1988).

desarrollará su propio sistema, el procedimiento que mejor le sirva para apreciar el logro y belleza de un texto poético.

1. Es necesario, en primer lugar, hacer una lectura en voz alta. No sólo se apreciará de este modo los efectos de sonido de las palabras, rima y ritmo, sino que además esta lectura ayudará al lector a una captación no intelectual, a una compenetración con la voz poética[2]. Las palabras que entran por el oído tocan nuestra capacidad emotiva mejor que las leídas en silencio. La lectura en voz alta puede capturar en más profundidad la voz de poetas como Lorca, Darío o Guillén, que un repetido estudio del poema. Es buena idea apuntar, a modo de *brain storm*, qué sugiere, qué se siente ante la lectura. El estudiante se empieza a preguntar, ¿Qué dice el poeta?, o ¿Qué me dice el poeta?

   Es posible que el lector ya capte el sentido central del poema (el tema), pero sólo a través del análisis a continuación lo podrá asegurar y delimitar.

2. Sus primeras preguntas serán, ¿Quién habla?, y ¿A quién se dirige la voz poética?

   A continuación hará un estudio detallado, un análisis formal integrándolo continuamente con el sentido del poema.

   Profundizar en la estructura, analizar ritmo y rima, buscar las connotaciones de las palabras, prestar detallada atención a los recursos estilísticos, ayudarán a comprender mejor el poema, a percibir y compartir las emociones del poeta, a disfrutar de él con más intensidad. Este es el momento de observar la versificación o aliteración, por ejemplo. Por tanto, el estudio debe ser bastante minucioso, verso por verso, estrofa por estrofa, a veces palabra por palabra, sin perder nunca de vista el conjunto. El estudiante debe encontrar las repuestas. ¿Cómo dice el poeta lo que está diciendo? ¿Qué tono adopta? ¿Por qué lo dice como lo dice? ¿Qué efecto causa?

3. Finalmente, la conclusión. Una vez escuchado, entendido y escuchado de nuevo el poema, el estudiante será capaz de declarar cuál es el último sentido del poema y expresarlo en términos abstractos. Esta es la oportunidad también de examinar si le ha gustado o no, si le habla de algún modo personal, si esa voz poética tiene resonancia en su vida o en su mundo.

Estas tres etapas de la lectura y estudio del poema se corresponden a la elaboración del ensayo poético que escribirá después del estudio anterior:

1. Introducción en la que el estudiante seleccionará un tema claramente delimitado.

2. Exposición de cómo el poeta presenta el tema a través de lenguaje poético y recursos literarios.

---

2   En el ya citado *El comentario de textos poéticos*, se recomienda la estrategia de la lectura desde dos ángulos complementarios: la lectura estética y la lectura comprensiva.

3. Conclusión, que no debe ser ni una repetición de la introducción ni un resumen del desarrollo. Aquí, el estudiante puede abrir el foco de su ensayo y comparar tema, autor, época con otros similares o contrastantes. Puede también expresar su opinión o reacción personal.

Estudiamos a continuación algunos de estos recursos estilísticos y términos del léxico poético. (El **Apéndice II** contiene una lista de vocabulario con las definiciones de los términos más comunes y algunos ejemplos.) Desde los romances de la Edad Media hasta el poema más abstracto contemporáneo, la poesía ha utilizado algún tipo de orden; o mejor dicho, muchos diversos y variados tipos de orden. Es indispensable en el estudio de la poesía poder identificar algunos de los componentes de la organización.

La versificación y la métrica

La versificación estudia las normas que rigen la estructura, medida, ritmo, combinaciones del verso.

- **Verso**: es una línea de un poema y tiene una medida y un orden determinados.

- **Encabalgamiento**: frecuentemente cada verso contiene una idea completa, pero a veces, la frase continúa en el siguiente verso. Ejemplo:

    Yo sé los nombres extraños

    de las yerbas y las flores,

    (Versos sencillos I, de José Martí)

- **Número de sílabas**: Hay versos desde dos sílabas en adelante. Son muy comunes los de ocho sílabas (octosílabos) en la poesía popular y el teatro clásico, y los de once sílabas (endecasílabos) en la poesía culta. Según el número de sílabas, los versos son de:

    - **arte mayor** (nueve sílabas o más)

    - **arte menor** (ocho sílabas o menos). Los versos se agrupan en estrofas.

- **Métrica**: es la medida del verso. Medimos un verso, en primer lugar, contando sus sílabas. No coinciden necesariamente las sílabas gramaticales de las palabras con las métricas del verso. El verso español tiene acento llano, es decir en la penúltima sílaba. Esto significa que si el verso termina en una palabra acentuada en la última sílaba, al contar se añade una sílaba. Si el verso termina con una palabra acentuada en la antepenúltima sílaba, al contar se quita una sílaba. Ejemplos:

¡Oh puro sol repu**ja**do!	8 sílabas
Africa de selvas **hú**medas	9 sílabas – 1= 8 sílabas
Sólo dos velas es**tán**	7 sílabas + 1= 8 sílabas

    ("Velorio de Papá Montero" y "Balada de los dos abuelos", de Nicolás Guillén)

- **Sinalefa**: Dentro del verso, cuando una palabra termina en vocal y la siguiente empieza en vocal o h, las dos sílabas se unen y forman una sola sílaba. Ejemplo:

  Y atardeceres **de i**ngenio   8 sílabas (Y + a…; de + i…)

  ("Balada de los dos abuelos")

- **Hiato**: Cuando no ocurre la sinalefa, que es la forma natural de hablar, sino que por exigencias métricas se separan dos vocales que debieran pronunciarse unidas, se produce el hiato.

- **Diéresis**: De modo similar al hiato, a veces un diptongo se separa, también por exigencias de la medida del verso, formándose así dos sílabas en vez de una. Se puede señalar la diéresis con ¨. Ejemplo:

  La luna en el mar rïela   8 sílabas (…na + en; ri-ela)

  ("Canción del pirata", de Espronceda)

- **Rima**: No es esencial en poesía, pero es un aspecto poético importante. Consiste en la igualdad o semejanza de sonidos en dos o más versos, a partir de la última vocal acentuada. Si las consonantes y vocales son todas iguales, se llama **rima consonante**. Ejemplo:

  Yo soy un hombre sinc**ero**

  de donde crece la p**alma**;

  y antes de morirme qui**ero**

  echar mis versos del **alma**.

  (*Versos sencillos* I)

- **Rima asonante**: Si sólo las vocales coinciden es rima asonante. Ejemplo:

  Que es mi barco mi tes**o**r**o**,

  que es mi dios la libert**a**d;

  mi ley, la fuerza y el vi**e**nt**o**,

  mi única patria, la m**a**r.

  ("Canción del pirata")

- Según el número de versos en una estrofa, la longitud de los versos y las combinaciones de la rima, tenemos diferentes tipos de **composiciones**: tercetos, redondillas, cuartetas, cuartetos, silvas, liras, romances, etc. Una composición muy conocida es el soneto, con una estructura bastante fija en la poesía hispánica: catorce versos endecasílabos divididos en dos cuartetos y dos tercetos.

- **Ritmo**: el ritmo viene dado por la repetición de elementos como la medida, la distribución de los acentos, las pausas y la rima.

Figuras retóricas: La posición de las palabras y la repetición

Otros aspectos muy importantes son la posición de las palabras y la repetición de palabras o sonidos. La posición de una palabra puede resaltarla o empequeñecerla. Se puede cambiar, también de manera deliberada, el orden normal de las palabras.

- **Hipérbaton**: trae una ordenación inusual para llamar la atención hacia una palabra o para causar sorpresa. Ejemplo:

    En tanto que de rosa y azucena

    se muestra la color en vuestro gesto,

    ("Soneto XXIII", de Garcilaso de la Vega)

- **Antítesis**: contrapone palabras o frases de tal modo que se provoca un enfrentamiento de ideas. Ejemplo:

    Pie desnudo, torso pétreo

    los de mi negro.

    Pupilas de vidrio antártico

    las de mi blanco.

    ("Balada de los dos abuelos")

    Existen también las repeticiones llamativas de palabras o sonidos:

- **Anáfora**: es la repetición de una o varias palabras al principio de un verso y se emplea frecuentemente para intensificar el paralelismo.

- **Polisíndeton:** ocurre cuando se repite sin aparente necesidad la conjunción "y" en una enumeración, con el efecto de hacer el ritmo más lento o de insistir en cada elemento. Se puede observar en el poema "Me gusta cuando callas" de Neruda.

- **Asíndeton**: El recurso opuesto es el asíndeton, o ausencia de conjunciones, que trae un efecto de rapidez y aceleración. Ejemplo:

    se vuelva, más tú y ello juntamente,

    en tierra, en humo, en polvo, en sombra, en nada.

    ("Soneto CLXVI", de Góngora)

- **Aliteración**: es la repetición de sonidos equivalentes, generalmente consonantes. Obsérvese los sonidos causados por la letra "r" en los siguientes versos de "Canción del pirata" de Espronceda:

    Son mi música mejor

    aquilones,

    el estrépito y temblor de los cables sacudidos,

    del negro mar los bramidos

    y el rugir de mis cañones.

- **Onomatopeya**: Una forma relacionada con la aliteración es la onomatopeya, en la que los sonidos de la palabra sugieren el objeto de la palabra, como "siseo", "cuchicheo" y "susurro".

Los tropos

Finalmente es fundamental observar los artificios usados por el poeta para que las palabras amplíen, intensifiquen o alteren su significado.

- **Metáfora**: la figura más característica y rica de la poesía combina, a partir de una analogía implícita, dos términos atribuyendo al primero (A), el término real, características descriptivas o emocionales del segundo (B): "Tu cabello es oro" (A es B). Se dan ejemplos en los que A desaparece, reemplazado por B: "El oro que te adorna". Hay otras muchas variedades. La metáfora requiere un salto imaginativo, especialmente cuando los dos términos que se identifican no tienen rasgos en común fáciles de observar, y ha sido objeto de la creatividad de poetas de todas las épocas.

- **Metonimia**: consiste en la sustitución de un término por otro con el que tiene alguna relación de causa, procedencia, representación u otro tipo tipo de asociación. Por ejemplo, se puede decir "vamos a leer a García Márquez" en vez de "leer un libro de García Márquez" o "las canas" por "la vejez." La sinécdoque es una forma de metonimia en la que una parte significativa sustituye al todo o el todo sustituye a una parte. Por ejemplo se puede sugerir "coche" al decir "ruedas" o, en dirección inversa, se comprende que se refiere al "equipo de México" cuando se dice "México ha ganado la medalla de oro".

- **Sinestesia**: consiste en mezclar imágenes de diferentes sentidos. Ejemplos son "el silencio blanco" ("Mi caballo mago", de Sabine Ulibarrí) y "rumor de claridades" (de *Bodas de sangre* de García Lorca).

APÉNDICE II

TERMINOLOGÍA LITERARIA

Acotaciones: Son las indicaciones que da el autor de un drama para aclarar a un lector (o actor) las acciones de un personaje.

Alegoría: Es una metáfora continuada, en la que los hechos reales o las ideas se corresponden con los símbolos empleados.

Alejandrino: Verso de catorce sílabas métricas, dividido en dos hemistiquios.

Aliteración: Repetición de un sonido generalmente consonántico (a veces vocálico) en distintas palabras para provocar un efecto deliberado. Ese efecto está frecuentemente ya contenido en el significado de las palabras. La aliteración viene, pues, a reforzarlo de un modo indirecto y sugerente.

Ambigüedad: Expresión de una idea de cuyo significado el lector no está seguro ya que se presta a varias interpretaciones.

Anáfora: Repetición de la misma palabra o frase en versos contiguos, generalmente al principio del verso.

Anagnórisis: El momento de revelación, de descubrimiento de la situación en un drama. Epifanía del héroe.

Analogía: Comparación de dos cosas distintas, pero similares en algunos aspectos.

Antagonista: El personaje opuesto al protagonista, que es el personaje principal.

Anticipación: Prefiguración. Presagio. Una señal que avisa al lector, directa o sutilmente, sobre algo que va a ocurrir. Añade tensión dramática y crea suspenso. También puede contribuir a hacer más creíble algún suceso extraordinario que va a pasar en el futuro. (Equivalente a *foreshadowing*.)

Antihéroe: Protagonista de una obra cuyas acciones distan de ser heroicas, en contraste con "el héroe" noble e importante.

Antítesis: Contraposición de palabras, frases o ideas de significado opuesto.

Aparte: Las palabras de un personaje en una obra de teatro que se dirigen al público y que supuestamente los otros personajes no oyen.

Apología: Defensa de una idea o de una persona.

Apóstrofe: Cuando en un verso se invoca a una persona, imaginaria o real, o un elemento personificado.

Argumento: Trama, resumen o asunto del que trata una obra.

Arcaísmo: El uso de vocabulario y formas anticuados. Cervantes pone arcaísmos en boca de don Quijote para mostrar el intento de éste de hablar como en los libros de caballerías.

Arquetipo: Un modelo de personaje que se repite en la literatura hasta el punto de ser inmediatamente reconocible y servir de ejemplo. Don Juan, por ejemplo, es el arquetipo del seductor atrevido.

Arte mayor: Se llama así a los versos de nueve o más sílabas y **arte menor** a los de ocho o menos. Al representar la rima se usan mayúsculas para el arte mayor, y minúsculas para el menor. Por ejemplo, la redondilla, que tiene versos de ocho sílabas se representa abba. El soneto que tiene versos de once sílabas se representa ABBA ABBA CDC DCD.

Asíndeton: Eliminación de las conjunciones que normalmente unirían una enumeración, con el efecto de acelerar el ritmo. Un ejemplo conocido es "Veni, vidi, vici" de Julio César. El verso final del Soneto CIXVI de Góngora contiene también asíndeton.

Atmósfera: El ambiente o tono que domina una obra.

Barroco: Movimiento cultural del final del siglo XVI y XVII.

Boom: Explosión literaria de la década de los años sesenta y setenta en Latinoamérica, cuando un grupo de escritores rompe con la tradición narrativa anterior y explora nuevas formas. Su éxito se extiende más allá de las fronteras de habla española, poniendo a Latinoamérica en el centro de la creación literaria. Nombres muy conocidos son Gabriel García Márquez de Colombia, Mario Vargas Llosa de Perú, Julio Cortázar de Argentina y Carlos Fuentes de México.

Beatus ille: Expresión del poeta Horacio con la que comienza una de sus églogas. Equivale a "Feliz aquel que…" y, siguiendo a Horacio, se refiere a los placeres que se obtienen de la vida tranquila y retirada en el campo, lejos del ruido y apresuramiento ciudadanos.

Bucólico (Novela o poesía). Referente a una naturaleza o campo idealizados que nada tienen que ver con un ambiente rural auténtico. En la novela y poesía bucólica o **pastoril** hablan pastores de sus situaciones y problemas amorosos. La novela pastoril se populariza después de la de caballería en los siglos XVI y XVII.

Caballero andante: Héroe de los libros de caballería que cabalga por los caminos en busca de aventuras, lucha en favor de la justicia contra toda serie de enemigos portentosos, generalmente triunfando, y es ejemplo de fidelidad y devoción amorosas a su dama. En el Capítulo III del *Quijote*, el protagonista y su contrapunto, el ventero, dan una buena explicación de las acciones de un caballero andante.

Cacofonía: Conjunto de sonidos desagradable al oído.

Cantar de gesta o canción de gesta: Son poemas que narran las hazañas (gestas) de los heroicos caballeros. Existen desde el siglo X y son originalmente orales. Su métrica es variable, pero generalmente son versos de 16 o 14 sílabas con rima asonante. Son de procedencia germánica y francesa y se vuelven muy populares en España. Se convierten más tarde en los romances al dividirse cada verso de 16 sílabas en dos de ocho.

Caricatura: Retrato que deforma los rasgos de una persona.

Carpe diem: Expresión latina, hecha famosa por el poeta Horacio, que urge la captura del momento presente, de los placeres, belleza y ventajas al alcance de uno, ya que el tiempo corre vertiginoso y los hará desaparecer.

Catarsis: Literalmente "purificación", denota la purga de emoción por parte del espectador producido tras haber sentido gran miedo o compasión al contemplar una tragedia.

Cesura: Pausa que divide un verso de arte mayor en dos partes, llamadas hemistiquios. La cesura frecuentemente ocurre en la mitad del verso, pero no siempre.

Circunloquio: véase perífrasis.

Clímax: Momento de mayor interés para el lector, normalmente el momento culminante en la acción de una obra.

Colonial: La **época colonial** en América Latina comienza con el viaje de Colón y termina en 1898 cuando España pierda sus últimas colonias, Cuba y Puerto Rico. Mucha **literatura colonial**, incluyendo las crónicas de Colón y Hernán Cortés, expresa la perspectiva de los conquistadores. El trabajo posterior de Leon-Portilla en *Visión de los vencidos* recupera los escritos de los indígenas durante la conquista.

Coloquialismo: Uso de expresiones del habla popular, generalmente destinado a dar más autenticidad y realismo a un texto o revelar detalles sobre la identidad de un personaje como, por ejemplo, el nivel de educación, estrato social u origen regional.

Comedia: En el Siglo de Oro, toda obra teatral. Actualmente, la obra que divierte, tiene humor y final feliz.

Conceptismo: Estilo literario de la época del Barroco, más frecuente en prosa que en poesía y asociado con Quevedo. Como el culteranismo, utiliza juegos de palabras, metáforas sorprendentes, paralelismos, antítesis e hipérbaton, pero cultiva especialmente asociaciones ingeniosas de ideas (conceptos). Busca la originalidad y trata de causar sorpresa en el lector.

Copla: Estrofa de cuatro versos de arte menor (generalmente octosílabos) o mayor.

Costumbrismo: género literario que describe en detalle realista las costumbres y tipos de un país o región. Cuando se trata de una escena se llama "cuadro de costumbres" y cuando se trata de un artículo de periódico o revista, o una descripción satírica de un aspecto específico, se llama "artículo de costumbres".

Cromatismo o simbolismo cromático: Uso de colores para expresar sentimientos o ideas.

Cuadro de costumbres: Véase costumbrismo.

Cuarteto: Estrofa de cuatro versos de arte mayor, con rima ABBA.

Culteranismo: Estilo literario típico, con el conceptismo, de la época del Barroco, más frecuente en poesía que en prosa, cuyo principal representante es Góngora. Cultiva un lenguaje rico en todo tipo de recursos formales, como el cambio en el orden de las palabras (hipérbaton), abundancia de antítesis y paralelismos y metáforas sorprendentes. En ello se asemeja al conceptismo, pero el culteranismo se enfoca más en el lenguaje que en las ideas. Al utilizar muchas palabras nuevas y cultas, imágenes complejas y alusiones oscuras, crea frecuentemente un lenguaje artificioso y difícil de comprender.

Cultismos: Introducción de palabras que crean un efecto culto, elegante y educado. Pueden ser palabras nuevas (*neologismos*), muchas de ellas tomadas directamente del latín (*latinismos*). Son muy usados en la poesía del Renacimiento y sobre todo la del Barroco, que no trata de ser popular.

Diéresis: Usada en poesía, es la separación en dos sílabas de dos vocales que normalmente forman un diptongo. De este modo, se añade una sílaba al cómputo métrico del verso, cuando se necesita. Frecuentemente se indica con ¨ sobre la vocal.

Desdoblamiento: División de algo que suele estar unido, como una persona o personalidad.

Desenlace: Resolución final de una obra de teatro o novela.

Diptongo: Dos vocales que juntas componen un solo sonido. Ejemplo: ab**ue**lo, r**ei**na.

Dramaturgo: El autor de una obra dramática.

Égloga: Poema pastoril (o bucólico).

Elegía: Poema de tono melancólico que expresa lamentación por algo perdido.

Elipsis: Omisión de palabras o frase.

Encabalgamiento: En general cada verso (línea de un poema) contiene una idea completa, pero a veces, la frase continúa en el siguiente verso para completar el significado, quedando así encabalgados. Es, pues, importante al leer el poema no hacer una pausa al final del verso.

Endecasílabo: Verso de once sílabas, preferido por Garcilaso y muchos poetas posteriores. Se considera el verso más importante de la versificación española de arte mayor.

Enumeración: Serie de palabras frecuentemente acumuladas por un criterio (véase *gradación*) y que por tanto puede ser "ascendente", acercándose al concepto más alto, o "descendente", al mas bajo. La enumeración es "caótica" cuando a los elementos les falta el criterio o no tienen relación lógica.

Epíteto: Adjetivo calificativo que expresa algo característico de un objeto o persona.

Estilo: La manera de escribir que expresa la individualidad del autor y su propósito. Hay, pues, gran variedad de estilos: lacónico, afectado, descriptivo, solemne, cómico, exaltado, humorístico y muchos más.

Estilos narrativos: El narrador puede presentar las palabras y acciones de sus personajes en estilo **directo**, dejándolos hablar ("Así habló un moro viejo: –¿Para qué nos llamas, rey?"); **indirecto**, cuando el narrador usa sus propias palabras ("[Don Quijote] dijo al huésped que le tuviese mucho cuidado de su caballo"); **indirecto libre**, cuando el narrador dice por sí mismo las palabras de un personaje, pero están expresadas como si el personaje hablara directamente, sin ser introducidas por un verbo como "dijo" o "pensó". A veces se mezclan las palabras o ideas de narrador y personaje, pero para el lector queda claro cuáles son de quién ("...siéntese aquí Esteban, hágame el favor, y él recostado contra las paredes, sonriendo, no se preocupe señora, así estoy bien, con los talones en carne viva y las espaldas escaldadas de tanto repetir lo mismo en todas las visitas, no se preocupe señora, así estoy bien, sólo para no pasar vergüenza de desbaratar la silla", de "El ahogado más hermoso del mundo").

Estribillo: Verso o versos que se repiten de forma periódica en un poema de arte menor como el romance o el villancico, y que frecuentemente encierran la idea principal.

Estrofa: Agrupación de versos dentro de un poema.

Eufemismo: sustitución de palabras o ideas desagradables por otras indirectas o más aceptables.

Exposición: Detalles acerca de la causa de la acción o la situación anterior al comienzo de una obra.

Fábula: Un cuento o poema didáctico con su lección moral, o moraleja. Frecuentemente, los personajes son animales.

Falla trágica: En la tragedia, las decisiones del protagonista, dictadas por su "falla", su defecto personal, son las que llevan al final trágico.

Flash-back: Método de presentar escenas o acontecimientos que ocurrieron antes del principio de la obra.

Flujo o fluir de conciencia: Mezcla de pensamientos, emociones, asociaciones y recuerdos que fluyen en la mente de un personaje, expresadas en una obra tal como ocurren, desorganizadas, sin orden lógico ni censura moral. Se supone que esta libre asociación refleja más efectivamente el estado emocional y mental de un personaje. El monólogo interior es una de las técnicas usadas para presentar el flujo de conciencia.

Generación del 98: Movimiento de autores españoles que incluye a Unamuno y según varios críticos a Machado. Preocupados por el decaimiento de España después de la derrota en la Guerra Hispanoamericana en 1898, tratan de renovar el amor por la patria, por la tradición, y por la "intrahistoria" de los pueblos pequeños.

Gradación: Serie de palabras o ideas presentadas en orden progresivo, ascendente o descendente.

Hemistiquio: Las dos partes en las que la cesura divide un verso. Es frecuente en los versos largos como los alejandrinos (de catorce sílabas, divididas en dos hemistiquios de siete). Se puede observar en los primeros versos de "A Roosevelt" de Darío.

Hiato: Tiene lugar cuando se separan dos sílabas que debieran ir unidas por sinalefa.

Hipérbaton: Cambio del orden habitual de las palabras buscando un efecto deliberado. El efecto puede ser dar más importancia a una palabra específica o provocar un juego interesante, una dislocación del habla normal, como hacían los poetas barrocos.

Hipérbole: Exageración para aumentar o engrandecer algo.

In medias res (En mitad del asunto): Cuando el comienzo de una obra no coincide con el principio de la acción. El poema "!Ay de mi Alhama!", empieza con la llegada de la noticia al rey. El *Burlador* empieza en el transcurso de un enredo amoroso.

Intertexto: Un texto dentro de un texto, sea en forma de referencia explícita o alusión implícita.

Intertextualidad: La relación de interdependencia entre textos que abarca desde la referencia explícita a otra narrativa, la reescritura de un modelo literario o la apropiación de la infinita constelación de citas y signos.

Ironía: Forma de expresarse en la que las palabras dicen lo opuesto de lo que se quiere decir.

Ironía dramática: Ocurre cuando el público en un drama sabe algo que el personaje ignora. A veces un personaje dice algo cuyo significado no comprende totalmente, al contrario del público que lo escucha.

Jitanjáfora: Palabra inventada que no tienen sentido pero es de gran efecto sonoro. Son usadas a menudo por el poeta cubano Nicolás Guillén.

Jornada: En el teatro del Siglo de Oro, el drama tiene tres actos, llamados Jornadas.

Juego de palabras: Combinación de palabras que produce sorpresa o efecto humorístico.

Latinismo: Palabra tomada del latín para producir un efecto culto y que demuestra la educación de quien la emplea.

Leitmotiv: Tema, situación o asunto que se repite en una obra y le da unidad.

Libro de caballería: Enormemente popular en el siglo XV y XVI, cuenta en forma narrativa las fantásticas aventuras de los caballeros. Son la nueva versión de los cantares de gesta, pero el énfasis no está en las hazañas de guerra, sino en los esfuerzos heroicos individuales y en la exaltación del sentimiento amoroso. El protagonista es el caballero andante. El libro de caballería más famoso es el *Amadís de Gaula*.

***Memento mori*:** Expresión que quiere decir "recuerda que vas a morir", y un tópico muy del gusto del Barroco en arte y literatura.

Metáfora: Identificación de un objeto (A) con otro (B) con el que tiene alguna cualidad en común, de modo que se puede atribuir al primero cualidades del segundo: "Tu boca (A) es una rosa (B)". También puede ocurrir la sustitución de un objeto (A) por otro (B), dándole en el proceso al sustituido alguna cualidad del que lo reemplaza: "La rosa (B) de tu rostro". O en muchos poemas de Lorca, B de A: "Su luna (B) de pergamino (A)" ("Preciosa y el aire", Lorca).

Metaliteratura: Obra literaria cuyo tema es precisamente la obra literaria, es decir, que de manera auto-consciente llama la atención sobre su carácter ficticio, desmantelando la ilusión de la ficción. Un **metapoema** es, por tanto, un poema que define o explica qué es un poema, que reflexiona sobre la poesía. También se usan los términos **metaficción**, **metadrama** y **metanovela**. Un ejemplo es el *Quijote*, cuyo estudio revela toda una teoría sobre qué es el género llamado novela.

Metonimia: Figura retórica caracterizada por la sustitución de un objeto por otro entre los que existe una relación (sea de causa, procedencia, representación u otras). Por ejemplo, se puede decir "vamos a leer a García Márquez" en vez de "leer un libro de García Márquez" o "las canas" por "la vejez", o el "trono" por "poder del rey".

Métrica: El estudio da la medida de versos y estrofas (número de sílabas, rima, número de versos, etc.).

Modernismo: Movimiento poético del siglo XX influido por la poesía francesa de fines del siglo XIX, especialmente por el parnasianismo y el simbolismo. Renueva la poesía hispánica en cuanto a la forma (liberación de las formas poéticas tradicionales) y al fondo. Su máximo representante es Rubén Darío.

Monólogo: Cuando un solo personaje habla sin interrupción, expresándose a veces antes otros personajes o una cosa. También se puede referir a una obra de teatro en que habla un solo personaje.

Monólogo interior: Véase flujo de conciencia.

Moraleja: Lección moral contenida en un cuento o poema.

Narrador: El narrador es un ser ficticio que cuenta los hechos dentro de una obra, y es por tanto diferente del autor. El lector ve con los ojos del narrador y sigue sus palabras. Hay diferentes tipos de narrador: el **omnisciente**, que lo ve todo incluso el interior de los personajes y lo que va a ocurrir; el narrador en **tercera persona** que cuenta la historia, pero no es omnisciente sino como otro personaje que "ve" la acción y no sabe qué pasará en el futuro. En cuanto al narrador en **primera persona**, tenemos el **narrador protagonista,** personaje central, quien nos relata su propia historia (como en el *Lazarillo*), y el narrador **testigo**, un personaje secundario, que sólo cuenta la historia en la que participa o interviene desde su punto de vista.

Narrador fidedigno: Un narrador que merece ser creído ya que, dentro de los límites de la narración, presenta los hechos de manera objetiva y consistente. Se contrasta con el **narrador no fidedigno**, que revela su subjetividad al presentar los hechos de manera no sincera o engañosa.

Narratario: El receptor del mensaje del narrador dentro de la obra (diferente del lector, que está fuera de ella, como lo está el autor).

Naturalismo: Una derivación extrema del Realismo que añade a la visión realista una concepción determinista de los seres humanos y más atención a lo sórdido y desagradable.

Neologismo: Palabra nueva, inventada por el autor.

Novela picaresca: El género picaresco tiene como protagonista un antihéroe, frecuentemente un niño de origen humilde, cuyas aventuras no son ejemplares. Está narrada en primera persona. En el siglo XVI, cuando se publicó el *Lazarillo,* prototipo de la novela picaresca, no sería posible un narrador contando en tercera persona la vida de un "héroe", tan poco ejemplar.

Octosílabo: Verso de ocho sílabas, el más común en la poesía popular, usado en los romances y también en el teatro clásico.

Onomatopeya: Imitación de un sonido real por medio del sonido de la palabra. Las palabras "zigzag", "susurro" y "cuchicheo" son ejemplos.

Oxímoron: Unión sorprendente de dos términos contradictorios.

Parábola: Historia que al ser paralela a una situación trae una lección moral para esa situación.

Paradoja: Contraposición de dos conceptos contradictorios que trae un resultado provocativo, verdadero o armónico.

Paralelismo: Repetición de la misma idea o estructura –o sus opuestas– de una manera análoga en varios versos o en la prosa.

Parnasianismo: Poesía francesa de fines del siglo XIX que rechaza lo didáctico e insiste en el arte por el arte y el culto de los aspectos formales.

Parodia: Imitación que ridiculiza y degrada.

Pastoril (novela o poesía). Véase bucólico.

Pathos: Cualidad en una obra dramática que lleva al espectador a sentirse conmovido e impresionado.

Perífrasis: Una manera de decir algo usando varias palabras cuando se podía decir con mas sencillez y directamente.

Personaje: Las personas dentro de una obra literaria.

Personificación: Prosopopeya. Atribución de características humanas a objetos inanimados o animales.

Perspectiva: Punto de vista, foco, ángulo de visión del narrador.

Polifonía: La existencia de varias voces en un texto literario. En los romances, por ejemplo, ocurre frecuentemente. En "!Ay de mi Alhama!" oímos al alfaquí, al rey moro, al moro viejo y la queja común del estribillo.

Polimetría: Uso de varias formas métricas en el mismo poema.

Polisíndeton: Repetición innecesaria de conjunciones, generalmente destinada a crear un efecto de insistencia y énfasis.

Posmodernismo: Una reacción, y a la vez continuación, del modernismo que se refiere a corrientes artísticas y culturales a partir de 1940. De estilo enormemente variado, se caracteriza en la literatura por la experimentación y el cuestionamiento de las grandes narrativas –aquellas de gran aceptación que explican la vida humana– e incluye el pastiche, la parodia, la polifonía y el realismo mágico entre otras características.

Prefiguración: Véase Anticipación

Presagio: Véase Anticipación

Prosopopeya: Personificación.

Protagonista: El personaje principal en una obra literaria.

Punto de vista: Perspectiva, foco del narrador o personaje.

Realismo: Corriente literaria de la segunda mitad del siglo XIX que pretende fielmente reproducir la realidad a base de la observación minuciosa de detalles.

Realismo mágico: Un estilo de la novela o cuento latinoamericano del siglo XX, principalmente de los años 60 y 70, en el que se mezclan la representación del mundo real con elementos fantásticos o irracionales: la superstición, la magia, lo mítico. Un ejemplo es "El ahogado más hermoso del mundo" de García Márquez.

Redondilla: Estrofa de cuatro versos octosílabos con rima abba.

Renacimiento: Movimiento cultural del siglo XV y XVI que marca el final de la Edad Media y trata de revivir aspectos de las culturas greco-latinas.

Retruécano: Figura en que una oración está seguida de otra con las mismas palabras pero con el orden sintáctico invertido. En el poema "Hombres necios que acusáis" de Sor Juana hay varios ejemplos: "la que cae de rogada/ o el que ruega de caído"; "la que peca por la paga/ o el que paga por pecar" entre otros.

Rima: Consiste en la igualdad o semejanza de sonidos a partir de la última vocal acentuada en dos o más versos. Si las consonantes y vocales son todas iguales, se llama **rima consonante**. Si sólo las vocales coinciden, se llama **rima asonante**. Según sea la última palabra acentuada, la rima será aguda, llana o esdrújula. También la rima puede ser **libre** y **blanca** (véase **Verso**).

Romance: Composición poética de una serie indefinida de versos de ocho sílabas con rima asonante en los pares. Cuenta una historia y es la composición más típica de la poesía popular española.

Romanticismo: Corriente cultural de la primera mitad del siglo XIX que reacciona en contra del racionalismo de la Ilustración y se caracteriza por la libertad, tanto en la estética como en los valores, por la expresión sentimientos.

Sátira: Estilo literario que critica personas, costumbres o instituciones, con cierto humor e ingenio.

Siglo de Oro o Edad de Oro: Término menos usado actualmente para denominar al periodo de esplendor artístico y literario en la España de los siglos XVI y XVII, correspondiente a al Renacimiento y Barroco.

Sentidos: Los cinco sentidos son el oído, la vista, el gusto, el olfato y el tacto. **Imágenes sensoriales** se refieren a las relacionadas con ellos (por ejemplo, colores, sonidos y olores).

Sílaba: Cada uno de los grupos de sonido dentro de una palabra. Es muy importante medir las sílabas en cada verso (métrica) porque deciden ritmo y rima. Pero las sílabas métricas no son exactamente las mismas que las sílabas de cada palabra, ya que la sinalefa elimina una sílaba y el último acento del verso puede añadir o quitar una sílaba también. Según el número de sílabas los versos pueden ser monosílabos, bisílabos, trisílabos, cuatrisílabos, etc. (véase **Verso**) Según la sílaba en la que está el acento, el verso puede ser agudo, llano o esdrújulo (véase **Apéndice I**).

Silva: Forma poética de versos heptasílabos (siete sílabas) y endecasílabos (once sílabas), mezclados según el gusto del poeta y con rima irregular. Se puede observar en "En una tempestad" de Heredia. La silva, aun regulada, es sorprendente en su aparente irregularidad, muy en contraste con las métricas tradicionales.

Simbolismo: Poesía francesa de fines del siglo XIX que insiste más en los efectos musicales que en el significado y en símbolos que encierran misterios de la vida y del más allá.

Símbolo: Uso de un objeto concreto y específico para representar algo abstracto. La luna en García Lorca es símbolo del peligro de muerte; la bandera de un país es un símbolo de la patria. El bastón de Bernarda sugiere su poder.

Símil: Figura en la que la similitud entre dos objetos está directamente expresada (en vez de indirectamente en una metáfora) generalmente por medio de la palabra "como", pero también puede usar "cual" o "tal".

Sinalefa: Unión de la vocal última de una palabra con la inicial de la siguiente. Este fenómeno ocurre en el habla normal y es necesario observarlo en poesía para mantener el ritmo. Al medir los versos, estas dos sílabas unidas por la sinalefa cuentan como una sola. Ejemplo de Lorca: "La luna vin**o a** la fragua".

Sinécdoque: Una forma de metonimia en la que una parte significativa sustituye al todo o el todo sustituye a una parte. Por ejemplo se puede sugerir "coche" al decir "ruedas" y se comprende que una joven que tiene "18 abriles", tiene realmente "18 años".

Sinéresis: Usada en poesía, es la unión en una sola sílaba de dos vocales (a, e, o) que normalmente se pronuncian separadas. Se hace para disminuir el cómputo métrico cuando el ritmo o rima lo requieren. Es lo opuesto de la diéresis. Ejemplo: p<u>oe</u>-ma.

Sinestesia: Mezcla de imágenes que provienen de diferentes sentidos. Ejemplo: "Silencio blanco" en "Mi caballo mago" de Sabine Ulibarrí.

Soliloquio: Discurso de un personaje en solitario.

Soneto: Poema lírico de catorce versos, generalmente de once sílabas, introducido primero en Italia y más tarde en España en el siglo XVI. De las dos variaciones más comunes, una empleada por Petrarca y la otra por Shakespeare, en España se da la primera. Según esta tradición, los catorce versos se dividen en dos cuartetos (cuatro versos) seguidos por dos tercetos (tres versos). Frecuentemente, los cuartetos proponen un problema que los tercetos llevan a un nivel de mayor abstracción o solucionan. El esquema de rima más común es ABBA ABBA CDC DCD, aunque puede haber muchas variaciones en los tercetos.

Suspenso: Un estado de incertidumbre ante el desenlace de la obra.

Surrealismo: Movimiento artístico y literario de principios del siglo XX, influido por las teorías freudianas. Trata de captar el mundo de los sueños y del subconsciente. Un texto surrealista presenta palabras libremente asociadas por la imaginación, sin orden lógico.

Terceto: Estrofa formada por tres versos de arte mayor, con diferentes combinaciones de rima.

Tono: La actitud del escritor al presentar su texto. Aunque generalmente está establecido por palabras específicas, el lector percibe el tono en conjunto al leer el texto. Puede ser muy variado: exaltado, despectivo, insolente, entusiasta, humorístico, reflexivo, nostálgico, entre otros.

Trama: Véase argumento.

Tres unidades: De lugar, tiempo y acción, características del drama clásico y que exigen que la acción dramática pase en un día, en el mismo lugar y sólo siga la trama de una acción única.

Tropo: Uso de una palabra en sentido figurado. La metáfora, sinécdoque y metonimia son tropos.

Vanguardismo: Experimentación con nuevas técnicas y formas artísticas a principios del siglo XX, que incluye el Surrealismo, Cubismo y Existencialismo, entre otras corrientes.

Verso: Cada una de las líneas de un poema. Según el acento de la última palabra los versos pueden ser agudos, llanos y esdrújulos. Según el número de sílabas reciben los siguientes nombres.

Arte menor:

dos bisílabos

tres, trisílabos

cuatro, tetrasílabos

cinco, pentasílabos

seis, hexasílabos

siete, heptasílabos

ocho, octosílabos

Arte mayor:

nueve, eneasílabos

diez, decasílabos

once, endecasílabos

doce, dodecasílabos

trece, tridecasílabos

catorce, alejandrinos

Verso blanco: Versos sin rima, pero respetando algunas exigencias rítmicas, como número de sílabas, acentos, etc. Los versos que no respetan ninguna se llaman **versos libres**.

Voz poética: Es en poesía lo que el narrador es en prosa. No se debe confundir con el autor ya que la voz poética es la creación del autor que "habla" en el poema. En poesía lírica también se le llama "voz lírica".

LOS SEIS TEMAS DEL CURSO

En cada obra hemos examinado cómo ese texto específico provoca o responde a algunas de las cuestiones esenciales relacionadas con los seis temas generales del curso. El hacerlo de ese modo nos ha permitido ver cada obra en su contexto, observar cómo las mismas cuestiones y los mismos temas son considerados a través de diferentes épocas, y hacer al mismo tiempo preguntas comparativas.

Ahora, a modo de revisión y síntesis, en preparación para el examen, vamos a ver brevemente qué obras se refieren de modo directo o indirecto a cada uno de los seis temas. La selección de textos para leer es de tal riqueza literaria que todos ellos, a través de géneros y épocas, tocan más de uno de los temas. Obras como el *Quijote*, se ven repetidas una y otra vez.

Las sociedades en contacto	
CONCEPTO	LECTURAS
La asimilación y la marginación	• *Lazarillo de Tormes* • *El Quijote* • "Prendimiento de Antoñito el Camborio en el camino de Sevilla" • "La siesta del martes" • *La casa de Bernarda Alba* • "Mujer negra" • "…y no se lo tragó la tierra" y "La noche buena"
La diversidad	• "Romance de la pérdida de Alhama" • *El Conde Lucanor* • *El burlador de Sevilla y convidado de piedra* • "Balada de los dos abuelos" • "El Sur" • "Mujer negra" • "…y no se lo tragó la tierra" y "La noche buena"

Las divisiones socioeconómicas	• El Conde Lucanor • Lazarillo de Tormes • El Quijote • "He andado muchos caminos" • "Balada de los dos abuelos" • "No oyes ladrar los perros" • La casa de Bernarda Alba • "La siesta del martes" • Historia del hombre que se convirtió en perro • "Mujer negra" • "…y no se lo tragó la tierra" y "La noche buena"
El imperialismo	• Segunda carta de relación • Visión de los vencidos • "Nuestra América" • "A Roosevelt"
El nacionalismo y el regionalismo	• El Quijote • "Las medias rojas" • "Nuestra América" • "A Roosevelt"

La construcción del género	
CONCEPTO	LECTURAS
El machismo	• El Conde Lucanor • "Hombres necios que acusáis" • El burlador de Sevilla y convidado de piedra • "Las medias rojas" • "Peso ancestral" • "A Julia de Burgos • "Mujer negra"
Las relaciones sociales	• El burlador de Sevilla y convidado de piedra • "A Julia de Burgos • La casa de Bernarda Alba • "…y no se lo tragó la tierra" y "La noche buena"

El sistema patriarcal	• "Las medias rojas" • *San Manuel Bueno, mártir* • "La siesta del martes" • "Peso ancestral" • "A Julia de Burgos"
La sexualidad	• "Hombres necios que acusáis" • *El burlador de Sevilla y convidado de piedra* • "Las medias rojas" • *La casa de Bernarda Alba* • "Mujer negra"
La tradición y la ruptura	• Soneto XXIII ("En tanto que de rosa y azucena") • Soneto CLXVI ("Mientras por competir con tu cabello") • *El Quijote* • *San Manuel Bueno, mártir* • "Balada de los dos abuelos" • *La casa de Bernarda Alba* • "Dos palabras" • "Peso ancestral" • "A Julia de Burgos" • "Mujer negra"

El tiempo y el espacio	
CONCEPTO	LECTURAS
El *carpe diem* y el *memento mori*	• Soneto XXIII ("En tanto que de rosa y azucena") • Soneto CLXVI ("Mientras por competir con tu cabello") • Salmo XVII ("Miré los muros de la patria mía") • *El burlador de Sevilla y convidado de piedra* • "El Sur"

El individuo en su entorno	• "Romance de la pérdida de Alhama" • *El burlador de Sevilla y convidado de piedra* • "Las medias rojas" • "El hijo" • "He andado muchos caminos" • "Walking Around" • "No oyes ladrar los perros" • "El Sur" • "La noche boca arriba" • *Historia del hombre que se convirtió en perro* • "Como la vida misma" • *La casa de Bernarda Alba* • "Mi caballo mago" • "…y no se lo tragó la tierra" y "La noche buena"
La naturaleza y el ambiente	• Soneto XXIII ("En tanto que de rosa y azucena") • "En una tempestad" • Rima LIII ("Volverán las oscuras golondrinas") • "El hijo" • *San Manuel Bueno, mártir* • "He andado muchos caminos" • "No oyes ladrar los perros" • "El Sur" • "La noche boca arriba" • "Como la vida misma" • *La casa de Bernarda Alba* • "Mi caballo mago"
La relación entre el tiempo y el espacio	• *El burlador de Sevilla y convidado de piedra* • "El Sur" • "La noche boca arriba" • "Chac Mool"
El tiempo lineal y el tiempo circular	• "El hijo" • *San Manuel Bueno, mártir* • "La noche boca arriba" • "Chac Mool"

La trayectoria y la transformación	• Soneto XXIII ("En tanto que de rosa y azucena") • Soneto CLXVI ("Mientras por competir con tu cabello") • Salmo XVII ("Miré los muros de la patria mía") • El *Quijote* • *El burlador de Sevilla y convidado de piedra* • "En una tempestad" • Rima LIII ("Volverán las oscuras golondrinas") • "El Sur" • "El ahogado más hermoso del mundo"

Las relaciones interpersonales	
CONCEPTO	LECTURAS
La amistad y la hostilidad	• El *Quijote* • *El burlador de Sevilla y convidado de piedra* • *San Manuel Bueno, mártir* (Lázaro) • "Walking Around" • "No oyes ladrar los perros" • "Borges y yo" • "La siesta del martes" • "…y no se lo tragó la tierra" y "La noche buena" • "Prendimiento de Antoñito el Camborio"
El amor y el desprecio	• "Hombres necios que acusáis" • *El burlador de Sevilla y convidado de piedra* • "No oyes ladrar los perros" • "El Sur" • "Dos palabras" • *La casa de Bernarda Alba* • "Mi caballo mago" • "…y no se lo tragó la tierra" y "La noche buena"

La comunicación o falta de comunicación	• El *Quijote* • *El burlador de Sevilla y convidado de piedra* • Rima LIII ("Volverán las oscuras golondrinas") • *San Manuel Bueno, mártir* • "Walking Around" • "No oyes ladrar los perros" • "Dos palabras" • "Como la vida misma" • "Peso ancestral" • *La casa de Bernarda Alba* • "…y no se lo tragó la tierra" y "La noche buena"
El individuo y la comunidad	• *El Conde Lucanor* • *Lazarillo de Tormes* • El *Quijote* • *El burlador de Sevilla y convidado de piedra* • *San Manuel Bueno, mártir* • "Prendimiento de Antoñito el Camborio en el camino de Sevilla" • "No oyes ladrar los perros" • "El ahogado más hermoso del mundo" • "La siesta del martes" • *Historia del hombre que se convirtió en perro* • *La casa de Bernarda Alba* • "…y no se lo tragó la tierra" y "La noche buena"
Las relaciones de poder	• "Romance de la pérdida de Alhama" • *El Conde Lucanor* • "Hombres necios que acusáis" • *Lazarillo de Tormes* • El *Quijote* • *El burlador de Sevilla y convidado de piedra* • "Las medias rojas" • "Balada de los dos abuelos" • "Prendimiento de Antoñito el Camborio en el camino de Sevilla" • "Borges y yo" • "La siesta del martes" • *Historia del hombre que se convirtió en perro* • *La casa de Bernarda Alba* • "…y no se lo tragó la tierra" y "La noche buena"

Las relaciones familiares	• *El Conde Lucanor* • *El burlador de Sevilla y convidado de piedra* • "Las medias rojas" • "El hijo" • "No oyes ladrar los perros" • *La casa de Bernarda Alba* • "Prendimiento de Antoñito el Camborio en el camino de Sevilla" • "La siesta del martes" • "Mi caballo mago" • "…y no se lo tragó la tierra" y "La noche buena"

La dualidad del ser	
CONCEPTO	LECTURAS
La construcción de la realidad	• El *Quijote* • "El hijo" • *San Manuel Bueno, mártir* • "El Sur" • "La noche boca arriba" • "El ahogado más hermoso del mundo" • *Historia del hombre que se convirtió en perro*
La espiritualidad y la religión	• *El burlador de Sevilla y convidado de piedra* • "En una tempestad" • *San Manuel Bueno, mártir* • "…y no se lo tragó la tierra", "La noche buena"
La imagen pública y la imagen privada	• *El burlador de Sevilla y convidado de piedra* • *San Manuel Bueno, mártir* • "El Sur" • "Borges y yo" • "A Julia de Burgos" • *La casa de Bernarda Alba*
La introspección	• El *Quijote* • *San Manuel Bueno, mártir* • "Balada de los dos abuelos" • "No oyes ladrar los perros" • "El Sur" • "Borges y yo"

El ser y la creación literaria	• El *Quijote* • *San Manuel Bueno, mártir* • "El Sur" • "Borges y yo"

La creación literaria

CONCEPTO	LECTURAS
La intertextualidad	• Soneto XXIII ("En tanto que de rosa y azucena") • Soneto CLXVI ("Mientras por competir con tu cabello") • El *Quijote* • *San Manuel Bueno, mártir*
La literatura autoconsciente	• *El Conde Lucanor* • *Lazarillo de Tormes* • El *Quijote* • *San Manuel Bueno, mártir* • "Borges y yo" • *Historia del hombre que se convirtió en perro* • "A Julia de Burgos"
El proceso creativo	• *Lazarillo de Tormes* • El *Quijote* • "Borges y yo" • "Dos palabras"
El texto y sus contextos	• "Romance de la pérdida de Alhama" • Salmo XVII ("Miré los muros de la patria mía") • El *Quijote* • *El burlador de Sevilla y convidado de piedra* • *Segunda carta de relación* • *Visión de los vencidos* • "Nuestra America" • "A Roosevelt" • "Balada de los dos abuelos" **Estos particularmente porque la historia es parte de la obra, pero *Azulejo* considera que todos los textos están relacionados con su contexto**

TEXT CREDITS

"Dos palabras" by Isabel Allende from *Cuentos de Eva Luna*, Copyright © Isabel Allende, 1989. Reprinted by permission of the Carmen Balcells Literary Agency.

"Borges y yo" by Jorge Luis Borges from *El Hacedor*, Copyright © 1995 by María Kodama, used by permission of The Wylie Agency, LLC.

"El Sur" by Jorge Luis Borges from *Ficciones*, Copyright © 1995 by María Kodama, used by permission of The Wylie Agency, LLC.

"A Julia de Burgos" by Julia de Burgos, from *Poema en veinte surcos*, Copyright © Julia de Burgos. Reprinted by permission of Ediciones Huracán.

"La noche boca arriba" by Julio Cortázar, from *Final del juego*, Copyright © Herederos de Julio Cortázar, 2012. Reprinted by permission of the Carmen Balcells Literary Agency.

Historia del hombre que se convirtió en perro by Osvaldo Dragún, Copyright © Beatriz van Nynatten de Dragún. Reprinted by permission of Beatriz van Nynatten de Dragún.

"Chac Mool" by Carlos Fuentes from *Los días enmascarados*, Copyright © Carlos Fuentes, 1954. Reprinted by permission of the Carmen Balcells Literary Agency.

La casa de Bernarda Alba by Federico García Lorca, copyright © Herederos de Federico García Lorca, from *Obras Completas* (Galaxia/Gutenberg, 1996 edition). All rights reserved. For information regarding rights and permissions of all of Lorca's works in Spanish or in English, please contact lorca@artslaw.co.uk or William Peter Kosmas, Esq., 8 Franklin Square, London W14 9UU, England.

"Prendimiento de Antoñito el Camborio en el camino de Sevilla" by Federico García Lorca, copyright © Herederos de Federico García Lorca, from *Obras Completas* (Galaxia/Gutenberg, 1996 edition). All rights reserved. For information regarding rights and permissions of all of Lorca's works in Spanish or in English, please contact lorca@artslaw.co.uk or William Peter Kosmas, Esq., 8 Franklin Square, London W14 9UU, England.

"El ahogado más hermoso del mundo" by Gabriel García Márquez, from *La increíble y triste historia de la cándida Eréndira y de su abuela desalmada*, Copyright © Gabriel García Márquez, 1972. Reprinted by permission of the Carmen Balcells Literary Agency.

"La siesta del martes" by Gabriel García Márquez, from *Los funerales de la Mamá Grande*, Copyright © Gabriel García Márquez, 1962. Reprinted by permission of the Carmen Balcells Literary Agency.

"Balada de los dos abuelos" by Nicolás Guillén, Copyright © Herederos de Nicolás Guillén. Reprinted by permission of the Agencia Literaria Latinoamericana.

"Los presagios, según los informantes de Sahagún" by Miguel León-Portilla from

Visión de los vencidos, Copyright © Miguel León-Portilla. Reprinted by permission of Miguel León-Portilla.

"Se ha perdido el pueblo mexicatl" by Miguel León-Portilla from *Visión de los vencidos*, Copyright © Miguel León-Portilla. Reprinted by permission of Miguel León-Portilla.

"Como la vida misma" by Rosa Montero, Copyright © Rosa Montero. Reprinted by permission of the Carmen Balcells Literary Agency.

"Mujer negra" by Nancy Morejón, Copyright © Nancy Morejón. Reprinted by permission of the Agencia Literaria Latinoamericana.

"Walking around" by Pablo Neruda from *Residencia en la Tierra*, Copyright © Fundación Pablo Neruda, 2012. Reprinted by permission of the Carmen Balcells Literary Agency.

"El hijo" by Horacio Quiroga from *Más allá,* Copyright © Horacio Quiroga. Reprinted by permission of Editorial Losada.

"…y no se lo tragó la tierra" by Tomás Rivera from *…y no se lo tragó la tierra*, Copyright © Arte Público Press, 1996. Reprinted by permission of Arte Público Press.

"La noche buena" by Tomás Rivera from *…y no se lo tragó la tierra*, Copyright © Arte Público Press, 1996. Reprinted by permission of Arte Público Press.

"No oyes ladrar los perros" by Juan Rulfo from *El llano en llamas*, Copyright © Herederos de Juan Rulfo, 2012. Reprinted by permission of the Carmen Balcells Literary Agency.

"Mi caballo mago" by Sabine Ulibarrí from *Tierra amarilla: cuentos de Nuevo Mexico*, Copyright © University of New Mexico Press, 1993. Reprinted by permission of University of New Mexico Press.

San Manuel Bueno, mártir by Miguel de Unamuno from *Obras completas*, Copyright © Herederos de Miguel de Unamuno. Reprinted by permission of Miguel de Unamuno Adarraga.

LIST OF ILLUSTRATIONS IN ORDER OF APPEARANCE

"The Feast of William the Conqueror" (detail from the Bayeux Tapestry), Anonymous (1070s).

The Birth of Venus by Sandro Botticelli (1469).

"Spaniards disposing of the bodies of Moctezuma and Itzquauhtzin" from *Florentine Codex* by Bernardino de Sahagún (sixteenth century).

"La Malinche and Hernán Cortés" from *History of Tlaxcala* by Diego Muñoz Camargo (circa 1585).

Muchacho espulgándose o Joven mendigo by Bartolomé Murillo (circa 1650).

"Plate I" in Chapter I of Miguel de Cervantes's *Don Quixote* by Gustave Doré (1906).

Photograph of Corral de Comedias de Almagro, Copyright © José Luis Filpo Cabana (2010).

The Shipwreck of the Minotaur by J.M.W. Turner (1810).

Arrufos by Belmiro de Almeida (1887).

Le wagon de troisième classe by Honoré Daumier (1864).

"Theodore Roosevelt and his Big Stick in the Caribbean" by William Allen Rogers (1904).

"Beautiful mountain landscape with small lake in Spain," Copyright © Nikolay Mikhalchenko.

"Busy big city people on street," Copyright © Pan Xunbin.

"Path near water," Copyright © Botond Horváth.

"Close up of beheading on one of the panels of the South Ball Court at Tajín," Copyright © Alejandro Linares García.

"Chac Mool taken at the Great Temple of Mexico City," Copyright © Adriel A. Macedo Arroyo.

Huyendo de la crítica by Pere Borrell del Caso (1874).

"Marcia" in Giovanni Boccaccio's *De Mulieribus Claris,* Anonymous (fifteenth century).

"Mexican woman and children looking over side of truck which is taking them to their homes in the Rio Grande Valley from Mississippi where they have been picking cotton. Filling station, Neches, Texas" by United States Farm Security Administration (1939).

STORY INDEX

AUTHOR INDEX

A

a mantas (coll.): a great deal

abade, el (coll.): abbot

abadía, la: abbey

abanico, el: fan

abarcar: to encompass

ablandalle = ablandarle: soften

abochornarse: to be ashamed

abombado: bulging

abotagado: swollen

abra, el (fem.): clearing (in a forest)

abrasar: to burn

abroquelar: defend, shield

abrumado: crushed; overwhelmed

acaecer: to happen

acaparar: to monopolize

acariciar: to caress

acechar: to watch, to spy on

acecho: watch (en acecho: on the watch)

acemilero, el: mulateer

aceña, la: flour mill

acérrimo: very strong, staunch

acertar: to hit; to guess correctly

acertado: accurate

aciago: unfortunate

acólito, el: acolyte, server, minion

acometer: to attack

acongojar(se): to distress, to be distressed

acontecer: to occur

acordar: to decide, remember, agree

acorralar: to corral, pen, round up

acosado: harassed, bothered by

acosar: to attack

acoso, el: relentless pursuit

acrecentar: to grow, increase

acribillar: to riddle with holes

acudir: to come, to go, to give help, to seek help, to resort

acuitar: to offend

acurrucarse: to snuggle, cuddle, huddle

achacar: to accuse, to attribute

achaque, el: ailment; subject

adarga, la: shield

aderezar: to beautify, prepare, repair

adestrar: to guide

adivinar: to guess

adobar: to repair

adrede: deliberately

advertir: to observe

afamado: famous

afán, el: urge; hard work

aferrar(se): to grasp, seize, to hold on

afirmar: to dig in

afligirse: to be distressed

agachar(se): to stoop, crouch, squat, bend, bow

agarrar: to seize, get, grasp, grab

agarrotado: tied tightly

agasajar: to receive warmly

agazapar(se): to be concealed, to be just out of reach; to crouch, duck

agiotista, el: speculator

agónico: dying

agonizar: to be in the process of dying

agora (arch.) = ahora

agradar: to please

agravio, el: insult, grievance

agrio: bitter

aguamanil, el: washstand

aguantar: to hold on, to stand

aguardar: to wait (for)

agüela (coll.) = abuela

agüero (mal): that bodes ill

águila, el (fem.): eagle

aguja, la: needle

agujeta, la: ribbon

ahogar: to drown

ahorcar(se): to hang (oneself)

ahorrar: to save (time, money)

ahuyentar: to chase away, frighten off, make flee

aína: speedily

ajeno: estranged, away from

ajetreo, el: bustle

ajuar, el: set of furniture and clothes

alabar: to praise

alambrado, el: wire fence

alambrado: fenced with wire

alambre de púa, el: barbed-wire fence

alambre, el: wire

alameda, la: tree-lined avenue

alarde (hacer): to flaunt

alba, el (fem.): dawn

alborotado: stirred up

alboroto, el: fuss, upset

alborozado: overjoyed

alborozo, el: joy, merriment

albricias, las: good news

alcalde, el: mayor

alcance, al alcance de: within the reach of

alcanfor, el: camphor, mothballs

alcázar, el: palace

aldaba, la: bolt, doorknocker

aldea, la: village

aldeano, el: village dweller

alegre: happy; (coll.) drunk

alelado: stupefied

alentar: to encourage

aletazo: flapping of wings

alevosía, la: perfidy

alevoso: treacherous

alféizar, el: window frame

alfiler, el: pin

alforja, la: saddlebag

alga, el (fem): seaweed

algalia, la: perfume espeso

alguacil, el: bailiff, sheriff

alhaja, la: jewel, piece of jewelry

alharaca, la: fuss, noise

aliento, el: breath

alisar: to smooth

alma, el (fem): soul

almena, la: watchtower, battlement (of a castle or fort)

almodrote, el: sauce made of garlic, oil, and cheese

almohada, la: pillow

almohaza, la: metal brush used to clean stables

alquiler, el: rent

alteza, la: highness, nobility

alucinación, la: hallucination

alumbrar: to light up

alzar(se): to raise (oneself), to rise

allegar = llegar, juntar

allende: moreover, additionally, overseas

alzarse: to rise

ama, el (fem.): housekeeper

amanecer: to dawn; to start out the day

amartelado: in love

ambiente, el: environment

amenaza, la: threat

amenazar: to threaten

amenguar: to shrink

amilanarse: to be frightened

amohinar: to annoy

amuleto, el: charm

andante: errant

andarino: wandering

anegar: to flood

anhelar: to long for, yearn; to pant

ansia, el (fem.): anxiety, longing

antecomedor, el: chamber, room

anteojos, los: glasses

antepasado, el: ancestor

antojarse: to fancy

antojo de camino, el: glass mask to protect the eyes from dust

antojo, el: whim, sudden fancy

antorcha, la: torch

anular: to annul, eliminate

anzuelo, el: hook, fishing hook

añadidura, la: addition

apacentar: to graze

apacible: pleasant

apaciguar: to calm, pacify, to appease

apañador, el: thief

aparcería, la: partnership

aparejo, el: preparation, equipment

apartarse: to move away

apear: to dismount

apio, el: celery

aplastado: flattened, pressed against

aplastar: to crush

apoderado, el: attorney

aporrear: to beat

aposentar: to lodge, put up

apresurar: to hasten, hurry

apretar: to press, tighten

aprovechar: to take advantage

apuñalar: to stab

apuro, el: difficulty, jam, fix, problem, trouble

aqueste = este

arboleda, la: forest

arcaz, el: trunk

arcón, el: large chest

árduo: difficult

arena, la: sand

argolla, la: ring

arista, la: edge

arlequín, el: harlequin, clown

armiño, el: ermine; a white animal used for its fur

arneses, los: tools; equipment

arqueta, la: small chest

artificio, el: trick

arrabal, el: suburb; (coll.) bottom, behind

arrancar: to pull out, to uproot

arrastrar: to drag

arrebatar: to snatch, overwhelm

arrellanar: to sprawl, settle comfortably

arrendar: to lease, to rent

arreo, el: ornament

arriero, el: mule-driver

arrimar: to move close to, surround

arroyo, el: stream, river

asar: to roast

asaz: fairly, rather, quite

ascendiente, el: ancestor; influence

ascensor, el: elevator

asegurar: to assure

asemejarse: to be alike, to resemble

asentarse: to establish oneself

aserradero, el: sawmill

asidero, el: grip, grasp

asir: to grasp, seize

asombrarse: to be amazed

aspa, el (fem.): sail of a mill

áspero: rough, jagged

áspid, el: aspic

astillero, el: rack

atabale, el: kettledrum

atadura, la: tie

atar: to tie, to attach, hitch up

atiborrar: to fill

atormentar: to torment

atornillar: to screw on

atreverse a: to dare

atrevido: daring

aturdido: bothered

aturdirse: to be stunned, become befuddled or confused

atusar: to straighten

auscultar: to listen with a stethoscope

auto- : self-

avatar, el: incarnation, change

avellano, el: hazel tree

averiguar: to find out, to verify, prove

avisar: to warn

azar, el: chance

azaroso: unlucky, hazardous

azogue, el: mercury

azotar: to whip

azote, el: blow, lash, whipping

azotea, la: flat roof, terrace

azufre, el: sulfur

B

bacalao, el: cod

bagatela, la: trifle

bala, la: bullet

balanceo, el: to and fro motion, rocking

balbucir: to babble, stammer

baldado: crippled

balsa, la: raft

ballena, la: whale

ballesta, la: crossbow

bancarrota, la: bankruptcy

bañado, el: marsh, bog, swamp

barbacana, la: fortification

barbotar: to mutter

bártulo, el: tool

barra, la: arm of a chair

barrer: to sweep

barroso: muddy

barrote, el: thick iron bar

bastar: to be enough

basura, la: garbage

batiente, el: door jamb

beldad, la: beauty

bélico: military

bellaco, bellacón, el: rogue, scoundrel

bellaco: roguish, wicked

berenjena, la: eggplant

bermellón, el: vermilion

berza, la: cabbage

bicho, el: insect, animal

bienaventurado: blessed

bifronte: double-faced

bifurcar: to branch or fork

bisabuelo, el: great grandfather

bizco: squinting, cross-eyed

blanca, la: coin of little worth

bobo: silly, foolish

boca arriba: face up

bocacalle, la: street entrance

bocado, el: mouthful, apple offered to Adam

bocanada, la: mouthful, swallow, puff, whiff

bodigo, el: special bread presented as an offering to the priest

bomba, la: firecracker

bordar: to embroider

borrico, el = burro

bostezar: to yawn

bota, la: boot: leather container for wine

bóveda, la: vault

brasa, la: hot coal

bregar: to fight, to struggle

brincar: to jump, leap

brío, el: spirit; vigor

brioso: fiery, spirited

brizna, la: chip

brochazo, el: brushstroke

brujo, el: wizard, sorcerer

brújula, la: compass

brumado: bruised

buche, el: mouthful of liquid; (pl.) gargling, rinses

buey, el: ox

buhío, el: hut made out of tree branches and straw

buhonero, el: street vendor

buitre, el: vulture

bulto, el: package; bump

burbuja, la: bubble

burdel, el: house of prostitution, brothel

burgués: middle-class, bourgeois

burguesía, la: bourgeoisie, middle class

burla, la: mockery, taunt

burlador, el: trickster

burlar: to trick

burlesco: jocular

burlón: mocking

búsqueda, la: search

C

cabal: exact, right; bien a carta cabal: goodness itself

caballería, la: chivalry

caballero, el: knight

caballete, el: easel

cabecear: bob, nod

cabestro, el: halter; ox

cabezal, el: headrest

cabo, el: end, tip

cabra, la: goat

cacique, el: local political boss

cacharro, el: junk

cachivaches, los: junk

cacho, el (coll.): piece

cadera, la: hip

caducidad, la: lapse, lapsing

caja fuerte, la: safe, strongbox

calabazada, la: a blow given with the head

calabozo, el: prison, dungeon

calderero, el: person who works with boilers

calentura, la: fever

calofrío, el = escalofrío: shiver

calzada, la: street, avenue, trail

calzas, las: stockings

calzones, los: underwear

callampas (poblaciones –): slums

camilla, la: cot, small bed, stretcher

caminata, la: a walk

campechano: good-natured

canalla, la: rabble

cancel de tela, el: cloth curtain

candeal, el: white bread

cangrejo, el: crab

cano: white, gray

cántaro, el: pitcher

cánula, la: small stalk; reed

cañada, la: gorge, gully

capilla, la: chapel

carcajada, la: laughter

cárcel, la: prison

cargadores, los: suspenders

caridad, la: charity, kindness

caritativo: charitable

carne, la: flesh, meat

carnero, el: mutton

carpa, la: tent

carqueja, la: a bushy plant

carrillo, el: cheek

cartapacio, el: portfolio

cartucho, el: cartridge

cascabel, el: little bell, rattlesnake

cáscara, la: shell

casco, el: fragment; helmet

casería, la: country house

casero, el: landlord; (adj.) homemade

castaño, el: chestnut, chestnut tree

castellano, el: lord of the castle

cata, la: sample, proof

catar: to search; to taste

caudal, el: fortune

caudillo, el: leader, head

cauteloso: careful

cautivo, el: captive

cava, la: moat

cavilación, la: pondering, meditation

caza, la: hunting

cebada, la: barley

ceder: to yield, give up, to give way, cave in

cegalle = cegarle: blind him

ceja, la: eyebrow

celada, la: a complete helmet including a visor

celda, la: cell, small room

celosía, la: lattice window

celoso: jealous

ceniza, la: ash

ceñido: fastened, tightly encircled

ceñidor, el: sash, girdle

cera, la: wax; excrement (in Tirso's time)

cerca, la: fence

cerciorar: to assure or inform

cernir (sobre): to hang over

cerro, el: hill

cerrojo, el: bolt, latch

césped, el: lawn, grass

cicatriz, la: scar

cielorraso, el: ceiling

ciénaga, la: swamp, bog

cigarra, la: cicada insect

cincelar: to chisel, to shape

cinegético: related to hunting

cinta, la: ribbon

ciruelo, el: plum tree

clandestino: secret

clavada: identical, exact

clavar: to drive, nail, thrust in, puncture

clave, la: key

clavel, el: carnation

clerecía, la: clergy

clueca: broody (hen)

coartada, la: alibi

cobertizo, el: shed

cobrar: to charge (a fee), to earn

coco, el: bogeyman

codicia, la: greed

codiciado: desired

cofradía, la: brotherhood

cogote, el: back of the neck

cohete, el: rocket

cojo: lame

cola, la: tail

colchón, el: mattress

colilla, la: cigarette stub

colodrillo, el: lower part of the back of the head

colorete, el: make-up; rouge

colorín, el: bird with a red face

comadreja, la: weasel

comadrería, la: gossip

comedido: moderate, restrained, courteous

compasar: to mete out, to ration

compatriota, el: fellow countryman

compendiado: summarized

complacer: to please

comprobar: to confirm

comulgar: to receive communion

concertar: to connect

condolido: feeling pity for

conejo, el: rabbit

congoja, la: anguish, grief

conjetura, la: guess, speculation, conjecture

conjurar: to exorcise; get rid of

conllevar: to entail, to convey, carry with it

conoscimiento, el = conocimiento (16th century: knowledge in the carnal sense)

consejero, el: advisor

consuelo, el: consolation

contaminar: deceive

contiguo: adjoining

contrahecho: deformed

convidar: to invite

corcovado: humpbacked

cordal, la: wisdom tooth

cordero, el: lamb

corneta, la: horn

coronar: to crown

corrido (de): by heart

corrido: embarrassed, thrown out: completed

cortadura, la: cut, slash

cosmorama, el: peepshow

costado, de: on its side

costado, el: side

costal, el: side

costilla, la: rib

costumbre, la: custom

cotidiano: quotidian, everyday, daily

coxcorrón, el: blow to the head

coxquear = cojear: limp

coz, la: kick

cráneo, el: head

creyente, el: believer

criadero, el: nursery; place for the raising of animals

criba, la (coll.): a mess, broken

crin, la; las crines: mane (of an animal)

crispación, la: tensión

crudo: raw, crude, harsh

crujido, el: crunch

cuadra, la: city block; stable

cuasi = casi: almost

cuchillada, la: stab, cut (with a knife)

cuenta, la: bead

cuerdo: sane

cuero, el: skin, hide, pelt, leather

cuita, la: care

cuitado: grieved

culebrilla, la: little snake

cumbre, la: summit, peak

cuna, la: cradle

cuneta, la: gutter, ditch

cuotidiano = cotidiano: daily

cupé, el: coupe, kind of car

cúpula, la: dome

curandero, el: quack

curtiembre, la: scrap

CH

chacra, la: small farm

chambergo, el: hat

chaparral, el: thicket of kermes oaks

chapitel, el: spire

charanga, la: brass band

charol, el: patent leather

chicotazo, el: lash (as of a branch)

chicotear: to lash, whip

chillar: to scream

chiquito, el (coll.): little boy

chirriar: to hiss, sizzle

chirrión: off key

chisme, el: gossip

chispa, la: spark

chochera, la: doting affection, senility

chorrear: to gush, spout

choucrout, el: sauerkraut

D

daguerrotipo, el: old photograph

dalle = darle

dársena, la: dock

decaer: to decline

deconcertar: to disconnect

delatar: to denounce, to give evidence

delator, el: informer

deleitar: to please, give pleasure

deleite, el: pleasure

deleznable: fragile; elusive, slippery

demediar: to give half

demora, la: delay

dentadura postiza, la: false teeth

denuedo, el: courage

deparar: to give, supply

deposorio, el: wedding

derredor (al – de): around

derretir: to melt

derribar: to demolish

derrota, la: defeat

derrotar: to defeat

desafiar: to defy, challenge

desafío, el: challenge, dare

desaforado: enormous, monstrous

desaguisado, el: offense

desahogarse: to vent emotion

desahucio, el: eviction

desamparado: abandoned, deserted

desarrollo, el: development

desatar: to untie

desatinar: to disorient

desatino, el: foolishness, folly, error

desbaratar: to knock down

desbocado: out-of-control

desbravar: to tame

descabalado: imperfect, incomplete

descabellado: wild, crazy

descalabrado: hurt in the head

descalzo: barefoot

descarado: impertinent

descarga, la: gunshot

descargar: to unload

descomedido: excessive, disproportional; impolite

descomunal: tremendous

desconchado: peeling

desdecir: to contradict

desdicha, la: misfortune, misery, unhappiness

desdichado: unhappy, unfortunate; timid

desechar: to reject

desencajar: to take apart

desengaño, el: disappointment

desenterrar: to dig up

desfondado: crumbling

desgajar(se): to separate, break off, to disengage oneself

desganado: without appetite, without pleasure

desgarrador: heart rending

desgarrar: to rip apart

desleal: disloyal

deslizarse: to slide

desmayarse: to faint

desmayo, el: faint, blackout

desmigajar: to crumble

desnudar: to undress

desollar: to flay

desparejado: separated

despatarrado: stretched out

despectivo: haughty

despedir: to fire

despegar: to unstick, detach

desperdigado: separated, severed, scattered

despiadado: without compassion

desplomarse: to collapse

desplumado: plucked

despojar: to strip, plunder

despojo, el: spoils, plundering

desposarse: to marry

despotricar: to rant

despreciar: to scorn

desprovisto: taken away, removed, deprived

destemplado: uneven; cracking (voice)

desteñido: faded

destrabar: to loosen

destripar: to gut, remove the insides

desvariar: to be delirious

desvelarse: to stay awake

desvergüenza, la: roguery

desviar(se): to turn away, to swerve

diablo, el: devil

diapasón, el: tuning fork

dibujo de los personajes, el: characterization

dichoso: blessed, fortunate

didáctico: intended to teach

diestro = derecho

difunto: deceased

diputar: to deputize, to put into commission

discurso, el: speech

disparar: to fire (a gun)

disparate, el: foolishness; nonsense, absurdity, folly

displicente: indifferent; casual

distorsionar: to distort

disyuntiva, la: dilemma

do (dó) = donde (dónde)

doble, el: double; ringing of bells

doblegarse: to fold, give in

docto: learned

don, el: gift

donaire, el: grace; lightness, charm

doncella, la: maiden, virgin

donos: plural of don (generally used mockingly)

dormitar: to doze

duelo, el: duel; mourning

dulzarrón: sickeningly sweet

E

echar a perder: to ruin

eje, el: axis; central idea

ejemplar, el: copy (of a book)

embadurnado: smeared

embelesado: charmed, delighted

embotado: dull, blunt

embozo, el: folded over part of a bedsheet

embustero: deceitful

embutido: stuffed

empapado: soaked

emparedar: to close in, to enclose in walls

empeine, el: instep (of the foot)

emperante, el (archaic): emperor

empinar: to raise

emplastado: smeared, covered

emponchado: wearing a cape (poncho)

emprender: to start, set off on

empuñar: to grasp, grab, clutch

enano, el: dwarf

encaje, el: lace

encañada, la: gorge, ravine

encañonado: piped

encantador, el: enchanter

encantar: to cast a spell on

encarecer: to praise

encargar: to put in charge

encasillamiento, el: pigeonholing

encina, la: oak

encomendar: to entrust, commend

encrucijada, la: crossroad

encubierto: hidden

encubrir: to hide

enderezar(se): to stand, make right, straighten up

enfrascar(se): to put liquid in a flask; to be entangled in difficulties

engañar: to deceive

engrosar: to broaden

enjuto: lean, skinny

enlazar: to tie together

enredar: to entangle

ensalmo, el: incantation; por ensalmo: by magic

ensalzar: to praise

ensangrentar: to cover with blood

ensartar: to thread, string; to reel off

ensilado: stored

ensillar: to saddle

ensueño, el: dream, daydream

entablar: to board up, strike up (conversation)

entallarse: to be carved

enterrar: to bury

entibiarse: to became warm

entornado: half-closed

entrañas, las: entrails; (fig.) heart

entretanto: meanwhile

enyesado: in a plaster cast

equivocarse: to make a mistake

equívoco, el: pun, wordplay

erguido: upright

erisipela, la: a type of skin disease

erizo, el: eel

ermita, la: hermitage

esbozar: to sketch, draw, outline

escalinata, la: steps

escalones, los: stairs

escama, la: scale (on a fish)

escampar: to clear up

escarcha, la: frost

escarmiento, el: learning a lesson from errors

escarpia, la: iron spike

escasez, la: scarcity, lack

escaso: scarce

esclavina, la: a short cape-like garment

escobazo, el: a blow with a broom (escoba)

escoger: to choose

escopeta la: rifle, gun

escribano, el: clerk, notary; a type of beetle

escribiente, el: clerk

escrutar: to examine, inspect, scrutinize

escudar: to shield

escudero, el: squire

escudillar: to serve (esp. soup)

escudo, el: shield

escupidera, la: spittoon

esgrima, la: swordsmanship

espada, la: sword

espalda, la: back (of a person)

espaldar, el: back plate

espaldarazo, el: stroke on the shoulder

espantadiza: skittish

espantar: to frighten

esparadrapo, el: adhesive tape

espartillo, el: a type of grass-like plant

espejismo, el: mirage

espina, la: thorn

espinazo, el: spine

espuela, la: spur

espuma, la: foam, froth

espumarajo, el: foam, froth

esquila, la: cowbell

esquivar: to avoid

esquivo: shy

estafar: to swindle

estampa, la: engraving, print

estampido, el: explosion, bang

estancia, la: estate

estaqueado: stretched on stakes

estela, la: wake, trail

estera, la: mat

estiércol, el: dung, manure

estirpe, la: race (of people); lineage

estorbar: to disturb, bother

estorbo, el: obstacle

estotro = este otro

estrar: to spread corn leaves in stable

estremecedor: moving, frightening

estremecer: to shake, tremble

estrépito, el: din, loud noise

estribo, el: stirrup

estropeado: damaged

estropicio, el: havoc

estruendo, el: noise, clatter; confusion

estuche, el: box, case

exento: exempt

expediente, el: file

extremaunción, la: last rites

F

fachada, la: facade

faena, la: job

faja, la: girdle

falsopeto, el: bag worn close to the chest

faltalle = faltarle

fardel, el: bag

fardo, el: bundle

farolillo, el: festive, colored lantern

faz, la: face, visage

fe: la faith

fenecer: to die

féretro, el: coffin

fiambre, el: cold cuts

fiar (en): trust

ficha, la: form

finar: to kill

finca, la: estate

fingir: to feign, pretend

flamante: blazing; magnificent

flojo: loose

foco, el: lamp, spotlight

fogata, la: bonfire

fogoso: fiery, spirited

folleto, el: brochure

forcejar: to struggle

fornido: stocky

fosco: dark

fracaso, el: failure

fraguar: to concoct

fraile, el: friar

frasco, el: bottle, flask

frazada, la: blanket

fregar: to rub; to pester, bother

frenar: to brake, to stop

fresa, la: dentist's drill

frisar: to be around (a certain age)

frotar: to rub

fuente, la: source; fountain

fulano: so and so

fulgurar: to shine

fusil, el: rifle

fusta, la: whip

G

gabinete, el: office

galán, el: attractive young man

galgo, el: greyhound

gallardo: brave, elegant

gallinazo, el: buzzard

gallofero, el: beggar

gamella, la: arch of yoke

gancho, el: hook; accomplice

gañán, el: field worker

garabatear: to scribble

garañón, el: jackass used for breeding

gargantilla, la: necklace

garrafón, el: large jug

garrotazo, el: blow with a club

garrote, el: stick or club

garza, la: heron

gastador: spendthrift

gastar: to wear (clothes); to spend

gatillo, el: forceps; trigger

gaveta, la: drawer

gemelo, el: twin

gemelos de teatro, los: opera glasses, binoculars

gemir: to moan

girar: to rotate, turn

girasol, el: sunflower

glasé: glacé silk

gola, la: gorget, ruff

golosamente: greedily

golpe, el: blow; coup

gollete, el: throat; beber del gollete: to drink right from the bottle

goma, la: gum, rubber

gozar: to enjoy, to seduce

grabado, el: etching

gragea, la: a small sugar-coated pill

grieta, la: crack, crevice

grillo, el: cricket

grisáceo: grayish

grito, el: yell, scream

grueso: thick

grupa, la: flanks; rear end

guardapolvo, el: dustcover, smock

guasón, el (coll.): prankster

guerrera, la: military uniform

güevo, el = huevo: egg

guiñol, el: puppet show

guisadillo, guisado, el: stew

guisar: to cook

gulilla: diminutive of gula: throat

H

habilitación, la: financing, loan

hacienda, la: country estate; income

hallar: to find

hallar(se): to come across, to find, to find oneself

hamaca, la: hammock

hanega, la: acre

hartar: to be enough

harto (estar – de): to be fed up with

hartura, la: satiety

hato, el: herd

haz, el: bundle

hazaña la: exploit, feat, brave deed

hechura, la: making, creature

hedor, el: stench

hembra, la: female

hendedura, la: crack, fissure, crevice

heno, el: hay

herida, la: sore; wound

herrumbrado: rusty

hidalgo, el: gentleman

hideputa, el = hijo de puta: son of a bitch

hiel, la: gall

hierro, el: iron (ferrus) (hierro de marcar novillos: branding iron)

higo, el: green fig

higuera, la: fig tree

hilacha, la: strand (of hair)

hilandera, la: a woman who spins or weaves

hilo, el: thread, wire

hincarse: to sink, kneel

hinchado: swollen

hirmán, la (coll.): sister

hirsuto: hairy

historieta, la: comics; novel presented in photographs in a magazine

hito (mirar de hito en hito): to stare at

hobiese = hubiese

hoguera, la: bonfire

holganza, la: leisure

holgar(se): to be unnecessary, to be pleased, amused

holgazanería, la: sloth

hombría, la: masculinity

hombro, el: shoulder

horca, la: string; gallows; pitchfork

horcón, el: plow

hortaliza, la: green vegetable

huacal, el: basket or cage used for carrying goods

hueco, el: hole

huelgo, el: breath

huella, la: footprint, track, imprint

huérfano, el: orphan

hueso, el: bone

huesudo: bony

Huitzilopochtli: Aztec chief god and god of war

humareda, la: a cloud of smoke

humero, el: part of the chimney used to dry and cure food

húmero, el: bone in the arm

hundir(se): to sink

huraño: unsociable

hurtallo = hurtarlo

hurtar: to steal

I

ijada, la: flank, side, loin

ijar, el: flank (of an animal)

importunidad, la: importunity

impostura, la: hoax

imprenta, la: printing press

in diebus illis (Latin): in those days

incauto: careless

incienso, el: incense

incorporarse: to sit up

indagador: inquisitive

indagar: to find out, investigate, inquire

indefenso: helpless

indiano, el: Spaniard who emigrates to the Americas and returns with new wealth

indignarse: to become indignant

inefable: indescribable

infamado de: disgraced by

infausto: unfortunate

ínfimo: lowest, very poor

ingenio, el: wit

ingenuidad, la: innocence; naivete

inquilino, el: boarder, tenant, renter

insolación, la: sunstroke

insólito: extraordinary

ínsula, la: island

intemperie, la: bad weather

inválido: crippled; handicapped

invertir: to invest

involucrar: to involve

J

jaca, la: small horse

jactarse: to boast of

jadeante: panting

jadear: to pant

jaque mate: check mate

jaqueca, la: headache

jáquima, la: headstall

jardinera, la: open coach

jaula, la: cage

jayán: giant

jerigonza, la: street slang

jícara, la: mug

joroba, la: hump (on a back), hunchback

juez, el: judge

juglar, el: minstrel

juicio, el: sanity; judgment

jumento, el: donkey

junco, el: reed, tall stalk

juramento, el: swearing

jurar: to swear

L

labrador, el: farmer

lacerado: miserable, wretched

laceria, la: misery

ladera, la: slope, hillside

ladino: crafty

ladrar: to bark

lagar, el: wine press

lagartija, la: lizard

lago, el: lake

lágrima, la: tear

laico: layman

laja, la: sandstone

lama, la: moss

langosta, la: locust; lobster

lanza, la: lance

lastar: to suffer, to pay for

lastimar: to hurt, to wound

latido, el: beat (heartbeat)

látigo, el: whip

latir: to beat (as in a heart)

laude, la: praise

lavandera, la: washerwoman

lavandriz, la (vulgar): washerwoman

lazo, el: knot, lasso

lecho, el: bed

legar: to bequeath

leña, la: firewood

leproso: leper

leve: light, slight

ley, la: law

liebre, la: rabbit

lienzo, el: canvas

ligar: to tie, to bind

limar: to file

linde, el o la: boundary, edge, border

lisonja, la: praise

lisonjero: flattering

liviano: light

lóbrego: gloomy

locura, la: madness

lodazal, el: muddy place

lograr: to achieve; to accomplish

loma, la: hillock

lona, la: canvas

longaniza, la: sausage

loza, la: porcelain

luengo, el: length

luengo: long

lumbre, la: light

lupanar, el: brothel, house of prostitution

luto, el: mourning

LL

llanura, la: plain, flat land

M

machacado: trampled; crushed

madreselva, la: honeysuckle

madrugada, la: dawn

madrugador, el: early riser

maese, el (coll.): master

mago: magic; sage

majada, la: hut, night quarters for animals

majadería, la: idiocy, foolishness

majadero: fool

malandrín: brigand

maldecir: to curse

maldito: cursed

maleficio, el: curse

maleza, la: thicket

malhaya (mal haya): cursed be

maliacones los: indigenous people of North America

malilla: someone or something that can be used at whim, like the joker in a deck of cards

malsinar: to criticize

maltrecho: injured, battered

malva: reddish

mamotreto, el: oversized old book

manada, la: flock, herd

manar: to drip

mancar: to wound

mancebo, el: young man

manchar: to soil, stain

manchego: from La Mancha

mancilla, la: blemish

mandil, el: cloth used for cleaning

manejar: to handle; direct; control

maniatar: to tie up, bind the hands

manjar, el: delicious food

manso: gentle

manta, la: blanket

maña, la: skill

maravedí, el: coin equivalent to two blancas

marchito: wilted

mareames, los: indigenous people of North America

marioneta, la: puppet

marisabidillo: know-it-all

marisma, la: marsh, swamp

mármol, el: marble

maroma, la: thick rope

martillo, el: hammer

matadero, el: slaughterhouse

matiz, el: shade, nuance

matutino: morning, of the morning

mayordomo, el: administrator, manager of an estate

maza (en hora maza) = en hora mala

mazmorra, la: dungeon

mechero, el: lighter

media, la: stocking

medrar: to grow, thrive

medroso: afraid

mejilla, la: cheek

mejora, la: improvement

melindroso: finicky

memorial, el: request

menear: to move, shake

meneo: stirring

menester (haber –): to need

menester (ser): (to be) necessary

menesteroso: needy, poor

menguante: waning

mentiroso: liar

mercader, el: trader

mercar: to buy

merced, la: grace, favor; vuestra merced = usted

merecer: to deserve

merodear: to steal

meseta, la: plateau

mestizaje, el: mixing

mezquindaz, la: pettiness, meanness

mezquino: mean, miserable; petty

miga, la: crumb

milagro, el: miracle

miope: nearsighted

mirador, el: enclosed balcony; observatory

mirón: watcher

misericordia, la: mercy

mochacho, el = muchacho

mociño, el (coll.): boy

modorra, la: drowsiness, heaviness

moho, el: mold

mojarse: to get wet

mojicón, el: blow

moler: to batter

molido: ground (up), crushed, battered

molino, el: windmill

monigote, el: dummy; useless person

monja, la: nun

monzón, el: Monsoon

mordaz: caustic

mordellas = morderlas

mordisco, el: bite

moro, el: Moor

morrión, el: an old-fashioned helmet with no visor

morsa, la: vise

mortecino: dying

mortuorio, el: funeral

mostrenco: homeless, ownerless

mote, el: nickname

motecas, los: palabra inventada (de motocicleta combinada con la terminación –eca, como en azteca) para designar a la gente indígena que puebla su sueño

mozo, el: servant boy, young man

mudanza, la: change

mudar: to change, move

mueca, la: grimace

muelle, el: spring, wharf

mujeruca, la: old woman

muladar, el: garbage heap, dung heap

muñón, el: stump

murciélago, el: bat (animal)

musgo, el: moss

musitar: to mumble, mutter

N

nación, la: nation; (coll.): birth of an animal

narvaso, el: corn leaves and stem, without cob

naufragio, el: shipwreck

nave, la: ship

necedad, la: nonsense

nido, el: nest

nimio: trivial, petty

ninguén (coll.): nobody

niñería, la: silly thing

nobleza, la: nobility

nogal, el: walnut

noruego: Norwegian

novidá, la (coll.): novelty

novillo, el: young bull

nudo, el: knot

nuera, la: daughter-in-law

nuez, la: walnut

O

obispo, el: bishop

ocaso, el: sunset

ocioso: idle

ola, la: wave

olvido, el: forgetting, forgetfulness

ombligo, el: belly button

opalino: opal colored

opio, el: opium

orear: to dry in the air

orilla, la: bank, shore

orín, el: rust

oriundo: native

osar: to dare, venture

oso, el: bear

otorgar: to grant

óxido, el: rust

P

pabellón, el: pavilion, section of a hospital

padecer: to experience; to suffer

padrenuestro, el: the Lord's prayer

paladear: to taste; savor

paletoque, el: cape-like covering

palmo, el: unit of measurement equal to the palm of a hand

palo, el: stick; blow

palote, el: lines a child uses to learn writing

palpar: to touch

palpitar: to palpitate, throb

pameme, el (coll.): silliness

panal, el: honeycomb

pantano, el: swamp

pantorrilla, la: calf (of the leg)

pantuflos, los: slippers

papel, el: paper; role

papilla, la: mush

par: near, close to

parabellum, el: automatic pistol

paradero, el: whereabouts

parapetarse: to protect or shelter oneself

parescer = parecer

paresciéndome = pareciéndome

parir: give birth

parlanchín: chatty, chatterbox

parpadear: to blink

párroco, el: parish priest

parroquiano, el: parishioner; patron; one of the group

pasadizo, el: passage, corridor

pasador, el: bolt, deadbolt

pastar: to graze

pasto, el: grazing, pasture; fodder

pastorcico, el (diminutive of pastor): shepherd

patada, la: kick

patán: bumpkin

patitieso (coll.): stiff, dead

patrón, el: landlord, boss, owner, patron saint

payaso, el: clown

pecado, el: sin

pecador, el: sinner

pedalear: to pump; to pedal

pedazo, el: piece

pedernal, el: flint, sharp stone for cutting,

pedillo = pedirlo

pedregullo, el: gravel, pebbles

peinado, el: hairdo

pejerrey, el: type of fish

pelado: without hair

pelaje, el: animal hide

peldaño, el: step

pelillo (servir de): to perform menial services for someone

pendón, el: banner

penoso: difficult

pensión, la: retirement salary

peña, la: cliff; rock

peñasco, el: large crag

percance, el: misfortune; disaster

percatarse: to notice, perceive, realize

percutir: to strike

peregrinación, la: pilgrimage

peregrino, el: pilgrim; (adj.) strange, rare, wonderful

perejil, el: parsley

pereza, la: sloth

persiana, la: venetian blind; louvered door

pesadilla, la: nightmare

pescador, el: fisherman

pescante, el: driver's seat

pescozada, la: blow on the neck

pescuezo, el: neck

pesebre, el: manger or trough for feeding animals

pesquisa, la: investigación

peste, la: plague

pestilencia, la: plague; stench

petardo, el: firecracker

peto, el: breast plate

pezuña, la: hoof

piadoso: pious, devout; pitiful

picada, la: narrow path

picado: annoyed

picardía, la: mischief, cruel trick

picotear: to pick at

pieza, la: room; piece, fragment

pila, la: trough

pimpollo, el: sapling or shoot, pretty young girl

pinzas, las: tweezers

piojos, los: lice

pique, el: path

piropo, el: flattering compliment

pistolero, el: gunman

pitar: to whistle

pitillo, el: cigarette

placer, el: pleasure

planchar: to iron

plata, la (coll.): money

¡plega a Dios!: may it please God!

plegar: to beg

plegaria, la: prayer

plomero, el: plumber

plugo a nuestro Señor: it pleased our Lord

pocilga, la: pigsty

podadera, la: pruning tool

porfiar: to insist

polea, la: pulley

polizón, el: stowaway

pólvora, la: gunpowder

pomo de loza, el: porcelain bottle

porfiriano: from the days of Mexican dictator Porfirio Díaz

pormenor, el: detail

porquería, la: filth; a vile or disgusting thing

porquero, el: swineherd

portero, el: concierge, superintendent

portón, el: gate

porvenir, el: future

porrazo, el: a blow, punch, bang

porrón, el: a short and wide receptacle for wine with a long spout to drink from

posada, la: shelter, boarding house, hospitality

postergar: to put off, postpone

postigo, el: door, shutter

postizo: false

postrado: humiliated, overcome

postura, la: agreement

pote, el: pot

potra, la: filly, female horse

potrero, el: fenced pasture

poyo, el: bench typical of village houses

pozo, el: well

prao, el (coll.): meadow

predicador, el: preacher

preñada: pregnant

preñar: to fill with

prenda, la: pledge, guarantee, collateral, article of clothing, possession; quality

prendedor, el: brooch

prender: to arrest, to tie

prescindir: to avoid; to be exempt from

préstamo, el: loan

prestar: to lend

pretendiente, el: suitor

prevenido: alert; careful; prepared

prevenir: to warn; to prevent

pringar: to burn with hot grease

proballa = probarla

profetizar: to predict, prophesy

promontorio, el: small hill

prorrumpir: to burst into

proseguir = seguir

puchuela, la (coll.): a small sum of money

pudrirse: to rot

puerro, el: leek

pulga, la: flea

pulgar, el: thumb

pulir: to polish

pulpero, el: vendor of octopus (pulpo) typically eaten in Galicia

puntada, la: stitch

puntillos agudos (dar): to raise one's voice

punzada, la: prick, jab

punzó: red

puñado, el: fistful

puñal, el: dagger

puñalada, la: stab wound

Q

quebrado: broken

quebrantado: broken

quebrar: to break

quedito: (diminutive of quedo) quietly

quejido, el: moan, groan

quejoso: upset

quejumbroso: complaining, grumbling, groaning

quemar: to burn

querella, la: dispute

querellarse: to bring legal action

quicio, el: threshold; hinge; fuera de quicio: unhinged, beside oneself

quienquiera: anyone

quijada, la: jaw, jawbone

quinta, la: villa

quintana, la: country residence

quirúrgico: surgical

R

rabia, la: anger, rage; coger rabia: to get angry

rabiar: to throw a tantrum

rabieta, la: tantrum, anger

radiografía, la: x-ray

raer: to scrape (off), to chafe

ráfaga, la: gust

raiz, la: root

ramera, la: whore

ramo, el: branch, bunch

rapar: to shave

rapaz, el: boy

rascar: to scratch

rasgo, el: trait

rasguño, el: scrape

raspar: to scratch, scrape

rastra, la: dragging (a rastras: by force)

rastro, el: trace; track (of an animal)

rastrojo, el: stubble field

raya, la: stripe

razonador, el: thinker

rebanada, la: slice

rebotar: to bounce, rebound, ricochet

recado, el: message

recámara, la: bedroom

recargamiento, el: profusion, over-elaboration

recaudo, el: safety

recelar: to mistrust

receloso: apprehensive

recio: hard, rugged

recluir: to lock up, shut away

recóndito: secret; mystical

reconvenir: to scold

recova, la: outdoor shed

rectoral, la: rectory

recuesta, la: gallantry, request

recurrir a: to resort to

red, la: net, screen

redactor, el: editor

refajo, el: slip, underskirt

refilón (de): from the side or obliquely

refitolero, el: person in charge of a dining hall

regato, el: little stream

regazo, el: lap (of a person)

regocijo, el: enjoyment, joy, delight, rejoicing

reja, la: grille (of a window), wrought iron grating

relámpago, el: lightning

remar: to row

rematante, el: highest bidder in auction

remedio, el: cure, remedy; no hay remedio: there is no way around it

remendón, el: cobbler

remiendo, el: patch

remo, el: oar

remolino, el: stream, swirl, whirl

renacer: to be born again

rendir(se): to surrender; to make surrender, to concede defeat

reo, el: culprit

repecho, el: a short and steep slope

repelar: to pull hair

repercutir: to affect

replicar: to answer back

reponerse: to recover

reposado: quiet, peaceful

represa (hacer): to stop

represalia, la: vengeance, revenge, reprisal

reprobar: to criticize

requebrar: to flirt with, flatter

requiebro, el: flirtatious remark

res, la: cow, bull, beast

resaltar: to stand out, stick out

resbalar: to slide, slip

rescate, el: ransom, recovery

rescebillo = recibirlo

rescoldo, el: embers

reseco: very dry, parched

resina, la: resin

resistente: strong

resolana, la: patio

respaldo, el: back (of an armchair)

resplandor, el: glare, brilliance

restañar: to stanch, stop the flow of blood

restaurar: to restore

retiro, el: retirement; en uso de buen retiro: at his ease

reto, el: challenge

retorcerse: to twist up, get tangled

retozar: to romp, to frolic

retraído, el: criminal who takes refuge in a church to avoid arrest

retratar: to portray

retrete, el: toilet, lavatory

retroceder: to step back

reuma, el: rheumatism

reventar: to explode

rezar: to pray

rezumante: oozing

rezumar: to ooze or seep

riachuelo, el: little river

ribera, la: river bank

rienda, la: bridle, reins

riesgo, el: risk

rifar: to fight; to raffle

riña, la: fight

riñón, el: kidney

roble, el: oak tree

roce, el: a brush or light touch

rocín, el: nag, decrepit horse

rodela, la: shield

rogar: to beg, beseech

roído: gnawed at

rombo, el: rhombus

romería, la: pilgrimage, gathering

rompecabezas, el: puzzle, riddle

ronronear: to purr

rosquillera, la: vendor of rosquillas (donut shaped biscuits)

rostro, el: face

rozar: to brush against

rubicundo: reddish, rosy

ruborizar(se): to blush

rumbo a: on the way to, towards

rumiar: to chew; to ruminate

S

saborear: to savor, enjoy

sacerdote, el: priest

sacristán, el: church janitor

sahumado: perfumed

sala de radio, la: x-ray room

salado: salty

salobre: dirty

salón de billar, el: pool hall

salpicón, el: dish of cold fish

saludador, el: toastmaster

salvado, el: bran

salvo, a salvo del: safe from

sanar: to heal, cure

sandez, la: nonsense

sangradura, la: bleeding; inner part of the elbow

sangría, la: bloodletting, theft

santiguar(se): to bless, make the sign of the cross

saña, la: viciousness, cruelty

sapolio, el: a type of soap

sarmentoso: gnarled and knotty like a grape vine

sastre, el: tailor

sauce, el: willow tree

sayal, el: sackcloth

sayo, el: smock, tunic

sazón, la: season, time; a la sazón: at that time

secuestrar: to kidnap

secuestro, el: kidnapping

seda, la: silk

sembrado: strewn

sembradura, la: sowing field

sentencia, la: proverb; opinion; judgment; sentence

señal, la: signal; (coll.) money

señas, dar sus: give one's personal information

septicemia, la: infection of the blood

sepulcro, el: grave

sequía, la: drought

sera, la: basket

serranías, las: mountains

servidumbre, la: servitude; enslavement

seso, el: brain

seto, el: wall; hedge, fence

sienes, las: temples (sides of the forehead)

sigiloso: sneaky

silbar: to whistle

silbato, el: whistle

silbido, el: whistle

sillón de resortes, el: dentist's chair

simiente, la: seed

simulacro, el: sham; vision; illusion

sindicato, el: workers' union

sinsabor, el: disgust

sisar: to filch

sitial, el: seat

soberbio: proud, arrogant

sobrar: to be extra, left over

sobras, las: leftovers

sobrenombre, el: surname

sobresaltado: scared, frightened

sobresalto, el: fright

sobrevivir: to survive

socaliña, la: craft, cunning

socarrón: sarcastic

sofocadamente: chokingly, in a stifled manner

soga, la: rope

solazar: to amuse

soldada, la: salary

soltar: to free

sollozar: to sob

sollozo, el: cry, sob

sombra, la: shadow

sonaja, la: rattle

soñoliento: sleepy

soplo, el: murmur; puff of air

sorberse (los mocos): to sniffle

sordo: deaf

sorna, la: sarcasm, mockery

sortear: to draw or cast lots

sosegado: calm

sosegarse: to calm down

sosiego, el: calmness, quietness, rest

sospechar: to suspect

sotana, la: priest's robe

sótano, el: basement

soto, el: grove

sub specie aeternitatis Latin from the viewpoint of eternity

subrayar: to underline

subyacente: underlying

sudor, el: sweat

suegro, el: father-in-law

sueldo, el: salary

suelto: loose

suerte, la: fortune

sujetar: to tie down, restrain

Sumo Pontífice, el: Pope

suplicar: to implore

surco, el: furrow; surco de arado: plowed furrow

susolas, los: indigenous people of North America

suspirar: to sigh

suspiro, el: sigh

susurro, el: whisper

sutil: subtle; light

T

tabla, la: plank, board

tacón, el: heel

tahur, el: gambler, cardsharp

taladrar: to pierce, to bore into

tálamo, el: nuptial chamber

talón, el: heel

taller, el: workshop

tamaño, el: size

tambaleante: staggering

tambalearse: to stagger

tanda, la: a round of drinks

tantum pellis et ossa fuit (Latin): was all skin and bones

tañer: to ring

tapar: to cover

tapiar: to fence in

tarima, la: bench

tarlatán, el: heavy cotton material

tarlatana, la: cotton fabric, slightly thicker than muslin

tejado, el: roof

tejer: to knit, to weave

telaraña, la: spiderweb

tembladeral, el: quagmire

temerario: reckless, imprudent

templete, el: pavilion, bandstand

temporal, el: storm

tendero, el: shopkeeper

tentativa, la: attempt

teocalli, el: Aztec temple

terciana, la: a fever that recurs every three days

terciopelo, el: velvet

tergiversar: to confuse, to distort

ternera, la: veal

ternero, el: calf

tersura, la: smoothness, flow

tertulia, la: gathering of friends, chat, meeting for informal discussion

terrero, el: terrace

testigo, el: witness

testuz, el: brow; nape

tez, la: skin

tientas: touch, feel; a tientas: groping in the dark

tiento, el: walking stick

timar: to swindle

tinieblas: dark

tino, el: skill

tío, el: uncle, but also a colloquialism used to address elders

tiro, el: gunshot

tironear: pull, carry

titubear: to shake, waver

tizón, el: burning piece of wood, torch, burning stick

Tláloc: Aztec rain god

toalla, la: towel, terrycloth

tojo, el: a type of thorny plant

toldo, el: awning

tolondrón, el: bump

tollido = tullido: crippled

topar: to collide; to meet by chance

torcido: twisted

torpe: awkward

torpeza, la: clumsiness

torrezno, el: bacon

toser: to cough

tozudo: stubborn

trabalenguas, el: tongue-twister

trago, el: gulp

traición, la: treason

tramar: to plot, plan

tramitar: to transact, negotiate

trámites, los: proceedings

trampa, la: trap (trampa de salida: trap door); cheating

tranca, la: lock

trapero, el: ragpicker

trapisondista: tricky, restless, trouble-making

trapo, el: rag

trasfondo, el: background

trastornar: to overturn, upset

trayecto, el: the trajectory, the trip

trebejar: to play

trecho, el: distance, way, stretch

trémulo: trembling

trepa, la: beating, trim

trigo, el: wheat

trilla, la: threshing

tripa, la: gut, tripe

trocear: to cut up into pieces

trocito, el: small piece

tropezar: to trip over (tropezar con: to run into)

tropezón, el: stumble

trucha, la: trout

trueco (a – de) = para

trueco, trueque, el: deception

trueno, el: thunder

tuerto: blind in one eye; offense, injustice

tumba, la: tomb

tumbar: to knock down

tuna, la: prickly pear (edible fruit)

turbio: cloudy

turóme = me duró

turpial, el: lovebird

tutear: to address someone using the "tú" informal form

U

ubre, la: udder

ufano: proud

umbral, el: threshold, doorway

umbrales, los: bounds

ungüento, el: ointment, salve, potion

uña, la: fingernail

V

vacilante: vacillating, hesitating

vahído, el: fainting spell

vaina, la: sheath; (slang) thing

vaivén, el: coming and going

valerse: to look out for oneself, to make use

valladar, el: fence

vaquero, el: cowboy

vara, la: staff, stick

varicela, la: chicken pox

varón, el: man

vecindario, el: neighborhood

vega, la: fertile plain

vejar: to hurt, annoy

velar: to stay awake; to watch over; to mourn

veleta, la: weather vane

vello, el: hair

vellorí, el: grayish colored wool material

velludo: plush

venado, el: venison, deer

vencer: to conquer

vendimiador, el: vintner

venganza, la: revenge

vengar: to get revenge, avenge

venta, la: inn

ventanal, el: large window

ventarrón, el: wind; burst of wind

ventilador, el: fan

vera effigies: (Latin) the true image

vera, la: edge

veranear: to spend the summer

verdugo, el: executioner

vereda, la: path, lane

verja, la: iron fence

vertiginoso: dizzying

vespertino: vespertine, evening

vezado: accustomed

víbora, la: viper, snake

vid, la: vine

vigía, el: lookout

vigilar: to watch

vincha, la: kerchief

vincular: to link

visera, la: visor

vislumbrar: to discern

vitrina, la: store window

vivac, el: bivouac

vizcaíno, el: from Vizcaya, one of the Basque provinces; Basque

volcar: to overturn, to upset, roll

voltear: to turn

voto, el: vow

Y

yacente: lying stretched out

yacer: to lie, rest

yacúturo, el: a type of large, black bird

yantar: to eat; (sustantivo): meal, food

yegua, la: mare

yelo = hielo, el: ice

yerno, el: son-in-law

yerro, el: mistake

yeso, el: plaster

yugo, el: yoke

yunta, la: yoke; team

yuso (de): below

Z

zafarse: to escape, run away

zafiro, el: sapphire

zaga, la: rear part

zagala, la: shepherdess

zaguán, el: entrance hall, hallway, alley

zambullirse: to plunge

zanja, la: ditch, moat

zarandear: to shake

zarzamora, la: blackberry

zozobra, la: anxiety

zozobrar: to sink

zumbar: to buzz, hum, whir

zumbido, el: buzzing, hum